青銅器銘文檢索

第四冊

總編　　周　何

主編　　季旭昇　汪中文

編輯　　周聰俊　陳　韻

　　　　方炫琛　盧心懋

協編　　陳美蘭

文史哲出版社

印　行

青銅器銘文檢索卷九

頁 1466

2347	䚃𤼈頁駒乍父乙毁	𤼈頁駒用乍父乙尊彝[䚃]
2842	卯毁	卯拜手頁(䭫)首
		小計：共 2 筆

頭 1467

J507	蔡侯𨬶鼎	蔡侯𨬶之頭鼎
		小計：共 1 筆

顏 1468

1322	九年裘衛鼎	㪿、𠬝住顏林
1322	九年裘衛鼎	我舍顏陳大馬兩
1322	九年裘衛鼎	舍顏姒(始)麀咎
1322	九年裘衛鼎	舍顏有嗣壽商䝞、裘盠冟
1322	九年裘衛鼎	顏小子具叀夆
1322	九年裘衛鼎	顏下皮二
		小計：共 6 筆

頌 1469

1281	史頌鼎一	令史頌□穌
1281	史頌鼎一	頌其萬年無彊
1282	史頌鼎二	令史頌□穌
1282	史頌鼎二	頌其萬年無彊
1319	頌鼎一	宰引右頌入門、立中廷
1319	頌鼎一	王呼史虢生冊令頌
1319	頌鼎一	王曰：頌、令女官嗣成周賈廿家、監嗣新寤
1319	頌鼎一	頌拜䭫首
1319	頌鼎一	頌敢對揚天子不顯魯休
1319	頌鼎一	頌其萬年釁壽
1320	頌鼎二	宰引右頌入門、立中廷
1320	頌鼎二	王呼史虢生冊令頌
1320	頌鼎二	王曰：頌、令女官嗣成周賈廿家、監嗣新寤
1320	頌鼎二	頌拜䭫首
1320	頌鼎二	頌敢對揚天子不顯魯休
1320	頌鼎二	頌其萬年釁壽
1321	頌鼎三	宰引右頌入門、立中廷
1321	頌鼎三	王呼史虢生冊令頌
1321	頌鼎三	王曰：頌、令女官嗣成周、賈廿家、監嗣新寤
1321	頌鼎三	頌拜䭫首
1321	頌鼎三	頌敢對揚天子不顯魯休
1321	頌鼎三	頌其萬年釁壽

	2334	頌𣪘	[[illegible]]受冊令頌其寶彝
	2752	史頌𣪘一	令史頌
	2752	史頌𣪘一	頌其萬年無彊
頌	2753	史頌𣪘二	令史頌
	2753	史頌𣪘二	頌其萬年無彊
	2754	史頌𣪘三	令史頌
	2754	史頌𣪘三	頌其萬年無彊
	2755	史頌𣪘四	令史頌
	2755	史頌𣪘四	頌其萬年無彊
	2756	史頌𣪘五	令史頌
	2756	史頌𣪘五	頌其萬年無彊
	2757	史頌𣪘六	令史頌
	2757	史頌𣪘六	頌其萬年無彊
	2758	史頌𣪘七	令史頌
	2758	史頌𣪘七	頌其萬年無彊
	2759	史頌𣪘八	令史頌
	2759	史頌𣪘八	頌其萬年無彊
	2759	史頌𣪘九	令史頌
	2759	史頌𣪘九	頌其萬年無彊
	2844	頌𣪘一	宰引右頌入門立中廷
	2844	頌𣪘一	王乎史虢生冊令頌
	2844	頌𣪘一	王曰：頌
	2844	頌𣪘一	頌拜𩒨首受令冊
	2844	頌𣪘一	頌敢對揚天子不顯魯休
	2844	頌𣪘一	頌其萬年釁壽無彊
	2845	頌𣪘二	宰引右頌入門立中廷
	2845	頌𣪘二	王乎史虢生冊令頌
	2845	頌𣪘二	王曰：頌
	2845	頌𣪘二	頌拜𩒨首受令冊
	2845	頌𣪘二	頌敢對揚天子不顯魯休
	2845	頌𣪘二	頌其萬年釁壽無彊
	2845	頌𣪘二	宰引右頌入門立中廷
	2845	頌𣪘二	王乎史虢生冊令頌
	2845	頌𣪘二	王曰：頌
	2845	頌𣪘二	頌拜𩒨首受令冊
	2845	頌𣪘二	頌敢對揚天子不顯魯休
	2845	頌𣪘二	頌其萬年釁壽無彊
	2846	頌𣪘三	宰引右頌入門立中廷
	2846	頌𣪘三	王乎史虢生冊令頌
	2846	頌𣪘三	王曰：頌
	2846	頌𣪘三	頌拜𩒨首受令冊
	2846	頌𣪘三	頌敢對揚天子不顯魯休
	2846	頌𣪘三	頌其萬年釁壽無彊
	2847	頌𣪘四	宰引右頌入門立中廷
	2847	頌𣪘四	王乎史虢生冊令頌
	2847	頌𣪘四	王曰：頌
	2847	頌𣪘四	頌拜𩒨首受令冊
	2847	頌𣪘四	頌敢對揚天子不顯魯休
	2847	頌𣪘四	頌其萬年釁壽無彊
	2848	頌𣪘五	宰引右頌入門立中廷

2848	頌設五	王乎史虢生冊令頌
2848	頌設五	王曰：頌
2848	頌設五	頌拜䭫首受令冊
2848	頌設五	頌敢對揚天子丕顯魯休
2848	頌設五	頌其萬年釁壽無疆
2849	頌設六	宰引右頌入門立中廷
2849	頌設六	王乎史虢生冊令頌
2849	頌設六	王曰：頌
2849	頌設六	頌拜䭫首受令冊
2849	頌設六	頌敢對揚天子丕顯魯休
2849	頌設六	頌其萬年釁壽無疆
2850	頌設七	宰引右頌入門立中廷
2850	頌設七	王乎史虢生冊令頌
2850	頌設七	王曰：頌
2850	頌設七	頌拜䭫首受令冊
2850	頌設七	頌敢對揚天子丕顯魯休
2850	頌設七	頌其萬年釁壽無疆
2851	頌設八	宰引右頌入門立中廷
2851	頌設八	王乎史虢生冊令頌
2851	頌設八	王曰：頌
2851	頌設八	頌拜䭫首受令冊
2851	頌設八	頌敢對揚天子丕顯魯休
2851	頌設八	頌其萬年釁壽無疆
2863	史頌固	史頌乍固永寶
4887	蔡侯𨎿尊	霝頌JJ商
5784	林氏壺	自頌既好
5799	頌壺一	宰引右頌入門立中廷
5799	頌壺一	王乎史虢生冊令頌
5799	頌壺一	王曰：頌
5799	頌壺一	頌拜䭫首
5799	頌壺一	頌敢對揚天子丕顯魯休
5799	頌壺一	頌其萬年釁壽
5800	頌壺二	宰引右頌入門立中廷
5800	頌壺二	王乎史虢生冊令頌
5800	頌壺二	王曰：頌
5800	頌壺二	頌拜䭫首
5800	頌壺二	頌敢對揚天子丕顯魯休
5800	頌壺二	頌其萬年釁壽
6733	史頌盤	史頌乍般（盤）
6788	蔡侯𨎿盤	霝頌JJ商
6836	史頌匜	史頌乍匜
7164	瘋鐘七	武王則令周公舍寓以五十頌處
		小計：共　114 筆

頂　1470

3128	魚鼎匕	述王魚頂曰
		小計：共　1 筆

頂 頵 碩 顯 顆 頷

頧 1471

2843	沈子它毁	乃沈子其顅(頧)褱多公能福
1332	毛公鼎	母頧于政

小計：共 2 筆

頵 1472

1153	白頵父鼎	白頵父乍朕皇考犀白吳姬寶鼎
1309	袁鼎	宰頵右袁入門
6789	袁盤	宰頵右袁入門

小計：共 3 筆

碩 1473

J707	弔碩父鼎	新宮弔碩父監姬乍寶鼎
J726	鄀史碩父鼎	鄀史碩父乍尊鼎
1317	善夫山鼎	用乍朕皇考叔碩父尊鼎
1652	弔碩父旅甗	弔碩父乍旅甗(甗)

小計：共 4 筆

顆顯 1474

2817	師顆毁	嗣工液白入右師顆(顯)
2817	師顆毁	王乎内史遺冊令師顆(顯)
2817	師顆毁	王若曰：師顆(顯)
2817	師顆毁	顆(顯)拜韻首敢對揚天子不顯休
2817	師顆毁	師顆(顯)其萬年子子孫孫永寶用
6736	魯白愈父盤一	白俞(愈)父乍鼄姬仁朕顆(顯)般
6737	魯白愈父盤二	魯白俞(愈)父乍鼄姬仁朕顆(顯)般
6738	魯白愈父盤三	魯白俞(愈)父乍鼄姬仁朕顆(顯)般
6743	𧊒盤	𧊒乍王母媿氏顆(顯)盤
6754	楚季苟盤	楚季苟乍嬭尊賸盥(顯?)般(盤槃)
6758	殷毂盤一	儕孫殷毂乍顆(顯)盤
6759	殷毂盤二	儕孫殷毂乍顆(顯)
6768	齊大宰歸父盤一	齊大宰歸父vf為忌顆(顯)盤
6769	齊大宰歸父盤二	齊大宰歸父vf為忌顆(顯)盤
6777	邛仲之孫白戔盤	邛中之孫白戔自乍顆(顯)盤
6826	眞白症父匜	眞白症父朕姜無顆(顯)它
6841	魯白愈父匜	魯白愉父乍鼄(邾)姬仁朕顆(顯)它
6848	𧊒乍王母媿氏匜	𧊒乍王母媿氏顆(顯)盉

小計：共 18 筆

頷 1475

7004	楚王頜鐘	楚王頜自乍鈴鐘
		小計：共 1 筆

顧 1476

5805	中山王譽方壺	不顧（顧）大宜
5805	中山王譽方壺	不顧（顧）逆順
		小計：共 2 筆

順 1477

1331	中山王譽鼎	克順克卑
1331	中山王譽鼎	敬順天悳（德）
1331	中山王譽鼎	亡不順道
4891	何尊	順我不敏
5805	中山王譽方壺	下不順於人施
5805	中山王譽方壺	以栽（誅）不順
5805	中山王譽方壺	不顧（顧）逆順
5805	中山王譽方壺	隹順生福
7176	默鐘	福余順孫
M553	越王者旨於睗鐘	□順余子孫
		小計：共 10 筆

頊 1478

1327	克鼎	頊于上下
3042	頊燮旅盨	頊燮（燮）乍旅盨
		小計：共 2 筆

頡 1479

7136	郘鐘一	余頡岡事君
7137	郘鐘二	余頡岡事君
7138	郘鐘三	余頡岡事君
7139	郘鐘四	余頡岡事君
7140	郘鐘五	余頡岡事君
7141	郘鐘六	余頡岡事君
7142	郘鐘七	余頡岡事君
7143	郘鐘八	余頡岡事君
7144	郘鐘九	余頡岡事君
7145	郘鐘十	余頡岡事君
7146	郘鐘十一	余頡岡事君
7147	郘鐘十二	余頡岡事君
7148	郘鐘十三	余頡岡事君
7149	郘鐘十四	余頡岡事君

小計：共 14 筆

顯 顯 1480

1271	史獸鼎	對揚皇尹不顯休
1280	康鼎	敢對揚天子不顯休
1290	利鼎	對揚天子不顯皇休
1299	䨲侯鼎一	敢____天子不顯休釐
1301	大鼎一	對揚王天子不顯休
1302	大鼎二	對揚王天子不顯休
1303	大鼎三	對揚王天子不顯休
1306	無叀鼎	無叀敢對揚天子不顯魯休
1307	師望鼎	不顯皇考宄公
1307	師望鼎	望敢對揚天子不顯魯休
1309	袁鼎	敢對揚天子不顯叚休令
1311	師晨鼎	敢對揚天子不顯休令
1312	此鼎一	此敢對揚天子不顯休令
1313	此鼎二	此敢對揚天子不顯休令
1314	此鼎三	此敢對揚天子不顯休令
1319	頌鼎一	頌敢對揚天子不顯魯休
1320	頌鼎二	頌敢對揚天子不顯魯休
1321	頌鼎三	頌敢對揚天子不顯魯休
1324	禹鼎	禹曰：不顯趄趄皇且穆公
1324	禹鼎	敢對揚武公不顯耿光
1327	克鼎	不顯天子
1327	克鼎	敢對揚天子不顯魯休
1328	盂鼎	王若曰：盂不顯玟王
1332	毛公鼎	王若曰、父厝、不顯文武
2699	公臣段一	敢揚天尹不顯休
2700	公臣段二	敢揚天尹不顯休
2701	公臣段三	敢揚天尹不顯休
2702	公臣段四	敢揚天尹不顯休
2711.	乍冊般段	對揚天子不顯王休命
2738	衛段	衛敢對揚天子不顯休
2767	虘段一	虘拜䭫首敢對揚天子不顯休
2768	楚段	楚揚天子不顯休
2773	即段	即敢對揚天子不顯休
2775	裘衛段	衛拜䭫首敢對揚天子不顯休
2777	天亡段	天亡又王衣祀于王不顯考文王
2777	天亡段	不顯王乍省
2785	王臣段	不敢顯天子對揚休
2787	望段	對揚天子不顯休
2787	望段	敢對揚天子不顯休
2788	靜段	對揚天子不顯休
2791	豆閉段	敢對揚天子不顯休命
2792	師俞段	俞敢揚天子不顯休
2793	元年師旋段一	敢對揚天子不顯魯休命
2794	元年師旋段二	敢對揚天子不顯魯休命
2795	元年師旋段三	敢對揚天子不顯魯休命

2796	諫𣪘	敢對揚天子不顯休
2796	諫𣪘	敢對揚天子不顯休
2798	師𤸫𣪘一	敢對揚天子不顯休
2799	師𤸫𣪘二	敢對揚天子不顯休
2800	伊𣪘	伊用乍朕不顯文且皇考徲弔寶䵼彝
2803	師酉𣪘一	對揚天子不顯休命
2804	師酉𣪘二	對揚天子不顯休命
2804	師酉𣪘二	對揚天子不顯休命
2805	師酉𣪘三	對揚天子不顯休命
2806	師酉𣪘四	對揚天子不顯休命
2806.	師酉𣪘五	對揚天子不顯休命
2810	揚𣪘一	敢對揚天子不顯休
2811	揚𣪘二	敢對揚天子不顯休
2812	大𣪘一	不顯休
2813	大𣪘二	不顯休
2816	彔白𢦚𣪘	對揚天子不顯休
2817	師𩒛𣪘	𩒛拜䭫首敢對揚天子不顯休
2818	此𣪘一	此敢對揚天子不顯休令
2819	此𣪘二	此敢對揚天子不顯休令
2820	此𣪘三	此敢對揚天子不顯休令
2821	此𣪘四	此敢對揚天子不顯休令
2822	此𣪘五	此敢對揚天子不顯休令
2823	此𣪘六	此敢對揚天子不顯休令
2824	此𣪘七	此敢對揚天子不顯休令
2825	此𣪘八	此敢對揚天子不顯休令
2830	三年師兌𣪘	敢對揚天子不顯魯休
2831	元年師兌𣪘一	敢對揚天子不顯魯休
2832	元年師兌𣪘二	敢對揚天子不顯魯休
2833	秦公𣪘	秦公曰：不顯朕皇且受天命
2835	訇𣪘	不顯文武受令
2840	番生𣪘	不顯皇且考
2841	芇白𣪘	朕不顯且玟珷
2843	沈子它𣪘	休同公克成妥吾考㠯于顯受令
2844	頌𣪘一	頌敢對揚天子不顯魯休
2845	頌𣪘二	頌敢對揚天子不顯魯休
2845	頌𣪘二	頌敢對揚天子不顯魯休
2846	頌𣪘三	頌敢對揚天子不顯魯休
2847	頌𣪘四	頌敢對揚天子不顯魯休
2848	頌𣪘五	頌敢對揚天子不顯魯休
2849	頌𣪘六	頌敢對揚天子不顯魯休
2850	頌𣪘七	頌敢對揚天子不顯魯休
2851	頌𣪘八	頌敢對揚天子不顯魯休
2854	蔡𣪘	敢對揚天子不顯魯休
2855	班𣪘一	允才顯、隹敬德、亡攸違
2855.	班𣪘二	允才顯
2856	師訇𣪘	不顯文武、雁（膺）受天令
2857	牧𣪘	牧拜䭫首敢對揚王不顯休
2982.	甲午匠	臣京考帝顯令誌于匠
3086	善夫克旅盨	敢對天子不顯魯休揚
3088	師克旅盨一（蓋）	師克不顯文武、雁受大令、匍有四方

	3088	師克旅盨一(蓋)	克敢對揚天子不顯魯休
	3089	師克旅盨二	師克不顯文武、雁受大令、匍有四方
	3089	師克旅盨二	克敢對揚天子不顯魯休
顯	3090	盨盨(器)	對揚天子不顯魯休
顏	4448	長由盉	敢對揚天子不顯休
	4882	匡乍文考日丁尊	對揚天子不顯休
	4977	師遽方彝	對揚天子不顯休
	5798	智壺	敢對揚天子不顯魯休令
	5799	頌壺一	頌敢對揚天子不顯魯休
	5800	頌壺二	頌敢對揚天子不顯魯休
	?002	登弔盨	(據金文編補)
	6787	走馬休盤	敢對揚天子不顯休令
	6789	袁盤	敢對揚天子不顯叚休令
	6790	虢季子白盤	不顯子白
	6792	史墻盤	對揚天子不顯休令
	7020	單伯鐘	不顯皇且剌考
	7023	虘鐘三	敢對揚皇天子不顯魯休
	7037	遲父鐘	不顯龍光
	7116	南宮乎鐘	敢對揚天子不顯魯休
	7122	梁其鐘一	汈其曰：不顯皇其考
	7122	梁其鐘一	汈其敢對天子不顯休揚
	7123	梁其鐘二	汈其曰：不顯皇其考
	7123	梁其鐘二	汈其敢對天子不顯休揚
	7150	虢叔旅鐘一	不顯皇考叀弔
	7151	虢叔旅鐘二	不顯皇考叀弔
	7152	虢叔旅鐘三	不顯皇考叀弔
	7153	虢叔旅鐘四	不顯皇考叀弔
	7154	虢叔旅鐘五	不顯皇考叀弔
	7158	瘐鐘一	不顯高且亞且文考
	7160	瘐鐘三	不顯高且亞且文考
	7161	瘐鐘四	不顯高且亞且文考
	7162	瘐鐘五	不顯高且亞且文考
	7176	𤼈鐘	用邵各不顯且考先王
	7186	叔夷編鐘五	不顯穆公之孫
	7187	叔夷編鐘六	不顯皇祖
	7193	叔夷編鐘十二	不顯若虎
	7212	秦公鎛	秦公曰：不顯朕皇且受天命
	7214	叔夷鎛	不顯穆公之孫
	7214	叔夷鎛	不顯皇祖
	M423.	趞鼎	敢對揚天子不顯魯休
			小計：共 135 筆
頮	1481		
	5306	頮卣	頮乍寶尊彝
			小計：共 1 筆

顧 1482

1327	克鼎	顧(擾柔)遠能埶
		小計：共 1 筆

顀 1483

M706	曾侯乙編鐘下一・二	為妥賓之徵顀下角
M706	曾侯乙編鐘下一・二	為無睪徵顀
M707	曾侯乙編鐘下一・三	曾侯乙乍時，徵顀、徵曾，
M707	曾侯乙編鐘下一・三	為獸鐘徵顀下角
M707	曾侯乙編鐘下一・三	為穆音之羽顀下角
M707	曾侯乙編鐘下一・三	符于索宮之顀
M708	曾侯乙編鐘下二・一	為無睪之羽顀下角
M708	曾侯乙編鐘下二・一	為獸鐘之徵顀下角
M711	曾侯乙編鐘下二・四	為妥賓之徵顀下角
M711	曾侯乙編鐘下二・四	符于索商之顀
M712	曾侯乙編鐘下二・五	為穆音之羽顀下角
M712	曾侯乙編鐘下二・五	符于索宮之顀
M713	曾侯乙編鐘下二・七	為大族之徵顀下角
M713	曾侯乙編鐘下二・七	為獸鐘之羽顀下角
M714	曾侯乙編鐘下二・八	為獸鐘徵顀下角
M716	曾侯乙編鐘下二・十	新鐘之徵顀
M720	曾侯乙編鐘中一・四	新鐘之徵顀
M720	曾侯乙編鐘中一・四	新鐘之商顀
M721	曾侯乙編鐘中一・五	新鐘之羽顀
M722	曾侯乙編鐘中一・六	新鐘之少徵顀
M725	曾侯乙編鐘中一・九	新鐘之羽顀
M727	曾侯乙編鐘中一・十一	新鐘之徵顀
M731	曾侯乙編鐘中二・四	新鐘之商顀
M732	曾侯乙編鐘中二・五	新鐘之羽顀
M733	曾侯乙編鐘中二・六	新鐘之少徵顀
M736	曾侯乙編鐘中二・九	新鐘之羽顀
M739	曾侯乙編鐘中二・十二	新鐘之徵顀
M745	曾侯乙編鐘中三・六	為坪皇之羽顀下角
M746	曾侯乙編鐘中三・七	為妥賓之徵顀下角
M746	曾侯乙編鐘中三・七	符于索商之顀
M747	曾侯乙編鐘中三・八	為穆音之羽顀下角
M747	曾侯乙編鐘中三・八	符于索宮之顀
M748	曾侯乙編鐘中三・九	為獸鐘之羽顀下角
M748	曾侯乙編鐘中三・九	為夫族之徵顀下角
M749	曾侯乙編鐘中三・十	為獸鐘之徵顀下角
		小計：共 35 筆

顭 1483+

1322	九年裘衛鼎	壽商䋣害曰：顭眉，付裘衛林舀里
1325	五祀衛鼎	井白、白邑父、定白、琼白、白俗父迺顭

小計：共 2 筆

顯首 首 1484

1139	寓鼎	易乍冊寓□__寓拜韻首、對王休
1235	不栺方鼎一	不栺拜韻首
1236	不栺方鼎甲二	不栺拜韻首
1262	㝉鼎	㝉拜韻首
1264	螸鼎	螸拜韻首、曰
1270	小臣䢅鼎	䢅拜韻首
1273	師𨑹父鼎	師𨑹父拜韻首
1275	師同鼎	折首執訊
1276	__季鼎	uJ季拜韻首
1277	七年趞曹鼎	趞曹拜韻首
1278	十五年趞曹鼎	趞曹< 敢對曹 >拜韻首
1280	康鼎	康拜韻首
1284	尹姞鼎	拜韻首、對揚天君休
1285	㦰方鼎一	㦰拜韻首
1288	令鼎一	令拜韻首
1289	令鼎二	令拜韻首
1290	利鼎	利拜韻首
1299	𩣡侯鼎一	馭方拜手韻首
1300	南宮柳鼎	柳拜韻首
1301	大鼎一	大拜韻首
1302	大鼎二	大拜韻首
1303	大鼎三	大拜韻首
1305	師奎父鼎	奎父拜韻首
1308	白晨鼎	晨拜韻首
1309	寰鼎	寰拜韻首
1311	師晨鼎	晨拜韻首
1315	善鼎	善敢拜韻首
1316	㦰方鼎	㦰拜韻首
1317	善夫山鼎	山拜稽首
1319	頌鼎一	頌拜韻首
1320	頌鼎二	頌拜韻首
1321	頌鼎三	頌拜韻首
1323	師訊鼎	訊拜韻首
1326	多友鼎	多友右折首執訊
1326	多友鼎	凡目公車折首二百又□又五人
1326	多友鼎	折首卅又六人
1326	多友鼎	多友或又折首執訊
1326	多友鼎	公車折首百又十又五人
1327	克鼎	克拜韻首
1329	小字盂鼎	盂拜韻首
1330	曶鼎	㫚(曶)則拜韻首
1330	曶鼎	匡迺韻首于㫚(曶)
1330	曶鼎	韻首曰
1528	公姞鬲鼎	拜韻首、對揚天君休
1533	尹姞賓鬲一	拜韻首、對揚天君休

1534	尹姞賓鬲二	拜䭫首、對揚天君休
2658.	大𣪘	大拜䭫首
2688	大𣪘	大拜䭫首
2694	豦乍且考𣪘	豦拜䭫首
2699	公臣𣪘一	公臣拜䭫首
2700	公臣𣪘二	公臣拜䭫首
2701	公臣𣪘三	公臣拜䭫首
2702	公臣𣪘四	公臣拜䭫首
2723	沓𣪘	友既拜䭫首
2728	恆𣪘一	恆拜䭫首
2729	恆𣪘二	恆拜䭫首
2733	何𣪘	何拜䭫首
2734	適𣪘	適拜首䭫首
2736	師遽𣪘	遽拜䭫首
2739	無㠱𣪘一	無㠱拜手䭫首
2740	無㠱𣪘二	無㠱拜手䭫首
2741	無㠱𣪘三	無㠱拜手䭫首
2742	無㠱𣪘四	無㠱拜手䭫首
2742.	無㠱𣪘五	無㠱拜手䭫首
2742.	無㠱𣪘五	無㠱拜手䭫首
2743	[illegible]𣪘	[illegible]拜䭫首
2764	艾𣪘	拜䭫首、魯天子逌厥瀕福
2765	敹𣪘	來se拜䭫首
2767	虘𣪘一	虘拜䭫首敢對揚天子不顯休
2768	楚𣪘	楚敢拜手䭫首
2770	𢦏𣪘	𢦏拜䭫首
2771	弭弔師求𣪘一	師求拜䭫首
2772	弭弔師求𣪘二	師求拜䭫首
2774	臣諫𣪘	拜手䭫首
2775	裘衛𣪘	衛拜䭫首敢對揚天子不顯休
2775.	害𣪘一	____害䭫首
2775.	害𣪘二	____害䭫首
2776	走𣪘	徒敢拜䭫首對揚王休
2783	趩𣪘	趩拜䭫首對揚王休
2785	王臣𣪘	王臣手䭫首
2787	朢𣪘	朢拜䭫首
2787	朢𣪘	朢拜䭫首
2788	靜𣪘	靜敢拜䭫首
2791	豆閉𣪘	閉拜䭫首
2792	師俞𣪘	俞拜䭫首
2793	元年師旋𣪘一	旋拜䭫首
2794	元年師旋𣪘二	旋拜䭫首
2795	元年師旋𣪘三	旋拜䭫首
2796	諫𣪘	諫拜䭫首
2796	諫𣪘	諫拜䭫首
2797	輔師嫠𣪘	嫠拜䭫首敢對揚王休令
2798	師瘨𣪘一	瘨拜䭫首
2799	師瘨𣪘二	瘨拜䭫首
2800	伊𣪘	伊拜手䭫首
2803	師酉𣪘一	師酉拜䭫首

首	2804	師酉毀二	師酉拜䭫首
	2804	師酉毀二	師酉拜䭫首
	2805	師酉毀三	師酉拜䭫首
	2806	師酉毀四	師酉拜䭫首
	2806.	師酉毀五	師酉拜䭫首
	2810	揚毀一	揚拜手䭫首
	2811	揚毀二	揚拜手䭫首
	2812	大毀一	大拜䭫首
	2813	大毀二	大拜䭫首
	2815	師㝨毀	㝨拜䭫首
	2816	彔白茲毀	彔白茲敢拜手䭫首
	2817	師顆毀	顆拜䭫首敢對揚天子不顯休
	2826	師寰毀一	折首執訊
	2826	師寰毀一	折首執訊
	2827	師寰毀二	折首執訊
	2829	師虎毀	虎敢拜䭫首
	2830	三年師兌毀	師兌拜䭫首
	2831	元年師兌毀一	兌拜䭫首
	2832	元年師兌毀二	兌拜䭫首
	2835	訇毀	訇䭫首對揚天子休令
	2836	茲毀	乃子茲拜䭫首
	2837	敔毀一	長榜截首百
	2838	師𣪕毀一	師𣪕拜手䭫首
	2838	師𣪕毀一	師𣪕拜手䭫首
	2839	師𣪕毀二	師𣪕拜手䭫首
	2839	師𣪕毀二	師𣪕拜手䭫首
	2841	茾白毀	茾白拜手䭫首天子休
	2842	卯毀	卯拜手頁(䭫)首
	2843	沈子它毀	它曰：拜䭫首
	2844	頌毀一	頌拜䭫首受令冊
	2845	頌毀二	頌拜䭫首受令冊
	2845	頌毀二	頌拜䭫首受令冊
	2846	頌毀三	頌拜䭫首受令冊
	2847	頌毀四	頌拜䭫首受令冊
	2848	頌毀五	頌拜䭫首受令冊
	2849	頌毀六	頌拜䭫首受令冊
	2850	頌毀七	頌拜䭫首受令冊
	2851	頌毀八	頌拜䭫首受令冊
	2852	不娶毀一	女多折首執訊
	2852	不娶毀一	女多禽、折首執訊
	2853	不娶毀二	女多折首執訊
	2853	不娶毀二	女多禽、折首執訊
	2854	䕌毀	䕌拜手䭫首
	2855	班毀一	班拜䭫首曰：烏虖
	2855.	班毀二	班拜䭫首曰
	2856	師訇毀	首德不克㚸
	2856	師訇毀	訇䭫首、敢對揚天子休
	2857	牧毀	牧拜䭫首敢對揚王不顯休
	3081	翏生旅盨一	執訊折首
	3082	翏生旅盨二	執訊折首

3082	翏生旅盨二	執訊折首
3086	善夫克旅盨	克拜䭫首
3090	曩盨（器）	曩拜䭫首
4879	彔㦰尊	彔拜稽首
4882	匡乍文考日丁尊	匡拜手稽首
4884	臤尊	臤拜稽首、敢對揚競父休
4886	趩尊	趩拜稽首、揚王休對
4888	盠駒尊一	拜稽首曰
4890	盠方尊	盠拜稽首
4890	盠方尊	盠敢拜稽首曰
4977	師遽方彝	師遽拜稽首
4978	吳方彝	吳拜稽首、敢對揚王休
4979	盠方彝一	盠拜稽首
4979	盠方彝一	盠敢拜稽首曰
4980	盠方彝二	盠拜稽首
4980	盠方彝二	盠敢拜稽首曰
5487	靜卣	靜拜䭫首
5488	靜卣二	靜拜䭫首
5490	戉𢦏卣	𢦏拜䭫首
5490	戉𢦏卣	𢦏拜䭫首衍
5497	農卣	農三拜䭫首
5498	彔㦰卣	彔拜䭫首
5499	彔㦰卣二	彔拜䭫首
5785	史懋壺	懋拜䭫首對王休
5791	十三年𤼈壺一	𤼈拜䭫首對揚王休
5792	十三年𤼈壺一	𤼈拜䭫首對揚王休
5793	幾父壺一	幾父拜䭫首
5794	幾父壺二	幾父拜䭫首
5796	三年𤼈壺一	拜䭫首敢對揚天子休
5797	三年𤼈壺二	拜䭫首敢對揚天子休
5798	曶壺	曶拜手䭫首
5799	頌壺一	頌拜䭫首
5800	頌壺二	頌拜䭫首
6787	走馬休盤	休拜䭫首
6789	袁盤	袁拜䭫首
6790	虢季子白盤	折首{ 五百 }
6791	兮甲盤	兮甲從王折首執訊
6910	師永盂	永拜䭫首
7116	南宮乎鐘	乎拜手䭫首
7183	叔夷編鐘二	尸敢用拜䭫首
7185	叔夷編鐘四	尸用或敢再拜䭫首
7192	叔夷編鐘十一	敢再拜䭫首膺受君公之
7214	叔夷鎛	尸敢用拜䭫首
7214	叔夷鎛	尸用或敢再拜䭫首
7868	商鞅方升	黔首大安
M191	繁卣	繁拜手䭫首
M423.	趞鼎	趞拜䭫首

小計：共　192 筆

䭫 1485

頧

1139	寓鼎	易乍冊寓□__寓拜䭫首、對王休
1235	不栺方鼎一	不栺拜䭫首
1236	不栺方鼎甲二	不栺拜䭫首
1244	㾓鼎	拜頧
1262	穻鼎	穻拜䭫首
1264	䨘鼎	䨘拜䭫首、曰
1270	小臣夌鼎	夌拜頧首
1273	師湯父鼎	師湯父拜䭫首
1276	__季鼎	uJ季拜䭫首
1277	七年趞曹鼎	趞曹拜䭫首
1278	十五年趞曹鼎	趞曹< 敢對曹 >拜䭫首
1280	康鼎	康拜䭫首
1284	尹姞鼎	拜頧首、對揚天君休
1285	䵼方鼎一	䵼拜頧首
1288	令鼎一	令拜䭫首
1289	令鼎二	令拜䭫首
1290	利鼎	利拜䭫首
1299	鄂侯鼎一	馭方拜手頧首
1300	南宮柳鼎	柳拜䭫首
1301	大鼎一	大拜䭫首
1302	大鼎二	大拜䭫首
1303	大鼎三	大拜䭫首
1305	師奎父鼎	奎父拜䭫首
1308	白晨鼎	晨拜䭫首
1309	寰鼎	寰拜䭫首
1311	師晨鼎	晨拜䭫首
1315	善鼎	善敢拜頧首
1316	䵼方鼎	䵼拜䭫首
1319	頌鼎一	頌拜頧首
1320	頌鼎二	頌拜頧首
1321	頌鼎三	頌拜頧首
1323	師𬺈鼎	𬺈拜䭫首
1327	克鼎	克拜䭫首
1329	小字盂鼎	盂拜䭫首
1330	曶鼎	𦥑(曶)則拜䭫首
1330	曶鼎	匡迺䭫首于𦥑(曶)
1330	曶鼎	䭫首曰
1528	公姞鬲鼎	拜䭫首、對揚天君休
1533	尹姞寶鬲一	拜䭫首、對揚天君休
1534	尹姞寶鬲二	拜䭫首、對揚天君休
2658.	大𣪘	大拜頧首
2688	大𣪘	大拜䭫首
2694	㦰乍且考𣪘	㦰拜䭫首
2699	公臣𣪘一	公臣拜䭫首
2700	公臣𣪘二	公臣拜䭫首
2701	公臣𣪘三	公臣拜䭫首
2702	公臣𣪘四	公臣拜䭫首
2723	춈𣪘	友既拜䭫首

𩒨

2728	恆𣪘一	恆拜䭫首
2729	恆𣪘二	恆拜䭫首
2733	何𣪘	何拜䭫首
2734	遹𣪘	遹拜首䭫首
2736	師遽𣪘	遽拜䭫首
2739	無㠱𣪘一	無㠱拜手䭫首
2740	無㠱𣪘二	無㠱拜手䭫首
2741	無㠱𣪘三	無㠱拜手䭫首
2742	無㠱𣪘四	無㠱拜手䭫首
2742.	無㠱𣪘五	無㠱拜手䭫首
2742.	無㠱𣪘五	無㠱拜手䭫首
2743	[illegible]𣪘	[illegible]拜䭫首
2764	艾𣪘	拜䭫首、魯天子迨氒瀕福
2765	𣪕𣪘	宷se拜䭫首
2767	虘𣪘一	虘拜䭫首敢對揚天子不顯休
2768	楚𣪘	楚敢拜手𩒨首
2770	𢦏𣪘	𢦏拜䭫首
2771	弭弔師求𣪘一	師求拜䭫首
2772	弭弔師求𣪘二	師求拜䭫首
2774	臣諫𣪘	拜手䭫首
2775	裘衛𣪘	衛拜䭫首敢對揚天子不顯休
2775.	害𣪘一	____害䭫首
2775.	害𣪘二	____害䭫首
2776	走𣪘	徒敢拜䭫首對揚王休
2783	趞𣪘	趞拜䭫首對揚王休
2785	王臣𣪘	王臣手䭫首
2787	望𣪘	朢拜䭫首
2787	望𣪘	朢拜䭫首
2788	靜𣪘	靜敢拜䭫首
2791	豆閉𣪘	閉拜䭫首
2792	師俞𣪘	俞拜䭫首
2793	元年師旋𣪘一	旋拜䭫首
2794	元年師旋𣪘二	旋拜䭫首
2795	元年師旋𣪘三	旋拜䭫首
2796	諫𣪘	諫拜䭫首
2796	諫𣪘	諫拜䭫首
2797	輔師嫠𣪘	嫠拜䭫首敢對揚王休令
2798	師瘨𣪘一	瘨拜䭫首
2799	師瘨𣪘二	瘨拜䭫首
2800	伊𣪘	伊拜手䭫首
2803	師酉𣪘一	師酉拜䭫首
2804	師酉𣪘二	師酉拜䭫首
2804	師酉𣪘二	師酉拜䭫首
2805	師酉𣪘三	師酉拜䭫首
2806	師酉𣪘四	師酉拜䭫首
2806.	師酉𣪘五	師酉拜䭫首
2810	揚𣪘一	揚拜手䭫首
2811	揚𣪘二	揚拜手䭫首
2812	大𣪘一	大拜䭫首
2813	大𣪘二	大拜䭫首

	2814	烏冊夨令𣪘一	用䭫後人亯
	2814.	夨令𣪘二	用䭫後人亯
	2815	師酘𣪘	訧拜䭫首
䭫	2816	彔白𢦚𣪘	彔白𢦚敢拜手䭫首
	2817	師類𣪘	類拜䭫首敢對揚天子不顯休
	2829	師虎𣪘	虎敢拜䭫首
	2830	三年師兌𣪘	師兌拜䭫首
	2831	元年師兌𣪘一	兌拜䭫首
	2832	元年師兌𣪘二	兌拜䭫首
	2835	訇𣪘	訇䭫首對揚天子休令
	2836	𢦚𣪘	乃子𢦚拜䭫首
	2838	師嫠𣪘一	師嫠拜手䭫首
	2838	師嫠𣪘一	師嫠拜手䭫首
	2839	師嫠𣪘二	師嫠拜手䭫首
	2839	師嫠𣪘二	師嫠拜手䭫首
	2841	芇白𣪘	芇白拜手䭫首天子休
	2842	卯𣪘	卯拜手頁（䭫）首
	2843	沈子它𣪘	它曰：拜䭫首
	2844	頌𣪘一	頌拜䭫首受令冊
	2845	頌𣪘二	頌拜䭫首受令冊
	2845	頌𣪘二	頌拜䭫首受令冊
	2846	頌𣪘三	頌拜䭫首受令冊
	2847	頌𣪘四	頌拜䭫首受令冊
	2848	頌𣪘五	頌拜䭫首受令冊
	2849	頌𣪘六	頌拜䭫首受令冊
	2850	頌𣪘七	頌拜䭫首受令冊
	2851	頌𣪘八	頌拜䭫首受令冊
	2852	不嬰𣪘一	不嬰拜䭫手休
	2853	不嬰𣪘二	不嬰拜䭫手休
	2854	蔡𣪘	蔡拜手䭫首
	2855	班𣪘一	班拜䭫首曰：烏虖
	2855.	班𣪘二	班拜䭫首曰
	2856	師訇𣪘	訇䭫首、敢對揚天子休
	2857	牧𣪘	牧拜䭫首敢對揚王不顯休
	3086	善夫克旅盨	克拜䭫首
	3090	墨盨（器）	墨拜䭫首
	5487	靜卣	靜拜䭫首
	5488	靜卣二	靜拜䭫首
	5490	戉𥠟卣	𥠟拜䭫首
	5490	戉𥠟卣	𥠟拜䭫首衍
	5497	農卣	農三拜䭫首
	5498	彔𢦚卣	彔拜䭫首
	5499	彔𢦚卣二	彔拜䭫首
	5785	史懋壺	懋拜䭫首對王休
	5791	十三年𤼈壺一	𤼈拜䭫首對揚王休
	5792	十三年𤼈壺一	𤼈拜䭫首對揚王休
	5793	幾父壺一	幾父拜䭫首
	5794	幾父壺二	幾父拜䭫首
	5796	三年𤼈壺一	拜䭫首敢對揚天子休
	5797	三年𤼈壺二	拜䭫首敢對揚天子休

5798	曶壺	曶拜手韻首
5799	頌壺一	頌拜韻首
5800	頌壺二	頌拜韻首
6787	走馬休盤	休拜韻首
6789	寰盤	寰拜韻首
6910	師永盂	永拜韻首
7060	昊生鐘一	拜手韻手敢對楊王休
7116	南宮乎鐘	乎拜手韻首
7135	逆鐘	逆敢拜手韻
7183	叔夷編鐘二	尸敢用拜韻首
7185	叔夷編鐘四	尸用或敢再拜韻首
7192	叔夷編鐘十一	敢再拜韻首膺受君公之
7214	叔夷鎛	尸敢用拜韻首
7214	叔夷鎛	尸用或敢再拜韻首
M191	繁卣	繁拜手韻首
M423.	趞鼎	趞拜韻首

小計：共 164 筆

縣 1486

2786	縣妃毀	白犀父休于縣改曰
2786	縣妃毀	敵、乃任縣白室
2786	縣妃毀	縣改每揚白犀父休
2786	縣妃毀	曰：休白哭Lm卹縣白室
2786	縣妃毀	我不能不眾縣白萬年保
2937	仲義昱乍縣妃𧶠一	中義昱乍縣改𧶠
2938	仲義昱乍縣妃𧶠二	中義昱乍縣改𧶠
7136	邵鐘一	大鐘既縣
7137	邵鐘二	大鐘既縣
7138	邵鐘三	大鐘既縣
7139	邵鐘四	大鐘既縣
7140	邵鐘五	大鐘既縣
7141	邵鐘六	大鐘既縣
7142	邵鐘七	大鐘既縣
7143	邵鐘八	大鐘既縣
7144	邵鐘九	大鐘既縣
7145	邵鐘十	大鐘既縣
7146	邵鐘十一	大鐘既縣
7147	邵鐘十二	大鐘既縣
7148	邵鐘十三	大鐘既縣
7149	邵鐘十四	大鐘既縣
7183	叔夷編鐘二	其縣三百
7214	叔夷鎛	其縣三百

小計：共 23 筆

須 1487

0807	須丞生飤鼎	須丞生之飤貞(鼎)

須 参 文

1723	句須段一	[句須]
1724	句須段二	[句須]
3006	白多父旅盨一	白多父乍旅盨(須)
3007	白多父旅盨二	白多父乍旅盨(須)
3008	白多父旅盨三	白多父乍旅盨(須)
3009	白多父旅盨四	白多父乍旅盨(須)
3010	立為旅須	立為旅盨(須)
3020	剸弔旅盨	剸弔乍旅盨(須)
3029	周駱旅盨	周雒乍旅須
3030	奠義白旅盨(器)	奠義白乍旅須(盨)
3033	易弔旅盨	易弔乍旅須
3034	白孝__旅盨	白孝kd鑄旅盨(須)
3034	白孝__旅盨	永其萬年子子孫孫寶用白孝kd鑄旅盨(須)
3038	鬲弔興父旅盨	鬲弔興父乍旅盨(須)
3041	諫季獻旅須	諫季獻乍旅盨(須)
3043	遣弔吉父旅須一	遣弔吉父乍虢王姞旅盨(須)
3044	遣弔吉父旅須二	遣弔吉父乍虢王姞旅盨(須)
3045	遣弔吉父旅須三	遣弔吉父乍虢王姞旅盨(須)
3061	弭弔旅盨	弭弔乍弔班旅須(盨)
3068	白寬父盨一	白寬父乍寶須(盨)
3069	白寬父盨二	白寬父乍寶須(盨)
3075	白汈其旅盨一	白汈其乍旅須(盨)
3076	白汈其旅盨二	白汈其乍旅須(盨)
6715	曩白寑父盤	曩白寑父朕姜無須盤
		小計：共 25 筆

参 1488

4822	参尊	参乍□考宗彝其永寶
5432	参乍甲考宗彝卣	参乍甲考宗彝其永寶
		小計：共 2 筆

文 1489

0499	文方鼎	文彝[斞]
0892	毆嬃引乍文父丁鼎	引乍文父丁[嬃毆鑊]
0917	游鼎	游乍母文考寶尊彝
0926	趞乍文父戊鼎	趞乍文父戊尊彝[僩冊]
0927	若媯乍文娶宗鼎	若媯乍文娶宗尊〓彝
0953	婦闋乍文姑日癸鼎	婦闋乍文姑日癸尊彝
0967	斞___乍文父甲鼎	p5u3用乍文父甲寶尊彝[斞]
0983(	羊庚鼎	La乍母文考尸弔寶尊彝
1007	史喜鼎	史喜乍朕文考翟祭
1012(	康絲鼎	La乍母文考尸弔寶尊彝
1059	旂乍父戊鼎	文考遺寶責
1130	虢文公子钕鼎一	虢文公子钕乍弔改鼎
1131	虢文公子钕鼎二	虢文公子钕乍弔改鼎
1138	白陶乍父考宮弔鼎	白陶乍母文考宮弔寶鬻彝

1140	衛鼎	衛乍文考小中姜氏盂鼎
1155	戜者乍旅鼎	用乍文考宮白寶尊彝
1164	旂乍文父日乙鼎	旂用乍文父日乙寶尊彝[獎]
1171	魯白車鼎	魯白車自乍文考造靜鼎
1173	羌乍文考鼎	用乍文考寡弔鬻彝
1175	白鮮乍旅鼎一	用亯孝于文且
1176	白鮮乍旅鼎二	用亯孝于文且
1177	白鮮乍旅鼎三	用亯孝于文且
1188	旟弔樊乍易姚鼎	用亯孝于朕文且
1205.	遞鼎	朕乍文考胤白尊鼎(貞)
1213	師趛鼎一	師趛乍文考聖公
1213	師趛鼎一	文母聖姬尊
1214	師趛鼎二	師趛乍文考聖公
1214	師趛鼎二	文母聖姬尊
1226	師眴鼎	其乍氒文考寶鼎
1227	衛鼎	衛肇乍氒文考己中寶鬻鼎
1229	厚趠方鼎	趠用乍氒文考父辛寶尊齍
1244	瘨鼎	用乍皇且文考盂鼎
1262	窋鼎	用乍朕文考釐弔尊鼎
1265	訧弔鼎	其用享于文且考
1273	師湯父鼎	乍朕文考毛叔鬻彝
1280	康鼎	用乍朕文考釐白寶尊鼎
1285	戜方鼎一	其用夙夜享孝于氒文且乙公
1285	戜方鼎一	于文妣日戊
1286	大夫始鼎	用乍文考日己寶鼎
1290	利鼎	用作朕文考_白尊鼎
1304	王子午鼎	用享以考于我皇且文考
1308	白晨鼎	用乍朕文考h8公宮尊鼎
1311	師晨鼎	用乍朕文且辛公尊鼎
1312	此鼎一	用享孝于文申(神)用
1313	此鼎二	用享孝于文申(神)
1314	此鼎三	用享孝于文申(神)、用丐釁壽
1315	善鼎	唯用妥福唬前文人
1316	戜方鼎	戜曰：烏虖、朕文考甲公、文母日庚
1316	戜方鼎	用乍文母日庚寶尊鬻彝
1318	晉姜鼎	勿廢文侯覭令
1322	九年裘衛鼎	衛用乍朕文考寶鼎
1325	五祀衛鼎	衛用乍朕文考寶鼎
1327	克鼎	克曰：穆穆朕文且師華父悤iv氒心
1327	克鼎	用乍朕文且師華父寶鬻彝
1330	曶鼎	昏(曶)用絲金乍朕文孝弈白鬻牛鼎
1332	毛公鼎	王若曰、父厝、不顯文武
1332	毛公鼎	亡不閈(覲)于文武耿光
1457	衛夫人行鬲	衛夫人文君弔姜乍其行鬲用
1465	魯侯獄鬲	用亯鬻氒文考魯公
1509	虢文公子钕乍弔妃鬲	虢文公子钕乍弔改鬲鼎
1526	琱生乍完仲尊鬲	琱生乍文考完中尊鬻
2128	文乍寶隮彝殷	文乍寶尊彝
2313	𩦲辨乍父己殷一	辨乍文父己寶尊彝[𩦲]
2314	𩦲辨乍父己殷二	辨乍文父己寶尊彝[𩦲]

文

2315	驫辨乍父己𣪘三	辨乍父己寶尊彝〔驫〕
2323	彔乍文考乙公𣪘	彔乍文考乙公寶尊𣪘
2423	亘　戜𣪘	用匽辪其皇且癸文考
2455	彔乍文考乙公𣪘	彔乍乎文考乙公寶尊𣪘
2480	是要𣪘	佳十月是要乍文考寶𣪘
2481	是要𣪘	佳十月是要乍文考寶𣪘
2487	白簋乍文考幽仲𣪘	白簋(祈)父乍文考幽中尊𣪘
2517	是□乍乙公𣪘	是叢乍朕文考乙公尊𣪘
2545	季𤳞肇乍井弔𣪘	季𤳞肇乍乎文考井弔寶尊彝
2563	德克乍文且考𣪘	德克乍朕文且考尊𣪘
2577	㝬客𣪘	㝬客乍朕文考日辛寶尊𣪘
2579	白喜乍文考剌公𣪘	白喜父乍朕文考剌公尊𣪘
2609	𥰠小子𣪘一	徒用乍乎文考尊𣪘
2610	𥰠小子𣪘二	徒用乍乎文考尊𣪘
2622	琱伐父𣪘一	用亯于皇且文考
2623	琱伐父𣪘二	用亯于皇且文考
2623.	琱伐父𣪘	用亯于皇且文考
2623.	琱伐父𣪘	用亯于皇且文考
2624	琱伐父𣪘三	用亯于皇且文考
2625	曾白文𣪘	唯曾白文自乍寶𣪘
2633	相侯𣪘	告于文考、用乍尊𣪘
2639	逨𣪘	逨乍朕文考胤白尊𣪘
2640	弔皮父𣪘	弔皮父乍朕文考弗公
2640	弔皮父𣪘	眔朕文母季姬尊𣪘
2643	史族𣪘	其朝夕用亯于文考
2643	史族𣪘	其朝夕用亯于文考
2651	內白多父𣪘	用亯于皇且文考
2652	＿𣪘	p6乍文且考尊寶𣪘
2654	夒乍文父丁𣪘	□□用乍文父丁尊彝
2656	師害𣪘一	師害乍文考尊𣪘
2657	師害𣪘二	師害乍文考尊𣪘
2658	白威𣪘	佳用妥神襄唬前文人
2660	彔乍辛公𣪘	用乍文且辛公寶𣪘
2662.	宴𣪘一	宴用乍朕文考日己寶𣪘
2662.	宴𣪘二	宴用乍朕文考日己寶𣪘
2663	宴𣪘一	用乍朕文考日己寶𣪘
2664	宴𣪘二	用乍朕文考日己寶𣪘
2670	橢侯𣪘	用乍文母橢妊寶𣪘
2683	白家父𣪘	用亯于其皇文考
2684	＿寬乎𣪘	用亯孝皇且文考
2687	敔𣪘	用乍文考父丙尊彝
2690.	相侯𣪘	吏文考
2695	𪊽兒𣪘	𪊽兒乍朕文且乙公
2696	孟𣪘一	孟曰：朕文考眔毛公遣中征無需
2696	孟𣪘一	毛公易朕文考臣自乎工
2697	孟𣪘二	孟曰：朕文考眔毛公遣中征無需
2697	孟𣪘二	毛公易朕文考臣自乎工
2705	君夫𣪘	用乍文父丁尊彝

2724	㝬白𢨋𣪘	用乍朕文考寶尊𣪘
2728	恆𣪘一	用乍文考公弔寶𣪘
2729	恆𣪘二	用乍文考公弔寶𣪘
2730	獻𣪘	乍朕文考光父乙
2734	遹𣪘	用乍文考父乙尊彝
2736	師遽𣪘	用乍文考旄弔尊𣪘
2738	衛𣪘	用乍朕文且考寶尊𣪘
2746	追𣪘一	用亯孝于前文人
2747	追𣪘二	用亯孝于前文人
2748	追𣪘三	用亯孝于前文人
2749	追𣪘四	用亯孝于前文人
2750	追𣪘五	用亯孝于前文人
2751	追𣪘六	用亯孝于前文人
2763	弔向父禹𣪘	肇帥井先文且
2770	𢦏𣪘	用乍朕文考寶𣪘
2771	弭弔師求𣪘一	用乍朕文且寶𣪘
2772	弭弔師求𣪘二	用乍朕文且寶𣪘
2773	即𣪘	用乍朕文考幽弔寶𣪘
2774	臣諫𣪘	令肄服乍朕皇文考寶尊
2775	裘衛𣪘	用乍朕文且考寶𣪘
2775.	害𣪘一	命用乍文考寶𣪘
2775.	害𣪘二	命用乍文考寶𣪘
2777	天亡𣪘	天亡又王衣祀于王不顯考文王
2777	天亡𣪘	文王□在上
2785	王臣𣪘	用乍朕文考易中尊𣪘
2788	靜𣪘	用乍文母外姞尊𣪘
2789	同𣪘一	用乍朕文丂叀中尊寶𣪘
2790	同𣪘二	用乍朕文丂叀中尊寶𣪘
2791	豆閉𣪘	用乍朕文考釐弔寶𣪘
2791.	史密𣪘	用乍朕文考乙白尊𣪘
2793	元年師旋𣪘一	用乍朕文且益中尊𣪘
2794	元年師旋𣪘二	用乍朕文且益中尊𣪘
2795	元年師旋𣪘三	用乍朕文且益中尊𣪘
2796	諫𣪘	用乍朕文考叀公尊𣪘
2796	諫𣪘	用乍朕文考叀公尊𣪘
2798	師𤸫𣪘一	用乍朕文考外季尊𣪘
2799	師𤸫𣪘二	用乍朕文考外季尊𣪘
2800	伊𣪘	伊用乍朕不顯文且皇考徲弔寶𪽻彝
2803	師酉𣪘一	用乍朕文考乙白宄姬尊𣪘
2804	師酉𣪘二	用乍朕文考乙白宄姬尊𣪘
2805	師酉𣪘三	用乍朕文考乙白宄姬尊𣪘
2806	師酉𣪘四	用乍朕文考乙白宄姬尊𣪘
2806.	師酉𣪘五	用乍朕文考乙白宄姬尊𣪘
2814	鳥冊夨令𣪘一	令敢揚皇王宦、丁公文報
2814.	夨令𣪘二	令敢揚皇王宦、丁公文報
2815	師𣪕𣪘	用乍朕文考乙中𪽻𣪘
2817	師𩔹𣪘	用乍朕文考尹白尊𣪘
2818	此𣪘一	用亯孝于文申
2819	此𣪘二	用亯孝于文申
2820	此𣪘三	用亯孝于文申

2821	此段四	用亯孝于文申
2822	此段五	用亯孝于文申
2823	此段六	用亯孝于文申
2824	此段七	用亯孝于文申
2825	此段八	用亯孝于文申
2833	秦公段	盭盭文武
2834	㝬段	用康惠朕皇文剌且考
2834	㝬段	其各前文人
2835	訇段	不顯文武受令
2835	訇段	用乍文且乙白同姬尊段
2836	彧段	朕文母競敏＿行
2836	彧段	對揚文母福剌
2836	彧段	用乍文母日庚寶尊段
2836	彧段	用夙夜尊亯孝于氒文母
2855	班段一	毓文王、王姒（始）聖孫
2855	班段一	文王孫亡弗褱井
2855.	班段二	毓文王
2855.	班段二	文王孫亡弗褱井
2856	師訇段	不顯文武、雁（膺）受天令
2857	牧段	用乍朕皇文考益白尊段
2986	曾白霥旅匿一	用孝用亯于我皇文考
2987	曾白霥旅匿二	用孝用亯于我皇文考
3047	攺乍乙公旅盨（盨）	攺乍朕文考乙公旅盨
3054	賸侯蘇乍旅段	賸侯穌乍氒文考賸中旅段
3057	仲自父鍨（盨）	其用亯用孝于皇且文考
3083	瘨段（盨）一	用乍文考寶段
3084	瘨段（盨）二	用乍文考寶段
3087	鬲从盨	鬲比乍朕皇且丁公、文考惠公盨
3088	師克旅盨一（盨）	師克不顯文武、雁受大令、匍有四方
3089	師克旅盨二	師克不顯文武、雁受大令、匍有四方
3100	陳侯因資錞	倈（敉）嗣趄文
3111	大師虘豆	用卲洛朕文且考
4202.	＿＿爵	乙未王賁（賞貝合文）姛母申才寢
4342	䝉婦閿斝	婦閿乍文姑日癸尊彝［䝉］
4449	裘衛盉	衛用乍朕文考惠孟寶般
4658	䝉文父丁尊一	［䝉］文父丁
4774	𩰫乍文父日丁尊	𩰫乍文父日丁［䝉］
4817	曶尊	曶乍文考日庚寶尊器
4834	白乍氒文考尊	白乍氒文考尊彝其子孫永寶
4835	無仲尊	無中＿乍氒文考寶尊彝、日辛
4842	啟乍文父辛尊	用乍文父辛尊彝［䝉］
4845	服方尊	乍文考日辛寶尊彝
4851	黃尊	黃肇乍文考宋白旅尊彝
4855	丮爽父乍齍白尊	丮爽父乍文考齍白尊彝
4857	乍文考日己尊	乍文考日己寶尊宗彝
4862	䝉能匋尊	能匋用乍文父日乙寶尊彝［䝉］
4865	氒方尊	乍氒穆文且考寶尊彝
4867	鋻睘尊	用乍朕文考日癸旅寶［鋻］
4870	䝉商尊	用乍文辟日丁寶尊彝［䝉］
4876	保尊	用乍文父癸宗寶尊彝

4879	彔茲尊	用乍文考乙公寶尊彝
4882	匩乍文考日丁尊	用乍文考日丁寶彝
4887	蔡侯𧻚尊	撫文王母
4888	盠駒尊一	余用乍朕文考大中寶尊彝
4890	盠方尊	用乍朕文祖益公寶尊彝
4911	𡘋文父丁觥	[𡘋]文父丁
4921	子𥎦乍父乙觥	乍文父乙彝
4924	𡘋婦闟乍文姑日癸觥	[𡘋]婦闟乍文姑日癸尊彝
4925	㪉仲子引灖觥	中子𩵦引乍文父丁尊彝[鑊]
4927	乍文考日己觥	乍文考日己寶尊宗彝
4973	乍文考日工夫方彝	乍文考日己寶尊宗彝
4974	__方彝	用乍高文考父癸寶尊彝
4974	__方彝	用𨜒文考刺
4977	師遽方彝	用乍文且它公寶尊彝
4979	盠方彝一	用乍朕文祖益公寶尊彝
4980	盠方彝二	用乍朕文祖益公寶尊彝
5408	㠯丞乍文父丁卣	㠯丞乍文父丁尊彝[𠄞]
5415	白乍文公旅卣	白乍文公寶尊旅彝
5415	白乍文公旅卣	白乍文公寶尊旅彝
5428	____乍父考癸卣	uv乍文考癸寶尊彝[ev]
5434	亞集𢍜乍文考父丁卣	亞集乍文老父丁寶尊彝
5435	婦闟𤼽乍文姑日癸卣一	婦闟乍文姑日癸尊彝[𡘋]
5436	婦闟𤼽乍文姑日癸卣二	婦闟乍文姑日癸尊彝[𡘋]
5451	鄦仲奔乍文考日辛卣	鄦中奔乍𠂤文考寶尊彝、日辛
5477	單光壴乍父癸𥫔卣	文考日癸乃__子壴乍父癸旅宗尊彝
5479	𡘋商乍文辟日丁卣	商用乍文辟日丁寶尊彝[𡘋]
5483	周乎卣	用亯于文考庚中
5483	周乎卣	用亯于文考庚中
5484	乍冊睘卣	用乍文考癸寶尊器
5484	乍冊睘卣	用乍文考癸寶尊器
5490	戊𣄰卣	用乍文考日乙寶尊彝
5490	戊𣄰卣	用乍文考日乙寶尊彝
5492	亞𡗝四祀𠨘其卣	尊文武帝乙宜
5495	保卣	用乍文父癸宗寶尊彝
5495	保卣	用乍文父癸宗寶尊彝
5498	彔茲卣	用乍文考乙公寶尊彝
5499	彔茲卣二	用乍文考乙公寶尊彝
5504	庚贏卣一	用乍𠂤文姑寶尊彝
5505	庚贏卣二	用乍𠂤文姑寶尊彝
5575	𡘋婦闟乍文姑日癸罍	婦闟文姑日癸尊彝[𡘋]
5582	對罍	對乍文考日癸寶尊罍(罍)
5796	三年𤺊壺一	用乍皇且文考尊壺
5797	三年𤺊壺二	用乍皇且文考尊壺
5798	曶壺	用乍朕文考釐公尊壺
5805	中山王譽方壺	隹朕皇祖文武
5939	文觚	[文]
6058	樂文觚	[樂文]
6144	文父丁觚	[文]父丁
6282	召乍父戊觚	召乍𠂤文考父戊寶尊彝
6330	文觶	[文]

文

6633	旂乍文考觶	用乍文考尊彝、永寶
6634	郐王義楚祭耑	及我文考
6722	彭生盤	彭生乍氒文考辛寶尊彝[冊光白尹]
6787	走馬休盤	用乍朕文考日丁尊般
6788	蔡侯𤔲盤	撫文王母
6792	史墻盤	曰古文王
6792	史墻盤	天子圝饡文武長剌
6792	史墻盤	害(䚢)犀文考乙公遽喪
6792	史墻盤	剌且文考弋寶(休)
6909	遡盂	用乍文且己公尊盂
6910	師永盂	永用乍朕文考乙白尊盂
7009	兮仲鐘一	用侃喜前文人
7010	兮仲鐘二	用侃喜前文人
7012	兮仲鐘四	用侃喜前文人
7013	兮仲鐘五	用侃喜前文人
7015	兮仲鐘七	用侃喜前文人
7047	井人鐘	覭盄文且皇考
7047	井人鐘	妄不敢弗帥用文且皇考穆穆秉德
7048	井人鐘二	覭盄文且皇考
7048	井人鐘二	妄不敢弗帥用文且皇考穆穆秉德
7049	井人鐘三	用追孝侃前文人
7049	井人鐘三	前文人其嚴才上
7050	井人鐘四	用追孝侃前文人
7050	井人鐘四	前文人其嚴才上
7059	師臾鐘	用喜侃前文人
7060	昊生鐘一	用喜侃前文人
7082	齊鞄氏鐘	于台皇且文考
7092	䖒羌鐘一	武文咸剌
7093	䖒羌鐘二	武文咸剌
7094	䖒羌鐘三	武文咸剌
7095	䖒羌鐘四	武文咸烈
7096	䖒羌鐘五	武文咸剌
7158	瘐鐘一	不顯高且亞且文考
7158	瘐鐘一	敢乍文人大寶𦃟龢鐘
7159	瘐鐘二	文且乙公
7159	瘐鐘二	用卲各喜侃樂前文人
7159	瘐鐘二	義文神無彊覭福
7160	瘐鐘三	不顯高且亞且文考
7160	瘐鐘三	敢乍文人大寶𦃟龢鐘
7161	瘐鐘四	不顯高且亞且文考
7161	瘐鐘四	敢乍文人大寶𦃟龢鐘
7162	瘐鐘五	不顯高且亞且文考
7162	瘐鐘五	敢乍文人大寶𦃟龢鐘
7163	瘐鐘六	曰古文王
7174	秦公鐘	剌剌卲文公、靜公、憲公
7175	王孫遺者鐘	于我皇且文考
7176	䚢鐘	王肇遹省文武堇疆土
7177	秦公及王姬編鐘一	剌剌卲文公、靜公、憲公
7209	秦公及王姬鎛	剌剌卲文公、靜公、憲公
7210	秦公及王姬鎛二	剌剌卲文公、靜公、憲公

M711	曾侯乙編鐘下二・四	文王之變商
M713	曾侯乙編鐘下二・七	為文王羽
M714	曾侯乙編鐘下二・八	文王之
M715	曾侯乙編鐘下二・九	文王之宮
M715	曾侯乙編鐘下二・九	文王之濁
M716	曾侯乙編鐘下二・十	濁文王之商
M721	曾侯乙編鐘中一・五	濁文王之獣
M722	曾侯乙編鐘中一・六	濁文王之少商
M723	曾侯乙編鐘中一・七	濁文王之宮
M723	曾侯乙編鐘中一・七	濁文王之巽
M724	曾侯乙編鐘中一・八	文王之羽
M725	曾侯乙編鐘中一・九	文王之冬
M726	曾侯乙編鐘中一・十	文王之宮
M726	曾侯乙編鐘中一・十	文王之下角
M727	曾侯乙編鐘中一・十一	濁文王之商
M731	曾侯乙編鐘中二・四	濁文王之喜
M732	曾侯乙編鐘中二・五	濁文王之獣
M733	曾侯乙編鐘中二・六	濁文王之少商
M734	曾侯乙編鐘中二・七	濁文王之宮
M734	曾侯乙編鐘中二・七	濁文王之巽
M735	曾侯乙編鐘中二・八	文王之羽
M736	曾侯乙編鐘中二・九	文王之冬
M737	曾侯乙編鐘中二・十	文王之宮
M737	曾侯乙編鐘中二・十	文王下角
M739	曾侯乙編鐘中二・十二	濁文王之商
M742	曾侯乙編鐘中三・三	其才楚為文王
M745	曾侯乙編鐘中三・六	韋音之才楚號為文王
M746	曾侯乙編鐘中三・七	文王之變商
M748	曾侯乙編鐘中三・九	為文王羽
M749	曾侯乙編鐘中三・十	文王徵

小計：共　　357　筆

罬鄰　1490

| 1323 | 師訊鼎 | 用井乃聖且考鄰（舜）明 |
| 1331 | 中山王響鼎 | 罬（鄰）邦難新（親） |

小計：共　　　2　筆

敆　　1491

| 2357 | 膚册敆求敆段 | 敆求敆用乍旬辛敆段［膚册］ |

小計：共　　　1　筆

效　　1492

| 1764 | 效段 | ［效］ |

			小計：共 1 筆
喬	1493		
	1011	彥乍父丁鼎	丁卯、尹商喬貝三朋
			小計：共 1 筆
𪟝	1494		
	3123	𡎸氏善鑰	𡎸氏𪟝乍善鑰
	5686	𩏂白壺	𩏂白𪟝□之行
	7560	十六年奠令戈	工帀皇𪟝冶__
			小計：共 3 筆
𢅹	1495		
	2698	陳𧶘𣪕	𧶘曰：余陳中𢅹孫
			小計：共 1 筆
髮猶	1496		
	1155	戜者乍旅鼎	用妥髮彔
	4878	召尊	白懋父易召白馬每黃猶（髮）微
	5496	召卣	每黃髮敚
	6792	史墻盤	緐猶（髮）多釐
	6792	史墻盤	髮彔、黃耇彌生
	6989	__鐘	福無彊猶
	7159	瘐鐘二	䋎綰猶（祓）祿屯魯
			小計：共 7 筆
后	1497		
	0516	后母戊方鼎	司（后）母戊
	0521	后母辛方鼎二	司（后）母辛
	0522	后母辛方鼎	司（后）母辛
	0653	后母目康方鼎	后母目康
	0728	王后鼎	王后左室□□□、王后左□室
	0945	鑄客為大后脰官鼎	鑄客為大句（后）脰官為之
	0946	鑄客為王后七府鼎	鑄客為王句（后）七㐭為之
	2880	鑄客匜一	鑄客為王后六室為之

后

2881	鑄客匿二	鑄客為王后六室為之
2882	鑄客匿三	鑄客為王后六室為之
2883	鑄客匿四	鑄客為王后六室為之
2884	鑄客匿五	鑄客為王后六室為之
2885	鑄客匿六	鑄客為王后六室為之
2886	鑄客匿七	鑄客為王后六室為之、八
3105	鑄客豆一	鑄客為王后六室為之
3106	鑄客豆二	鑄客為王后六室為之
3107	鑄客豆三	鑄客為王后六室為之
3108	鑄客豆四	鑄客為王后六室為之
4028	后㚸母爵一	后㚸母
4029	后㚸母爵二	后㚸母
4030	后㚸母爵三	后㚸母
4031	后㚸母爵四	后㚸母
4032	后㚸母爵五	后㚸母
4033	后㚸母爵六	后㚸母
4034	后㚸母爵七	后㚸母
4035	后㚸母爵八	后㚸母
4036	后㚸母爵九	后㚸母
4641	后㚸母方尊一	[后㚸]母癸
4642	后㚸母方尊二	[后㚸]母癸
4870	䀠商尊	帝后賞商庚姬貝卅朋
4907	后母辛四足觥一	后母辛
4908	后母辛四足觥二	后母辛
5571	鑄客罍一	鑄客為王后六室為之
5572	鑄客罍二	鑄客為王后六室為之
6180	司㚸母觚一	司(后)㚸母
6181	司㚸母觚二	司(后)㚸母
6182	司㚸母觚三	司(后)㚸母
6183	司㚸母觚四	司(后)㚸母
6184	司㚸母觚五	司(后)㚸母
6185	司㚸母觚六	司(后)㚸母
6186	司㚸母觚七	司(后)㚸母
6884	鑄客鑑	鑄客為王句(后)六室為之
6888	吳王光鑑一	虔敬乃后
6889	吳王光鑑二	虔敬乃后
7186	叔夷編鐘五	删伐夏后
7214	叔夷鎛	删伐夏后
7539	何戈	后己女
7948	鑄客銅器二	鑄客為王后六室為之
7949	鑄客銅器三	鑄客為王后六室為之
7975	中山王墓兆域圖	丌葬棺(棺)中棺眂𢘫后
7975	中山王墓兆域圖	王后堂方二百乇
7975	中山王墓兆域圖	丌葬眂𢘫后
7975	中山王墓兆域圖	葬棺中棺眂𢘫后
7992	后母辛方形高圈足器	后母辛
補2	后㚸母甗	后㚸母

小計：共　55 筆

司 1498

司	0516	后母戊方鼎	司(后)母戊
	0521	后母辛方鼎二	司(后)母辛
	0522	后母辛方鼎	司(后)母辛
	0653	后母㠯康方鼎	后(司)母㠯康
	0984	龔姛乍父乙鼎一	龔始商易貝于司
	0985	龔姛乍父乙鼎二	龔始商易貝于司
	1010	榮有𤔲再鼎	榮有司再乍齍鼎
	1094	魯大左司徒元善鼎	魯大左司徒元乍善鼎
	1113	梁廿七年鼎一	大梁司寇肖亡智新為量
	1114	廿七年大梁司寇肖無智鼎二	大梁司寇肖亡智鑄新量
	1170	信安君鼎	眂(視)事司馬欹、冶王石
	1253	平安君鼎	坪安邦司客
	1317	善夫山鼎	用乍寍、司貯
	1318	晉姜鼎	晉姜曰：余隹司朕先姑君晉邦
	1332	毛公鼎	司余小子弗役
	2611	𤰔渣𤔲土疑𣪘	渣司土疑眔啚乍厥考尊彝[𤰔]
	2659	郾侯𢊁𣪘	用司乘車
	2703	免乍旅𣪘	令免乍𤔲(辭司)土
	2713	𤼈𣪘一	𤼈曰：㬎皇且考𤔲(司辭)威義
	2714	𤼈𣪘二	𤼈曰：㬎皇且考𤔲(司辭)威義
	2715	𤼈𣪘三	𤼈曰：㬎皇且考𤔲(司辭)威義
	2716	𤼈𣪘四	𤼈曰：㬎皇且考𤔲(司辭)威義
	2717	𤼈𣪘五	𤼈曰：㬎皇且考𤔲(司辭)威義
	2718	𤼈𣪘六	𤼈曰：㬎皇且考𤔲(司辭)威義
	2719	𤼈𣪘七	𤼈曰：㬎皇且考𤔲(司辭)威義
	2720	𤼈𣪘八	𤼈曰：㬎皇且考𤔲(司辭)威義
	2762	免𣪘	令女足周師、𤔲(司辭)歡
	2763	弔向父禹𣪘	余小子司朕皇考
	2765	救𣪘	王才師𤔲(司辭)馬宮大室即立
	2774.	南宮弔𣪘	天子𤔲(司)賜(賜)女䜌旂、用狩
	2775.	害𣪘一	吏官𤔲(司)人僕
	2776	走𣪘	司馬井白入、右徒
	2787	望𣪘	死司畢王家
	2788	靜𣪘	丁卯、王令靜司射學宮
	2791	豆閉𣪘	司馬弓矢
	2792	師俞𣪘	䎽司保氏
	2793	元年師旋𣪘一	官司豐還ナ又師氏
	2794	元年師旋𣪘二	官司豐還ナ又師氏
	2795	元年師旋𣪘三	官司豐還ナ又師氏
	2797	輔師𠭰𣪘	更乃且考司輔載
	2798	師𤼈𣪘一	王才周師司馬宮
	2798	師𤼈𣪘一	今余唯𤕌(緟)先王令女官司邑人師氏
	2799	師𤼈𣪘二	王才周師司馬宮
	2799	師𤼈𣪘二	今余唯𤕌(緟)先王令女官司邑人師氏
	2800	伊𣪘	䎽官司康宮王臣妾、百工
	2810	揚𣪘一	王若曰：揚、乍司工
	2810	揚𣪘一	官司量田甸、眔司㡯
	2810	揚𣪘一	眔司L8、眔司寇

2810	揚毁一	眔司工司
2811	揚毁二	王若曰：揚、乍司工
2811	揚毁二	官司㯱田甸、眔司㕁
2811	揚毁二	眔司L8、眔司寇
2811	揚毁二	眔司工事
2818	此毁一	司土毛弔右此入門、立中廷
2819	此毁二	司土毛弔右此入門、立中廷
2820	此毁三	司土毛弔右此入門、立中廷
2821	此毁四	司土毛弔右此入門、立中廷
2822	此毁五	司土毛弔右此入門、立中廷
2823	此毁六	司土毛弔右此入門、立中廷
2824	此毁七	司土毛弔右此入門、立中廷
2825	此毁八	司土毛弔右此入門、立中廷
2831	元年師兌毁一	司ナ（ 左 ）右走馬、五邑走馬
2832	元年師兌毁二	司ナ（ 左 ）右走馬、五邑走馬
2838	師𣪕毁一	既令女更乃且考𤔲（ 司 ）
2838	師𣪕毁一	令女𤔲（ 司 ）乃且舊官小輔鼓鐘
2838	師𣪕毁一	既令女更乃且考𤔲（ 司 ）小輔
2839	師𣪕毁二	既令女更乃且考𤔲（ 司 ）
2839	師𣪕毁二	令女𤔲（ 司 ）乃且舊官小輔鼓鐘
2839	師𣪕毁二	既令女更乃且考𤔲（ 司 ）小輔
2840	番生毁	王令䚄𤔲（ 司 ）公族卿吏、大史寮
2842	卯毁	䚄乃先且考死𤔲（ 司 ）榮公室
2842	卯毁	昔乃且亦既令乃父死（ 司 ）𦼡人
2842	卯毁	今余隹令女死𤔲（ 司 ）𦼡宮𦼡人
2844	頌毁一	令女官𤔲（ 司 ）成周賈
2844	頌毁一	監𤔲（ 司 ）新寤（ 造 ）賈用宮御
2845	頌毁二	令女官𤔲（ 司 ）成周賈
2845	頌毁二	監𤔲（ 司 ）新寤（ 造 ）賈用宮御
2845	頌毁二	令女官𤔲（ 司 ）成周賈
2845	頌毁二	監𤔲（ 司 ）新寤（ 造 ）賈用宮御
2846	頌毁三	令女官𤔲（ 司 ）成周賈
2846	頌毁三	監𤔲（ 司 ）新寤（ 造 ）賈用宮御
2847	頌毁四	令女官𤔲（ 司 ）成周賈
2847	頌毁四	監𤔲（ 司 ）新寤（ 造 ）賈用宮御
2848	頌毁五	令女官𤔲（ 司 ）成周賈
2848	頌毁五	監𤔲（ 司 ）新寤（ 造 ）賈用宮御
2849	頌毁六	令女官𤔲（ 司 ）成周賈
2849	頌毁六	監𤔲（ 司 ）新寤（ 造 ）賈用宮御
2850	頌毁七	令女官𤔲（ 司 ）成周賈
2850	頌毁七	監𤔲（ 司 ）新寤（ 造 ）賈用宮御
2851	頌毁八	令女官𤔲（ 司 ）成周賈
2851	頌毁八	監𤔲（ 司 ）新寤（ 造 ）賈用宮御
2857	牧毁	以今既司匐氒辠召故
2879	大𤔲馬𩚁固	大𤔲（ 司 ）馬孝述自乍𩚁固
4028	后㜽母爵一	后（ 司 ）㜽母
4029	后㜽母爵二	后（ 司 ）㜽母
4030	后㜽母爵三	后（ 司 ）㜽母
4031	后㜽母爵四	后（ 司 ）㜽母

司

4032	后㚸母爵五	后(司)㚸母
4033	后㚸母爵六	后(司)㚸母
4034	后㚸母爵七	后(司)㚸母
4035	后㚸母爵八	后(司)㚸母
4036	后㚸母爵九	后(司)㚸母
4322	司㚸母斝一	[司㚸母]
4323	司㚸母斝二	[司㚸母]
4449	裘衛盉	單白迺令參有司;𤔲土敚邑
4449	裘衛盉	𤔲馬單旅、司工邑人服眔受田燹趞
4634	司㚸母尊一	[司㚸母]
4635	司㚸母尊二	[司㚸母]
4641	后㚸母方尊一	后(司)㚸母癸
4642	后㚸母方尊二	后(司)㚸母癸
4811	盠𤔲土幽乍且辛旅尊	盠司土幽乍且辛旅彝
4870	虢商尊	帝后(司)賞商庚姬貝卅朋
4907	后母辛四足觥一	后(司?)母辛
4908	后母辛四足觥二	后(司?)母辛
5422	盠𤔲土幽旅卣	盠司土幽乍且辛旅彝
5479	虢商乍文辟日丁卣	帝司賞庚姬貝卅朋
5500	免卣	乍司工
5627	司㚸母方壺一	[司㚸母]
5628	司㚸母方壺二	[司㚸母]
5803	𠭯嗣好蚉壺	或得賢佐司馬賈而冢任之邦
5803	𠭯嗣好蚉壺	隹司馬賈訢諮戰怒
6180	司㚸母觚一	司(后)㚸母
6181	司㚸母觚二	司(后)㚸母
6182	司㚸母觚三	司(后)㚸母
6183	司㚸母觚四	司(后)㚸母
6184	司㚸母觚五	司(后)㚸母
6185	司㚸母觚六	司(后)㚸母
6186	司㚸母觚七	司(后)㚸母
6792	史墻盤	上帝司vu尢保受天子綰令厚福豐年
6909	逋盂	陨諆各㓝(的)司寮女寮:奚、㣇、華
7176	㝬鐘	我隹司配皇天
7388	乍御司馬戈	乍御司馬
7478	郾王職乍御司馬	郾王職乍御司馬
7492	滕司徒戈	滕司徒乍□用
7534	□_戈	□_命司馬伐右庫工币高反冶□
7549	十六年喜令戈	喜命韓鳳左庫工币司馬裕冶何
7553	廿年奠令戈	廿年鄭命韓恙司寇吳裕
7558	十四年奠令戈	十四年奠命趙距司寇王造武庫
7559	十五年奠令戈	十五年奠命趙距司寇□章右庫
7560	十六年奠令戈	十六年奠命趙司寇彭璋里庫
7561	十七年奠令戈	十七年奠命幽距司寇彭璋武庫
7562	廿一年奠令戈	廿一年奠命𨽍族司寇裕左庫工币吉□冶□
7563	卅一年奠令戈	卅一年奠命𨛭司寇肖它里庫工币冶𤔲啟
7568	四年奠令戈	四年奠命韓及司寇長朱
7569	五年奠令戈	五年奠命韓_司寇張朱
7570	六年奠令戈	六年奠命_幽司寇向_左庫工币倉慶冶尹成𩏂
7571	八年奠令戈	八年奠命_幽司寇史墜右庫工币易高冶尹_□

7572	十七年龠令戈	十七年龠命椃㞼司寇奠__右庫工币□軗冶□□
7652	五年鄭令韓□矛	五年奠命韓□司寇長朱
7653	十年邦司寇富無矛	十年邦司寇富無
7654	十二年邦司寇野矛	十二年邦司寇野□
7654	十二年邦司寇野矛	上庫工币司馬丘玆冶賢
7657	九年鄭令向甸矛	九年奠命向甸司寇□商
7658	五年春平侯矛	五年相邦□平侯邦司寇__
7663	卅二年奠令槍□矛	卅二年奠命槍□司寇趙它
7664	元年奠命槍□矛	元年奠命槍□司寇芋慶
7665	三年奠令槍□矛	三年奠命槍□司寇□慶
7666	七年奠令□幽矛	七年奠命□幽司寇□□
7667	卅四年奠令槍□矛	卅四年奠命槍□司寇造芋慶
7668	二年奠令槍□矛	二年奠命槍□司寇芋慶
7669	四年□雍令矛	四年□雝命韓匡司寇□宅
7670	六年安陽令斷矛	六年安陽命韓亟司陽□□□
7691	衛司馬劍	衛司馬與之□工币
7731	王立事劍一	□□命孟卯左庫工币司馬部
7732	王立事劍二	□□命孟卯左庫工币司馬部
7733	王立事劍三	□□命孟卯左庫工币司馬部
7739	卅三年奠令□□劍	卅三年奠命□□司寇趙它
7877	嗣工鉀	司工
7884	五年司馬權	五年司馬成公__□事命代□
7899	鄂君啟車節	大司馬卲陽敗晉币於襄陽之歲
7900	鄂君啟舟節	大司馬卲陽敗晉币於襄陵之歲
7992	后母辛方形高圈足器	后（司）母辛
7938	司正門鋪	司正
7953	三年錯銀鳩杖首	丞㞼五司永昌__
補26	后㝁母甗	后（司）㝁母
M252	免簠	令免乍司土
M343	魯司徒中齊盨	魯司徒中齊肈乍皇考白走公𩒨盨𣪘
M344	魯司徒中齊盤	魯司徒中齊肈乍般
M345	魯司徒中齊匜	魯司徒中齊肈乍皇考白走父寶匜
M487	魯司徒伯吳𣪘	魯司徒白吳敢肈乍旅𣪘
M816	魯大左司徒元鼎	魯大左司徒元乍善鼎
		小計：共 181 筆

䛐 1499	1501冊字重見	
令 1500		
1047	䛐白鼎	王令䛐白啚于㞢為宮
1167	__父鼎一	__父乍__寶鼎延令曰
1168	__父鼎二	__父乍__寶鼎延令曰
1173	羌乍文考鼎	□令羌死嗣□官
1173	羌乍文考鼎	羌對揚君令于彝
1187	員乍父甲鼎	王令員執犬、休善
1190	内史鼎	内史令ia事
1191	堇乍大子癸鼎	匽侯令堇飴大保于宗周
1192	亞□伐__乍父乙鼎	丁卯、王令宜子迨西方

令

1233	＿鼎	王令h0捷東反尸
1239	＿鼎一	溓公令nt.眔史旅曰
1240	＿鼎二	溓公令nt.眔史旅曰
1251	中先鼎一	隹王令南宮伐反虎方之年
1251	中先鼎一	王令中先省南或(國)
1252	中先鼎二	隹王令南宮伐反虎方之年
1252	中先鼎二	王令中先省南或(國)
1262	䆉鼎	趞中令䆉䋣嗣鄭田
1264	螸鼎	妊氏令螸
1265	尌弔鼎	多宗永令
1270	小臣夌鼎	令小臣夌先省楚㕦
1271	史獸鼎	尹令史獸立工于成周
1279	中方鼎	王令大吏兄褱土
1279	中方鼎	中對王休令
1280	康鼎	令女幽黃、鋚革
1281	史頌鼎一	令史頌11穌
1281	史頌鼎一	日遟天子覭令
1282	史頌鼎二	令史頌11穌
1282	史頌鼎二	日遟天子覭令
1283	微䜌鼎	王令敚䜌䋣嗣九陂
1283	微䜌鼎	屯右釁壽、永令霝冬
1288	令鼎一	令眔奮先馬走
1288	令鼎一	王曰：令眔奮乃克至
1288	令鼎一	令拜䭫首
1288	令鼎一	令對揚王休
1289	令鼎二	令眔奮先馬走
1289	令鼎二	王曰：令眔奮乃克至
1289	令鼎二	令拜䭫首
1289	令鼎二	令對揚王休
1290	利鼎	王乎乍命內史冊令利曰
1291	善夫克鼎一	王命善夫克舍令于成周遹正八自之年
1291	善夫克鼎一	釁壽永令霝冬
1292	善夫克鼎二	王命善夫克舍令于成周遹正八自之年
1292	善夫克鼎二	釁壽永令霝冬
1293	善夫克鼎三	王命善夫克舍令于成周遹正八自之年
1293	善夫克鼎三	釁壽永令霝冬
1294	善夫克鼎四	王命善夫克舍令于成周遹正八自之年
1294	善夫克鼎四	釁壽永令霝冬
1295	善夫克鼎五	王命善夫克舍令于成周遹正八自之年
1295	善夫克鼎五	釁壽永令霝冬
1296	善夫克鼎六	王命善夫克舍令于成周遹正八自之年
1296	善夫克鼎六	釁壽永令霝冬
1297	善夫克鼎七	王命善夫克舍令于成周遹正八自之年
1297	善夫克鼎七	釁壽永令霝冬
1298	師旂鼎	懋父令曰
1300	南宮柳鼎	王乎乍冊尹冊令柳嗣六自牧、陽、大□
1301	大鼎一	王召走馬雁令取k3駽卅二匹易大
1302	大鼎二	王召走馬雁令取k3駽卅二匹易大
1303	大鼎三	王召走馬雁令取k3駽卅二匹易大
1306	無叀鼎	王乎史翏冊令無叀曰：官嗣Lk王1J側虎臣

1308	白晨鼎	勿灋朕令
1309	寰鼎	史黹受王令書
1309	寰鼎	敢對揚天子不顯叚休令
1310	鬲攸從鼎	王令眚史南目即虢旅
1311	師晨鼎	王乎乍冊尹冊令師晨足師俗𤔲邑人
1311	師晨鼎	敢對揚天子不顯休令
1312	此鼎一	王乎史翏冊令此曰
1312	此鼎一	此敢對揚天子不顯休令
1313	此鼎二	王呼史翏冊令此曰
1313	此鼎二	此敢對揚天子不顯休令
1314	此鼎三	王呼史翏冊令此曰
1314	此鼎三	此敢對揚天子不顯休令
1315	善鼎	王曰：善、昔先王既令女左足䨻侯
1315	善鼎	今余唯肇𤕌先王令
1315	善鼎	令女左足䨻侯、監豳師戍
1316	彧方鼎	對揚王令
1317	善夫山鼎	王乎史桒冊令山
1317	善夫山鼎	王曰：山、令女官𤔲歙獻人于冕
1317	善夫山鼎	山敢對揚天子休令
1317	善夫山鼎	永令霝冬
1318	晉姜鼎	勿廢文侯覭令
1319	頌鼎一	尹氏受王令書
1319	頌鼎一	王呼史虢生冊令頌
1319	頌鼎一	王曰：頌、令女官𤔲成周賈廿家、監𤔲新寤
1319	頌鼎一	受令冊、佩以出
1319	頌鼎一	旂丏康𩂣屯右、通彔永令
1320	頌鼎二	尹氏受王令書
1320	頌鼎二	王呼史虢生冊令頌
1320	頌鼎二	王曰：頌、令女官𤔲成周賈廿家、監𤔲新寤
1320	頌鼎二	受令冊、佩以出
1320	頌鼎二	旂丏康𩂣屯右、通彔永令
1321	頌鼎三	尹氏受王令書
1321	頌鼎三	王呼史虢生冊令頌
1321	頌鼎三	王曰：頌、令女官𤔲成周、賈廿家、監𤔲新寤
1321	頌鼎三	受令冊、佩以出
1321	頌鼎三	旂丏康𩂣屯右、通彔永令
1322	九年裘衛鼎	矩迺眔湛粦令
1325	五祀衛鼎	迺令參有𤔲𤔲土邑人趞
1327	克鼎	出內王令
1327	克鼎	王呼尹氏冊令善夫克
1327	克鼎	王若曰：克、昔余既令女出內朕令
1327	克鼎	今余隹𤕌京乃令
1327	克鼎	勿灋朕令
1328	盂鼎	隹九月、王才宗周、令盂
1328	盂鼎	受天有大令
1328	盂鼎	我聞殷述令
1328	盂鼎	若玟王令二、三正
1328	盂鼎	今余隹令女盂召榮敬雝德巠
1328	盂鼎	令女盂井乃嗣且南公
1328	盂鼎	勿灋朕令

	1329	小字盂鼎	王令榮□᠁
	1329	小字盂鼎	祉王令賞盂□□□□□□弓一、矢百、畫絨一、
	1330	曶鼎	□若曰：曶（曶）、令女更乃且考嗣卜事
令	1330	曶鼎	既則卑復令日：若
	1576	令父己甗	[令]父己
	1668	中甗	王令中先省南或貫行
	1668	中甗	史兒至、以王令曰
	1668	中甗	余令女史小大邦
	1674	令段	[令]
	2296	子令乍父癸寶段	子令乍父癸寶尊彝
	2334	頌段	[佣獎]受冊令頌其寶彝
	2598	燮乍宮仲念器	王令燮uk市旂
	2611	眲渣嗣土㚖段	祉令康侯啚于衛
	2632	陳逆段	以匄羕（永）令釁壽
	2654	䢅乍文父丁段	隹□令伐尸方罾
	2675	大保段	王降征令于大保
	2675	大保段	用兹彝、對令
	2684	＿寇乎段	用匄釁壽永令
	2699	公臣段一	虢中令公臣嗣朕百工
	2700	公臣段二	虢中令公臣嗣朕百工
	2701	公臣段三	虢中令公臣嗣朕百工
	2702	公臣段四	虢中令公臣嗣朕百工
	2703	免乍旅段	令免乍嗣（辭司）土
	2707	小臣守段一	守敢對揚天子休令
	2708	小臣守段二	守敢對揚天子休令
	2709	小臣守段三	守敢對揚天子休令
	2710	䢅自乍寶器一	王吏榮蔑曆令桂邦
	2711	䢅自乍寶器二	王吏榮蔑曆令桂邦
	2712	虢姜段	通彔永令
	2725.	繁星段	用旜康匄屯右通彔魯令
	2727	蔡姞乍尹弔段	綽綰永令
	2728	恆段一	令女更㞢克嗣直啚
	2728	恆段一	夙夕勿灋（廢）朕令
	2729	恆段二	令女更㞢克嗣直啚
	2729	恆段二	夙夕勿灋（廢）朕令
	2730	獻段	楠白令氒臣獻金車
	2731	小臣宅段	令宅吏白懋父
	2737	段段	令龏䢅遣（饋）大則于段
	2738	衛段	王曾令衛
	2739	無㠱段一	日敢對揚天子魯休令
	2740	無㠱段二	日敢對揚天子魯休令
	2741	無㠱段三	日敢對揚天子魯休令
	2742	無㠱段四	日敢對揚天子魯休令
	2742.	無㠱段五	敢對揚天子魯休令
	2742.	無㠱段五	敢對揚天子魯休令
	2744	五年師旋段一	令女羞追于齊
	2745	五年師旋段二	令女羞追于齊
	2746	追段一	用旜匄釁壽永令
	2747	追段二	用旜匄釁壽永令
	2748	追段三	用旜匄釁壽永令

2749	追𣪘四	用旛匃釁壽永令
2750	追𣪘五	用旛匃釁壽永令
2751	追𣪘六	用旛匃釁壽永令
2752	史頌𣪘一	令史頌
2752	史頌𣪘一	日遟天子覭令
2753	史頌𣪘二	令史頌
2753	史頌𣪘二	日遟天子覭令
2754	史頌𣪘三	令史頌
2754	史頌𣪘三	日遟天子覭令
2755	史頌𣪘四	令史頌
2755	史頌𣪘四	日遟天子覭令
2756	史頌𣪘五	令史頌
2756	史頌𣪘五	日遟天子覭令
2757	史頌𣪘六	令史頌
2757	史頌𣪘六	日遟天子覭令
2758	史頌𣪘七	令史頌
2758	史頌𣪘七	日遟天子覭令
2759	史頌𣪘八	令史頌
2759	史頌𣪘八	日遟天子覭令
2759	史頌𣪘九	令史頌
2759	史頌𣪘九	日遟天子覭令
2760	小臣謎𣪘一	白懋父承王令易自達征自五齵貝
2761	小臣謎𣪘二	白懋父承王令易自達征自五齵貝
2762	免𣪘	井弔有免即令
2762	免𣪘	卑冊令免日
2762	免𣪘	令女足周師、嗣(司辭)歡
2763	弔向父禹𣪘	匔于永令
2764	艾𣪘	隹三月、王令榮眔內吏日
2764	艾𣪘	無冬令玙(于)有周
2764	艾𣪘	用典王令
2770	𢦏𣪘	王日：𢦏、令女乍嗣土
2774	臣諫𣪘	征令臣諫目□□亞旅處于軧
2774	臣諫𣪘	令肄服乍朕皇文考寶尊
2774	臣諫𣪘	隹用□康令于皇辟侯
2776	走𣪘	王乎乍冊尹冊令□
2784	申𣪘	申敢對揚天子休令
2787	望𣪘	王乎史年冊令望
2787	望𣪘	王呼史年冊令望
2788	靜𣪘	丁卯、王令靜司射學宮
2791.	史密𣪘	王令師俗、史密日：東征
2792	師俞𣪘	王乎乍冊內史冊令師俞
2797	輔師嫠𣪘	王乎乍冊尹冊令嫠日
2797	輔師嫠𣪘	令余曾乃令
2797	輔師嫠𣪘	嫠拜䭬首敢對揚王休令
2798	師𩔰𣪘一	王乎內史吳冊令師𩔰日
2798	師𩔰𣪘一	先王既令女
2798	師𩔰𣪘一	令余唯䌛(緟)先王令女官司邑人師氏
2799	師𩔰𣪘二	王乎內史吳冊令師𩔰日
2799	師𩔰𣪘二	先王既令女
2799	師𩔰𣪘二	令余唯䌛(緟)先王令女官司邑人師氏

令

2801	五年召白虎㲃	告曰：㠯君氏令曰
2801	五年召白虎㲃	余既訊㕌我考我母令
2801	五年召白虎㲃	余或至我考我母令
2802	六年召白虎㲃	亦我考幽白姜令
2802	六年召白虎㲃	今余既訊有嗣曰㑞令
2803	師酉㲃一	勿灋（廢）朕令
2804	師酉㲃二	勿灋（廢）朕令
2804	師酉㲃二	勿灋（廢）朕令
2805	師酉㲃三	勿灋（廢）朕令
2806	師酉㲃四	勿灋（廢）朕令
2806.	師酉㲃五	勿灋（廢）朕令
2810	揚㲃一	王乎内史史q4冊令揚
2811	揚㲃二	王乎内史史q4冊令揚
2812	大㲃一	王令善夫豖曰趞睽曰
2812	大㲃一	睽令豖曰天子
2813	大㲃二	王令善夫豖曰趞睽曰
2813	大㲃二	睽令豖曰天子
2814	鳥冊夨令㲃一	乍冊夨令尊俎于王姜
2814	鳥冊夨令㲃一	姜商令貝十朋、臣十家、鬲百人
2814	鳥冊夨令㲃一	令敢揚皇王宣、丁公文報
2814	鳥冊夨令㲃一	令用弇㫃于皇王
2814	鳥冊夨令㲃一	令敢㫃皇王宣
2814.	夨令㲃二	乍冊夨令尊俎于王姜
2814.	夨令㲃二	姜商令貝十朋、臣十家、鬲百人
2814.	夨令㲃二	令敢揚皇王宣、丁公文報
2814.	夨令㲃二	令用弇㫃于皇王
2814.	夨令㲃二	令敢㫃皇王宣
2815	師㲃㲃	余令女尸我家
2816	彔白㦰㲃	叀圅（宏）天令
2817	師穎㲃	王乎内史遺冊令師穎
2817	師穎㲃	才先王既令女乍嗣土
2817	師穎㲃	今余隹肇䌛乃令
2818	此㲃一	王呼史翏冊令此曰
2818	此㲃一	此敢對揚天子不顯休令
2819	此㲃二	王呼史翏冊令此曰
2819	此㲃二	此敢對揚天子不顯休令
2820	此㲃三	王呼史翏冊令此曰
2820	此㲃三	此敢對揚天子不顯休令
2821	此㲃四	王呼史翏冊令此曰
2821	此㲃四	此敢對揚天子不顯休令
2822	此㲃五	王呼史翏冊令此曰
2822	此㲃五	此敢對揚天子不顯休令
2823	此㲃六	王呼史翏冊令此曰
2823	此㲃六	此敢對揚天子不顯休令
2824	此㲃七	王呼史翏冊令此曰
2824	此㲃七	此敢對揚天子不顯休令
2825	此㲃八	王呼史翏冊令此曰
2825	此㲃八	此敢對揚天子不顯休令
2826	師寰㲃一	今余肇令女逹（率）齊帀
2826	師寰㲃一	今余肇令女逹（率）齊帀

2827	師寰毀二	今余肇令女逹(率)齊帀
2828	宜侯夨毀	王令虞侯夨曰
2829	師虎毀	王乎内史吳曰冊令虎
2829	師虎毀	載先王既令乃祖考吏啻官
2829	師虎毀	今余隹帥井先令
2829	師虎毀	令女更乃祖考啻官
2829	師虎毀	勿灋(廢)朕令
2830	三年師兌毀	王乎内史尹冊令師兌
2830	三年師兌毀	余既令女正師龢父
2830	三年師兌毀	今余隹醽(緟)京乃令
2830	三年師兌毀	令女𤔲嗣走馬
2831	元年師兌毀一	王乎内史尹冊令師兌
2832	元年師兌毀二	王乎内史尹冊令師兌
2834	㝬毀	醽(緟)圝皇帝大魯令
2834	㝬毀	用桒壽、匃永令
2835	訇毀	不顯文武受令
2835	訇毀	今余令女啻官
2835	訇毀	訇韻首對揚天子休令
2837	敔毀一	王令敔追禦于上洛煜谷
2838	師嫠毀一	王乎尹氏冊令師嫠
2838	師嫠毀一	既令女更乃且考嗣(司)
2838	師嫠毀一	今余唯醽(緟)京乃令
2838	師嫠毀一	令女嗣(司)乃且舊官小輔鼓鐘
2838	師嫠毀一	夙夜勿灋(廢)朕令
2838	師嫠毀一	王乎尹氏冊令師嫠
2838	師嫠毀一	既令女更乃且考嗣(司)小輔
2838	師嫠毀一	今余隹醽(緟)京乃令
2838	師嫠毀一	令女嗣乃且舊官小輔眔鼓鐘
2839	師嫠毀二	王乎尹氏冊令師嫠
2839	師嫠毀二	既令女更乃且考嗣(司)
2839	師嫠毀二	今余唯醽(緟)京乃令
2839	師嫠毀二	令女嗣(司)乃且舊官小輔鼓鐘
2839	師嫠毀二	夙夜勿灋(廢)朕令
2839	師嫠毀二	王乎尹氏冊令師嫠
2839	師嫠毀二	既令女更乃且考嗣(司)小輔
2839	師嫠毀二	今余隹醽(緟)京乃令
2839	師嫠毀二	令女嗣乃且舊官小輔眔鼓鐘
2840	番生毀	用醽(緟)圝大令
2840	番生毀	王令𤔲嗣(司)公族卿吏、大史寮
2842	卯毀	榮白乎令卯曰
2842	卯毀	昔乃且亦既令乃父死(司)葊人
2842	卯毀	今余隹令女死嗣(司)葊宮葊人
2843	沈子它毀	朕吾考令乃鴅沈子乍綴于周公宗
2843	沈子它毀	休同公克成妥吾考日丁顯受令
2843	沈子它毀	用水霝令、用妥公唯壽
2844	頌毀一	尹氏受王令書
2844	頌毀一	王乎史虢生冊令頌
2844	頌毀一	令女官嗣(司)成周賈
2844	頌毀一	頌拜韻首受令冊
2844	頌毀一	通彔永令

2845	頌設二	尹氏受王令書
2845	頌設二	王乎史虢生冊令頌
2845	頌設二	令女官嗣（ 司 ）成周賈
2845	頌設二	頌拜韻首受令冊
2845	頌設二	通彔永令
2845	頌設二	尹氏受王令書
2845	頌設二	王乎史虢生冊令頌
2845	頌設二	令女官嗣（ 司 ）成周賈
2845	頌設二	頌拜韻首受令冊
2845	頌設二	通彔永令
2846	頌設三	尹氏受王令書
2846	頌設三	王乎史虢生冊令頌
2846	頌設三	令女官嗣（ 司 ）成周賈
2846	頌設三	頌拜韻首受令冊
2846	頌設三	通彔永令
2847	頌設四	尹氏受王令書
2847	頌設四	王乎史虢生冊令頌
2847	頌設四	令女官嗣（ 司 ）成周賈
2847	頌設四	頌拜韻首受令冊
2847	頌設四	通彔永令
2848	頌設五	尹氏受王令書
2848	頌設五	王乎史虢生冊令頌
2848	頌設五	令女官嗣（ 司 ）成周賈
2848	頌設五	頌拜韻首受令冊
2848	頌設五	通彔永令
2849	頌設六	尹氏受王令書
2849	頌設六	王乎史虢生冊令頌
2849	頌設六	令女官嗣（ 司 ）成周賈
2849	頌設六	頌拜韻首受令冊
2849	頌設六	通彔永令
2850	頌設七	尹氏受王令書
2850	頌設七	王乎史虢生冊令頌
2850	頌設七	令女官嗣（ 司 ）成周賈
2850	頌設七	頌拜韻首受令冊
2850	頌設七	通彔永令
2851	頌設八	尹氏受王令書
2851	頌設八	王乎史虢生冊令頌
2851	頌設八	令女官嗣（ 司 ）成周賈
2851	頌設八	頌拜韻首受令冊
2851	頌設八	通彔永令
2852	不嬰設一	王令我羞追于西
2853	不嬰設二	王令我羞追于西
2854	蔡設	王乎史尤冊令蔡
2854	蔡設	昔先王既令女乍宰、嗣王家
2854	蔡設	今余隹䚄京乃令
2854	蔡設	令女眔曶：䊼足對各
2854	蔡設	嗣百工、出入姜氏令
2854	蔡設	氒又見又即令
2854	蔡設	敬夙夕、勿灋朕令
2855	班設一	王令毛白更虢城公服

2855	班毀一	秉緐、蜀、巢令
2855	班毀一	王令毛公以邦冢君、土（徒）馭、戜人
2855	班毀一	王令吳白曰
2855	班毀一	王令呂白曰
2855	班毀一	趞令曰：以乃族从父征
2855	班毀一	彝杰天令、故亡
2855.	班毀二	王令毛白更虢城公服
2855.	班毀二	令易鈴勒
2855.	班毀二	王令毛公以邦冢君土
2855.	班毀二	王令吳白曰
2855.	班毀二	王令呂白曰
2855.	班毀二	趞令曰
2855.	班毀二	彝杰（昧）天令
2856	師訇毀	不顯文武、雁（膺）受天令
2856	師訇毀	董大令
2856	師訇毀	令余隹䌛京乃令
2856	師訇毀	令女叀雝我邦小大猷
2857	牧毀	王乎內史吳冊令牧
2857	牧毀	牧、昔先王既令女乍嗣土
2857	牧毀	令女辟百寮有同吏
2857	牧毀	敬夙夕勿灋朕令
2982.	甲午匿	臣京考帝顯令誌于匿
3070	杜白盨一	用桒壽、匄永令
3071	杜白盨二	用桒壽、匄永令
3072	杜白盨三	用桒壽、匄永令
3073	杜白盨四	用桒壽、匄永令
3074	杜白盨五	用桒壽、匄永令
3086	善夫克旅盨	王令尹氏友、史趛典善夫克田人
3086	善夫克旅盨	釁壽永令
3087	鬲从盨	令小臣成友逆＿□內史無䚄
3088	師克旅盨一（蓋）	師克不顯文武、雁受大令、匍有四方
3088	師克旅盨一（蓋）	昔余既令女
3088	師克旅盨一（蓋）	令余隹䌛（緟）京乃令
3088	師克旅盨一（蓋）	令女更乃且考
3088	師克旅盨一（蓋）	敬夙夕、勿灋（廢）朕令
3089	師克旅盨二	師克不顯文武、雁受大令、匍有四方
3089	師克旅盨二	昔余既令女
3089	師克旅盨二	令余隹䌛（緟）京乃令
3089	師克旅盨二	令女更乃且考
3089	師克旅盨二	敬夙夕、勿灋（廢）朕令
3111	大師盧豆	用匄永令
3766	令父乙爵	［令］父乙
4204	盂爵	王令盂寧鄧白、賓貝
4447	臣辰冊冊夕乍冊父癸盉	王令士上眔史寅殷于成周
4449	裘衛盉	單白迺令參有司；嗣土敚邑
4860	魯侯尊	隹王令明公遣三族伐東或、才vq
4867	鍪睘尊	才庈、君令余乍冊睘安尸（夷）白
4869	次尊	公姞令次嗣田人
4871	䜌牽豐尊	令豐殷大矩
4873	臣辰冊屮冊乍父癸尊	王令士□□寅殷于□

令

4875	阠折尊	令乍冊阠（ 折 ）兄望土于柤侯
4876	保尊	乙卯、王令保及殷東或（ 國 ）五侯
4877	小子生尊	王令生辨事公宗
4879	彔㦵尊	王令㦵曰
4880	免尊	令史懋易免載市冋黃
4881	䣄方尊	公令䣄從＿
4886	趩尊	王乎內史冊令趩更氒且考服
4890	盠方尊	王冊令尹
4890	盠方尊	王令盠曰
4891	何尊	肄玟王受茲大令
4891	何尊	徹令苟享戈
4892	麥尊	王令辟井侯
4892	麥尊	遟明令
4892	麥尊	妥多友、享奔走令
4893	夨令尊	王令周公子明保尹三事四方
4893	夨令尊	丁亥、令夨告于周公宮
4893	夨令尊	公令𢓊同卿事寮
4893	夨令尊	𢓊令、舍三事令
4893	夨令尊	舍四方令
4893	夨令尊	既咸令
4893	夨令尊	易令鬯、金、牛
4893	夨令尊	迺令曰、今我唯令女二人
4893	夨令尊	乍冊令、敢揚明公尹氒宦
4928	折觥	令乍冊阠（ 折 ）兄望土于柤侯
4975	麥方彝	用鬲（ 嗝 ）井侯出入遟令、孫孫子子其永寶
4976	折方彝	令乍冊阠（ 折 ）兄望土于柤侯
4978	吳方彝	王乎史戊冊令吳
4979	盠方彝一	王冊令尹
4979	盠方彝一	王令盠曰
4980	盠方彝二	王冊令尹
4980	盠方彝二	王令盠曰
4981	𪇨冊令方彝	王令周公子明保尹三事四方
4981	𪇨冊令方彝	丁亥、令夨告于周公宮
4981	𪇨冊令方彝	公令𢓊同卿事寮
4981	𪇨冊令方彝	明公朝至于成周、𢓊令
4981	𪇨冊令方彝	舍三事令
4981	𪇨冊令方彝	舍四方令
4981	𪇨冊令方彝	既咸令
4981	𪇨冊令方彝	易令鬯、金、牛
4981	𪇨冊令方彝	迺令曰
4981	𪇨冊令方彝	今我唯令女二人、亢眔夨
4981	𪇨冊令方彝	乍冊令、敢揚明公尹氒宦
5173	令父癸卣	[令]父癸
5243	令＿父辛卣	[cv令]父辛
5472	乍毓且丁卣	降令曰
5472	乍毓且丁卣	降令曰
5478	次卣	公姞令次𤔲田人
5480	冊𠦪冊豐卣	令豐殷大矩
5480	冊𠦪冊豐卣	令豐殷大矩
5484	乍冊睘卣	王姜令乍冊睘安尸白

5484	乍冊睘卣	王姜令乍冊睘安尸白
5485	貉子卣一	王令士道
5486	貉子卣二	王令士道
5491	亞獏二祀𠨘其卣	丙辰、王令𠨘其兄wG于夆田
5494	𡚤𩵦乍母辛卣	乙巳、子令{ 小子 }先以人于堇
5494	𡚤𩵦乍母辛卣	令望人方䍙
5495	保卣	乙卯、王令保及殷東或五侯
5495	保卣	乙卯、王令保及殷東或五侯
5497	農卣	王親令白㫚日
5498	彔𢦏卣	王令𢦏曰
5499	彔𢦏卣二	王令𢦏曰
5500	免卣	令史懋易免𢦏市冋黃
5501	臣辰冊冊𡖊卣一	王令士上眔史黃殷于成周
5502	臣辰冊冊𡖊卣二	王令士上眔史黃殷于成周
5506	小臣傳卣	令師田父殷成周年
5506	小臣傳卣	師田父令小臣傳非余傳□朕考kz
5506	小臣傳卣	師田父令□□余官
5597	次𤮊	公姞令次𤔲田
5785	史懋壺	親令史懋路筮、咸
5787	洌其壺一	永令無彊
5788	洌其壺二	永令無彊
5798	曶壺	王乎尹氏冊令曶曰
5798	曶壺	敢對揚天子不顯魯休令
5798	曶壺	永令多福
5799	頌壺一	尹氏受王令書
5799	頌壺一	王乎史虢生冊令頌
5799	頌壺一	令女官𤔲成周賈廿家
5799	頌壺一	受令冊佩以出
5799	頌壺一	通彔永令
5800	頌壺二	尹氏受王令書
5800	頌壺二	王乎史虢生冊令頌
5800	頌壺二	令女官𤔲成周賈廿家
5800	頌壺二	受令冊佩以出
5800	頌壺二	通彔永令
6754.	徐令尹者旨𦾔爐盤	n8君之孫郐令尹者旨𦾔羼其吉金
6778	免盤	令乍冊内史易免鹵百s1
6787	走馬休盤	敢對揚天子不顯休令
6789	寰盤	史帶受王令書
6789	寰盤	敢對揚天子不顯叚休令
6791	兮甲盤	王令甲征𤔲成周四方責
6791	兮甲盤	敢不用令
6792	史墻盤	上帝司vu尢保受天子綰令厚福豐年
6792	史墻盤	武王則令周公舍圁于周卑處
6792	史墻盤	對揚天子不顯休令
6925	晉邦𥂴	膺受大令
7007	梁其鐘	𩛥于永令
7008	通彔鐘	𩛥于永令
7020	單伯鐘	Jq勤大令
7040	克鐘一	王親令克遹涇東至于京𠂤
7041	克鐘二	王親令克遹涇東至于京𠂤

令

令

7042	克鐘三	王親令克遹涇東至于京
7043	克鐘四	尃奠王令克敢對揚天子休
7043	克鐘四	用匄屯叚永令
7044	克鐘五	尃奠王令克敢對揚天子休
7044	克鐘五	用匄屯叚永令
7059	師臾鐘	用膴屯魯永令
7092	𧊒羌鐘一	令于晉公
7093	𧊒羌鐘二	令于晉公
7094	𧊒羌鐘三	令于晉公
7095	𧊒羌鐘四	令于晉公
7096	𧊒羌鐘五	令于晉公
7135	逆鐘	弔氏令史__召逆
7158	𤼈鐘一	受余屯魯通祿永令
7159	𤼈鐘二	用桒壽、匄永令
7159	𤼈鐘二	畯于永令
7160	𤼈鐘三	受余屯魯通祿永令
7161	𤼈鐘四	受余屯魯通祿永令
7162	𤼈鐘五	受余屯魯通祿永令
7164	𤼈鐘七	武王則令周公舍寓以五十頌處
7166	𤼈鐘九	令
7174	秦公鐘	秦公曰：我先且受天令
7177	秦公及王姬編鐘一	秦公曰：我先且受天令
7179	秦公及王姬編鐘四	秦公曰：我先且受天令
7180	秦公及王姬編鐘五	秦公曰：我先且受天令
7204	克鎛	王親令克遹涇東
7204	克鎛	尃奠王令
7204	克鎛	用匄屯叚永令
7209	秦公及王姬鎛	秦公曰：我先且受天令
7210	秦公及王姬鎛二	秦公曰：我先且受天令
7211	秦公及王姬鎛三	秦公曰：我先且受天令
7226	王成周鈴一	王成周令
7512	六年奠令韓熙戈	六年鄭令韓熙□、右庫工帀馬__治狄
7535	三年汪陶令戈	三年汪陶令富守
7542	廿四年右馬令戈	廿四年申陰令右庫工帀䶋治豎
7899	鄂君啟車節	裁（緘）尹逆、裁令阢
7900	鄂君啟舟節	裁尹逆、裁令阢
M098	令盤	令乍父丁［冓］
M160	□貯毁	隹巢來钕王令東宮追𠂤六𠂤之年
M252	免簠	令免乍司土
M423.	趞鼎	史留受王令書
		小計：共 549 筆

㔩 1500+

1318	晉姜鼎	宣㔩我猷
1634	䶂冊㔩乍母戊甗	［䶂冊］㔩乍母戊彝
5475	六祀㔩其卣	乙亥、㔩其易乍冊擊C0珏
5491	亞獏二祀㔩其卣	丙辰、王令㔩其兄wG于夆田
5492	亞獏四祀㔩其卣	㔩其易貝

小計：共 5 筆

卲 1501

0865	卲王之諻鼎	卲王之諻之鼎貞（鼎）
1272	剌鼎	啻卲王、剌御
1319	頌鼎一	王才周康卲宮
1320	頌鼎二	王才周康卲宮
1321	頌鼎三	王才周康卲宮
1331	中山王礜鼎	卲（昭）考成王
1332	毛公鼎	用印（仰）卲皇天
2025	卲乍寶彝設	卲乍寶彝
2267	卲王之諻廌廄一	卲王之諻之廌（薦）廄（設）
2268	卲王之諻廌廄二	卲王之諻之廌（薦）廄（設）
2725.	䇂星設	其用卲亯（享）于朕皇考
2764	艾設	卲朕福盟（盟）
2807	鄘設一	王才周卲宮
2808	鄘設二	王才周卲宮
2809	鄘設三	王才周卲宮
2833	秦公設	目卲皇且
2843	沈子它設	敢取卲告
2844	頌設一	王才周康卲宮
2845	頌設二	王才周康卲宮
2845	頌設二	王才周康卲宮
2846	頌設三	王才周康卲宮
2847	頌設四	王才周康卲宮
2848	頌設五	王才周康卲宮
2849	頌設六	王才周康卲宮
2850	頌設七	王才周康卲宮
2851	頌設八	王才周康卲宮
2855	班設一	隹乍卲考爽益曰大政
2855.	班設二	隹乍卲考爽益曰大政
3111	大師盧豆	用卲洛朕文且考
4444	卲宮盉	和工工感卲宮和
4444	卲宮盉	五十兩廿三斤十兩十五和工工感卲官和
5799	頌壺一	王才周康卲宮
5800	頌壺二	王才周康卲宮
5805	中山王礜方壺	卲蔡皇工
5805	中山王礜方壺	卲告後嗣
6784	三十四祀盤（祼盤）	啻于卲王
6792	史墙盤	宖（宏）魯卲王
6925	晉邦盦	烏卲萬年
7021	盧鐘一	用卲大宗
7022	盧鐘二	用卲大宗
7023	盧鐘三	用卲大宗
7037	遲父鐘	用卲乃穆
7069	者沵鐘一	以克＿光朕卲示之
7071	者沵鐘三	以克＿光朕卲示之
7072	者沵鐘四	台克＿光朕卲

卲
弟
卬
和
卸

7158	瘋鐘一	卲各樂大神
7159	瘋鐘二	用卲各喜侃樂前文人
7160	瘋鐘三	卲各樂大神
7161	瘋鐘四	卲各樂大神
7162	瘋鐘五	卲各樂大神
7174	秦公鐘	剌剌卲文公、靜公、憲公
7174	秦公鐘	卲合皇天
7176	㝬鐘	艮子迺遣閒來逆卲王
7176	㝬鐘	用卲各不顯且考先王
7177	秦公及王姬編鐘一	剌剌卲文公、靜公、憲公
7177	秦公及王姬編鐘一	卲合皇天
7209	秦公及王姬鎛	剌剌卲文公、靜公、憲公
7209	秦公及王姬鎛	卲合皇天
7210	秦公及王姬鎛二	剌剌卲文公、靜公、憲公
7210	秦公及王姬鎛二	卲合皇天
7211	秦公及王姬鎛三	剌剌卲文公、靜公、憲公
7211	秦公及王姬鎛三	卲合皇天
7212	秦公鎛	以卲格孝享
7554	楚王酓璋戈	以卲昜文武之戊(茂)用
7720	越劍	張永□□卲□□弘吉之□舌
7899	鄂君啟車節	大司馬卲陽敗晉帀於襄陽之歲
7900	鄂君啟舟節	大司馬卲陽敗晉帀於襄陵之歲
7976	之利殘片	□__卲乍成旨
7976	之利殘片	__書新□□__女長于卲旨
M423.	趞鼎	王在周康卲宮
		小計：共 70 筆

弟 1502

1323	師𩛥鼎	用弔剌且𠔱德
		小計：共 1 筆

卬 1503

2101	卬父乍車殷	卬父乍車登
		小計：共 1 筆

和 1504

6877	𠈇乍旅盨	女上和先誓
		小計：共 1 筆

卸 1505

2246	山卸乍父乙殷	山卸乍父乙尊彝
2584	卸正衛殷	懋父賞卸(御)正衛馬匹自王
3733	卸且丙爵	[卸]且丙
4640.	天__卸尊	天黽卸

	4819	逑乍兄日乙尊	逑乍兄日乙寶尊彝[钔]
	4872	古白尊	古白日p7钔乍尊彝
	6877	僟乍旅盨	亦既钔乃誓
			小計：共 7 筆
㓚	1506	金文編釋㓚。案：字从必从卪，當釋卲。請參1500+字條下。	
	1318	晉姜鼎	宣㓚我猷
	1634	䧹冊㓚乍母戊甗	[䧹冊]㓚乍母戊彝
	5475	六祀㓚其卣	乙亥、㓚其易乍冊擊G0琁
	5491	亞獏二祀㓚其卣	丙辰、王令㓚其兄wG于夆田
	5492	亞獏四祀㓚其卣	㓚其易貝
			小計：共 5 筆
卻	1507		
	2726	曶𣪘	康公右卻曶
			小計：共 1 筆
郾	1508		
	1325	五祀衛鼎	井人郾屖
			小計：共 1 筆
𨟻	1509		
	6918	曾孟嬭諫盆	曾孟嬭諫乍𨟻盆
			小計：共 1 筆
抑	1509+		
	1668	中甗	氒又舍女抑量至于女
			小計：共 1 筆
印	1510		
	1332	毛公鼎	用印(仰)卲皇天
	2986	曾白霥旅匿一	印燮繇湯
	2987	曾白霥旅匿二	印燮繇湯
	7537	汈白戈	印鬼方蠻攻旁
			小計：共 4 筆
卿	1511	卿鄉同字	
	0247	卿宁鼎	[卿宁]
	0301	卿宁鼎	[卿宁]

卿

0329	卿乙宁鼎	[卿乙宁]
0448	卿宁癸鼎	[卿宁]癸
0449	卿宁癸鼎	[卿宁]癸
0563	卿宁父乙鼎	[卿宁]父乙
0643	卿宁父乙鼎	[卿宁]父乙
0774	白卿鼎	白卿乍寶尊彝
0942	亞𡨦竹士宦鼎	[亞𡨦竹宦]智光徽(𩰫)[卿宁]
1022	白宓父旅鼎	用卿(鄉饗)王逆逆吏人
1103	臣卿乍父乙鼎	臣卿易金
1144	__獸鼎	朝夕卿(鄉饗)氒多倗友
1172	征人乍父丁鼎	天君卿(鄉饗)Gz酉、才斤
1215	麥鼎	用卿(鄉饗)多者(諸)友
1227	衛鼎	乃用卿(鄉饗)出入吏人
1250	曾子斿鼎	民具是卿(鄉饗)
1277	七年趞曹鼎	右趞曹立中廷、北卿(鄉)
1277	七年趞曹鼎	用卿(鄉饗)倗友
1278	十五年趞曹鼎	用卿倗友
1290	利鼎	井白內右利立中廷、北卿(鄉)
1300	南宮柳鼎	即立中廷、北卿
1301	大鼎一	王卿(饗)醴
1302	大鼎二	王卿(饗)醴
1303	大鼎三	王卿(饗)醴
1309	袁鼎	立中廷、北卿(鄉)
1317	善夫山鼎	立中廷、北卿(鄉)
1325	五祀衛鼎	衛小子逆其卿匔
1327	克鼎	𩁹季右善夫克入門立中廷、北卿
1329	小字盂鼎	征邦賓尊其旅服、東卿(鄉)
1329	小字盂鼎	即立中廷、北卿(鄉)
1332	毛公鼎	王曰：父厝、巳曰及玆卿事寮
1529	仲枏父鬲一	用敢卿(饗)孝于皇且丂
1530	仲枏父鬲二	用敢卿(饗)孝于皇且丂
1531	仲枏父鬲三	用敢卿(饗)孝于皇且丂
1532	仲枏父鬲四	用敢卿(饗)孝于皇且丂
1790	卿宁㲃一	[卿宁]
1791	卿宁㲃二	[卿宁]
2012	卿父癸宁㲃	[卿]父癸[宁]
2333	妹弔昏㲃	義弔G7(聞昏?)肈乍彝用卿(鄉饗)賓
2337	卭乍寶㲃	卭乍寶㲃用卿(鄉饗)王逆逆事
2348	仲爯㲃	中爯乍又寶彝用卿(鄉饗)王逆逆
2359	欮乍氒㲃	欮乍氒㲃兩，其萬年用卿(鄉饗)賓
2366	白者父㲃ß	白者父乍寶㲃，用卿(鄉饗)王逆逆
2487	白𩛥乍文考幽仲㲃	𩛥其萬年寶、用卿(鄉饗)孝
2510	臣卿乍父乙㲃	臣卿易金
2515	小子𤔲乍父丁㲃	乙未卿旋易小子𤔲貝二百
2599	宰甫㲃	才Gy陳，王卿(鄉饗)酉，
2685	仲枏父㲃一	用敢卿(鄉饗)考于皇且丂
2686	仲枏父㲃二	用敢卿(鄉饗)考于皇且丂
2689	白康㲃一	用卿(鄉饗)倗友
2690	白康㲃二	用卿(鄉饗)倗友
2704	穆公㲃	夕卿(鄉饗)醴于□室

2734	遹毁	王卿（鄉饗）酉、遹御亡遣
2765	救毁	井白內、右救立中廷北卿（鄉）
2770	戠毁	穆公入、右戠立中廷北卿（鄉）
2775	裘衛毁	南白入、右裘衛入門、立中廷、北卿（鄉）
2777	天亡毁	丁丑、王卿（鄉饗）大宜、王降
2785	王臣毁	益公入、右王臣即立中廷北卿（鄉）
2787	望毁	宰倗父右望入門，立中廷、北卿（鄉）
2789	同毁一	榮白右同立中廷、北卿（鄉）
2790	同毁二	榮白右同立中廷、北卿（鄉）
2800	伊毁	𪓐（緟）季內、右伊立中廷北卿（鄉）
2814	鳥冊夨令毁一	用卿（鄉饗）王逆造
2814.1	鳥冊夨令毁二	用卿（鄉饗）王逆造
2817	師穎毁	立中廷北卿（鄉）
2828	宜侯夨毁	王立于宜、入土（社）南卿（鄉）
2829	師虎毁	井白內、右師虎即立中廷北卿（鄉）
2840	番生毁	王令𦣞嗣（司）公族卿吏、大史寮
2843	沈子它毁	用𦣞卿己公
2856	師訇毁	卿（鄉饗）女彶屯卹周邦
2983	弭仲簠匿	用卿（鄉饗）大正
2984	伯公父盤	我用召卿吏辟王
2984	伯公父盤	我用召卿吏辟王
3163	卿爵	[卿]
3707	卿宁爵一	[卿宁]
3708	卿宁爵二	[卿宁]
3709	卿宁爵三	[卿宁]
4070	卿乍父乙爵	卿乍父乙
4276	卿斝	[卿]
4279	卿宁斝	[卿宁]
4414	卿乍父乙盉	卿乍父乙尊彝
4433	甲盉	其萬年用卿（鄉饗）賓
4448	長甶盉	穆王卿（鄉饗）豊，即井
4449	裘衛盉	衛{小子}px逆者其卿（鄉饗）
4532	卿㚤尊	[卿㚤]
4548	卿宁尊	[卿宁]
4785	卿乍𡴞考尊	卿乍𡴞考寶尊彝
4861	𡿭士卿尊	王易𡿭士卿貝朋
4877	小子生尊	用卿（鄉饗）出內事人
4885	效尊	公東宮內卿（鄉饗）于王
4890	盠方尊	立于中廷北卿（鄉）
4893	夨令尊	受卿事寮
4893	夨令尊	公令𢓊同卿事寮
4893	夨令尊	眔卿事寮
4939	卿宁方彝一	[卿宁]
4940	卿宁方彝二	[卿宁]
4977	師遽方彝	王才周康寑（寢）、卿（鄉饗）醴
4978	吳方彝	宰朏右乍冊吳入門，立中廷北卿（鄉）
4979	盠方彝一	立于中廷北卿（鄉）
4980	盠方彝二	立于中廷北卿（鄉）
4981	鳥冊令方彝	受卿事寮
4981	鳥冊令方彝	公令𢓊同卿事寮

卿

4981	𤔲冊令方彝	眔卿事寮、眔者尹
5344	卿乍氒考卣一	卿乍氒考尊彝
5345	卿乍氒考卣二	卿乍氒考尊彝
5477	單光壴乍父癸簋卣	其目父癸夙夕卿（鄉饗）爾百婚遘［單光］
5508	弔趞父卣	女其用卿（鄉饗）乃辟軧侯逆造出內事人
5511	效卣	公東宮內卿（鄉饗）于王
5611	卿宁壺一	［卿宁］
5612	卿宁壺二	［卿宁］
5783	曾白陭壺	用卿（鄉饗）賓客
5796	三年瘐壺一	王才鄭、卿（鄉饗）醴
5796	三年瘐壺一	卿（鄉饗）逆酉
5797	三年瘐壺二	王才鄭、卿（鄉饗）醴
5797	三年瘐壺二	卿（鄉饗）逆酉
5803	𪓐嗣好蚉壺	卿（鄉饗）祀先王
5805	中山王譽方壺	以卿（鄉饗）上帝
5997	卿宁觚	［卿宁］
5998	卿宁觚	［卿宁］
6118	己卿宁觚	己［卿宁］
6205	辛卿宁觚	辛［卿宁］
6264	卿乍父乙觚	［卿（鄉）］乍父乙寶尊彝
6726	筍侯乍弔姬盤	其永寶用卿（鄉饗）
6786	＿弔多父盤	吏利于辟王卿事師尹倗友
6787	走馬休盤	立中廷北卿
6789	寰盤	立中廷北卿（鄉）
6790	虢季子白盤	王各周廟宣廟、爰卿（鄉饗）
6925	晉邦盦	以答皇卿（鄉饗）
7027	邾公釛鐘	用樂我嘉宾（賓）、及我正卿
7184	叔夷編鐘三	余命女裁差正卿
7214	叔夷鎛	余命女裁差卿
7868	商鞅方升	齊率卿大夫眔來聘

小計：共 132 筆

卿 1512

0391	卿父己鼎	［卿］父己

小計：共 1 筆

卿 1513

1288	令鼎一	有𤔲眔師氏小子卿射
1289	令鼎二	王射、有𤔲眔師氏小子卿射
1299	噩侯鼎一	馭方卿王射
2788	靜𣪘	卿燹茲自、邦周射于大池
4974	＿方彝	o3啟卿宁百生、揚

小計：共 5 筆

辟 1514

1291	善夫克鼎一	克其日用䵼朕辟魯休
1292	善夫克鼎二	克其日用䵼朕辟魯休
1293	善夫克鼎三	克其日用䵼朕辟魯休
1294	善夫克鼎四	克其日用䵼朕辟魯休
1295	善夫克鼎五	克其日用䵼朕辟魯休
1296	善夫克鼎六	克其日用䵼朕辟魯休
1297	善夫克鼎七	克其日用䵼朕辟魯休
1307	師望鼎	用辟于先王
1316	㦰方鼎	㦰曰：烏虖、王唯念㦰辟刺考甲公
1316	㦰方鼎	唯氒事乃子㦰萬年辟事天子
1318	晉姜鼎	用召匹辞辟
1323	師訊鼎	乃用心引正乃辟安德
1323	師訊鼎	㪤辟前王吏余一人
1323	師訊鼎	訊臣皇辟
1323	師訊鼎	用臣皇辟
1323	師訊鼎	白亦克款古先且壘孫子一𨚕皇辟懿德
1324	禹鼎	睗（賜）共朕辟之命
1327	克鼎	肆克龏保氒辟龏王
1327	克鼎	永念于氒孫辟天子
1328	盂鼎	隹殷邊侯田雩殷正百辟
1328	盂鼎	女勿䰜余乃辟一人
1332	毛公鼎	亦唯先正ht辥氒辟
1332	毛公鼎	俗（欲）女弗目乃辟圅于艱
2656	師害𣪘一	以召其辟
2657	師害𣪘二	以召其辟
2713	瘐𣪘一	用辟先王
2714	瘐𣪘二	用辟先王
2715	瘐𣪘三	用辟先王
2716	瘐𣪘四	用辟先王
2717	瘐𣪘五	用辟先王
2718	瘐𣪘六	用辟先王
2719	瘐𣪘七	用辟先王
2720	瘐𣪘八	用辟先王
2730	獻𣪘	朕辟天子
2730	獻𣪘	對朕辟休
2774	臣諫𣪘	余朕皇辟侯
2774	臣諫𣪘	隹用□康令于皇辟侯
2774.	南宮弔𣪘	吏靜安辟土
2856	師訇𣪘	乍氒□□用夾召氒辟
2856	師訇𣪘	欲女弗以乃辟圅于艱
2857	牧𣪘	令女辟百寮有同吏
2984	伯公父盨	我用召卿吏辟王
2984	伯公父盨	我用召卿吏辟王
3090	㽙盨（器）	用辟我一人
3090	㽙盨（器）	善效乃友內辟
4763	辟東乍父乙尊	辟東乍父乙尊彝
4870	𤔲商尊	用乍文辟日丁寶尊彝［𤔲］
4892	麥尊	王令辟井侯
4892	麥尊	乍冊麥易金于辟侯

辟 衜

	4892	麥尊	唯天子休于麥辟侯之年
	4975	麥方彝	才八月乙亥、辟井侯光氒正吏
	5479	㜽商乍文辟日丁卣	商用乍文辟日丁寶尊彝[㜽]
	5493	召乍_宮旅卣	奔走事皇辟君
	5507	乍冊魖卣	公大史成見服于辟王
	5508	弔趞父卣一	女其用鄉乃辟軝侯逆逆出內事人
	5805	中山王嚳方壺	以明辟光
	6786	_弔多父盤	吏利于辟王卿事師尹倗友
	6792	史墻盤	逮匹氒辟
	6792	史墻盤	隹辟孝友
	6792	史墻盤	龢吏氒辟
	6991	眉壽鐘一	龢吏朕辟皇王釁壽永寶
	6992	眉壽鐘二	龢吏朕辟皇王釁壽永寶
	7092	𩁹羌鐘一	𩁹羌乍rq氒辟𠦪(韓)宗徹
	7093	𩁹羌鐘二	𩁹羌乍rq氒辟𠦪(韓)宗徹
	7094	𩁹羌鐘三	𩁹羌乍rq氒辟𠦪(韓)宗徹
	7095	𩁹羌鐘四	𩁹羌乍rq氏辟𠦪(韓)宗徹
	7096	𩁹羌鐘五	𩁹羌乍rq氒辟𠦪(韓)宗徹
	7122	梁其鐘一	虔夙夕、辟天子
	7123	梁其鐘二	虔夙夕、辟天子
	7150	虢叔旅鐘一	御于氒辟
	7151	虢叔旅鐘二	御于氒辟
	7152	虢叔旅鐘三	御于氒辟
	7153	虢叔旅鐘四	御于氒辟
	7154	虢叔旅鐘五	御于氒辟
	7158	瘐鐘一	用辟先王
	7160	瘐鐘三	用辟先王
	7161	瘐鐘四	用辟先王
	7162	瘐鐘五	用辟先王
	7183	叔夷編鐘二	弗敢不對揚朕辟皇君之
	7186	叔夷編鐘五	是辟于齊侯之所
	7187	叔夷編鐘六	外內剴辟
	7212	秦公鎛	咸畜百辟胤士
	7214	叔夷鎛	弗敢不對揚朕辟皇君之易休命
	7214	叔夷鎛	是辟于齊侯之所
	7214	叔夷鎛	外內剴辟
	7871	子禾子釜一	氒辟繳
	M900	梁十九年鼎	穆穆魯辟
			小計：共 87 筆
衜	1515		
	1328	盂鼎	衜有四方
	3088	師克旅盨一(蓋)	師克不顯文武、雁受大令、衜有四方
	3089	師克旅盨二	師克不顯文武、雁受大令、衜有四方
	6792	史墻盤	衜有上下
	7163	瘐鐘六	衜有四方
	7174	秦公鐘	衜有四方、其康寶
	7178	秦公及王姬編鐘二	衜有四方、其康寶

	7209	秦公及王姬鎛	匍有四方、其康寶
	7210	秦公及王姬鎛二	匍有四方、其康寶
	7211	秦公及王姬鎛三	匍有四方、其康寶
	7212	秦公鎛	匍又四方
			小計：共 11 筆
𡨄	1516		
	5778	番𡨄生鑄賸壺	番𡨄生鑄賸壺
			小計：共 1 筆
勻	1517		
	1190	內史鼎	易金一勻
	1326	多友鼎	鐈鋚百勻
	2021	勻乍寶彝𣪘一	勻乍寶彝
	5681	土勻錍壺	土勻□四斗錍
	5717	旻成侯鍾	重十勻十八益
			小計：共 5 筆
旬	1518		
	1193	新邑鼎	__旬又四日丁卯
	5804	齊侯壺	□□□□□其士女□__旬四舟____丘□__于__歸獻
	6319	旬觶	[旬]
	7175	王孫遺者鐘	余敷旬于國
	M191	繁卣	雩旬又一日辛亥
			小計：共 5 筆
匌	1519		
	1324	禹鼎	肆自師彌怵匌匡
	7163	𤼈鐘六	匌受萬邦
			小計：共 2 筆
匓	1520		
	1204	洹白鼎	__其及氒妻子孫于之__匓朕肉
	1217	毛公旅方鼎	匓其用畬(友)
	2722	𡨄弔乍豐姞旅𣪘	丝𣪘𩛥(朕?)皀(匓)亦壽人
	2814	烏冊夨令𣪘一	用匓寮人婦子
	2814.	夨令𣪘二	用匓寮人婦子
	2995	彔盨一	彔乍鑄盨匓
	2996	彔盨二	彔乍鑄盨匓
	2997	彔盨三	彔乍鑄盨匓

2998	彔盨四	彔乍鑄盨餇
		小計：共 9 筆

復 1521

0711	復＿乍寶鼎	復＿乍寶鼎
6792	史墻盤	遠猷復（腹）心
		小計：共 2 筆

冢 1522

1170	平安邦鼎	卅三年單父上官{冢子}喜所受坪安君者也(器)
1223.1	卅二年平安君鼎	五益六釿料釿四分釿之冢（器一）
1262.1	廿八年平安君鼎	廿八年平安邦鑄客載四分齍，六益料釿之冢(器一)
1262.1	廿八年平安君鼎	廿八年平安邦鑄客載四分齍，六益料釿之冢(器一)
1326	多友鼎	乃䢦追至于楊冢
2855	班殷一	王令毛公以邦冢君、土（徒）馭、戔人
2856	班殷二	王令毛公以邦冢君、土（徒）馭、戔人
5798	曶壺	更乃且考乍冢嗣土于成周八自
5803	胤嗣好畓壺	或得賢佐司馬賈而冢任之邦
6887	郲陵君王子申鑑	冢十＿四＿圣朱
6887	郲陵君王子申鑑	＿襄、冢三朱二圣朱四口（盤外底）
M798	廿八年平安君鼎	一益七釿料釿四分釿之冢（蓋一）
M798	廿八年平安君鼎	六益料釿之冢（器一）卅三年單父上官辛喜所受
M799	卅二年平安君鼎	五益六釿料釿四分釿之冢（器一）
		小計：共 14 筆

旬 1523

1265.1	師隹鼎	師隹懋訊念王母堇旬
6773	＿湯弔盤	林旬湯弔obG1鑄其尊
7407	旬斤徒戈	旬斤徒戈
		小計：共 3 筆

𨿅 1524

0837	楚子道之飤𨿅	楚子道之飤𨿅
1063	鄧公乘鼎	鄧公乘自乍飤𨿅
1106	曾孫無期乍飤鼎	曾孫無箕自乍飤𨿅
1218	𡨦兒鼎	自乍飤𨿅
2269	仲義昌乍食𨿅	中義昌自乍食𨿅
2415	降人𨿅寶殷	降人𨿅乍寶殷
2416	降人𨿅寶殷	降人𨿅乍寶殷
2512	乙自乍歆𨿅	十月丁亥、乙自乍飤𨿅
2677	居＿叡殷一	余以鑄此𨿅兒
2677.1	居＿叡殷二	余以鑄此𨿅兒

小計：共 10 筆

苟 1525

1328	盂鼎	今余隹令女盂招榮苟（敬）雝德巠
1328	盂鼎	王曰：盂、若苟（敬）乃正
2675	大保設	大保克苟（敬）亡譴
2829	師虎設	苟（敬）夙夜
2855	班設一	允才顯、隹苟（敬）德、亡攸違
2855.	班設二	隹苟（敬）德亡逌違
4891	何尊	徹令苟享戈
6754	楚季苟盤	楚季苟乍媾尊賸盥般
7164	瘋鐘七	今瘋夙夕虔苟（敬）卹氒死事

小計：共 9 筆

敬 1526

1304	王子午鼎	敬氒盟祀
1327	克鼎	敬夙夜用事
1328	盂鼎	今余隹令女盂召榮敬雝德巠
1331	中山王譽鼎	敬順天悳（德）
1332	毛公鼎	敬念王畏不易
2659	鄖侯庫設	祗敬禧祀
2675	大保設	大保克敬亡譴
2744	五年師旋設一	敬毋敗迹
2745	五年師旋設二	敬毋敗迹
2793	元年師旋設一	敬夙夕用吏（事）
2794	元年師旋設二	敬夙夕用吏（事）
2795	元年師旋設三	敬夙夕用吏（事）
2803	師酉設一	敬夙夜
2804	師酉設二	敬夙夜
2804	師酉設二	敬夙夜
2805	師酉設三	敬夙夜
2806	師酉設四	敬夙夜
2806.	師酉設五	敬夙夜
2815	師嫠設	敬乃夙夜用吏
2829	師虎設	敬夙夜
2833	秦公設	虔敬朕祀
2838	師嫠設一	敬夙夜、勿灋（廢）朕命
2839	師嫠設二	敬夙夜、勿灋（廢）朕命
2854	蔡設	敬夙夕、勿灋朕令
2855	班設一	允才顯、隹敬德、亡攸違
2855.	班設二	隹敬德亡逌違
2856	師奩設	敬明乃心
2857	牧設	敬夙夕勿灋朕令
2978	樂子敬豧觚固	樂子敬豧羼其吉金
3085	駒父旅盨（盞）	豕不敢不敬畏王命逆見我
3088	師克旅盨一（盞）	敬夙夕、勿灋（廢）朕令
3089	師克旅盨二	敬夙夕、勿灋（廢）朕令

敬
鬼
戜

3090	𨟭盨（器）	敬明乃心
3090	𨟭盨（器）	敬夙夕
4066	𠔿攴父乙爵	[𠔿攴（敬）]父乙
4887	蔡侯𤕌尊	𢾂敬不惕
4887	蔡侯𤕌尊	敬配吳王
5508	弔趯父卣一	唯女𤎼其敬辥乃身
5508	弔趯父卣一	敬哉
5582	對罍	用匄𩛥壽敬冬[𠔿]
5803	𪈈嗣好蚉壺	敬命新墜（地）
5803	𪈈嗣好蚉壺	毋有不敬
5805	中山王礨方壺	嚴敬不敢怠荒
5805	中山王礨方壺	故辝禮敬則賢人至
6788	蔡侯𤕌盤	𢾂敬不惕
6788	蔡侯𤕌盤	敬配吳王
6888	吳王光鑑一	虔敬乃后
6889	吳王光鑑二	虔敬乃后
7027	邾公釛鐘	用敬卹盟祀
7046	□□自乍鐘二	敬事天王
7117	斜𡠜兒鐘一	曰：於虖敬哉
7118	斜𡠜兒鐘二	曰：於虖敬哉
7135	逆鐘	敬乃夙夜
J0081	王孫𦎫鐘	（拓本未見）
7164	𤼈鐘七	今𤼈夙夕虔苟（敬）卹氒死事
7174	秦公鐘	余夙夕虔敬朕祀
7177	秦公及王姬編鐘一	余夙夕虔敬朕祀
7183	叔夷編鐘二	女敬共辝命
7209	秦公及王姬鎛	余夙夕虔敬朕祀
7210	秦公及王姬鎛二	余夙夕虔敬朕祀
7211	秦公及王姬鎛三	余夙夕虔敬朕祀
7212	秦公鎛	虔敬朕祀
7214	叔夷鎛	女敬共辝命
M883	中山侯鉞	目敬氒眾

小計：共 64 筆

鬼 1527

1329	小字盂鼎	鬼方□□□□□□□門
1329	小字盂鼎	告曰、王□□目□□伐鬼方
2698	陳肪𣪘	𩒨寅鬼神
5698	鬼乍父丙壺	鬼乍父丙寶壺[ei]
7537	汈白戈	印鬼方蠻攻旁

小計：共 5 筆

戜 1527

1329	小字盂鼎	□趞白□□戜𣄰𧇼目新□從、咸

小計：共 1 筆

𩲃 1528		
4824	引為𩲃觴尊	引為𩲃觴寶尊彝用永孝
5343	__𩲃父乍旅卣	𩲃父乍旅彝[eb]
		小計：共　2 筆
𩲅 1529		
4794	𩲅乍且乙尊	𩲅乍且乙寶彝[子廟]
		小計：共　1 筆
𩴆 1530		
5507	乍冊𩴆卣	𢍜乍冊𩴆馬
		小計：共　1 筆
𩴋 1530		
5507	乍冊𩴋卣	𢍜乍冊𩴋馬
		小計：共　1 筆
甶 1531		
2225	長甶乍寶毀一	長甶乍寶尊毀
2226	長甶乍寶毀二	長甶乍寶尊毀
4448	長甶盉	穆王蔑長甶以逨即井白氏
4448	長甶盉	長甶蔑曆
		小計：共　4 筆
畏 1532		
1304	王子午鼎	畏忌趩趩
1304	王子午鼎	余不畏不差
1328	盂鼎	敏朝夕入讕(諫)、享奔走、畏天畏
1332	毛公鼎	旼(旻)天疾畏
1332	毛公鼎	敬念王畏不易
2659	郾侯庫毀	郾侯庫畏夜忞人哉
2698	陳財毀	畢龔愄(畏)忌
2855	班毀一	眈天畏、否畀屯陟
2855	班毀二	亡不成斁天畏
2856	師訇毀	今日天疾畏降喪
3085	駒父旅盨(蓋)	豕不敢不敬畏王命逆見我
7124	沇兒鐘	忞于數(畏威)義
7175	王孫遺者鐘	數(畏)嬰趩趩

	J0081	王孫𦎫鐘	（拓本未見）
	7182	叔夷編鐘一	女_畏忌
	7213	𥎦鎛	余彌心畏誋
	7214	叔夷鎛	女_畏忌
			小計：共 16 筆
禹	1533		
	5759	趙孟壺一	禹邗王于黃池
	7529	十四年相邦冉戈	樂工帀□、工禹
			小計：共 2 筆
皉	1534		
	4854	_車㝨乍公日辛尊	㝨從王女南攸貝皉pm
			小計：共 1 筆
山	1535		
	0718	𣎆母鼎	𣎆母乍山來
	1251	中先鼎一	王应在□□□山
	1252	中先鼎二	王应在□□□山
	1317	善夫山鼎	南宮乎入右善夫山入門
	1317	善夫山鼎	王乎史桒冊令山
	1317	善夫山鼎	王曰：山、令女官𤔲歈獻人于冕
	1317	善夫山鼎	山拜稽首
	1317	善夫山鼎	山敢對揚天子休令
	1327	克鼎	易女田于寒山
	1331	中山王譽鼎	隹十四年中山王譽詐（乍、作）鼎、于銘曰
	1763	山毁	[山]
	1809	癸山毁	癸[山]
	1851	山父乙毁	[山]父乙
	2246	山邲乍父乙毁	山邲乍父乙尊彝
	2398	𢍰弔山父毁一	𢍰弔山父乍疊姬尊毁
	2399	𢍰弔山父毁二	𢍰弔山父乍疊姬尊毁
	2400	𢍰弔山父毁三	𢍰弔山父乍疊姬尊毁
	2627	伊毁	[山]
	2911	奢虎匿一	鬒山奢虎鑄其寶匿
	2912	奢虎匿二	鬒山奢虎鑄其寶匿
	2968	奠白大𤔲工召弔山父旅匿一	奠白大𤔲工召弔山父乍旅匿
	2969	奠白大𤔲工召弔山父旅匿二	奠白大𤔲工召弔山父乍旅匿
	3373	山爵	[山]
	3512	山丁爵	[山]丁
	3737	山且丁爵	[山]且丁
	3753	山且壬爵	[山]且壬
	4312	山父乙斝	[山]父乙
	4572	山父丁尊	[山]父丁

4591	山父戊尊	[山]父戊
4605	山父壬尊	[山]父壬
4859	戉箙啟尊	iG山谷才遊水上
5472	乍毓且丁卣	歸福于我多高処山易斧
5472	乍毓且丁卣	歸福于我多高oe山易斧
5489	戉箙啟卣	王出獸南山
5489	戉箙啟卣	寂if山谷至于上侯滰川上
5712	白山父方壺	白山父乍尊壺
5805	中山王譽方壺	中山王譽命相邦貫羼郾吉金
6126	山且庚觚	[山]且庚
6137	山父丁觚一	[山]父丁
6138	山父丁觚二	[山]父丁
6402	山婦觶	[山婦]
6461	山父丁觶	[山]父丁
6626	犬山刀子乍父戊觶	子乍父戊[犬山刀]
7433	陳子戈	陳子山徒戟
7533	卅二年帶令戈	卅三年帶命初左庫工帀臣冶山
7879	麗山鍾	麗山圜容十二斗三升
M883	中山侯鉞	中山侯＿乍丝軍釛
		小計：共 47 筆

岡 1536

0074	㕡鼎	[㕡(岡)]
7136	邵鐘一	余頡岡事君
7137	邵鐘二	余頡岡事君
7138	邵鐘三	余頡岡事君
7139	邵鐘四	余頡岡事君
7140	邵鐘五	余頡岡事君
7141	邵鐘六	余頡岡事君
7142	邵鐘七	余頡岡事君
7143	邵鐘八	余頡岡事君
7144	邵鐘九	余頡岡事君
7145	邵鐘十	余頡岡事君
7146	邵鐘十一	余頡岡事君
7147	邵鐘十二	余頡岡事君
7148	邵鐘十三	余頡岡事君
7149	邵鐘十四	余頡岡事君
M030	剛劫卣	易岡劫貝朋
		小計：共 16 筆

密 1537 參見附下 321號宓字條下

2218	密乍父辛寶段	密乍父辛寶彝
2783	趞段	密弔右趞即立
2791.	史密段	王令師俗、史密曰：東征
2791.	史密段	史宓(密)右
7389	高密造戈	高密造戈

			小計：共　5 筆
⿱丞山	1538		
	0807	須⿱丞山生飤鼎	須⿱丞山（⿱丞山）生之飤貞（鼎）
			小計：共　1 筆
⿰山朱	1539		
	2876	慶孫之子⿰山朱簠	慶孫之子⿰山朱之簠
			小計：共　1 筆
⿱阿山	1540		
	1540	平⿱阿山戈	平⿱阿山右戈
			小計：共　1 筆
⿰出允	1541		
	1327	克鼎	易女井家r5田于⿰出允
			小計：共　1 筆
府	1542		
	0732	大府之簠盞	大府（府）之饙盞
	0868	之左鼎	□府（府）之左但（剛）□□盛
	0946	鑄客為王后七府鼎	鑄客為王句（后）七府（府）為之
	2201	白要府乍寶毀	白要府乍寶毀
	2860	大府匿	大府（府）之匿
	2974	上都府匿	上都府羼其吉金
	5779	安邑下官鍾	府（府）嗇夫＿治事左＿止大斛斗一益少半益
	6638	修武府耳杯	脩武府
	6887	郢陵君王子申鑑	郢＿府（府）所造
	7505	陳旺戈	陳旺之歲□府戟
	7515	二年右貫府戈	右貫府（府）受御＿宥厽
	7821	耶七府距末	耶七府
	7866	少府小器	少府（府）pq二益（鎰）
	7867	郢大府之□筲	郢大府（府）之敦筲
	7899	鄂君啟車節	為鄂君啟之府（府）商（賡?）鑄金節
	7900	鄂君啟舟節	為鄂君啟之府（府）商（賡?）鑄金節
	7900	鄂君啟舟節	則政於大府（府）
	7933	大府鎬	立府（府）為王一僧晉鎬集脰
	7975	中山王墓兆域圖	丌一從，丌一藏府（府）
	7975	中山王墓兆域圖	丌一藏府
	7977	大府銅牛	大府（府）之器

小計：共 21 筆

廬 1543

1273	師昜父鼎	才射廬
1278	十五年趞曹鼎	王射于射廬（廬）
4882	匡乍文考日丁尊	懿王才射廬

小計：共 3 筆

庭 1544 廷字重見

庫 1545

1112	十一年庫嗇夫肖不茲鼎	庫嗇夫肖不茲賙人夫＿所為空二斗
7348	右庫戈	右庫
7366	奠武庫戈	奠武庫
7368	繖左庫戈	繖左庫
7375	鄭左庫戈	鄭左庫
7376	奠右庫戈	鄭右庫
7377	奠武庫戈	鄭武庫
7378	奠生庫戈	鄭生庫
7472	朝訶右庫戈	朝歌右庫侯工帀＿
7512	六年奠令韓熙戈	六年鄭令韓熙□、右庫工帀馬＿冶狄
7521	廿二年臨汾守戈	廿二年臨汾守曋庫系工歃造
7522	卅三年大梁左庫戈	卅三年大梁左庫工帀丑冶办
7523	四年戈	四年命韓＿右庫工帀＿冶＿
7528	王二年奠令戈	王二年奠命韓□右庫工帀＿慶
7533	卅二年帶令戈	卅三年帶命初左庫工帀臣冶山
7534	□＿戈	□＿命司馬伐右庫工帀高反冶□
7535	三年汪陶令戈	下庫工帀王喜冶□
7542	廿四年右馬令戈	廿四年申陰令右庫工帀戠冶豎
7546	王三年奠令韓熙戈	王三年奠命韓熙右庫工師吏史□冶□
7548	元年＿令戈	＿命夜會上庫工帀冶門旅其都
7549	十六年喜令戈	喜命韓鳳左庫工帀司馬裕冶何
7550	十二年少令邯鄲戈	十二年肖命邯鄲□右庫工帀□紹冶倉造
7551	十二年肖令邯鄲戈	十二年肖命邯鄲□右庫工帀□紹冶倉造
7553	廿年奠令戈	右庫長阪冶贛
7558	十四年奠令戈	十四年奠命趙距司寇王造武庫
7559	十五年奠令戈	十五年奠命趙距司寇□章右庫
7560	十六年奠令戈	十六年奠命趙司寇彭璋生庫
7561	十七年奠令戈	十七年奠命幽距司寇彭璋武庫
7562	廿一年奠令戈	廿一年奠命觮族司寇裕左庫工帀吉□冶□
7563	卅一年奠令戈	卅一年奠命槨司寇肖它生庫工帀冶肴啟
7567	廿九年相邦肖□戈	左庫工帀鬱番冶＿義執齊
7568	四年奠令戈	武庫工帀弗＿冶尹＿造
7569	五年奠令戈	右庫工帀＿高冶尹＿ 造
7570	六年奠令戈	六年奠命＿幽司寇向＿左庫工帀倉慶冶尹成贛
7571	八年奠令戈	八年奠命＿幽司寇史墜右庫工帀易高冶尹＿□

7572	十七年彘令戈	十七年彘命䊶肖司寇奠__右庫工帀□較冶□□
7625	奠右庫矛	奠右庫
7632	奠生庫矛	奠生庫矛刺
7652	五年鄭令韓□矛	左庫工帀陽函冶尹侃
7653	十年邦司寇富無矛	上庫工帀戎閒冶尹
7654	十二年邦司寇野矛	上庫工帀司馬丘茲冶賢
7656	七年宅陽令矛	右庫工帀夜瘖冶趣造
7657	九年鄭令向佪矛	武庫工帀鑄章冶造
7659	元年春平侯矛	邦右庫工帀肖瘁冶□闢執齊
7661	三年建躬君矛	邦左庫工帀□□冶尹月執齊
7662	八年建躬君矛	邦左庫工帀杋□冶尹□執齊
7663	卅二年奠令槍□矛	生庫工帀皮冶尹造
7664	元年奠命槍□矛	生庫工帀皮□冶尹貞造
7665	三年奠令槍□矛	生庫工帀皮□冶尹貞造
7666	七年奠令□幽矛	左庫工帀□□冶尹貞造
7667	卅四年奠令槍□矛	生庫工帀皮□□冶尹造
7668	二年奠令槍□矛	生庫工帀鈹□□冶尹學造□
7669	四年□雍令矛	左庫工帀刑秦冶俞敷___
7670	六年安陽令斷矛	右庫工帀□共□工□□造戟
7679	右軍劍	右庫工帀造
7683	陰平左軍劍	陰平左庫之造
7712	十二年右庫劍	十二年□右庫五十五
7724	二年春平侯劍	邦左庫工帀□□冶□□□
7725	元年劍	右庫工帀杜生、冶參執齊
7726	八年相邦建躬君劍一	邦左庫工帀□□
7727	八年相邦建躬君劍二	邦左庫工帀□□
7728	八年相邦建躬君劍三	邦左庫工帀□□
7729	守相杜波劍	守相杜波邦右庫徙
7730	十五年守相杜波劍一	邦右庫工帀韓工帀
7731	王立事劍一	□□命孟卯左庫工帀司馬部
7732	王立事劍二	□□命孟卯左庫工帀司馬部
7733	王立事劍三	□□命孟卯左庫工帀司馬部
7734	四年春平侯劍	四年□□春升平侯□左庫工帀丘□______
7737	十五年劍	邦左庫工帀代翟工帀長鑄冶執齊齊
7738	十七年相邦春平侯劍	邦左庫□工帀□戊未□冶執齊
7739	卅三年奠令□□劍	生庫工帀皮冶尹啟造
7740	四年春平相邦劍	右庫工帀睘輅_冶臣成執齊
7828	__庫戈	__庫
7884	五年司馬權	與下庫工帀孟
7952	鄭武庫銅器	鄭武庫工帀
M897	六年安平守劍	左庫工帀___

小計：共　76 筆

殿　1546

2267	邵王之諻廬殷一	邵王之諻之廬殿（殷）
2268	邵王之諻廬殷二	邵王之諻之廬殿（殷）

小計：共　1 筆

廣 1547

1324	禹鼎	廣伐南或、東或
1326	多友鼎	廣伐京自
2245	廣乍父己毀	廣乍父己寶尊[旅]
2496	廣乍弔彭父毀	廣乍弔彭父寶毀
2763	弔向父禹毀	廣啟禹身
2791.	史密毀	廣伐東或(國)
2840	番生毀	廣啟厥孫子于下
2852	不嬰毀一	馭方厰允廣伐西俞
2853	不嬰毀二	馭方厰粇廣伐西俞
2855	班毀一	廣成厥工
2855.	班毀二	廣成厥工
6792	史墻盤	廣能楚荊
6925	晉邦盨	廣嗣四方
7008	通彔鐘	廣啟朕身
7088	士父鐘一	用廣啟士父身
7089	士父鐘二	用廣啟士父身
7090	士父鐘三	用廣啟士父身
7091	士父鐘四	用廣啟士父身
7159	瘋鐘二	廣啟瘋身
7165	瘋鐘八	廣啟瘋身

小計：共 20 筆

庶 1548

1328	盂鼎	人鬲自馭至于庶人六百又五十又九夫
1331	中山王嚳鼎	社稷其庶虖(乎)
1332	毛公鼎	王曰：父厝、雩之庶出入事
1332	毛公鼎	勿雝io庶□k1
1458	庶鬲	庶乍寶鬲
2374	白庶父毀	白庶父乍旅毀
2828	宜侯夨毀	易宜庶人六百又□六夫
2857	牧毀	亦多虐庶民
2857	牧毀	厥訊庶右粦
2857	牧毀	用雩乃訊庶右粦
3040	白庶父𣪕毀(蓋)	白庶父乍𣪕毀
4449	裘衛盉	矩白庶人取堇章于裘衛
5722	白庶父醴壺	白庶父乍尊壺
5805	中山王嚳方壺	乍斂中則庶民俖(附)
6816	白庶父乍肩匜	白庶父乍肩永寶用
6872	魯大嗣徒子仲白匜	魯大嗣徒子中白其庶女厲孟姬賸它
7069	者沏鐘一	寍𢾊嫬__
7074	者沏鐘六	哉彌王__寍__庶__
7077	者沏鐘九	哉彌王__寍__庶__
7121	郐王子旃鐘	兼以父兄庶士
7124	沇兒鐘	及我父兄庶士
7125	蔡侯𨿅紐鐘一	定均庶邦

廣
庶

庶 廙

	7126	蔡侯[illegible]紐鐘二	定均庶邦
	7132	蔡侯[illegible]紐鐘八	定均庶邦
	7133	蔡侯[illegible]紐鐘九	定均庶邦
	7134	蔡侯[illegible]甬鐘	定均庶邦
	7157	邾公華鐘一	台宴士庶子
	7182	叔夷編鐘一	諫罰朕庶民
	7190	叔夷編鐘九	諫罰朕庶民
	7205	蔡侯[illegible]編鎛一	定均庶邦
	7206	蔡侯[illegible]編鎛二	定均庶邦
	7207	蔡侯[illegible]編鎛三	定均庶邦
	7208	蔡侯[illegible]編鎛四	定均庶邦
	7214	叔夷鎛	諫罰朕庶民
	7538	邗令戈	四年邗命輅庶長
	7830	十六年大良造鞅戈	十六年大良造庶長鞅之造_革
	M900	梁十九年鼎	梁十九年鼎亡智_兼嗇夫庶麃
			小計：共　37 筆

廙　1549

	5472	乍毓且丁卣	辛亥、王才廙
	5472	乍毓且丁卣	辛亥、王才廙
			小計：共　2 筆

廟 1550

0933	遂攸諆鼎	遂攸諆乍廟弔寶尊彝
1016	廟孱鼎	廟孱乍鼎
1242	𡎸方鼎	公歸__于周廟
1300	南宮柳鼎	王才康廟
1306	無叀鼎	王各于周廟
1322	九年裘衛鼎	各廟
1327	克鼎	王各穆廟、即立
1329	小孛盂鼎	明、王各周廟
1329	小孛盂鼎	王各廟、祝
1329	小孛盂鼎	王各廟、贊王邦賓
2762	免殷	王各于大廟
2789	同殷一	各于大廟
2790	同殷二	各于大廟
2793	元年師旋殷一	甲寅、王各廟即立
2794	元年師旋殷二	甲寅、王各廟即立
2795	元年師旋殷三	甲寅、王各廟即立
2803	師酉殷一	各吳大廟
2804	師酉殷二	各吳大廟
2804	師酉殷二	各吳大廟
2805	師酉殷三	各吳大廟
2806	師酉殷四	各吳大廟
2806.	師酉殷五	各吳大廟
2830	三年師兌殷	各大廟、即立
2831	元年師兌殷一	王才周、各康廟即立
2832	元年師兌殷二	王才周、各康廟即立
2837	敔殷一	王各于成周大廟
2841	茾白殷	用好宗廟
2853.	__弔殷	__弔__福于大廟
2854	蔡殷	旦、王各廟、即立
4890	盠方尊	王各于周廟
4978	吳方彝	旦、王各廟
4979	盠方彝一	王各于周廟
4980	盠方彝二	王各于周廟
5805	中山王譽方壺	外之則將使上勤於天子之廟
6790	虢季子白盤	王各周廟宣榭、爰鄉
7135	逆鐘	弔氏在大廟

小計：共 36 筆

庈 1551

4867	毾睘尊	才庈、君令余乍冊睘安尸（夷）白
4868	趞乍姞尊	隹十又三月辛卯、王才庈
4875	忻折尊	隹五月王才庈、戊子
4928	折觥	隹五月王才庈、戊子
4976	折方彝	隹五月王才庈、戊子
5476	趞乍姞寶卣	王才庈
5484	乍冊睘卣	隹十又九年王才庈

廟
庈

	5484	乍冊睘卣	隹十又九年王才庠
			小計：共 8 筆
疥	1552		
	5759	趙孟壺	為趙孟疥（介）邗王之惕金
			小計：共 1 筆
庲	1553		
	0748	上樂庲三分鼎	上樂庲廚參分
	0749	上支庲四分鼎	上支庲廚四分
			小計：共 2 筆
庲	1554		
	6871	陳子匜	陳子子乍庲孟嬀穀母媵匜
			小計：共 1 筆
廊	1555		
	5492	亞獏四祀𠨘其卣	才召大廊
			小計：共 1 筆
廟	1556		
	2807	鄂䧃殷一	丁亥、王各于宣廟
	2808	鄂䧃殷二	丁亥、王各于宣廟
	2809	鄂䧃殷三	丁亥、王各于宣廟
	6790	虢季子白盤	王各周廟宣廟、爰鄉
			小計：共 4 筆
廗	1557		
	1612	白廗甗	白廗乍尊彝
			小計：共 1 筆
庲	1557+		
	5618	庲__扁壺	庲__
			小計：共 1 筆

厂 1558

6793	矢人盤	內陟芻、封于厂qq
		小計：共 1 筆

敺 1559

1326	多友鼎	隹十、月用敺狁放興
2852	不嬰殷一	馭方敺允廣伐西俞
2852	不嬰殷一	女以我車宕伐敺允于高陵
2853	不嬰殷二	馭方敺狁廣伐西俞
2853	不嬰殷二	女以我車宕伐敺妾于高陶
6790	虢季子白盤	搏伐狁敺
6791	兮甲盤	王初各伐敺狁于䍐虞
7088	士父鐘一	其敺（ 嚴 ）才上
7089	士父鐘二	其敺（ 嚴 ）才上
7090	士父鐘三	其敺（ 嚴 ）才上
7091	士父鐘四	其敺（ 嚴 ）才上
		小計：共 11 筆

鳳 1560

1325	五祀衛鼎	衛目邦君君鳳告于井白
1325	五祀衛鼎	白邑父、定白、琮白、白俗父曰、鳳曰：余執
1325	五祀衛鼎	正迺訊鳳曰
1325	五祀衛鼎	鳳迺許曰
1325	五祀衛鼎	事鳳誓
1325	五祀衛鼎	帥履裘衛鳳田四田
1325	五祀衛鼎	𠂤逆彊眔鳳田
1325	五祀衛鼎	𠂤西彊眔鳳田
1325	五祀衛鼎	邦君鳳眔付裘衛田
1325	五祀衛鼎	鳳叔子夙
1325	五祀衛鼎	鳳有嗣䰜季、慶癸、燹□、荊人敢、井人偈屖
2367	散白乍夨姬殷一	其鳳（ 萬 ）年永用
2368	散白乍夨姬殷二	其鳳（ 萬 ）年永用
2369	散白乍夨姬殷三	其鳳（ 萬 ）年永用
2370	散白乍夨姬殷四	其鳳（ 萬 ）年永用
2371	散白乍夨姬殷五	其鳳（ 萬 ）年永用
6872	魯大嗣徒子仲白匜	魯大嗣徒子中白其庶女鳳孟姬賸它
		小計：共 17 筆

麻 1561

1332	毛公鼎	麻自今
		小計：共 1 筆

居 1562 古字重見

应 1563

1121	唯弔從王南征鼎	隹八月才𨞾应
1121	唯弔從王南征鼎	隹八月才𨞾应
1235	不𣅀方鼎一	王才上侯应
1236	不𣅀方鼎甲二	王才上侯应
1251	中先鼎一	王应在□□□山
1252	中先鼎二	王应在□□□山
1270	小臣夌鼎	令小臣夌先省楚应
1270	小臣夌鼎	王至于𢓊应、無遣
1330	𥃝鼎	王才1m应
1668	中甗	𤕌应在㠯(曾)
2793	元年師旋𣪘一	王才淢应
2794	元年師旋𣪘二	王才淢应
2795	元年師旋𣪘三	王才淢应
2810	揚𣪘一	官司𥠈田甸、眔司应
2811	揚𣪘二	官司𥠈田甸、眔司应
2829	師虎𣪘	王才杜应
2854	𩵦𣪘	王才𩛥应
4448	長甶盉	穆王才下淢应
5497	農卣	隹正月甲午、王才s2应
		小計：共　19 筆

厭 1564

1332	毛公鼎	皇天引厭氒德
7182	叔夷編鐘一	余引厭乃心
7191	叔夷編鐘十	余引厭乃心
7214	叔夷鎛	余引厭乃心
		小計：共　4 筆

𠩺 1565

1322	九年裘衛鼎	𡗜𠩺㯱、帛轡乘、金鹿鍚
		小計：共　1 筆

厇 1566

7380	郳右厇戈	郳右厇
7424	□厇戈	□厇之侯戈
		小計：共　2 筆

㕓 1567

1265.1	師隹鼎	自乍後王母㕟賓乎文母魯公孫用貞(鼎)
2801	五年召白虎𣪘	余既訊㕟我考我母令
2802	六年召白虎𣪘	令余既訊有嗣曰㕟
6786	_弔多父盤	曰㕟又父一母
		小計：共　4 筆

𠩵 1568

1209	嬰方鼎	嬰𠩵(揚)𡚸商
2814	鳥冊夨令𣪘一	令用弇𠩵于皇王
2814	鳥冊夨令𣪘一	令敢𠩵皇王宣
2814.	夨令𣪘二	令用弇𠩵于皇王
2814.	夨令𣪘二	令敢𠩵皇王宣
		小計：共　5 筆

𠪚 1569

2724	章白𠪚𣪘	易章(鄘)白𠪚貝十朋
		小計：共　1 筆

厝 1570

1332	毛公鼎	王若曰、父厝、不顯文武
1332	毛公鼎	王曰：父厝、囗余唯肇巠先王命
1332	毛公鼎	王曰：父厝、雩之庶出入事
1332	毛公鼎	乎非先告父厝
1332	毛公鼎	父厝舍命
1332	毛公鼎	王曰：父厝、今余唯鷊先王命
1332	毛公鼎	王曰：父厝、巳曰及茲卿事寮
1332	毛公鼎	毛公厝對揚天子皇休
		小計：共　8 筆

厤 1571

2303	匽侯𣪘	匽侯uo厤季自留𣪘
5420	匽侯弟厤季旅卣	匽侯弟厤季乍旅彝
		小計：共　2 筆

厦 1572

2662.	宴𣪘一	宴從厦父東
2662.	宴𣪘二	宴從厦父東
2663	宴𣪘一	宴從厦父東
2664	宴𣪘二	宴從厦父東

小計：共 4 筆

厰 1573

6792	史墻盤	子厰舜明

小計：共 1 筆

厤 1574

5805	中山王嚳方壺	厤愛深則賢人親

小計：共 1 筆

石 1575

1001	鄭子石鼎	鄭子石乍鼎
1165	大師鐘白乍石鼒	大師鐘白侵自乍石沱（碩鼒）
1170	信安君鼎	眂（視）事司馬欽、冶王石
2533	己侯貉子毁	己姜石用䣄用匄萬年
5510	乍冊嗌卣	遣祐石宗不剌
5803	㝬嗣好畜壺	工qL重一石三百卅九刀之冢（重）
7588	医石倗鉤戟	侯石倗
7882	公芻權	公芻料石
7884	五年司馬權	以_禾石
7884	五年司馬權	半石_平石
M799	卅二年平安君鼎	卅三年單父上官宰喜所受平安君石它（器二）

小計：共 11 筆

長 1576

0246	長子鼎	[長子]
0498	長剛倉鼎	長剛倉
0620	㝑長乍齋方鼎	㝑長乍齍
0652	父辛長矢鼎	父辛長矢
0904	旅日戊乍長鼎	乍長寶尊彝
1331	中山王嚳鼎	長為人宗
1331	中山王嚳鼎	旃（事）{ 小子 }（少）女（如）長
2225	長由乍寶毁一	長由乍寶尊毁
2226	長由乍寶毁二	長由乍寶尊毁
2774	臣諫毁	母弟引章又長子口
2791.	史密毁	周伐長必
2791.	史密毁	周伐長必
2837	敔毁一	長榜截首百
2982	長子口臣乍媵匿	長子o7臣羼其吉金
2982	長子口臣乍媵匿	長子o7臣羼其吉金
3998	長隹壺爵一	長隹壺
3999	長隹壺爵二	長隹壺
3999.	長隹壺爵三	長隹壺

3999.	長隹壺爵四	長隹壺
4445	長陵盉	長
4445	長陵盉	長陵斗一升
4448	長由盉	穆王蔑長由以逑即井白氏
4448	長由盉	長由蔑曆
4632	長隹壺尊	長隹壺
5805	中山王譽方壺	而退與者侯齒長於會同
5805	中山王譽方壺	齒長於會同
5805	中山王譽方壺	隹宜可長
6792	史墻盤	虘長伐尸童
6792	史墻盤	天子圉饡文武長剌
6823	長湯匜	長湯白18乍它、永用之
7092	屭羌鐘一	入長城、先會于平陰
7093	屭羌鐘二	入長城、先會于平陰
7094	屭羌鐘三	入長城、先會于平陰
7095	屭羌鐘四	入長城
7096	屭羌鐘五	入長城、先會于平陰
7393	□大長畫戈	□大長畫
7538	邗令戈	四年邗命輅庶長
7553	廿年奠令戈	右庫長阪冶贛
7568	四年奠令戈	四年奠命韓及司寇長朱
7652	五年鄭令韓□矛	五年奠命韓□司寇長朱
7737	十五年劍	邦左庫工帀代蘿工帀長鑄冶執齊齊
7823	距末二	廿年尚上長斗乘四其我_攻書
7830	十六年大良造鞅戈	十六年大良造庶長鞅之造_革
7975	中山王墓兆域圖	丌提跿長三乇
7975	中山王墓兆域圖	丌提跿長三乇
7976	之利殘片	_書釿□□_女長于邵旨

小計：共 46 筆

肆 1577

1324	禹鼎	肆武公亦弗叚望朕聖且考幽大弔、懿弔
1324	禹鼎	肆禹亦弗敢惷
1324	禹鼎	肆自師彌怵匌匡
1324	禹鼎	肆武公迺遣禹率公戎車百乘
1324	禹鼎	肆禹又成
1327	克鼎	肆克龏保氒辟龏王
1327	克鼎	肆克□于皇天
1331	中山王譽鼎	尒（ 爾 ）母（ 毋 ）大而悕（ 肆 ）
1332	毛公鼎	肆皇天亡斁
1668	中甗	肆肩又羞余□□□
2693	𦉢殷	公易𦉢宗彝一𨼦（ 肆 ）
2828	宜侯夨殷	易鬯一、商鬲一肆
2834	㝬殷	肆余目餧士獻民
2856	師訇殷	肆皇帝亡旲
5801	洹子孟姜壺一	鼓鐘一肆
5802	洹子孟姜壺二	敳（ 鼓 ）鐘一肆
7136	邵鐘一	邵_日：余八聿（ 肆 ）

肆
勿

7137	郘鐘二	郘_曰：余八聿（肆）
7138	郘鐘三	郘_曰：余八聿（肆）
7139	郘鐘四	郘_曰：余八聿（肆）
7140	郘鐘五	郘_曰：余八聿（肆）
7141	郘鐘六	郘_曰：余八聿（肆）
7142	郘鐘七	郘_曰：余八聿（肆）
7143	郘鐘八	郘_曰：余八聿（肆）
7144	郘鐘九	郘_曰：余八聿（肆）
7145	郘鐘十	郘_曰：余八聿（肆）
7146	郘鐘十一	郘_曰：余八聿（肆）
7147	郘鐘十二	郘_曰：余八聿（肆）
7148	郘鐘十三	郘_曰：余八聿（肆）
7149	郘鐘十四	郘_曰：余八聿（肆）
		小計：共 30 筆

勿 1578

1274	哀成弔鼎	勿或能怠
1308	白晨鼎	勿灋朕令
1318	晉姜鼎	勿廢文侯㬋令
1324	禹鼎	勿遺壽幼
1324	禹鼎	勿遺壽幼
1327	克鼎	勿灋朕令
1328	盂鼎	女勿𩛥余乃辟一人
1328	盂鼎	勿灋朕令
1331	中山王嚳鼎	閈烏（於）天下之勿（物）矣
1332	毛公鼎	勿雝1o庶□k1
2483	量侯毁	子子孫萬年永寶毁勿喪
2728	恆毁一	夙夕勿灋（廢）朕令
2729	恆毁二	夙夕勿灋（廢）朕令
2802	六年召白虎毁	余典勿敢封
2803	師酉毁一	勿灋（廢）朕令
2804	師酉毁二	勿灋（廢）朕令
2804	師酉毁二	勿灋（廢）朕令
2805	師酉毁三	勿灋（廢）朕令
2806	師酉毁四	勿灋（廢）朕令
2806.	師酉毁五	勿灋（廢）朕令
2829	師虎毁	勿灋（廢）朕令
2838	師嫠毁一	夙夜勿灋（廢）朕令
2838	師嫠毁一	敬夙夜、勿灋（廢）朕命
2839	師嫠毁二	夙夜勿灋（廢）朕令
2839	師嫠毁二	敬夙夜、勿灋（廢）朕命
2854	蔡毁	勿吏敢又疾、止從獄
2854	蔡毁	敬夙夕、勿灋朕令
2857	牧毁	敬夙夕勿灋朕令
3088	師克旅盨一（蓋）	敬夙夕、勿灋（廢）朕令
3089	師克旅盨二	敬夙夕、勿灋（廢）朕令
3090	塱盨（器）	勿使虣虐從獄
3090	塱盨（器）	勿灋（廢）朕命

5510	乍冊嗌卣	弋勿_嗌鰥寡
6888	吳王光鑑一	孫子勿忘
6889	吳王光鑑二	孫子勿忘
7076	者沏鐘八	勿有不義
7079	者沏鐘十一	勿有不義
7080	者沏鐘十二	勿有不義
D224	蔡侯𨟭殘鐘	勿
7135	逆鐘	勿𨗨朕命
7213	𨚕鎛	勿或俞改
7219	冉鉦鋮（南疆征）	女勿喪勿敗
7503	七年戈	十年得工戈冶左勿
M553	越王者旨於賜鐘	用之勿相
		小計：共　44 筆

易　1579

0327	正易鼎	正易
0636	易兒鼎	兼明易兒
1174	易乍旅鼎	易用乍寶旅鼎
1188	旗弔樊乍易姚鼎	旗弔樊乍易姚寶鼎
1264	𤔲鼎	對易（揚）、用乍寶尊，
2606	易_乍父丁𣪘一	易qG日
2607	易_乍父丁𣪘二	易qG日
2687	敔𣪘	敔對易（揚）王休
2731	小臣宅𣪘	白易小臣宅畫毌戈九，易金車馬兩
2744	五年師旋𣪘一	旋敢易王休
2745	五年師旋𣪘二	旋敢易王休
2789	同𣪘一	王命周左右吳大父嗣易林吳牧
2790	同𣪘二	王命周左右吳大父嗣易林吳牧
2800	伊𣪘	對易天子休
J1780	嘉子易伯匿	嘉子白易
3033	易弔旅盨	易弔乍旅須
5416	𨶹卣	𨶹乍皇（皇）易（陽）日辛尊彝
5485	貉子卣一	貉子對易（揚）王休
5486	貉子卣二	貉子對易（揚）王休
5803	𠤳嗣好蚉壺	𠤳嗣好蚉敢明易（揚）告
6910	師永盂	陰易洛彊
7017	楚王酓章鐘	返自西易
7017	楚王酓章鐘一	奠之于西易
7018	楚王酓章鐘二	奠之于西易
7121	郘王子旃鐘	中翰䲣易
7124	沇兒鐘	中訙（翰）䲣易（揚）
7175	王孫遺者鐘	中訙（翰）䲣易
7201	楚王酓章乍曾侯乙鎛	返自西易
7201	楚王酓章乍曾侯乙鎛	奠之于西易
7331	守易戈	守易
7513	宋公差戈	宋公差之所造不易（陽）族戈
7554	楚王酓璋戈	以邵易文武之戊（茂）用
7571	八年奠令戈	八年奠命_幽同寇史墜右庫工帀易高冶尹_□

易 冉 而

7815	__易公殘弩機	__易公攻尹
7837	衛自盾鍚	衛自(師)易(揚)
J3723	匽侯舞易器	匽侯舞易
7900	鄂君啟舟節	適彭射、適松易、內瀘江
7900	鄂君啟舟節	適䣙、適郱易、內澮、適鄗
M867	陳侯因咨戟	陳侯因咨造、易右

小計：共 39 筆

冉 1580

0765	冉乍父癸鼎	冉乍父癸寶鼎
2317	趨子冉乍父庚毀	趨子冉乍父庚寶尊彝
2826	師寰毀一	日冉、日䕫、日鈴、日達
2826	師寰毀一	日冉、日䕫、日鈴、日達
2827	師寰毀二	日冉、日䕫、日鈴、日達
5804	齊侯壺	冉子執鼓
7219	冉鉦鋮(南疆征)	羕子孫余冉鑄此鉦□
7529	十四年相邦冉戈	十四年秦相邦冉造
7540	卅一年相邦冉戈	卅一年相邦冉龤工帀、龤𡨦德

小計：共 9 筆

而 1581

0175	亞而丁鼎	[亞而丁]
1331	中山王舋鼎	猶覛(眯迷)惑烏(於)子之而亡其邦
1331	中山王舋鼎	而皇(況)才烏(於){ 小子 }(少)君虖
1331	中山王舋鼎	此易言而難行施(也)
1331	中山王舋鼎	而去之遊
1331	中山王舋鼎	尒(爾)母(毋)大而㣇(肆)
1331	中山王舋鼎	母(毋)富而喬(驕)
1331	中山王舋鼎	母(毋)眾而囂
2735	屖敖毀	而易魯屖敖金十鈞
5803	㠯嗣好盗壺	或得賢佐司馬賈而家任之邦
5805	中山王舋方壺	而專賃(任)之邦
5805	中山王舋方壺	而臣宗騶立
5805	中山王舋方壺	而退與者侯齒長於會同
5805	中山王舋方壺	賈曰：為人臣而返(反)臣其宗
5805	中山王舋方壺	明__之于壺而時觀焉
7117	郐獻兒鐘一	而__之字父
7182	叔夷編鐘一	夙夜宦執而政事
7186	叔夷編鐘五	而成公之女
7187	叔夷編鐘六	龢燮而又事
7187	叔夷編鐘六	__而倗剿
7188	叔夷編鐘七	卑百斯男而䝼斯字
7189	叔夷編鐘八	斯男而䝼斯字
7189	叔夷編鐘八	而成公之女
7191	叔夷編鐘十	執而政吏
7214	叔夷鎛	夙夜宦執而政事

7214	叔夷鎛	而成公之女
7214	叔夷鎛	龢燮而又事
7214	叔夷鎛	_而倗剌
7214	叔夷鎛	卑百斯男而剴斯字
7871	子禾子釜一	而車人制之
7871	子禾子釜一	而以□□退
M553	越王者旨於賜鐘	□而賓客

小計：共 32 筆

豕 1582

0278	亞豕鼎	[亞豕]
0425	㚇豕父辛鼎	[㚇豕]父辛
0539	眲豕父丁鼎	[眲豕]父丁
0683	□父辛鼎	[豕□豕]父辛
1247	函皇父鼎	自豕鼎降十又二、𣪕八、兩罍、兩壺
1271	史獸鼎	易豕鼎一、爵一
1321	頌鼎三	令女官嗣成周、賈廿豕(家)、監嗣新寤
1692	㚇豕𣪕	[㚇豕]
2144	乍豕向彝𣪕	乍豕向彝𣪕
2242	宰豕乍父丁餗𣪕	宰豕乍父丁餗彝
2676	旅肄乍父乙𣪕	邁于{ 匕戊 }武乙爽、豕一[旅]
2678	函皇父𣪕一	自豕鼎降十又二
2679	函皇父𣪕二	自豕鼎降十又二
2680	函皇父𣪕三	自豕鼎降十又二
2680.	函皇父𣪕四	自豕鼎降十又二
3167	豕形爵	[豕]
3170	屠豕形爵二	[㚇豕]
3171	屠豕形爵一	[㚇豕]
3596	_豕爵	[dn豕]
3597	_豕爵	[_豕]
3612	鵜豕爵	[鵜豕]
3697	亞豕爵	[亞豕]
3810	屠豕形父丁爵	[㚇豕]父丁
3865	屠豕形父己爵	[㚇豕]父己
4048	亞豕父戊爵	[亞豕]父甲
4614	豕父癸尊	[豕]父癸
5984	屠豕形觚	[豕㚇]
6072	_豕觚	[_豕]
6204	爪亞豕觚	[爪亞豕]
6605	亞聿豕父乙觶	[亞箕聿豕]父乙
6783	函皇父盤	自豕鼎降十又一
7282	豕形戈	[豕]

小計：共 32 筆

1583

2978	樂子敬豧簠	樂子敬豧羼其吉金

小計：共 1 筆

馭 1584

1323	師訊鼎	白亦克馭古先且

小計：共 1 筆

虘 1585

1322	九年裘衛鼎	舍盞虘冟
2694	虘乍且考段	虘拜韻首
2694	虘乍且考段	公白易𡞋臣弟虘井五mG
2694	虘乍且考段	虘弗敢𡌷公白休
4888	盠駒尊一	王乎師虘召盠

小計：共 5 筆

豙 1586

1332	毛公鼎	金豙
2840	番生段	畫轉畫輴、金童金豙

小計：共 2 筆

禁 1586+

3989	禁乍車爵	[禁]乍車

小計：共 1 筆

䜌 1587

2001	子䜌父丁段	子䜌父丁
2721	萬段	王命萬眔弔䜌父歸吳姬飴器
2777	天亡段	不䜌王乍庚
4196	子䜌爵	子䜌
4878	召尊	不䜌白懋父友
5496	召卣	用追于炎、不䜌(䜌)白懋父友

小計：共 6 筆

𩛥 1588

4449	裘衛盉	裘衛乃𩛥告于白邑父
5796	三年𤼈壺一	乎師壽召𤼈易𩛥俎
5797	三年𤼈壺二	乎師壽召𤼈易𩛥俎
5804	齊侯壺	台元伐𩛥__丘
5804	齊侯壺	與台口𩛥師

7572	十七年龣令戈	十七年龣命鮏尚司寇奠＿右庫工帀□較冶□□
		小計：共 6 筆

豚 1589

J548	豚鼎	亞豚乍父乙寶尊鼎
1004	鑄客鼎	鑄客為集膴、伸膴、睘豚膴為之
2836	㦰設	孚戎兵豚（盾）、矛、戈、弓、備、矢
4447	臣辰冊冊⺨乍冊父癸盉	晋百生豚
4873	臣辰冊宀冊乍父癸尊	□百生豚、㽙、貝
5452	豚乍父庚卣	豚乍父庚宗彝
5501	臣辰冊冊⺨卣一	晋百生豚
5502	臣辰冊冊⺨卣二	易百生豚
		小計：共 8 筆

豸 1590

J2743	亞豸父丁觚	［亞豸］父丁
		小計：共 1 筆

貙 1591

5347	貙卣	貙乍寶尊彝［网］
		小計：共 1 筆

貘 1592 與獏1639同字

0567	亞貘父丁鼎一	［亞貘］父丁
0568	亞貘父丁鼎二	［亞貘］父丁
0569	亞貘父丁鼎三	［亞貘］父丁
0570	亞貘父丁鼎四	［亞貘］父丁
0571	亞貘父丁鼎五	［亞貘］父丁
4079	亞貘父丁爵	［亞貘］父丁
4325	亞貘父丁斝	［亞貘］父丁
4657	亞貘父丁尊	［亞貘］父丁
5475	六祀邲其卣	［亞貘（貘）］
5475	六祀邲其卣	才六月隹王六祀昱日［亞貘］
5491	亞貘二祀邲其卣	［亞貘父丁］，［亞貘父丁］
5492	亞貘四祀邲其卣	［亞貘父丁］，［亞貘父丁］
		小計：共 12 筆

貉 1593

2533	己侯貉子設	己侯貉子分己姜寶、乍設
3114	穌貉甫	穌貉乍小用

4742	白貉尊	白貉乍寶尊彝
5337	白貉卣	白貉乍寶尊彝
5485	貉子卣一	歸貉子鹿三
5485	貉子卣一	貉子對揚王休
5486	貉子卣二	歸貉子鹿三
5486	貉子卣二	貉子對揚王休

小計：共　8 筆

易　1594

0969	從鼎	白姜易從貝{ 三十朋 }
0981	德鼎	王易德貝{ 廿朋 }
0984	龏姛乍父乙鼎一	龔始商易貝于司
0985	龏姛乍父乙鼎二	龔始商易貝于司
0986	中乍且癸鼎	侯易中貝三朋
0991	交鼎	王易貝、用乍寶彝
0997	__父鼎一	休王易L3父貝
0998	__父鼎二	休王易L3父貝
0999	__父鼎三	休王易L3父貝
1029	羆乍且乙鼎	己亥、王易羆貝
1037	乍冊峀鼎	康侯才芍自易乍冊峀貝
1046	圉方鼎	休朕公君匽侯易圉貝
1091	小臣趙鼎	中易趙鼎
1101	亞受乍父丁方鼎	戊寅王Jbsx馬彡、易貝
1103	臣卿乍父乙鼎	臣卿易金
1127	嗣鼎	易馬□□__嗣□□休
1139	寓鼎	易乍冊寓□__寓拜韻首、對王休
1145	舍父鼎	辛宮易舍父帛金
1150	小臣缶方鼎	王易小臣缶湡責五年
1151	曩侯鼎	曩侯易弟__嗣戚
1156	亳鼎	公侯易亳杞土、v0土、__禾、vk禾
1157	禽鼎	王易金百寽
1158	小子__鼎	乙亥、子易小子Jn
1164	旂乍文父日乙鼎	公易旂僕
1184	德方鼎	王易德貝廿朋
1190	內史鼎	易金一勻
1193	新邑鼎	王易貝十朋
1206	旟鼎	王姜易旟田三于待劃
1207	眉__鼎	易貝五朋
1210	甯__鼎	乍冊友史易賫貝
1215	麥鼎	麥易赤金
1221	井鼎	攸易魚
1222	寂鼎一	其父蔑寂曆、易金
1223	寂鼎二	其父蔑寂曆、易金
1226	師旂鼎	易師旂金
1234	旅鼎	公易旅貝十朋
1235	不眘方鼎一	不眘易貝十朋
1236	不眘方鼎甲二	不眘易貝十朋
1244	瘨鼎	易駒兩

1245	仲師父鼎一	用易鬢壽無疆
1246	仲師父鼎二	用易鬢壽無疆
1248	庚贏鼎	易爵、璋、貝十朋
1249	寓鼎	侯易寓貝、金
1263	呂方鼎	王易呂䰜三卣、貝卅朋
1265	㝬弔鼎	㝬弔眔仉姬其易壽考
1270	小臣𧺆鼎	小臣𧺆易鼎、兩
1271	史獸鼎	易豕鼎一、爵一
1272	剌鼎	王易剌貝卅朋
1273	師湯父鼎	王呼宰雁易□弓
1276	__季鼎	王易赤Θ市、玄衣黹屯、䜌旂
1277	七年趞曹鼎	易趞曹載市、冋黃、䜌
1278	十五年趞曹鼎	史趞曹易弓矢、虎盧、□冑、毌、殳
1279	中方鼎	易于珷王乍臣
1283	微䜌鼎	用易康勵魯休
1284	尹姞鼎	易玉五、馬四匹
1285	㦰方鼎一	王𠨘姜事內史友員易㦰玄衣、朱褻裣
1286	大夫始鼎	大夫始易友□㝬
1286	大夫始鼎	易□易章
1286	大夫始鼎	始易友日考日攸
1290	利鼎	易女赤Θ市、䜌旂、用事
1299	䣄侯鼎一	王親易馭____五㲉、馬四匹、矢五__
1300	南宮柳鼎	易女赤市、幽黃、攸勒
1301	大鼎一	王召走馬雁令取k3騳卅二匹易大
1302	大鼎二	王召走馬雁令取k3騳卅二匹易大
1303	大鼎三	王召走馬雁令取k3騳卅二匹易大
1305	師奎父鼎	易載市冋黃、玄衣黹屯、戈琱䖍、旂
1306	無叀鼎	易女玄衣黹屯、戈琱䖍彤沙、攸勒䜌旂
1307	師望鼎	多蔑曆易休
1308	白晨鼎	易女䰜鬯一卣、玄衮衣、幽夫（黼）
1309	寰鼎	易寰玄衣、黹屯、赤市、朱黃、䜌旂、攸勒、
1311	師晨鼎	易赤舄
1312	此鼎一	易女玄衣黹屯、赤市朱黃、䜌旂
1313	此鼎二	易女玄衣黹屯、赤市、朱黃、䜌旅
1314	此鼎三	易女玄衣黹屯、赤市、朱黃、䜌旅
1315	善鼎	易女乃且旂、用事
1317	善夫山鼎	易女玄衣黹屯、赤市朱黃、䜌旂
1318	晉姜鼎	易鹵責千兩
1319	頌鼎一	易女玄衣黹屯、赤市朱黃、䜌旂攸勒、用事
1320	頌鼎二	易女玄衣黹屯、赤市朱黃、䜌旂攸勒、用事
1321	頌鼎三	易女玄衣黹屯、赤市朱黃、䜌旂攸勒、用事
1323	師訊鼎	易女玄衮黼屯、赤市朱黃、䜌旂、大師金雁
1323	師訊鼎	乍公上父尊于朕考虢季易父wu宗
1326	多友鼎	易女土田
1326	多友鼎	易女圭瓚一湯
1327	克鼎	易釐無疆
1327	克鼎	多易寶休
1327	克鼎	易女叔市參冋、苄悤
1327	克鼎	易女田于埜
1327	克鼎	易女田于渒

易

1327	克鼎	易女井家r5田于𡉚
1327	克鼎	易女田于㢆
1327	克鼎	易女于田于匽
1327	克鼎	易女田于𨸏原
1327	克鼎	易女田于寒山
1327	克鼎	易女史小臣
1327	克鼎	易女井、𨚕、匍人䋣
1327	克鼎	易女井人奔于量
1328	盂鼎	易女鬯一卣、冋衣、市、舄、車馬
1328	盂鼎	易乃且南公旂
1328	盂鼎	易女邦𤔲四白
1328	盂鼎	易夷𤔲王臣十又三白
1330	曶鼎	易女赤θ口、用事
1330	曶鼎	井弔易曶(曶)赤金鈞
1331	中山王嚳鼎	此易言而難行施(也)
1332	毛公鼎	敬念王畏不易
1332	毛公鼎	易女秬鬯一卣、鄿(祼)圭𤔲(瓚?)寶
1332	毛公鼎	易女玆关(併)
1485	白矩鬲	匽侯易白矩貝
1528	公姞鬲鼎	吏易公姞魚三百
1533	尹姞寶鬲一	易玉五品、馬四匹
1534	尹姞寶鬲二	易玉五品、馬四匹
1657.	圉甗	王易圉貝
1666	遹乍旅甗	侯蔑遹曆、易遹金
2339	敃鳥乍且癸𣪘	𡚸易鳥玉、用乍且癸彝[敃]
2353	保侃母𣪘	保侃母易貝于南宮乍寶𣪘
2363	保攸母旅𣪘	保攸母易貝于庚姜
2364	徝𣪘	王易德貝廿朋
2373	始休𣪘	始休易(賜)𠂔瀕吏貝
2388	大保乍父丁𣪘	大保易𠂔臣𣪘金
2404	效父𣪘一	休王易效父〓三
2405	效父𣪘二	休王易效父〓三
2406	五八六效父𣪘三	休王易效父〓三
2409	𡚸父丁𣪘	辛未吏囗易𡚸貝十朋
2446	亞古乍父己𣪘	己亥王易貝、才闌
2453	亞𢿚乍且丁𣪘	乙亥王易囗囗工𢿚玉十玉瑴
2510	臣卿乍父乙𣪘	臣卿易金
2515	小子野乍父丁𣪘	乙未卿旋易小子野貝二百
2526	弔徝𣪘	王易弔德臣嬞十人
2546	聖𣪘	易貝二朋
2567.	戊寅𣪘	王商易天子休
2568	＿𢏚乍父辛𣪘	易𢏚貝五朋
2570	榮𣪘	王休易𠂔臣父榮𤔲
2573	汏白寺𣪘	用易𩛥壽
2582	內弔＿𣪘	用孝用易𩛥壽
2585	禽𣪘	王易金百寽
2586	史𩰫𣪘一	迺易史𩰫貝十朋
2587	史𩰫𣪘二	迺易史𩰫貝十朋
2604	黃君𣪘	用易𩛥壽黃耇萬年
2605	邿＿𣪘	用易永壽

2605	邿_殷	用易永壽
2612	不壽殷	王姜易不壽裘
2622	琱伐父殷一	用易釁壽
2623	琱伐父殷二	用易釁壽
2623.	琱伐父殷	用易釁壽
2623.	琱伐父殷	用易釁壽
2624	琱伐父殷三	用易釁壽
2625	曾白文殷	用易釁壽黃耇
2626	耆乍父乙殷	公鈳(始)易耆貝、才舞京
2633	相侯殷	易帛金、殳揚侯休
2633.	食生走馬谷殷	用易其良壽萬年
2644	命殷	王才華、王易命鹿
2645	周客殷	易貝五朋
2651	內白多父殷	用易釁壽
2653	戲殷	易戲弓矢東、馬匹、貝五朋
2655	小臣靜殷	王易貝五十朋
2660	彔乍辛公殷	蔑彔曆、易赤金
2662.	宴殷一	多易宴
2662.	宴殷二	多易宴
2663	宴殷一	多易宴
2664	宴殷二	多易宴
2671	利殷	易又吏利金
2673	□弔買殷	用易黃耇釁壽
2675	大保殷	易休余土
2676	旅肆乍父乙殷	戊辰、弜師易肆𡘋、q1𠧪貝
2683	白家父殷	用易害(丐)釁壽黃耇
2687	敔殷	王蔑敔曆、易玄衣赤市
2688	大殷	易L8𩊄犅
2690.	相侯殷	易帛金
2693	鼉殷	公易鼉宗彝一𨽍(肆)
2693	鼉殷	易鼎二、易貝五朋
2694	虘乍且考殷	公白易𢑚臣弟虘井五mG
2694	虘乍且考殷	易㚇胄、干戈
2696	孟殷一	毛公易朕文考臣自𢑚工
2696	孟殷一	對揚朕考易休
2697	孟殷二	毛公易朕文考臣自𢑚工
2697	孟殷二	對揚朕考易休
2699	公臣殷一	易女馬乘
2700	公臣殷二	易女馬乘
2701	公臣殷三	易女馬乘
2702	公臣殷四	易女馬乘
2703	免乍旅殷	易戠衣䜌
2704	穆公殷	王乎宰□易穆公貝廿朋
2710	肆自乍寶器一	乎易䜌旂
2711	肆自乍寶器二	乎易䜌旂
2713	癲殷一	王對癲楙、易佩
2714	癲殷二	王對癲楙、易佩
2715	癲殷三	王對癲楙、易佩
2716	癲殷四	王對癲楙、易佩
2717	癲殷五	王對癲楙、易佩

易

2718	瘨𣪘六	王對瘨楙、易佩
2719	瘨𣪘七	王對瘨楙、易佩
2720	瘨𣪘八	王對瘨楙、易佩
2723	沓𣪘	王蔑友曆、易牛三
2724	章白𢽾𣪘	易章(鄘)白𢽾貝十朋
2725	師毛父𣪘	易赤市
2726	𥃝𣪘	易戠衣、赤θ市
2728	恆𣪘一	易女䜌旂、用吏
2729	恆𣪘二	易女䜌旂、用吏
2731	小臣宅𣪘	白易小臣宅畫干戈九
2731	小臣宅𣪘	易金
2732	曾仲大父蛕蚑𣪘	用易眉壽黃耇靈冬
2733	何𣪘	王易何赤市、朱亢、䜌旂
2734	遹𣪘	穆王親易遹𩁹
2735	㞙敖𣪘	而易魯㞙敖金十鈞
2735	㞙敖𣪘	易不諱
2736	師遽𣪘	王乎師朕易師遽貝十朋
2739	無㠱𣪘一	王易無㠱馬四匹
2740	無㠱𣪘二	王易無㠱馬四匹
2741	無㠱𣪘三	王易無㠱馬四匹
2742	無㠱𣪘四	王易無㠱馬四匹
2742.	無㠱𣪘五	王易無㠱馬四匹
2742.	無㠱𣪘五	王易無㠱馬四匹
2743	𩦎𣪘	易女夷臣十家
2744	五年師旋𣪘一	儕女十五易登
2744	五年師旋𣪘一	旋敢易王休
2745	五年師旋𣪘二	儕女十五易登
2745	五年師旋𣪘二	旋敢易王休
2746	追𣪘一	天子多易追休
2747	追𣪘二	天子多易追休
2748	追𣪘三	天子多易追休
2749	追𣪘四	天子多易追休
2750	追𣪘五	天子多易追休
2751	追𣪘六	天子多易追休
2760	小臣謎𣪘一	白懋父承王令易自達征自五齵貝
2760	小臣謎𣪘一	小臣謎蔑曆、眔易貝
2761	小臣謎𣪘二	白懋父承王令易自達征自五齵貝
2761	小臣謎𣪘二	小臣謎蔑曆、眔易貝
2762	免𣪘	易女赤θ市、用吏
2764	艾𣪘	易臣三品：州人、重人、章人
2765	殺𣪘	易投玄衣、黹屯、旂
2767	虘𣪘一	王乎宰曶易大師虘虎裘
2769	師𥻸𣪘	易女玄衣黹屯、叔市
2770	㦰𣪘	易女戠衣、赤θ市、䜌旂
2771	弭弔師𡧊𣪘一	易女赤舄、攸勒
2772	弭弔師𡧊𣪘二	易女赤舄、攸勒
2775	裘衛𣪘	王乎內史易衛㦰市、朱黃、䜌
2775.	害𣪘一	易女𣎼
2775.	害𣪘一	易戈琱
2775.	害𣪘二	易女𣎼、朱黃

2775.	害段二	易戈琱、__、彤沙
2776	走段	易女赤Ө市、䜌旂、用吏
2783	趞段	易女赤市、幽亢、䜌旂、用事
2785	王臣段	易女朱黃、桒親
2785	王臣段	用乍朕文考易中尊段
2786	縣妃段	易女婦爵俎之弋周玉
2786	縣妃段	易君、我隹易壽
2787	望段	易女赤Ө市、䜌、用吏
2787	望段	易女赤Ө市
2788	靜段	王易靜鞞刹
2791	豆閉段	王曰：閉、易女戠衣、Ө市、䜌旂
2791	豆閉段	用易嗇壽萬年
2792	師俞段	易赤市、朱黃、旂
2792	師俞段	日易魯休
2793	元年師旋段一	易女赤市冋黃、麗般（鞶）
2794	元年師旋段二	易女赤市冋黃、麗般（鞶）
2795	元年師旋段三	易女赤市冋黃、麗般（鞶）
2796	諫段	易女攸勒
2796	諫段	易女勒
2797	輔師𠭯段	易女韋市素黃、䜌旂
2797	輔師𠭯段	易女玄衣黹屯
2798	師瘨段一	易女金勒
2799	師瘨段二	易女金勒
2800	伊段	易女赤市幽黃
2803	師酉段一	新易女赤市朱黃中絅、攸勒
2804	師酉段二	新易女赤市朱黃中絅、攸勒
2804	師酉段二	新易女赤市朱黃中絅、攸勒
2805	師酉段三	新易女赤市朱黃中絅、攸勒
2806	師酉段四	新易女赤市朱黃中絅、攸勒
2806.	師酉段五	新易女赤市朱黃中絅、攸勒
2807	郙段一	易女赤市冋黃、䜌旂、用吏
2808	郙段二	易女赤市冋黃、䜌旂、用吏
2809	郙段三	易女赤市冋黃、䜌旂、用吏
2812	大段一	易趞睽里
2812	大段一	余既易大乃里
2812	大段一	豖目睽履大易里
2813	大段二	易趞睽里
2813	大段二	余既易大乃里
2813	大段二	豖目睽履大易里
2815	師𩛥段	易女戈琱㦓
2816	彔白㦰段	余易女𩰫鬯一卣
2817	師𩒨段	易女赤市朱黃、䜌旂攸勒、用事
2818	此段一	易女玄衣黹屯
2819	此段二	易女玄衣黹屯
2820	此段三	易女玄衣黹屯
2821	此段四	易女玄衣黹屯
2822	此段五	易女玄衣黹屯
2823	此段六	易女玄衣黹屯
2824	此段七	易女玄衣黹屯
2825	此段八	易女玄衣黹屯

易

2828	宜侯夨毀	易鬯一、商瓚一肆
2828	宜侯夨毀	易土、厥川三百□
2828	宜侯夨毀	易才宜王人□又七生
2828	宜侯夨毀	易奠七白
2828	宜侯夨毀	易宜庶人六百又□六夫
2829	師虎毀	易女赤舄、用吏
2830	三年師兌毀	易女𩰫鬯一卣
2831	元年師兌毀一	易女乃且巾、五黃、赤舄
2832	元年師兌毀二	易女乃且巾、五黃、赤舄
2835	訇毀	易女玄衣黹屯、戠市同黃
2837	敔毀一	易田于敔五十田、于早五十田
2838	師𤔲毀一	易女弔市金黃、赤舄攸勒、用吏
2838	師𤔲毀一	易女弔市金黃、赤舄攸勒、用吏
2839	師𤔲毀二	易女弔市金黃、赤舄攸勒、用吏
2839	師𤔲毀二	易女弔市金黃、赤舄攸勒、用吏
2840	番生毀	易朱市悤黃、鞞鞍、玉睘、玉瑹
2841	芇白毀	易女or裘
2842	卯毀	易女瓚章、瑴、宗彝一造、寶
2842	卯毀	易女馬十匹、牛十
2842	卯毀	易于乍一田
2842	卯毀	易于nn一田
2842	卯毀	易于隊一田
2842	卯毀	易于䣳一田
2844	頌毀一	易女玄衣黹屯
2845	頌毀二	易女玄衣黹屯
2845	頌毀二	易女玄衣黹屯
2846	頌毀三	易女玄衣黹屯
2847	頌毀四	易女玄衣黹屯
2848	頌毀五	易女玄衣黹屯
2849	頌毀六	易女玄衣黹屯
2850	頌毀七	易女玄衣黹屯
2851	頌毀八	易女玄衣黹屯
2852	不嬰毀一	易女弓一、矢束
2853	不嬰毀二	易女弓一、矢束
2853.	尹毀	口尹易臣
2854	𥜽毀	易女玄衮衣、赤舄
2855	班毀一	易鈴、鋚、咸
2855.	班毀二	令易鈴勒
2856	師訇毀	易女𩰫鬯一卣、圭瓚
2857	牧毀	易女𩰫鬯一卣、金車、桒較、畫輯
2953	白其父麐旅祜	用易釁壽萬年
2966	蛒公諴旅匿	用易釁壽萬年
2982.	甲午匿	用_易命臣炳臣師戊
3083	瘨毀（盨）一	易敐帬
3084	瘨毀（盨）二	易般帬
3086	善夫克旅盨	克其日易休無疆
3088	師克旅盨一（蓋）	易𩰫鬯一卣、赤市五黃、赤舄
3089	師克旅盨二	易𩰫鬯一卣、赤市五黃、赤舄
3090	壂盨（器）	易女𩰫_鬯一卣
4183	貝隹易爵一	貝隹易、[天黽]父乙

4184	貝隹易爵二	貝隹易、[天黽]父乙
4198	墅乍父甲爵	公易墅貝、用乍父甲寶彝
4239	天黿宔乍父癸角	甲寅、子易宔貝
4241	箙亞＿乍父癸角	丙申王易箙亞jb奚貝、才
4242	庚冊宰桄乍父丁角	易貝五朋
4343	亞吳小臣邑斝	癸己王易小臣邑貝十朋
4438	亞㠱侯吴盉	匽侯易亞貝
4446	麥盉	侯易麥金、乍盉
4837	鬲乍父甲尊	鬲易貝于王、用乍父甲寶尊彝
4838	執乍父□尊	易聿孔用乍父□尊彝
4840	弔龜方尊	弔龜易貝于王始用乍寶尊彝
4846	禁尊	禁易貝十朋
4848	舟宊鉘乍父乙尊	公易鉘貝
4850	犅劫尊	易犅劫貝朋
4861	嗷士卿尊	王易嗷士卿貝朋
4862	奘能匋尊	能匋易貝于氒曶公矢ns五朋
4864	乍冊𩐿尊	公易乍冊𩐿鬯、貝
4866	小臣艅尊	王易小臣艅夔貝
4868	趞乍姞尊	易趞采曰、hw易貝五朋
4869	次尊	易馬易裘
4871	䦨宰豐尊	大矩易豐金、貝
4875	斦折尊	易金、易貝
4876	保尊	蔑曆于保、易賓
4877	小子生尊	小子生易金、鬱鬯
4878	召尊	白懋父易召白馬每黃猶(髮)微
4879	彔𢦚尊	易貝十朋
4880	免尊	令史懋易免載市冋黃
4881	䍙方尊	易休乍□
4883	耳尊	易臣十家
4884	臤尊	臤蔑曆、中競父易金
4885	效尊	王易公貝五十朋
4885	效尊	公易厥涉子效王休貝廿朋
4886	趩尊	易趩戠衣、載市冋黃、旂
4888	盠駒尊一	王親旨盠駒、易兩
4888	盠駒尊一	王拘駒敔、易盠駒
4889	盠駒尊二	王拘駒䧅、易盠駒
4890	盠方尊	易盠赤市幽亢、攸勒
4891	何尊	何易貝卅朋
4892	麥尊	侯易玄周戈
4892	麥尊	巳夕、侯易者𠬪臣二百家
4892	麥尊	乍冊麥易金于辟侯
4893	夨令尊	明公易亢師鬯、金、牛
4893	夨令尊	易令鬯、金、牛
4928	折觥	易金、易臣
4967	弔龜方彝	弔龜易貝于王始
4975	麥方彝	鬲(喁)于麥宄、易金
4976	折方彝	易金、易貝、揚王休
4977	師遽方彝	王乎宰利易師遽琂圭一、環章四
4978	吳方彝	易秬(鬯)鬯一卣
4979	盠方彝一	易盠赤市幽亢、攸勒

易

4980	盠方彝二	易盠赤市幽亢
4981	𠭯冊令方彝	明公易亢師鬯、金、牛
4981	𠭯冊令方彝	易令鬯、金、牛
5419	__高卣	王易__高𩰫、用乍彝
5443	亞㠱侯吳𦣻卣	𦣻易孝用乍且丁彝[亞㠱侯吳]
5445	𢉩寓卣	辛卯子易寓貝
5448	天黿𩰫乍父癸卣	子易𩰫用乍父癸尊彝[天黽]
5453	__卣	丙寅王易__貝朋
5455	𠭯乍丁師卣	子易𠭯𤔲玗一
5457	小臣系乍且乙卣一	王易{ 小臣 }系
5457	小臣系乍且乙卣一	易才𡨄
5458	小臣系乍且乙卣二	王易{ 小臣 }系
5458	小臣系乍且乙卣二	易才𡨄
5460	𩰫御乍父己卣	𩰫、辛巳、王易馭(御)八貝一具
5460	𩰫御乍父己卣	𩰫、辛巳、王易馭(御)八貝一具
5462	宗白乍父乙卣一	隹王八月、宗白易貝于姜
5463	宗白乍父乙卣二	隹王八月、宗白易貝于姜
5464	刀耳乍父乙卣	𡨄史易耳
5466	𩰫乍母辛卣一	𩰫易婦rb、日用𩰫于乃姑宄
5467	𩰫乍母辛卣二	𩰫易婦rb、日用𩰫于乃姑宄
5472	乍毓且丁卣	歸福于我多高処山易𢆶
5472	乍毓且丁卣	歸福于我多高oe山易𢆶
5473	同乍父戊卣	矢王易同金車弓矢
5474	𠭯卣	公易乍冊𠭯鬯、貝
5474	𠭯卣	公易乍冊𠭯鬯、貝
5475	六祀𠨘其卣	乙亥、𠨘其易乍冊𡨄C0𤔲
5476	趞乍姑寶卣	易趞采曰：hw
5476	趞乍姑寶卣	易貝五朋
5478	次卣	次蔑曆、易馬易裘
5480	冊𡨄冊豐卣	大矩易豐金、貝
5480	冊𡨄冊豐卣	大矩易豐金、貝
5487	靜卣	王易靜弓
5488	靜卣二	王易靜弓
5490	戉𥝢卣	蔑曆、易貝卅守
5490	戉𥝢卣	易貝卅守
5492	亞獏四祀𠨘其卣	𠨘其易貝
5495	保卣	蔑曆于保、易賓
5495	保卣	蔑曆于保、易賓
5498	彔𢦔卣	易貝十朋
5499	彔𢦔卣二	易貝十朋
5500	免卣	令史懋易免韍市冋黃
5502	臣辰冊冊𡉚卣二	易百生豚
5504	庚贏卣一	易貝十朋
5505	庚贏卣二	易貝十朋
5509	𤔲卣	𤔲尹易臣
5511	效卣一	王易公貝五十朋
5511	效卣一	公易𠭯涉子效王休貝廿朋
5597	次𦉢	易馬易裘
5730	保𠂤母壺	王始易保𠂤母貝
5783	曾白陭壺	用易𩁹壽

5785	史懋壺	王乎伊白易懋貝
5791	十三年瘐壺一	王乎乍冊尹冊易瘐畫靳
5792	十三年瘐壺一	王乎乍冊尹冊易瘐畫靳
5793	幾父壺一	同中宄西宮易幾父Gw桒六
5794	幾父壺二	同中宄西宮易幾父Gw桒六
5795	白克壺	白大師易白克僕卅夫
5796	三年瘐壺一	乎虢弔召瘐、易羔俎
5796	三年瘐壺一	乎師壽召瘐易彘俎
5797	三年瘐壺二	乎虢弔召瘐、易羔俎
5797	三年瘐壺二	乎師壽召瘐易彘俎
5798	曶壺	易女鬯一卣玄袞衣
5799	頌壺一	易女玄衣黹屯、赤市朱黃
5800	頌壺二	易女玄衣黹屯、赤市朱黃
5803	嗣𣪘好蚉壺	逢郾亡道易上
5816	奠義白𦉜	易釁壽、孫子__永寶
6277	貝佳乍父乙觚	貝鳥易用乍父乙尊彝[天黽]
6631	小臣單觶一	周公易小臣單貝{ 十朋 }
6633	𣃔乍文考觶	中易𣃔v3
6635	中觶	王易中馬自__侯四__、南宮兄
6732	陶子盤	陶子武易____金一鈞
6775	__仲乍父丁盤	弔皇父易中貝
6778	免盤	令乍冊內史易免鹵百s1
6785	守宮盤	易守宮絲束、蘆幕五、蘆冟二
6786	__弔多父盤	用易屯祿、受害福
6787	走馬休盤	王乎乍冊尹冊易休玄衣黹屯
6789	寰盤	王乎史qr冊易寰玄衣黹屯
6791	兮甲盤	王易兮甲馬四匹、駒車
6910	師永盂	易畀師永氒田
7038	應侯見工鐘一	易彤一、彤百、馬
7039	應侯見工鐘二	用易釁壽永命
7040	克鐘一	易克佃、車馬乘
7041	克鐘二	易克佃、車馬
7062	柞鐘	易載朱黃䜌
7063	柞鐘二	易載朱黃䜌
7064	柞鐘三	易載朱黃䜌
7065	柞鐘四	易載朱黃䜌
7066	柞鐘五	易載朱黃䜌
7083	鮮鐘	王易鮮□□鮮楚遺鬯
7125	蔡侯𨙶鈕鐘一	有虔不易
7126	蔡侯𨙶鈕鐘二	有虔不易
7132	蔡侯𨙶鈕鐘八	有虔不易
7133	蔡侯𨙶鈕鐘九	有虔不易
7134	蔡侯𨙶甬鐘	有虔不易
7135	逆鐘	今余易女毌五
7150	虢叔旅鐘一	迺天子多易旅休
7151	虢叔旅鐘二	迺天子多易旅休
7152	虢叔旅鐘三	迺天子多易旅休
7153	虢叔旅鐘四	迺天子多易旅休
7155	虢叔旅鐘六	迺天子多易旅休
7158	瘐鐘一	皇王對瘐身楙、易佩

易

易
騶
象

7160	瘐鐘三	皇王對瘐身楙、易佩
7161	瘐鐘四	皇王對瘐身楙、易佩
7162	瘐鐘五	皇王對瘐身楙、易佩
7183	叔夷編鐘二	余易女釐都___
7184	叔夷編鐘三	易休命
7184	叔夷編鐘三	虔卹不易
7185	叔夷編鐘四	余易女馬車戎兵
7185	叔夷編鐘四	雁受君公之易光
7186	叔夷編鐘五	趙武靈公易尸吉金
7191	叔夷編鐘十	余易女釐都__
7192	叔夷編鐘十一	虔卹不易
7204	克鎛	易克佃車馬乘
7205	蔡侯𨟻編鎛一	有虔不易
7206	蔡侯𨟻編鎛二	有虔不易
7207	蔡侯𨟻編鎛三	有虔不易
7208	蔡侯𨟻編鎛四	有虔不易
7213	𩀁鎛	侯氏易之邑二百又九十又九邑
7214	叔夷鎛	余易女釐都___
7214	叔夷鎛	弗敢不對揚朕辟皇君之易休命
7214	叔夷鎛	虔卹不易
7214	叔夷鎛	余易女車馬戎兵
7214	叔夷鎛	雁受君公之易光
7390	易自瘦戈	易師瘦戈
7976	之利殘片	易女、身
M030	剛劫卣	易岡劫貝朋
M126	圂卣	王易圂貝
M143	𩒨壺	𩒨易婦rb日
M171	小臣靜卣	王易貝五朋
M191	繁卣	易宗彝一誓(套)
M252	免簠	易戠衣、䜌
M282	師艅尊	易師艅金
M423.	趩鼎	王乎內史19冊易趩幺衣㡀屯
		小計：共 521 筆

騶 1595

5805	中山王譽方壺	而臣宗騶立
		小計：共 1 筆

象 1596

0331	象且辛鼎	[象]且辛
1273	師暘父鼎	象弭、矢臸、彤欮
1849	象且辛段	[象]且辛
4182	父乙庚辰為爵	庚辰象乍彝、父乙
4882	匡乍文考日丁尊	乍象qf
4882	匡乍文考日丁尊	匡甫象__二
7899	鄂君啟車節	適兔(象?)禾、適酉焚、適觟緆

小計：共 7 筆

第九卷總計： 共 8214 筆

青銅器銘文檢索卷十

馬 1597

馬

0512	肖父乙鼎	[馬馬肖]父乙
0968	走馬吳買乍雜鼎	sz父之走馬吳買乍雜貞(鼎)用
1101	亞受乍父丁方鼎	戊寅王Jbsx馬彰、易貝
1124	珥乍父庚鼎一	車弔賞揚馬
1125	珥乍父庚鼎二	車弔賞揚馬
1127	嗣鼎	易馬□□__嗣□□休
1170	信安君鼎	眡(視)事司馬欽、冶王石
1216	貿鼎	弔氏事貿安曩白賓貿馬車乘
1228	歠戱方鼎	馬匹
1255	作冊大鼎一	公賞乍冊大白馬
1256	作冊大鼎二	公賞乍冊大白馬
1257	作冊大鼎三	公賞乍冊大白馬
1258	作冊大鼎四	公賞乍冊大白馬
1275	師同鼎	孚車馬五乘
1281	史頌鼎一	穌賓章、馬四匹、吉金
1282	史頌鼎二	穌賓章、馬四匹、吉金
1284	尹姞鼎	易玉五、馬四匹
1288	令鼎一	令眔奮先馬走
1289	令鼎二	令眔奮先馬走
1299	噩侯鼎一	王親易馭____五瑴、馬四匹、矢五__
1301	大鼎一	王召走馬雁令取k3騶卅二匹易大
1302	大鼎二	王召走馬雁令取k3騶卅二匹易大
1303	大鼎三	王召走馬雁令取k3騶卅二匹易大
1305	師奎父鼎	嗣馬井白右師奎父
1311	師晨鼎	嗣馬共右師晨入門、立中廷
1322	九年裘衛鼎	我舍顏陳大馬兩
1325	五祀衛鼎	嗣馬頪人邦
1326	多友鼎	唯馬敺盡
1328	盂鼎	易女鬯一卣、冋衣、巿、舄、車馬
1329	小字盂鼎	孚馬□□匹
1329	小字盂鼎	孚馬百四匹
1330	曶鼎	用匹馬束絲限誥曰
1330	曶鼎	瓯則卑我賞馬
1332	毛公鼎	馬四匹、攸勒、金囒、金雁(膺)、朱旂二鈴
1522	孟辛父乍孟姞鬲一	u0馬孟辛父乍孟姞寶尊鬲
1523	孟辛父乍孟姞鬲二	u0馬孟辛父乍孟姞寶尊鬲
1533	尹姞竇鬳一	易玉五品、馬四匹
1534	尹姞竇鬳二	易玉五品、馬四匹
2506	奠牧馬受毁一	奠牧馬受乍寶毁
2507	尊牧馬受毁二	奠牧馬受乍寶毁
2584	卻正衛毁	懋父賓卻(御)正衛馬匹自王
2633.	食生走馬谷毁	唯食生走馬谷自乍吉金用尊毁
2653	齸毁	易齸弓矢束、馬匹、貝五朋
2658.	大毁	穆章馬兩
2659	郾侯庫毁	休台馬__皇民
2659	郾侯庫毁	永台馬民__

2699	公臣毁一	易女馬乘
2700	公臣毁二	易女馬乘
2701	公臣毁三	易女馬乘
2702	公臣毁四	易女馬乘
2707	小臣守毁一	賓馬兩、金十鈞
2708	小臣守毁二	賓馬兩、金十鈞
2709	小臣守毁三	賓馬兩、金十鈞
2721	蔴毁	白黃賓蔴章（璋）一、馬兩
2731	小臣宅毁	車馬兩
2739	無㠱毁一	王易無㠱馬四匹
2740	無㠱毁二	王易無㠱馬四匹
2741	無㠱毁三	王易無㠱馬四匹
2742	無㠱毁四	王易無㠱馬四匹
2742.	無㠱毁五	王易無㠱馬四匹
2742.	無㠱毁五	王易無㠱馬四匹
2752	史頌毁一	穌賓章、馬四匹、吉金
2753	史頌毁二	穌賓章、馬四匹、吉金
2754	史頌毁三	穌賓章、馬四匹、吉金
2755	史頌毁四	穌賓章、馬四匹、吉金
2756	史頌毁五	穌賓章、馬四匹、吉金
2757	史頌毁六	穌賓章、馬四匹、吉金
2758	史頌毁七	穌賓章、馬四匹、吉金
2759	史頌毁八	穌賓章、馬四匹、吉金
2759	史頌毁九	穌賓章、馬四匹、吉金
2765	敔毁	王才師𤔲（司辭）馬宮大室即立
2770	䜴毁	楚徒馬、取遺五寽、用吏
2774.	南宮乎毁	睗（賜）女乘馬戈琱、彤矢
2776	走毁	司馬井白入、右徒
2778	格白毁一	格白取良馬乘于倗生
2778	格白毁一	格白取良馬乘于倗生
2779	格白毁二	格白取良馬乘于倗生
2780	格白毁三	格白取良馬乘于倗生
2781	格白毁四	格白取良馬乘于倗生
2782	格白毁五	格白取良馬乘于倗生
2782.	格白毁六	格白取良馬乘于倗生
2783	趞毁	命女乍燹自家𤔲馬
2791	豆閉毁	司馬弓矢
2792	師俞毁	𤔲馬共右師俞入門立中廷
2796	諫毁	𤔲馬共又右諫入門立中廷
2796	諫毁	𤔲馬共又右諫入門立中廷
2798	師瘨毁一	王才周師司馬宮
2798	師瘨毁一	𤔲馬井白親右師瘨入門立中廷
2799	師瘨毁二	王才周師司馬宮
2799	師瘨毁二	𤔲馬井白親右師瘨入門立中廷
2812	大毁一	大賓豖訊章、馬兩
2813	大毁二	大賓、賓豖訊章、馬兩
2816	彔白㦰毁	金佷畫轉、馬四匹、鋚勒
2830	三年師兌毁	𤔲ナ右走馬
2830	三年師兌毁	令女靓𤔲走馬
2830	三年師兌毁	馬四匹

	2831	元年師兌𣪘一	司ナ(左)右走馬、五邑走馬
	2832	元年師兌𣪘二	司ナ(左)右走馬、五邑走馬
	2842	卯𣪘	易女馬十匹、牛十
馬	2857	牧𣪘	旂、余馬四匹
	2879	大嗣馬𠤳匿	大嗣(司)馬孝述自乍𠤳匿
	2936	走馬𨐍仲赤匿	走馬𨐍中赤自乍其匿
	3083	瘓𣪘(盨)一	嗣馬共右瘓
	3084	瘓𣪘(盨)二	嗣馬共右瘓
	3088	師克旅盨一(蓋)	馬四匹、攸勒、素戉
	3089	師克旅盨二	馬四匹、攸勒、素戉
	3090	㝬盨(器)	馬四匹
	4071	馬乍父乙爵	馬乍父乙
	4105	走馬乍彝爵	走馬乍彝
	4139	羊馬_父丁爵	[羊馬de]父丁
	4449	裘衛盉	嗣馬單旅、司工邑人服眔受田𩁹趞
	4869	次尊	易馬易裘
	4878	召尊	白懋父易召白馬每黃猶(髮)微
	4890	盠方尊	嗣土、嗣馬、嗣工
	4892	麥尊	𠵽用王乘車馬
	4926	吳𠩺馭觥(蓋)	[吳]𠩺馭弔史遣馬、弗左
	4978	吳方彝	馬四匹、攸勒
	4979	盠方彝一	嗣土、嗣馬、嗣工
	4980	盠方彝二	嗣馬
	5469	白ns卣	休□非余馬
	5478	次卣	次蔑曆、易馬易裘
	5496	召卣	白懋父賜召白馬
	5507	乍冊𩱦卣	𪊨乍冊𩱦馬
	5597	次瓿	易馬易裘
	5697	右走馬嘉行壺	右走馬嘉自乍行壺
	5803	𡆧嗣𡠀𧊒壺	或得賢佐司馬賈而家任之邦
	5803	𡆧嗣𡠀𧊒壺	佳司馬賈訢諮戰怒
	5804	齊侯壺	商之台邑嗣衣裘車馬
	5804	齊侯壺	商之台兵執車馬
	5804	齊侯壺	執車馬獻之于莊公之所
	5816.	伯亞臣𦉜	黃孫馬pr子白亞臣自乍𦉜
	5985	荷獸形觚	[尧馬]
	6291	_觶	[馬馬]
	6635	中觶	王易中馬自_侯四_、南宮兄
	6785	守宮盤	馬匹、𦇌布三、專_三、𨎮朋
	6787	走馬休盤	益公右走馬休入門
	6790	虢季子白盤	王賜乘馬
	6791	兮甲盤	王易兮甲馬四匹、駒車
	6793	夨人盤	嗣土qhjz、嗣馬單邦
	6854	辭馬南弔匜	辭馬南弔乍𡚬姬賸它
	7038	應侯見工鐘一	易彤一、𢒼百、馬
	7040	克鐘一	易克佃、車馬乘
	7041	克鐘二	易克佃、車馬
	7185	叔夷編鐘四	余易女馬車戎兵
	7204	克鎛	易克佃車馬乘
	7214	叔夷鎛	余易女車馬戎兵

7263	馬戈戈	[馬、戈]
7354	□嗣馬戈	___嗣馬
7388	乍御司馬戈	乍御司馬
7438	齇王戈	齇王其所馬
7445	平陽高馬里戈	平陽高馬里戈
7478	郾王職乍御司馬	郾王職乍御司馬
7491	邾大嗣馬之造戈	邾大嗣馬之造戈
7512	六年奠令韓熙戈	六年鄭令韓熙□、右庫工帀馬__冶狄
7534	□__戈	□__命司馬伐右庫工帀高反冶□
7549	十六年喜令戈	喜命韓鳳左庫工帀司馬裕冶何
7574	左軍戈	巨校馬臧造仗戈
7654	十二年邦司寇野矛	上庫工帀司馬丘茲冶賢
7656	七年宅陽令矛	七年宅陽命馬登
7691	衛司馬劍	衛司馬與之□工帀
7731	王立事劍一	□□命孟卯左庫工帀司馬郘
7732	王立事劍二	□□命孟卯左庫工帀司馬郘
7733	王立事劍三	□□命孟卯左庫工帀司馬郘
7884	五年司馬權	五年司馬成公__□事命代□
7892	雁節	連馬__行___工_____
7893	鷹節一	馬乘帚伐__ 四年帀
7894	鷹節二	馬乘帚伐__傳__年
7899	鄂君啟車節	大司馬卲陽敗晉帀於襄陽之歲
7899	鄂君啟車節	毋載金革黽箭、女馬、女牛、女特
7900	鄂君啟舟節	大司馬卲陽敗晉帀於襄陵之歲
7900	鄂君啟舟節	女載馬、牛、羊台出內關
7986	大司馬鐏	□橫大嗣馬
M191	繁卣	車、馬兩

小計：共 173 筆

1598

1244	瘨鼎	易駒兩
1305	師奎父鼎	王乎內史駒冊命師奎父
1308	白晨鼎	駒車
1322	九年裘衛鼎	王才周駒宮
2347	犱္頁駒乍父乙𣪘	္頁駒用乍父乙尊彝[犱]
3085	駒父旅盨(蓋)	南中邦父命駒父即南者侯逹高父見南淮夷
3085	駒父旅盨(蓋)	駒父其萬年永用多休
3088	師克旅盨一(蓋)	牙僰、駒車、桒較、朱虢、鞃靳
3089	師克旅盨二	牙僰、駒車、桒較、朱虢、鞃靳
3090	𤔲盨(器)	乃父市、赤舄、駒車、桒較、朱虢、鞃靳
4888	盠駒尊一	王初執駒于㡿
4888	盠駒尊一	王親旨盠駒、易兩
4888	盠駒尊一	王拘駒㡿、易盠駒
4889	盠駒尊二	王拘駒𨟙、易盠駒
6791	兮甲盤	王易兮甲馬四匹、駒車

小計：共 15 筆

駱
驕
駮
駟
驫
駐

駱 1599		
4889	盠駒尊二	uy雷駱子
		小計：共 1 筆
驕 1600		
1331	中山王嚳鼎	母（毋）富而喬（驕）
		小計：共 1 筆
駮 1601		
5803	㴝嗣好盗壺	駮右和同
		小計：共 1 筆
駟 1602		
1486	宰駟父鬲	魯宰駟父乍姬 媵鬲
5804	齊侯壺	__伐陸寅其王駟執方__縢相
6740	白駟父盤	白駟父乍姬淪朕盤
		小計：共 3 筆
驫 1603		
0799	驫飼鼎	驫飼乍寶尊彝
2187	驫姒乍寶毁	驫始（姒）乍寶尊彝
7092	驫羌鐘一	驫羌乍Frq戉辟軐（韓）宗徹
7093	驫羌鐘二	驫羌乍Frq戉辟軐（韓）宗徹
7094	驫羌鐘三	驫羌乍Frq戉辟軐（韓）宗徹
7095	驫羌鐘四	驫羌乍Frq氏辟軐（韓）宗徹
7096	驫羌鐘五	驫羌乍Frq戉辟軐（韓）宗徹
7098	驫氏鐘一	驫氏之鐘
7099	驫氏鐘二	驫氏之鐘
7100	驫氏鐘三	驫氏之鐘
7101	驫氏鐘四	驫氏之鐘
7102	驫氏鐘五	驫氏之鐘
7103	驫氏鐘六	驫氏之鐘
7104	驫氏鐘七	驫氏之鐘
7105	驫氏鐘八	驫氏之鐘
7106	驫氏鐘九	驫氏之鐘
		小計：共 16 筆
駐 1604		
5803	㴝嗣好盗壺	四駐（牡）汸汸

5804	齊侯壺	相乘駐
5804	齊侯壺	釗不□其王乘駐
		小計：共 3 筆

1605

5781	曾姬無卹壺一	蒿間之無駟
5782	曾姬無卹壺二	蒿間之無駟
		小計：共 2 筆

1606

1031	周__駷鼎	周__駷乍用寶鼎
6793	夨人盤	邦人嗣工駷君
		小計：共 2 筆

1607

1301	大鼎一	王召走馬雁令取k3騳卅二匹易大
1302	大鼎二	王召走馬雁令取k3騳卅二匹易大
1303	大鼎三	王召走馬雁令取k3騳卅二匹易大
		小計：共 3 筆

1608

5283	驌乍旅彝卣	驌乍旅彝
		小計：共 1 筆

1609

3052	走亞虢孟延盨一	走亞虢孟延乍盨
3053	走亞虢孟延盨二	走亞虢孟延乍盨
		小計：共 2 筆

1610

1220	鄦公鼎	自乍薦鼎
1427	鄭興白乍弔媾薦鬲一	鄭興白乍弔媾薦鬲
1428	鄭興伯乍弔媾薦鬲二	鄭興白乍弔媾薦鬲
2267	卲王之諻麿殷一	卲王之諻之麿（薦）殷（段）
2268	卲王之諻麿殷二	卲王之諻之麿（薦）殷（段）
2906	白薦父匩	白薦父乍□匩
2979	弔朕自乍薦匩	自乍薦匩
2979.	弔朕自乍薦匩二	自乍薦匩

駐 駟 駷 騳 驌 虢 薦

薦
灋
法
廢

3096	齊侯乍孟姜善辜	齊侯乍朕寡薦孟腈辜
3100	陳侯因資錞	者侯吉薦吉金
5726	華母薦壺	華母自乍薦壺
6228	亞薦父丁觚	[亞薦]父丁
6888	吳王光鑑一	台乍弔姬寺吁宗＿薦鑑
6889	吳王光鑑二	台乍弔姬寺吁宗＿薦鑑

小計：共　14 筆

灋　1611

1308	白晨鼎	勿灋朕令
1327	克鼎	勿灋朕令
1328	盂鼎	灋保先王
1328	盂鼎	勿灋朕令
2728	恆殷一	夙夕勿灋(廢)朕令
2729	恆殷二	夙夕勿灋(廢)朕令
2803	師酉殷一	勿灋(廢)朕令
2804	師酉殷二	勿灋(廢)朕令
2804	師酉殷二	勿灋(廢)朕令
2805	師酉殷三	勿灋(廢)朕令
2806	師酉殷四	勿灋(廢)朕令
2806.	師酉殷五	勿灋(廢)朕令
2829	師虎殷	勿灋(廢)朕令
2838	師嫠殷一	夙夜勿灋(廢)朕令
2838	師嫠殷一	敬夙夜、勿灋(廢)朕命
2839	師嫠殷二	夙夜勿灋(廢)朕令
2839	師嫠殷二	敬夙夜、勿灋(廢)朕命
2854	蔡殷	敬夙夕、勿灋朕令
2857	牧殷	敬夙夕勿灋朕令
3088	師克旅盨一(蓋)	敬夙夕、勿灋(廢)朕令
3089	師克旅盨二	敬夙夕、勿灋(廢)朕令
3090	曩盨(器)	勿灋(廢)朕命
5805	中山王嚳方壺	可灋可尚
7135	逆鐘	勿灋朕命
7185	叔夷編鐘四	余弗敢灋乃命
7214	叔夷鎛	余弗敢灋乃命

小計：共　26 筆

法　1611

7868	商鞅方升	法度量則不壹歉疑者

小計：共　1 筆

廢　1611

1318	晉姜鼎	勿廢文侯覲令
1331	中山王嚳鼎	烏虖、語不竣(廢)哉(哉)

2728	恆𣪘一	夙夕勿灋(廢)朕令
2729	恆𣪘二	夙夕勿灋(廢)朕令
2803	師酉𣪘一	勿灋(廢)朕令
2804	師酉𣪘二	勿灋(廢)朕令
2804	師酉𣪘二	勿灋(廢)朕令
2805	師酉𣪘三	勿灋(廢)朕令
2806	師酉𣪘四	勿灋(廢)朕令
2806.	師酉𣪘五	勿灋(廢)朕令
2829	師虎𣪘	勿灋(廢)朕令
2838	師𠭯𣪘一	夙夜勿灋(廢)朕令
2838	師𠭯𣪘一	敬夙夜、勿灋(廢)朕命
2839	師𠭯𣪘二	夙夜勿灋(廢)朕令
2839	師𠭯𣪘二	敬夙夜、勿灋(廢)朕命
3088	師克旅盨一(蓋)	敬夙夕、勿灋(廢)朕令
3089	師克旅盨二	敬夙夕、勿灋(廢)朕令
3090	𡑞盨(器)	勿灋(廢)朕命

小計：共 18 筆

1612

0022	鹿方鼎	[鹿]
2644	命𣪘	王才華、王易命鹿
4056	亞__父壬爵	父壬[亞鹿]
5485	貉子卣一	歸貉子鹿三
5486	貉子卣二	歸貉子鹿三
補2	鹿方鼎	[鹿]

小計：共 6 筆

1613

2656	師害𣪘一	麋生曶父師害uL中曶
2657	師害𣪘二	麋生曶父師害uL中曶

小計：共 2 筆

1614

1322	九年裘衛鼎	交𠩺𩌏、帛轡乘、金麃鍐

小計：共 1 筆

1615

2546	𦔻𣪘	麗(䴡)
2793	元年師旋𣪘一	易女赤市冋黃、麗般(鞶)
2794	元年師旋𣪘二	易女赤市冋黃、麗般(鞶)
2795	元年師旋𣪘三	易女赤市冋黃、麗般(鞶)
6752	取膚子商盤	用賸之麗奴

	6853	取膚__商它	用賸之麗妁子孫永寶用
	7418	陳麗子造戈	陳麗子窹(造)戈
	7879	麗山鍾	麗山圜容十二斗三升
			小計：共 8 筆
塵	1616		
	4449	裘衛盉	塵皋兩
			小計：共 1 筆
譻	1617		
	6920	曾大保旅盆	曾大保uq譻弔亟用其吉金
			小計：共 1 筆
戱	1618		
	0804	井季戱乍旅鼎	井季戱乍旅鼎
	2124	季戱乍旅毁	季戱乍旅毁
	2900	史戱簠	史戱乍旅匿
	4748	邢季戱旅尊	邢季戱乍旅彝
	5340	井季戱旅卣	井季戱乍旅彝
			小計：共 5 筆
䰞	1619		
	2900	史戱簠	史戱(䰞?)乍旅匿
	2999	史䰞旅盨一	史䰞乍旅盨(䵼)
	3000	史䰞旅盨二	史䰞乍旅盨
			小計：共 3 筆
䚙	1620		
	2410	遣小子𩁹毁	遣小子𩁹目其友乍䚙男王姬𩰫彝
	4241	箙亞__乍父癸角	丙申王易箙(葡)亞Jb奚貝、才䙬(䚙泉)
	5492	亞獏四祀𠨘其卣	遣乙昱日丙午、才䚙
			小計：共 3 筆
䙬	1621		
	1208	乙亥乍父丁方鼎	乙亥、王口才䙬䧅
	1315	善鼎	王曰：善、昔先王既令女左足䙬侯
	1315	善鼎	令女左足䙬侯、監𤔲師戍
	2803	師酉毁一	西門尸、䙬尸、秦尸、京尸、畁th尸

2804	師酉𣪘二	西門尸、纍尸、秦尸、京尸、畀th尸
2804	師酉𣪘二	西門尸、纍尸、秦尸、京尸、畀th尸
2805	師酉𣪘三	西門尸、纍尸、秦尸、京尸、畀th尸
2806	師酉𣪘四	西門尸、纍尸、秦尸、京尸、畀th尸
2806.	師酉𣪘五	西門尸、纍尸、秦尸、京尸、畀th尸
2835	訇𣪘	西門尸、秦尸、京尸、纍尸
2911	奢虎𠤳一	纍山奢虎鑄其寶𠤳
2912	奢虎𠤳二	纍山奢虎鑄其寶𠤳
2913	旅虎𠤳一	纍＿旅虎鑄其寶𠤳
2914	旅虎𠤳二	纍＿旅虎鑄其寶𠤳
2915	旅虎𠤳三	纍＿旅虎鑄其寶𠤳
3086	善夫克旅盨	皇且考其㪔㪔纍纍
3172	纍爵	[纍]
3538	子纍爵	子[纍]
4241	箙亞＿乍父癸角	丙申王易箙亞jb奚貝、才纍
6030	子纍觚	[子纍]
6168	纍父癸觚	[纍]父癸
6377	子纍觶一	[子纍]
6378	子纍觶二	[子纍]
6993	弔旅魚父鐘	豐豐纍纍、降多福無
7006	𢾊狄鐘	㪔㪔纍纍降
7049	井人鐘三	㪔㪔纍纍
7050	井人鐘四	㪔㪔纍纍
7088	士父鐘一	㪔㪔纍纍
7089	士父鐘二	㪔㪔纍纍
7090	士父鐘三	㪔㪔纍纍
7091	士父鐘四	㪔㪔纍纍
7150	虢叔旅鐘一	㪔㪔纍纍
7151	虢叔旅鐘二	㪔㪔纍纍
7152	虢叔旅鐘三	㪔㪔纍纍
7153	虢叔旅鐘四	㪔㪔纍纍
7156	虢叔旅鐘七	㪔㪔纍纍
7158	瘐鐘一	其㪔㪔纍纍
7159	瘐鐘二	豐豐纍纍
7160	瘐鐘三	其㪔㪔纍纍
7161	瘐鐘四	其㪔㪔纍纍
7162	瘐鐘五	其㪔㪔纍纍
7176	㝬鐘	纍纍㪔㪔

小計：共　42 筆

1621+

4028	后學母爵一	后學母
4029	后學母爵二	后學母
4030	后學母爵三	后學母
4031	后學母爵四	后學母
4032	后學母爵五	后學母
4033	后學母爵六	后學母
4034	后學母爵七	后學母

4035	后孳母爵八	后孳母
4036	后孳母爵九	后孳母
4322	司孳母斝一	[司孳母]
4323	司孳母斝二	[司孳母]
4634	司孳母尊一	[司孳母]
4635	司孳母尊二	[司孳母]
4641	后孳母方尊一	[后孳]母癸
4642	后孳母方尊二	[后孳]母癸
5627	司孳母方壺一	[司孳母]
5628	司孳母方壺二	[司孳母]
6180	司孳母觚一	司(后)孳母
6181	司孳母觚二	司(后)孳母
6182	司孳母觚三	司(后)孳母
6183	司孳母觚四	司(后)孳母
6184	司孳母觚五	司(后)孳母
6185	司孳母觚六	司(后)孳母
6186	司孳母觚七	司(后)孳母
補2	后孳母甗	后孳母

小計：共 25 筆

逸 1622

1163	齊陳_鼎蓋	齊陳ka不敢逸康
2955	齊陳_匜一	乍皇考獻弔餗逸永保用匜
2956	齊陳曼匜二	齊陳ka不敢逸般康
5803	胤嗣好蚉壺	s3俛(逸)先王
7545	黍子戈	黍子乍造公族元用左右市御用逸宜_
7651	黍子矛	左右市冶用逸囗

小計：共 6 筆

犬 1623

0363	犬父丙鼎	[犬]父丙
0506	亞犬父鼎	[亞犬]父囗
0753	犬且辛且癸鼎	犬且辛且癸[亯]
0755	京犬犬魚父乙鼎	[京犬犬魚]父乙
1187	員乍父甲鼎	王令員執犬、休善
1219	戍嗣子鼎	[犬魚]
1311	師晨鼎	隹小臣善夫、守囗、官犬、眔奠人、善夫、官
3169	犬爵	[犬]
3657	尧犬爵	[尧犬]
4069	鹵獸形父丁爵	[鹵犬]父乙
4340.	虎白斝	犬白乍父寶尊彝
5062	丁犬卣	[丁犬]
5355	犬且辛且癸享卣	[犬]且辛、且癸[享]
6165	犬未父辛觚	[犬未]父辛
6263	亞_皿觚	[亞霓犬]皿白乍尊彝
6626	犬山刀子乍父戊觶	子乍父戊[犬山刀]

小計：共 15 筆

玁 1624

5784	林氏壺	戎玁毋後
5803	胤嗣好盗壺	茅蒐田玁

小計：共 2 筆

臭 1624+

5182	子自犬卣	[子臭]

小計：共 1 筆

獲 1625 0559隻字重見

1009	鄂侯鼎	鄂侯隻(獲)巢
1231	楚王酓忓鼎一	楚王酓忓戰隻(獲)兵銅，
1231	楚王酓忓鼎一	楚王酓忓戰隻(獲)兵銅，
1232	楚王酓忓鼎二	楚王酓忓戰隻(獲)兵銅，
1232	楚王酓忓鼎二	楚王酓忓戰隻(獲)兵銅，
1324	禹鼎	休隻(獲)氒君馭方
1329	小字盂鼎	隻(獲)馘四千八百□二馘
2836	㺇毀	隻(獲)馘百，執訊二夫
5772	陳璋方壺	大臧孔墬(陳)璋(章?)內伐匽亳邦之隻(獲)
6776	楚王酓忎盤	楚王酓忎戰隻(獲)兵銅
7744	工獻太子劍	以用以獲

小計：共 11 筆

獻 1626

1135	獻侯乍丁侯鼎	賞獻侯䠭貝
1136	獻侯乍丁侯鼎二	賞獻侯䠭貝
1163	齊陳_鼎蓋	乍皇考獻弔𩱼鼎
1271	史獸鼎	史獸獻工于尹
1271	史獸鼎	咸獻工
1286	大夫始鼎	始獻工
1317	善夫山鼎	王曰：山、令女官嗣飲獻人于冕
1326	多友鼎	多友乃獻孚、聝、訊于公
1326	多友鼎	武公乃獻于王
1326	多友鼎	丁酉、武公在獻宮
1326	多友鼎	迺h0于獻宮
1605	白乍旅甗	白乍旅獻(甗)
1606	中乍旅甗	中乍旅獻(甗)
1611	龔妊甗	龔妊賸獻[dz](單)
1614	白真乍籚甗	白真乍旅獻
1615	解子乍籚甗	解子乍旅獻(甗)

獻
狄

1620	虢白甗	虢白乍婦獻用
1625	白□鼈甗	白_乍寶旅獻
1627	強伯甗	強白自為用獻(甗)
1636	弔辯寶甗	弔辯乍寶獻(甗)永用
1637	乍父癸甗	乍父癸寶尊獻(甗)[am]
1639	強白乍井姬甗	強白乍井姬用獻(甗)
1640	_仲雩父方甗	Jt中雩父乍旅獻(甗)
1641	比甗	从(比)乍寶獻(甗)其萬年用
1645	孚公狄	孚公狄乍旅獻(甗)、永寶用
1646	乍寶甗	□□□乍寶獻(甗)
1648	奠白筍父甗	奠公筍父乍寶獻(甗)永寶用
1651	仲伐父甗	中伐父乍姬尚母旅獻(甗)其永用
1652	弔碩父旅甗	弔碩父乍旅獻(甗)
1653	穀父甗	穀乍父寶獻(甗)
1654	子邦父旅甗	子邦父乍旅獻(甗)
1655	奠氏白高父旅甗	奠氏白□父乍旅獻(甗)
1656	封仲甗	封中乍獻(甗)
1658	奠大師小子甗	奠大師小子侯父乍寶獻(甗)
1659	白鮮旅甗	白鮮乍旅獻(甗)
1659.1	魯中齊甗	魯中齊乍旅獻(甗)
1660	曾子仲誼旅甗	自乍旅獻(甗)
1664	邕子良人歙甗	邕子良人羼其吉金自乍飤獻(甗)
1666	遹乍旅甗	用乍旅獻(甗)
1667	陳公子弔遵父甗	陳公子子弔(叔)原父乍旅獻(甗)
2730	獻段	櫨白令氒臣獻金車
2730	獻段	獻身才畢公家
2735	屖敖段	戎獻金于子牙父百車
2801	五年召白虎段	余獻婦氏吕壺
2802	六年召白虎段	今余既一名典獻
2834	𢿨段	肄(肆)余目餘士獻民
2841	芇白段	見、獻賓{帛貝}
2852	不嬰段一	余來歸獻禽
2853	不嬰段二	余來歸獻禽
2955	齊陳_匠一	乍皇考獻弔饙逸永保用匠
2956	齊陳曼匠二	乍皇考獻弔饙般永保用匠
3041	諫季獻旅須	諫季獻乍旅盨(須)
3085	駒父旅盨(蓋)	氒獻氒服
3086	善夫克旅盨	隹用獻于師尹、倗友、婚(聞)遘
3097	陳侯午鐏錞一	陳侯午台群者侯獻金
3098	陳侯午鐏錞二	陳侯午台群者侯獻金
5804	齊侯壺	執者獻于靈公之所
5804	齊侯壺	□□□□□其士女□_旬四舟___丘□_于_歸
5804	齊侯壺	執車馬獻之于莊公之所
5804	齊侯壺	___曰獻余台賜女
6663	白公父金勺一	用獻用酌
6790	虢季子白盤	獻馘于王
7539	伺戈	獻鼎之歲
7921	廿一年寺工獻車軎	廿一年寺工獻工上造但

小計：共 64 筆

狄 1627

2581	曹伯狄𣪕	曹白狄乍夙姒公尊𣪕
2986	曾白霥旅匿一	克狄淮尸(夷)
2987	曾白霥旅匿二	克狄淮尸(夷)
6792	史墻盤	永不巩狄
7006	𢧵狄鐘	𢧵狄不龏
7512	六年奠令韓熙戈	六年鄭令韓熙囗、右庫工帀馬__冶狄

小計：共 6 筆

猶 1628

1318	晉姜鼎	宣邲我猶
1327	克鼎	宝靜于猶
1331	中山王䁧鼎	猶規(眯迷)惑烏(於)子之而亡其邦
1332	毛公鼎	䜌我邦小大猶
2834	㝬𣪕	害𦓷(耋)宇慕遠猶
2856	師𩛥𣪕	令女叀䜌我邦小大猶
6792	史墻盤	遠猶𦣻(腹)心
6989	__鐘	福無彊猶猶
7175	王孫遺者鐘	誨猶不飤
7176	㝬鐘	㝬猶又成亡競
7870	陳純釜	塦(陳)猶立事歲

小計：共 11 筆

狐 1629

1322	九年裘衛鼎	迺舍裘衛林𦣞里(狐狸?)
1322	九年裘衛鼎	付裘衛林𦣞里(狐狸?)
5789	命瓜君厚子壺一	命瓜(令狐)君厚子乍鑄尊壺

小計：共 3 筆

猋 1630 金文編本條所收諸字本作⿱秝猋，上从秝、下从猋，金文編誤分為秝、猋二字， 參附下208號

本字頭當取消

狇 1631

1645	孚公狇甗	孚公狇乍旅甗永寶用

小計：共 1 筆

𤝞 1632

5413	魚𤝞白罰卣	𤝞白罰乍尊彝[魚]

小計：共 1 筆

狃 1633

5803	亂嗣好盉壺	茅蒐狃(田)獵
		小計:共 1 筆

狽 1634

2014	乍狽寶彝設	乍狽寶彝
4336	宁狽乍父丁斝	[宁狽]乍父丁彝
5380	狽人乍父戊卣	[狽]兀乍父戊尊彝
5380	狽人乍父戊卣	[狽]兀乍父戊尊彝
		小計:共 4 筆

狺 1635

1446	白狺父乍井姬鬲	白狺父乍井姬季姜尊鬲
		小計:共 1 筆

狢 1636

1331	中山王嚳鼎	昔者郾君子噲觀(叡)弇夫狢(悟)
		小計:共 1 筆

䝤 1637

0978	弔䝤父鼎	弔䝤父乍鼎
4677	䝤乍旅彝尊	䝤乍旅彝
5255	䝤卣一	䝤乍旅彝
5256	䝤卣二	䝤乍車彝
		小計:共 4 筆

猲 1638

0451	猲盞方鼎	猲盧鼎
		小計:共 1 筆

猉 1639 與1592貘同字

0567	亞猉父丁鼎一	[亞猉]父丁
0568	亞猉父丁鼎二	[亞猉]父丁
0569	亞猉父丁鼎三	[亞猉]父丁
0570	亞猉父丁鼎四	[亞猉]父丁
0571	亞猉父丁鼎五	[亞猉]父丁

4079	亞獏父丁爵	[亞獏]父丁
4325	亞獏父丁斝	[亞獏]父丁
4657	亞獏父丁尊一	[亞獏]父丁
5475	六祀𠨘其卣	才六月隹王六祀翌日[亞獏]
5491	亞獏二祀𠨘其卣	[亞獏父丁]
5491	亞獏二祀𠨘其卣	[亞獏父丁]
5492	亞獏四祀𠨘其卣	[亞獏父丁]
5492	亞獏四祀𠨘其卣	[亞獏父丁]
		小計：共 13 筆

獝 1640 鑄子獝匜 銘文未見

小計：共 1 筆

舉 1641

5805	中山王嚳方壺	舉(舉)賢使能
		小計：共 1 筆

𤞷 1641+ 从犬埶省聲，經籍作邇，0237+ 邇字參看

0788	𤞷父鼎	𤞷父乍＿台鼎
1318	晉姜鼎	妥懷遠𤞷(邇)
1327	克鼎	頣(擾柔)遠能𤞷(邇)
2543	𤞷馭簋	𤞷御從王南征
2840	番生簋	柔遠能𤞷(邇)
4926	吳𤞷馭觥(蓋)	[吳]𤞷馭弔史遣馬、弗左
		小計：共 6 筆

獄 1642

1465	魯侯獄鬲	魯侯獄乍彝
5236	獄父丁卣	[獄v5]父丁
6792	史墻盤	亟獄逗(趄)慕
		小計：共 3 筆

獄 1643

2802	六年召白虎簋	用獄Jf為白
2854	𣪕簋	勿吏敢又疾、止從獄
3090	𢑚盨(器)	勿使𢧵虐從獄
		小計：共 3 筆

𦊝 1644

獏 獝 舉 𤞷 獄 能 𦊝

能 燹 䜌 寮

1274	哀成弔鼎	勿或能怠
1310	鬲攸從鼎	弗能許鬲从
1327	克鼎	擾遠能釱
1331	中山王礜鼎	其隹(誰)能之
1331	中山王礜鼎	其隹(誰)能之
1332	毛公鼎	康能四國
2786	縣妃𣪘	我不能不眔縣白萬年保
2840	番生𣪘	柔遠能釱
2843	沈子它𣪘	乃沈子其顋褱多公能福
J1685	鬲比𣪘	弗能許鬲从
4175	能乍父庚爵	能乍父庚尊彝
4862	燹能匋尊	能匋易貝于厥智公矢ns五朋
4862	燹能匋尊	能匋用乍文父日乙寶尊彝[燹]
5803	𡈼嗣好盗壺	不能寧處
5805	中山王礜方壺	舉賢使能
5805	中山王礜方壺	進賢散(措)能
7184	叔夷編鐘三	女康能乃又事
7214	叔夷鎛	女康能乃又事
		小計：共 18 筆

燹 1645

1108	師賸父鼎	師賸父乍燹姬寶鼎
1315	善鼎	令女ナ(左)足纍侯、監䜌(燹)師戍
1325	五祀衛鼎	厲有嗣醽季、慶癸、燹□、荊人敢、井人陽屖
2783	趞𣪘	命女乍燹自家嗣馬
2788	靜𣪘	𠨘燹兹自、邦周射于大沱
3042	項燹旅盨	項燹(燹)乍旅盨
4417	䜌王盉	䜌(燹)王乍姬rf盉
4449	裘衛盉	嗣馬單旅、司工邑人服眔受田燹趙
		小計：共 8 筆

䜌 1645

0838	亞㚤鼎	[亞㚤]宮晉旅𣴎(䜌?)侯宜
4417	䜌王盉	䜌(燹)王乍姬rf盉
		小計：共 2 筆

寮 1646

2527	東仲寮父𣪘	東中寮父乍鸞𣪘
2724	章白𢼄𣪘	至、寮于宗周
		小計：共 2 筆

然 1647

1331	中山王嚳鼎	寡懼其忽然不可得
7112	者減鐘一	工𪒠王皮然之子者減睪其吉金
7113	者減鐘二	工𪒠王皮然之子者減睪其吉金
7114	者減鐘三	工𪒠王皮然之子者減自乍_鐘
7115	者減鐘四	工𪒠王皮然之子者減自乍_鐘

小計：共 5 筆

烝 1648

1198	姬鼐彝鼎	用烝用嘗
2737	段毁	王鼒（才）畢登（烝）
5509	欮卣	王欽西宮、烝、咸

小計：共 3 筆

羨 1649

J0081	王孫亭鐘	（拓本未見）
7219	冉鉦鍼（南疆征）	羨子孫余冉鑄此鉦□

小計：共 2 筆

熬 1650

5761	兮熬壺	兮熬乍尊壺

小計：共 1 筆

焚 1651

1326	多友鼎	唯孚車不克㠯、卒焚
7899	鄂君啟車節	適兔禾、適酉焚、適鹵緆

小計：共 2 筆

焦 1652

2659	郾侯庫毁	乍焦金壴

小計：共 1 筆

照 1653

6792	史牆盤	昊照亡斁

小計：共 1 筆

照光

光 1654

0047	光鼎	[光]
0455	□鼎	__光□
0513	光父乙鼎	[光]父乙
0942	亞㠱竹士宣鼎	[亞㠱竹宣]智光徹(𩰫)[卿宁]
1249	寍鼎	光用大保
1318	晉姜鼎	每揚氒光剌
1324	禹鼎	敢對揚武公不顯耿光
1331	中山王𠱤鼎	恐隕社稷之光
1332	毛公鼎	亡不閈(覲)于文武耿光
2029	光乍從彝毁	[光]乍從彝
2599	宰甫毁	光宰甫貝五朋
2730	獻毁	乍朕文考光父乙
4330	光乍從彝斝	[光]乍從彝
4366	光父乙盉	[光]父乙
4446	麥盉	井侯光氒吏麥𬎆于麥宮
4842	啟乍文父辛尊	子光□啟貝
4878	召尊	召萬年永光
4975	麥方彝	才八月乙亥、辟井侯光氒正吏
4981	𦉢冊令方彝	用光父丁[𦉢冊]
5477	單光豆乍父癸𬓝卣	其目父癸夙夕鄉爾百婚遘[單光]
5494	㛸𬓝乍母辛卣	子光商𬓝貝二朋
5496	召卣	召萬年永光
5805	中山王𠱤方壺	以明辟光
5954	單光單觚	[單光單]
6052	__光觚一	[__光]
6722	彭生盤	彭生乍氒文考辛寶尊彝[冊光自尹]
6785	守宮盤	周師光守宮事
6790	虢季子白盤	孔顯又光
6792	史墻盤	櫅角熾光
6888	吳王光鑑一	吳王光罿其吉金
6889	吳王光鑑二	吳王光罿其吉金
7007	梁其鐘	光梁其身
7008	通彔鐘	用寓光我家受
7037	遲父鐘	不顯龍光
7069	者汈鐘一	以克__光朕卲示之
7069	者汈鐘一	以r1光朕立
7070	者汈鐘二	女亦虔秉不經悳台克剌__光之于聿
7071	者汈鐘三	以克__光朕卲示之
7072	者汈鐘四	台克__光朕卲
7073	者汈鐘五	台克__光朕于
7074	者汈鐘六	台以r1光朕立
7075	者汈鐘七	用受剌__光之于聿
7077	者汈鐘九	台以r1光朕立
7078	者汈鐘十	光之于聿
7080	者汈鐘十二	光之于聿
7159	瘐鐘二	櫅角熾光

7159	瘋鐘二	用寓光瘋身
7168	瘋鐘十一	用寓光瘋身
7185	叔夷編鐘四	雁受君公之易光
7214	叔夷鎛	雁受君公之易光
7443	攻敔王光戈一	攻敔王光自、戈q5
7709	攻敔王光劍	攻敔王光自乍用鐱
7714	攻敔王劍	攻敔王光自乍用劍
7722	吳王光劍	攻敔王光自乍用劍
M541	大王光戈	大王光逗自乍用戈
		小計：共 55 筆

熙 1655

3096	齊侯乍孟姜善𦎧	它它熙熙、男女無期
5776	曩公壺	也熙受福無期
6779	齊侯盤	它它熙熙
6781	夆弔盤	它它熙熙
6873	齊侯乍孟姜盥匜	它它熙配
6875	慶弔匜	沱沱熙配
6876	夆弔乍季妃盥盤(匜)	它它熙熙
7121	郐王子旃鐘	韹韹熙熙
7124	沇兒鐘	皇皇熙熙
7175	王孫遺者鐘	䞞䞞(皇皇)熙熙
7512	六年奠令韓熙戈	六年鄭令韓熙□、右庫工帀馬__冶狄
7546	王三年奠令韓熙戈	王三年奠命韓熙右庫工師吏史□冶□
M612	鄦子鐘	韹韹熙熙
		小計：共 13 筆

烄 1656

5508	弔趙父卣一	唯女烄其敬辥乃身
5508	弔趙父卣一	烄
6389	烄乍觶	烄乍
6793	矢人盤	棗、州京、烄從鬲
		小計：共 4 筆

烕 1657

1151	曩侯鼎	曩侯易弟__嗣烕
		小計：共 1 筆

煬 1658

1331	中山譽鼎	亡寈煬之慮
5805	中山王譽方壺	寍(寧)有寈(慷)煬

		小計：共　2 筆
炎　1659		
2814	鳥冊夨令𣪘一	隹王于伐楚白、才炎
2814.	夨令𣪘二	隹王于伐楚白、才炎
4878	召尊	隹九月才炎自、甲午
4878	召尊	用u8不杯・召多用追炎不杯白懋父友
5496	召卣	唯九月才炎自、甲午
5496	召卣	用追于炎、不簪白懋父友
		小計：共　6 筆
燮　1660	0454燮字重見	
4991	燮卣	[燮]
		小計：共　1 筆
粦　1661		
1284	尹姞鼎	休天君弗望穆公聖粦明
1322	九年裘衛鼎	矩迺眔𨒅粦令
1323	師訊鼎	用井乃聖且考鄰(粦)明
1533	尹姞竇鬲一	休天君弗望穆公聖粦明𤔲吏(事)先王
1534	尹姞竇鬲二	休天君弗望穆公聖粦明𤔲吏(事)先王
1668	中甗	氒賈粦言曰：賓□貝
2857	牧𣪘	氒訊庶右粦
2857	牧𣪘	用雩乃訊庶右粦
6792	史墻盤	子_粦明
		小計：共　9 筆
黑　1662		
1087	鑄子弔黑臣鼎	鑄子弔黑臣肇乍寶貞(鼎)
2724	𩛥白䢅𣪘	徃伐淖黑
2931	鑄子弔黑臣匿一	鑄子弔黑臣肇乍寶匿
2932	鑄子弔黑臣匿二	鑄子弔黑臣肇乍寶匿
2933	鑄子弔黑臣匿三	鑄子弔黑臣肇乍寶匿
3048	鑄子弔黑臣盨	鑄子弔黑臣肇乍寶盨
6832	保弔黑臣匜	保弔黑姬乍寶它
		小計：共　7 筆
恩　1663		
1327	克鼎	克曰：穆穆朕文且師華父恩hv氒心
1327	克鼎	易女叔市參冋、苹恩
1332	毛公鼎	朱市恩黃、玉環、玉琮
2840	番生𣪘	易朱市恩黃、鞞鞢、玉睘、玉琮

4887	蔡侯𤔲尊	恖害訢煬(暢)
6788	蔡侯𤔲盤	恖害訢煬暢
7125	蔡侯𤔲歌鐘一	既恖于心
7126	蔡侯𤔲歌鐘二	既恖于心
7132	蔡侯𤔲歌鐘八	既恖于心
7133	蔡侯𤔲歌鐘九	既恖于心
7134	蔡侯𤔲甬鐘	既恖于心
7176	𪒠鐘	倉倉恖恖
7205	蔡侯𤔲編鎛一	既恖于心
7206	蔡侯𤔲編鎛二	既恖于心
7207	蔡侯𤔲編鎛三	既恖于心
7208	蔡侯𤔲編鎛四	既恖于心

小計：共　16 筆

赤　1664

1215	麥鼎	麥易赤金
1276	__季鼎	王易赤θ市、玄衣黹屯、䜌旂
1290	利鼎	易女赤θ市、䜌旂、用事
1300	南宮柳鼎	易女赤市、幽黃、攸勒
1308	白晨鼎	赤舄
1309	寰鼎	易寰玄衣、黹屯、赤市、朱黃、䜌旂、攸勒、
1311	師晨鼎	易赤舄
1312	此鼎一	易女玄衣黹屯、赤市朱黃、䜌旂
1313	此鼎二	易女玄衣黹屯、赤市、朱黃、䜌旅
1314	此鼎三	易女玄衣黹屯、赤市、朱黃、䜌旅
1317	善夫山鼎	易女玄衣黹屯、赤市朱黃、䜌旂
1319	頌鼎一	易女玄衣黹屯、赤市朱黃、䜌旂攸勒、用事
1320	頌鼎二	易女玄衣黹屯、赤市朱黃、䜌旂攸勒、用事
1321	頌鼎三	易女玄衣黹屯、赤市朱黃、䜌旂攸勒、用事
1323	師𩛥鼎	易女玄衮黹屯、赤市朱黃、䜌旂、大師金雁
1330	曶鼎	易女赤θ□、用事
1330	曶鼎	井弔易曶(曶)赤金鈞
2660	彔乍辛公𣪘	蔑彔曆、易赤金
2687	敔𣪘	王蔑敔曆、易玄衣赤市
2725	師毛父𣪘	易赤市
2726	曶𣪘	易戠衣、赤θ市
2733	何𣪘	王易何赤市、朱亢、䜌旂
2738	衛𣪘	__赤市、攸勒
2762	免𣪘	易女赤θ市、用吏
2768	楚𣪘	赤θ市、緣䜌旂
2769	師𤸰𣪘	金亢、赤舄、戈琱㦸、彤沙
2770	𢦚𣪘	易女戠衣、赤θ市、䜌旂
2771	弭弔師求𣪘一	易女赤舄、攸勒
2772	弭弔師求𣪘二	易女赤舄、攸勒
2773	即𣪘	王乎命女赤市朱黃
2776	走𣪘	易女赤θ市、䜌旂、用吏
2783	趩𣪘	易女赤市、幽亢、䜌旂、用事
2784	申𣪘	賜女赤市縈黃

恖
赤

赤

2787	朢𣪘	易女赤θ市、䜌、用吏
2787	朢𣪘	易女赤θ市
2792	師俞𣪘	易赤市、朱黃、旂
2793	元年師旋𣪘一	易女赤市冋黃、麗般（鞶）
2794	元年師旋𣪘二	易女赤市冋黃、麗般（鞶）
2795	元年師旋𣪘三	易女赤市冋黃、麗般（鞶）
2797	輔師嫠𣪘	赤市朱黃、戈彤沙琱戟
2800	伊𣪘	易女赤市幽黃
2803	師酉𣪘一	新易女赤市朱黃中絅、攸勒
2804	師酉𣪘二	新易女赤市朱黃中絅、攸勒
2804	師酉𣪘二	新易女赤市朱黃中絅、攸勒
2805	師酉𣪘三	新易女赤市朱黃中絅、攸勒
2806	師酉𣪘四	新易女赤市朱黃中絅、攸勒
2806.	師酉𣪘五	新易女赤市朱黃中絅、攸勒
2807	𨛭𣪘一	易女赤市冋黃、䜌旂、用吏
2808	𨛭𣪘二	易女赤市冋黃、䜌旂、用吏
2809	𨛭𣪘三	易女赤市冋黃、䜌旂、用吏
2810	揚𣪘一	賜女赤θ市、䜌旂
2811	揚𣪘二	賜女赤θ市、䜌旂
2817	師𩒨𣪘	易女赤市朱黃、䜌旂攸勒、用事
2818	此𣪘一	赤市朱黃、䜌旅
2819	此𣪘二	赤市朱黃、䜌旅
2820	此𣪘三	赤市朱黃、䜌旅
2821	此𣪘四	赤市朱黃、䜌旅
2822	此𣪘五	赤市朱黃、䜌旅
2823	此𣪘六	赤市朱黃、䜌旅
2824	此𣪘七	赤市朱黃、䜌旅
2825	此𣪘八	赤市朱黃、䜌旅
2829	師虎𣪘	易女赤舄、用吏
2831	元年師兌𣪘一	易女乃且巿、五黃、赤舄
2832	元年師兌𣪘二	易女乃且巿、五黃、赤舄
2838	師嫠𣪘一	易女弔市金黃、赤舄攸勒、用吏
2838	師嫠𣪘一	易女弔市金黃、赤舄攸勒、用吏
2839	師嫠𣪘二	易女弔市金黃、赤舄攸勒、用吏
2839	師嫠𣪘二	易女弔市金黃、赤舄攸勒、用吏
2844	頌𣪘一	赤市朱黃
2845	頌𣪘二	赤市朱黃
2845	頌𣪘二	赤市朱黃
2846	頌𣪘三	赤市朱黃
2847	頌𣪘四	赤市朱黃
2848	頌𣪘五	赤市朱黃
2849	頌𣪘六	赤市朱黃
2850	頌𣪘七	赤市朱黃
2851	頌𣪘八	赤市朱黃
2854	㮚𣪘	易女玄衮衣、赤舄
2936	走馬脺仲赤匠	走馬辪中赤自乍其匠
2973	楚屈子匠	楚屈子赤角賸中孄臤匠
3088	師克旅盨一（蓋）	易鬯卣一卣、赤市五黃、赤舄
3089	師克旅盨二	易鬯卣一卣、赤市五黃、赤舄
3090	㝬盨（器）	乃父市、赤舄、駒車、㮚較、朱虢、㘝靳

4449	裘衛盉	矩或取赤虎兩
4719	鑿赤尊	鑿赤乍寶彝
4890	盠方尊	易盠赤市幽亢、攸勒
4892	麥尊	侯乘于赤旂舟從
4978	吳方彝	玄袞衣、赤舄
4979	盠方彝一	易盠赤市幽亢、攸勒
4980	盠方彝二	易盠赤市幽亢
5791	十三年𤼈壺一	牙僰、赤舄
5792	十三年𤼈壺一	牙僰、赤舄
5798	曶壺	赤市幽黃、赤舄
5799	頌壺一	易女玄衣黹屯、赤市朱黃
5800	頌壺二	易女玄衣黹屯、赤市朱黃
5943	赤觚	[赤]
6756	番君白𢐗盤	隹番君白𢐗用其赤金自鑄盤
6787	走馬休盤	赤市朱黃
6789	寰盤	赤市朱黃、䜌旂攸勒
7157	邾公華鐘一	玄鏐赤鏞
M423.	趞鼎	赤市朱黃
		小計：共 101 筆

烬 1664+

2837	敔毁一	王令敔追禦于上洛烬谷
2837	敔毁一	于烬衣諱
		小計：共 2 筆

𡱂 1664+

2894	曾子𡱂行器一	曾子𡱂自作行器
2895	曾子𡱂行器二	曾子𡱂自乍行器
2896	曾子𡱂行器三	曾子𡱂自乍行器
7135	逆鐘	錫戈彤𡱂(緌)
		小計：共 4 筆

大 1665

0250	丁大鼎	丁[大]
0457	大保方鼎	大保鑄
0530	國子鼎	大國、厶官、國子
0602	大祝禽方鼎一	大祝禽鼎
0603	大祝禽方鼎二	大祝禽鼎
0729	集脰大子鼎一	大子鼎、集脰
0730	集脰大子鼎二	集脰大子鼎
0732	大廣之饎盞	大廣之饎盞
0795	大保__鼎一	14乍尊彝大保
0796	大保__鼎二	14乍尊彝大保
0797	大保__鼎三	14乍尊彝大保

大

0801	大万方鼎一	周大亥亥__乍
0802	大万方鼎二	周大亥亥__乍
0814	東陵鼎	東陵__大右秦
0856	大保冊鼎	[冊]乍寶尊彝[大保]
0913	大保乍宗室鼎	大保乍宗室寶尊彝
0945	鑄客為大后脰官鼎	鑄客為大句(后)脰官為之
0960	大__弔姜鼎	大□乍弔姜鼎其永寶用
0971	內大子鼎一	內大子乍鑄鼎
0972	內大子鼎二	內大子乍鑄鼎
1015	□大師虎鼎	□大師虎□乍□鼎
1021	虢弔大父鼎	虢弔大父乍尊鼎
1024	大師人__乎鼎	大師人o6乎乍寶鼎
1094	魯大左司徒元善鼎	魯大左司徒元乍善鼎
1102	無大邑魯生鼎	無大邑魯生乍壽母朕(媵)貞(鼎)
1113	梁廿七年鼎一	大梁司寇肖亡智新為量
1114	廿七年大梁司寇肖無智鼎二	大梁司寇肖亡智鑄新量
1135	獻侯乍丁侯鼎	唯成王大桒、才宗周
1136	獻侯乍丁侯鼎二	唯成王大桒、才宗周
1139	寓鼎	戊寅、王蔑寓曆事廙大人
1150	小臣缶方鼎	缶用乍享大子乙家祀尊
1165	大師鐘白乍石鼑	大師鐘白侵自乍礪鼑
1166	玆太子鼎	□玆大子乍孟姬寶鼎
1178	宗婦鄁嬰鼎一	以降大福
1179	宗婦鄁嬰鼎二	以降大福
1180	宗婦鄁嬰鼎三	以降大福
1181	宗婦鄁嬰鼎四	以降大福
1182	宗婦鄁嬰鼎五	以降大福
1183	宗婦鄁嬰鼎六	以降大福
1191	堇乍大子癸鼎	匽侯令堇飴大保于宗周
1191	堇乍大子癸鼎	庚申、大保賞堇貝
1191	堇乍大子癸鼎	用乍大子癸寶尊彝[句毌句]
1204	淮白鼎	其用__蒸大牢
1205	公朱左自鼎	左自__大夫林自□夫__鑄鼎
1219	戍嗣子鼎	隹王寰闌大室、才九月
1225	簹大史申鼎	郘安(申)之孫簹(筥)大吏申
1234	旅鼎	隹公大保來伐反尸年
1241	蔡大師䐭鼎	蔡大師䐭媵鄦弔姬可母飤緐
1249	寍鼎	光用大保
1255	作冊大鼎一	公賞乍冊大白馬
1255	作冊大鼎一	大揚皇天尹大保宮
1256	作冊大鼎二	公賞乍冊大白馬
1256	作冊大鼎二	大揚皇天尹大保宮
1257	作冊大鼎三	公賞乍冊大白馬
1257	作冊大鼎三	大揚皇天尹大保宮
1258	作冊大鼎四	公賞乍冊大白馬
1258	作冊大鼎四	大揚皇天尹大保宮
1263	呂方鼎	王寰□大室
1263	呂方鼎	呂征于大室
1272	剌鼎	王啻、用牡于大室
1275	師同鼎	大車廿、羊百

1277	七年趞曹鼎	旦、王各大室
1279	中方鼎	王令大吏兄裛土
1286	大夫始鼎	大夫始易友□猷
1286	大夫始鼎	大夫始敢對揚天子休
1288	令鼎一	王大耤農于諆田
1289	令鼎二	王大耤農于諆田、餳
1300	南宮柳鼎	王乎乍冊尹冊令柳嗣六自牧、陽、大□
1301	大鼎一	大目𠭯友守
1301	大鼎一	王乎善夫騣召大目𠭯友入攼
1301	大鼎一	王召走馬雁令取k3𩦲卅二匹易大
1301	大鼎一	大拜䭫首
1301	大鼎一	大其子子孫孫萬年永寶用
1302	大鼎二	大目𠭯友守
1302	大鼎二	王乎善夫騣召大目𠭯友入攼
1302	大鼎二	王召走馬雁令取k3𩦲卅二匹易大
1302	大鼎二	大拜䭫首
1302	大鼎二	大其子子孫孫萬年永寶用
1303	大鼎三	大目𠭯友守
1303	大鼎三	王乎善夫騣召大目𠭯友入攼
1303	大鼎三	王召走馬雁令取k3𩦲卅二匹易大
1303	大鼎三	大拜䭫首
1303	大鼎三	大其子子孫孫萬年永寶用
1305	師奎父鼎	王各于大室
1307	師望鼎	大師小子師望曰
1309	寰鼎	旦、王各大室、即立
1310	鬲攸從鼎	王才周康宮、徲大室
1311	師晨鼎	旦、王各大室、即立
1312	此鼎一	旦、王各大室、即立
1313	此鼎二	旦、王各大室、即立
1314	此鼎三	旦、王各大室、即立
1315	善鼎	王各大師宮
1319	頌鼎一	旦、王各大室、即立
1320	頌鼎二	旦、王各大室、即立
1321	頌鼎三	旦、王各大室、即立
1322	九年裘衛鼎	王大褂
1322	九年裘衛鼎	我舍顏㯱大馬兩
1323	師訊鼎	易女玄袞鬒屯、赤市朱黃、䜌旂、大師金雁
1323	師訊鼎	休白大師肩䠂
1323	師訊鼎	白大師不自乍
1323	師訊鼎	白大師武臣保天子
1324	禹鼎	肆武公亦弗叚望朕聖且考幽大弔、懿弔
1324	禹鼎	用天降大喪于下或
1324	禹鼎	用乍大寶鼎
1328	盂鼎	受天有大令
1328	盂鼎	已、女妹晨又大服
1329	小字盂鼎	□嘼進、即大廷
1329	小字盂鼎	大采、三□入服酉
1330	曶鼎	王才周穆王大□
1330	曶鼎	女匡罰大
1331	中山王譽鼎	克敵大邦

大

1331	中山王譽鼎	尒（ 爾 ）母（ 毋 ）大而𢘎（ 肆 ）
1332	毛公鼎	雁（ 膺 ）受大命
1332	毛公鼎	Jq堇大命
1332	毛公鼎	大從（ 縱 ）不靜
1332	毛公鼎	悉于小大政
1332	毛公鼎	雝我邦小大猷
1332	毛公鼎	𩰫𩰬（ 恪 ）大命
1332	毛公鼎	埶小大楚賦
1332	毛公鼎	大史寮于父即尹
1401	大乍rL鬲	大乍rL寶尊彝
1524	□大𤔲攻鬲	□大□□𤔲攻單□□鑄其鬲
1643	亞䣙諸女甗	[亞䣙]者母乍大子尊彝
1644	大史友乍召公甗	大史友乍召公寶尊彝
1658	奠大師小子甗	奠大師小子侯父乍寶獻（ 甗 ）
1668	中甗	余令女史小大邦
2141	大万乍母彝𣪘	大帀乍母彝
2388	大保乍父丁𣪘	大保易厥臣榹金
2505.	井姜大宰𣪘	井姜大宰己鑄其寶𣪘
2520	大𠂤事良父𣪘	大𠂤吏良父乍寶𣪘
2528	魯白大父乍媵𣪘	魯白大父乍季姬rk媵𣪘
2531	魯白大父乍孟□姜𣪘	魯白大父乍孟姬姜媵𣪘
2532	魯白大父乍仲姬俞𣪘	魯白大父乍中姬𦛃媵𣪘
2534	魯大宰邍父𣪘一	魯大宰原父乍季姬牙媵𣪘
2534.	魯大宰邍父𣪘二	魯大宰原父乍季姬牙媵𣪘
2546	聖𣪘	用乍大子丁[𩡧]
2588	毛关𣪘	隹大月初吉丙申
2612	不壽𣪘	王才大宮
2614	宗婦𨛭嬰𣪘一	永寶用、以降大福
2615	宗婦𨛭嬰𣪘二	永寶用、以降大福
2616	宗婦𨛭嬰𣪘三	永寶用、以降大福
2617	宗婦𨛭嬰𣪘四	永寶用、以降大福
2618	宗婦𨛭嬰𣪘五	永寶用、以降大福
2619	宗婦𨛭嬰𣪘六	永寶用、以降大福
2620	宗婦𨛭嬰𣪘七	永寶用、以降大福
2632	陳逆𣪘	乍為皇且大宗𣪘
2658.	大𣪘	大拜韻首
2675	大保𣪘	王降征令于大保
2675	大保𣪘	大保克敬亡譴
2675	大保𣪘	王永（ 逝 ）大保
2682	陳侯午𣪘	陳侯午台群者侯□鑄乍皇妣□大妃祭器
2687	敔𣪘	王才周、各于大室
2688	大𣪘	王才奠、蔑大曆
2688	大𣪘	大拜韻首
2688	大𣪘	用乍朕皇考大中尊𣪘
2705	君夫𣪘	王才康宮大室
2713	瘐𣪘一	其𩱦祀大神
2713	瘐𣪘一	大神妥多福
2714	瘐𣪘二	其𩱦祀大神
2714	瘐𣪘二	大神妥多福
2715	瘐𣪘三	其𩱦祀大神

2715	瘐𣪕三	大神妥多福
2716	瘐𣪕四	其𩞁祀大神
2716	瘐𣪕四	大神妥多福
2717	瘐𣪕五	其𩞁祀大神
2717	瘐𣪕五	大神妥多福
2718	瘐𣪕六	其𩞁祀大神
2718	瘐𣪕六	大神妥多福
2719	瘐𣪕七	其𩞁祀大神
2719	瘐𣪕七	大神妥多福
2720	瘐𣪕八	其𩞁祀大神
2720	瘐𣪕八	大神妥多福
2725	師毛父𣪕	旦、王各于大室
2725	師毛父𣪕	井白右、大史冊命
2726	曶𣪕	王各于大室
2732	曾仲大父蛕𣪕	曾中大父蛕迺用吉攸𠭯鋚金
2734	遹𣪕	乎漁于大沱（池）
2737	段𣪕	令龏𤔲遺（饋）大則于段
2743	𤕦𣪕	眔者侯、大亞
2760	小臣謎𣪕一	𫊸東尸（夷）大反
2761	小臣謎𣪕二	𫊸東尸（夷）大反
2762	免𣪕	王各于大廟
2763	弔向父禹𣪕	乍朕皇且幽大弔尊𣪕
2765	𣪘𣪕	王才師𤔲（司辭）馬宮大室即立
2765	𣪘𣪕	四日、用大𦍒于五邑
2767	㾓𣪕一	旦、王各大室、即立
2767	㾓𣪕一	王乎師晨召大師㾓入門、立中廷
2767	㾓𣪕一	王乎宰曶易大師㾓虎裘
2769	師𤸫𣪕	王各于大室
2770	𢦚𣪕	王各于大室
2771	弭弔師求𣪕一	王才莽、各于大室
2772	弭弔師求𣪕二	王才莽、各于大室
2773	即𣪕	王才康宮、各大室
2774	臣諫𣪕	隹戎大出于軝
2774.	南宮弔𣪕	昧、各大室
2775	裘衛𣪕	王才周、各大室、即立
2776	走𣪕	王才周、各大室、即立
2777	天亡𣪕	乙亥、王又大豐
2777	天亡𣪕	丁丑、王鄉大宜、王降
2783	趩𣪕	王各于大朝
2783	趩𣪕	小大右、鄰
2784	申𣪕	各大室、即立
2784	申𣪕	足大祝
2785	王臣𣪕	王各于大室
2787	望𣪕	旦、王各大室即立
2787	望𣪕	旦、王十大室即立
2788	靜𣪕	𦍒𤔲茲𠂤、邦周射于大沱
2789	同𣪕一	各于大廟
2789	同𣪕一	王命周左右吳大父𤔲易林吳牧
2789	同𣪕一	世孫孫子子左右吳大父
2790	同𣪕二	各于大廟

大

2790	同毁二	王命周左右吳大父嗣易林吳牧
2790	同毁二	世孫孫子子左右吳大父
2791	豆閉毁	王各于師戯大室
2792	師俞毁	旦、王各大室即立
2793	元年師旋毁一	備于大ナ
2794	元年師旋毁二	備于大ナ
2795	元年師旋毁三	備于大ナ
2796	諫毁	旦、王各大室即立
2796	諫毁	旦、王各大室即立
2797	輔師嫠毁	各大室即立
2798	師瘨毁一	各大室、即立
2799	師瘨毁二	各大室、即立
2800	伊毁	旦、王各穆大室即立
2801	五年召白虎毁	余sc于君氏大章
2803	師酉毁一	各吳大廟
2804	師酉毁二	各吳大廟
2804	師酉毁二	各吳大廟
2805	師酉毁三	各吳大廟
2806	師酉毁四	各吳大廟
2806.	師酉毁五	各吳大廟
2810	揚毁一	旦、各大室即立
2811	揚毁二	旦、各大室即立
2812	大毁一	王呼吳師召大
2812	大毁一	余既易大乃里
2812	大毁一	豖目睽履大易里
2812	大毁一	大賓豖訊章、馬兩
2812	大毁一	大拜韻首
2813	大毁二	王呼吳師召大
2813	大毁二	余既易大乃里
2813	大毁二	豖目睽履大易里
2813	大毁二	大賓、賓豖訊章、馬兩
2813	大毁二	大拜韻首
2817	師類毁	旦、王各大室
2818	此毁一	旦、王各大室既立
2819	此毁二	旦、王各大室既立
2820	此毁三	旦、王各大室既立
2821	此毁四	旦、王各大室既立
2822	此毁五	旦、王各大室既立
2823	此毁六	旦、王各大室既立
2824	此毁七	旦、王各大室既立
2825	此毁八	旦、王各大室既立
2829	師虎毁	各于大室
2830	三年師兌毁	各大廟、即立
2834	㝬毁	𪓐(緟)圞皇帝大魯令
2837	敔毁一	王各于成周大廟
2838	師嫠毁一	王才周、各于大室、即立
2838	師嫠毁一	各于大室、即立
2839	師嫠毁二	王才周、各于大室、即立
2839	師嫠毁二	各于大室、即立
2840	番生毁	鼢于大服

2840	番生毁	用纛(緟)圝大令
2840	番生毁	王令𤔲𤔲(司)公族卿吏、大史寮
2841	茀白毁	雁(膺)受大命
2841	茀白毁	又芾于大命
2844	頌毁一	旦、王各大室即立
2845	頌毁二	旦、王各大室即立
2845	頌毁二	旦、王各大室即立
2846	頌毁三	旦、王各大室即立
2847	頌毁四	旦、王各大室即立
2848	頌毁五	旦、王各大室即立
2849	頌毁六	旦、王各大室即立
2850	頌毁七	旦、王各大室即立
2851	頌毁八	旦、王各大室即立
2852	不嬰毁一	戎大同從追女
2852	不嬰毁一	女彶戎大臺戰(搏)
2853	不嬰毁二	戎大同從追女
2853	不嬰毁二	女及戎大臺
2853.	__弔毁	__弔__福于大廟
2855	班毁一	登于大服
2855	班毁一	隹乍卲考爽益曰大政
2855.	班毁二	登于大服
2855.	班毁二	隹乍卲考爽益曰大政
2856	師訇毁	堇大令
2856	師訇毁	令女叀雝我邦小大猷
2856	師訇毁	王各于大室
2857	牧毁	各大室即立
2860	大賡匿	大府之匿
2879	大𤔲馬飤匿	大𤔲(司)馬孝述自乍飤匿
2918	內大子白匿	內(芮)大子自乍匿
2968	奠白大𤔲工召弔山父旅匿一	奠白大𤔲工召弔山父乍旅匿
2969	奠白大𤔲工召弔山父旅匿二	奠白大𤔲工召弔山父乍旅匿
2980	鼄大宰𩞁匿一	鼄大宰欉子𣪕鑄其𩞁匿
2981	鼄大宰𩞁匿二	鼄大宰欉子𣪕鑄其𩞁匿
2983	弭仲簠匿	用鄉大正
2984	伯公父盨	白大師小子白公父乍盨
2984	伯公父盨	白大師小子白公父乍盨
2985	陳逆匿一	于大宗皇祖皇祉
2985.	陳逆匿二	于大宗皇祖皇祉
2985.	陳逆匿三	于大宗皇祖皇祉
2985.	陳逆匿四	于大宗皇祖皇祉
2985.	陳逆匿五	于大宗皇祖皇祉
2985.	陳逆匿六	于大宗皇祖皇祉
2985.	陳逆匿七	于大宗皇祖皇祉
2985.	陳逆匿八	于大宗皇祖皇祉
2985.	陳逆匿九	于大宗皇祖皇祉
2985.	陳逆匿十	于大宗皇祖皇祉
3017	白大師旅盨一	白大師乍旅盨
3018	白大師旅盨(器)二	白大師乍旅盨
3024	仲大師旅盨	中大師子為其旅永寶用
3046	筍白大父寶盨	筍白大父乍嬴妃鑄匋(寶)盨

大

3081	翏生旅盨一	用對剌翏生眔大妘
3082	翏生旅盨二	用對剌翏生眔大妘
3082	翏生旅盨二	用對剌翏生眔大妘
3083	瘨𣪕(盨)一	各大室、即立
3084	瘨𣪕(盨)二	各大室、即立
3085	駒父旅盨(蓋)	我乃至于淮{ 小大 }邦亡敢不_具逆王命
3087	鬲从盨	大史𣄰曰
3088	師克旅盨一(蓋)	師克不顯文武、雁受大令、匍有四方
3089	師克旅盨二	師克不顯文武、雁受大令、匍有四方
3097	陳侯午錞鐓一	乍皇妣孝大妃祭器sk鐓台登台嘗
3098	陳侯午錞鐓二	乍皇妣孝大妃祭器sk鐓台登台嘗
3100	陳侯因𪒠錞	𨷖戠大慕克成
3111	大師虘豆	大師虘乍𦞵尊豆
3118	魯大嗣徒厚氏元善匿一	魯大嗣徒厚氏元乍善簠
3119	魯大嗣徒厚氏元善匿二	魯大嗣徒厚氏元乍善簠
3120	魯大嗣徒厚氏元善匿三	魯大嗣徒厚氏元乍善簠
3121.	大宰歸父𨯔	齊大宰歸父vf為㞢盧盤
3579	大行爵	[大行]
3716	大中爵	[大中]
3977.	丁大中爵	丁[大中]
4089	大辛父辛爵	[大亥]父辛
4195	㪤乍父辛爵	㪤大乍父辛寶尊彝
4197	亞䣄方爵	[亞䣄]者(諸)始目大子尊彝
4203	御正良爵	尹大保賞御正良貝
4220	大父戊角	[大]父戊
4447	臣辰冊冊𡳾乍冊父癸盉	隹王大龠于宗周
4448	長由盉	即井白大祝射
4536	大于尊	[大于]
4712	大史尊	大史乍尊彝
4806	亞䣄方尊	[亞䣄]者始以大子尊彝
4821	蔡侯𩁹乍大孟姬尊	蔡侯𩁹乍大孟姬賸尊
4865	𢀛方尊	其用夙夜享于𢀛大宗
4871	䵼䇂豐尊	令豐殷大矩
4871	䵼䇂豐尊	大矩易豐金、貝
4873	臣辰冊𡳾冊乍父癸尊	隹王大龠于宗周㑭𥧂𦮙京年
4876	保尊	遘于四方迨王大祀祓于周
4880	免尊	王各大室
4886	趩尊	各大室、咸
4887	蔡侯𩁹𢍜	蔡侯𩁹䖒共大命
4887	蔡侯𩁹𢍜	用詐(乍)大孟姬賸彝_
4888	盠駒尊一	余用乍朕文考大中寶尊彝
4891	何尊	𨽾玟王受茲大令
4891	何尊	佳珷王既克大邑商
4892	麥尊	王乘于舟、為大豐
4892	麥尊	王射大𩁹、禽
4919	亞䣄者姛觥一	[亞䣄 }者始大子尊彝
4920	亞䣄者姛觥二	[亞䣄 }者始大子尊彝
4941	大亞方彝	[大亞]
4978	吳方彝	王才周成大室
5199	大保鳥形卣	大保鑄

5317	大舟乍父乙卣	[大舟]乍父乙彝
5480	冊𡘋冊豐卣	令豐殷大矩
5480	冊𡘋冊豐卣	大矩易豐金、貝
5480	冊𡘋冊豐卣	令豐殷大矩
5480	冊𡘋冊豐卣	大矩易豐金、貝
5481	叔卣一	王姜史叔事于大保
5481	叔卣一	叔對大保休
5482	叔卣二	王姜史叔事于大保
5482	叔卣二	叔對大保休
5491	亞獏二祀𠨍其卣	才正月遘于匕丙肜日大乙爽
5492	亞獏四祀𠨍其卣	才召大廍
5495	保卣	遘于四方、迨王大祀
5495	保卣	遘于四方、迨王大祀
5497	農卣	迺稟氒奴、氒小子小大事
5500	免卣	王各大室
5501	臣辰冊冊夕卣一	隹王大龠于宗周
5502	臣辰冊冊夕卣二	隹王大龠于宗周
5507	乍冊魖卣	隹公大史見服于宗周年
5507	乍冊魖卣	公大史成見服于辟王
5507	乍冊魖卣	王遣公大史
5507	乍冊魖卣	公大史在豐
5510	乍冊嗌卣	用乍大禦于氒且考父母多申
5568	亞醜者姛方罍一	[亞醜]者姛(始)以大子尊彝
5569	亞醜者姛方罍二	[亞醜]者姛(始)以大子尊彝
5570	___罍	___賓大其sJ
5693	鑄大□之笱壺	鑄大__之笱
5735	内大子白壺	内大子白乍鑄寶壺
5735	内大子白壺	内大子白乍鑄寶壺、永享
5753	大師小子師聖壺	大師{ 小子 }師望乍寶壺
5761	兮熬壺	享孝于大宗
5770	宗婦鄁嬰壺一	以降大福
5771	宗婦鄁嬰壺二	以降大福
5772	陳璋方壺	大壯孔陳璋內伐匽亳邦之隻
5773	陳喜壺	為左大族
5779	安邑下官鍾	府嗇夫__冶事左__止大斛斗一益少半益
5783	曾白陭壺	子子孫孫用受大福無彊
5791	十三年㾓壺一	各大室即立
5792	十三年㾓壺一	各大室
5795	白克壺	白大師易白克僕卅夫
5799	頌壺一	旦、王各大室即立
5800	頌壺二	旦、王各大室即立
5801	洹子孟姜壺一	齊侯命大子乘__來句宗白
5801	洹子孟姜壺一	于大無嗣折于大嗣命用璧
5801	洹子孟姜壺	瑾nz無用從爾大樂
5802	洹子孟姜壺二	齊侯命大子乘dw來句宗白聽命于天子
5802	洹子孟姜壺二	于大無嗣折于與大嗣命用璧
5802	洹子孟姜壺二	瑾nz無用從爾大樂
5803	𡢁𤔲好蚉壺	大去刑罰
5803	𡢁𤔲好蚉壺	子之大Lf不宜
5803	𡢁𤔲好蚉壺	大啟邦河(宇)

5804	齊侯壺	庚大門之
5804	齊侯壺	大鄗(筥)從河
5805	中山王譽方壺	不顧(顧)大宜
5805	中山王譽方壺	不祥莫大焉
5805	中山王譽方壺	賈顧從在{ 大夫 }
5809	弘乍旅鈃	樂大嗣徒子棻之子引乍旅鈃
5823	蔡侯𪭢乍大孟姬盥缶	蔡侯𪭢乍大孟姬賸盥缶
6081	目_觚	[目♦大]
6222	且己觚	[大中]且己
6223	冊大父己觚	[冊大]父己
6255	大且乙觚	大且乙乍彝
6407.	大_觶	[大jv]
6533	衠大觶	衠大□
6558	亞大父乙觶一	[亞大]父乙
6559	亞大父乙觶二	[亞大]父乙
6635	中觶	王大省公族于庚農旅
6646	大亞勺	[大亞]
6765	齊弔姬盤	子子孫孫永受大福用
6768	齊大宰歸父盤一	齊大宰歸父vf為忌顮盤
6769	齊大宰歸父盤二	齊大宰歸父vf為忌顮盤
6771	宗婦鄁嬰盤	以降大福
6780	黃大子白克盤	黃大子白□乍中19□賸盤
6787	走馬休盤	旦、王各大室即立
6788	蔡侯𪭢盤	蔡侯𪭢虔共大命
6788	蔡侯𪭢盤	用詐大孟姬賸彝盤
6789	㝨盤	旦、王各大室即立
6792	史墻盤	上帝降懿德大甹
6793	夨人盤	至于大沽
6815	亞醜者姛匜	[亞醜]者始目大子尊匜
6868	大師子大孟姜匜	大師子大孟姜乍般匜
6872	魯大嗣徒子仲白匜	魯大嗣徒子中白其庶女厲孟姬賸它
6874	鄭大內史弔上匜	奠大內史弔上乍弔媜賸匜
6877	儹乍旅盉	今大赦女
6877	儹乍旅盉	自今余敢vv乃小大事
6882	大右鑑	大右刀
6885	吳王夫差御鑑一	攻吳王大差擇厶吉金
6903	魯大嗣徒元歙盂	魯大嗣徒元乍歙盂
6920	曾大保旅盆	曾大保uq䨻弔亟用其吉金
6925	晉邦𥂴	膺受大令
6925	晉邦𥂴	至于大廷
6995	楚公豙鐘二	楚公豙自乍寶大𧄼鐘
6996	楚公豙鐘三	楚公豙自乍寶大𧄼鐘
6997	楚公豙鐘四	楚公自乍寶大𧄼鐘
7000	邾君鐘	用處大政
7001	嘉賓鐘	大夫朋友
7003	舍武編鐘	大夫朋友
7009	兮仲鐘一	兮中乍大𧄼鐘
7010	兮仲鐘二	兮中乍大𧄼鐘
7011	兮仲鐘三	兮中乍大𧄼鐘
7012	兮仲鐘四	兮中乍大𧄼鐘

7013	兮仲鐘五	兮中乍大鬻鐘
7014	兮仲鐘六	兮中乍大鬻鐘
7015	兮仲鐘七	兮中乍大鬻鐘
7019	邾太宰鐘	鼄大宰欉子誋自乍其御鐘
7020	單伯鐘	Jq勤大令
7021	虘鐘一	用享大宗
7021	虘鐘一	用卲大宗
7022	虘鐘二	用享大宗
7022	虘鐘二	用卲大宗
7023	虘鐘三	用享大宗
7023	虘鐘三	用卲大宗
7024	虘鐘四	用享大宗
7039	應侯見工鐘二	用乍朕皇且雁侯大鬻鐘
7046	□□自乍鐘二	以之大行
7049	井人鐘三	宗室、肄妄乍龢父大鬻鐘
7050	井人鐘四	肄妄乍龢父大鬻鐘
7059	師臾鐘	朕皇考德弔大鬻鐘
7060	𠬪生鐘一	斁生用乍__公大鬻鐘
7061	能原鐘	之於大□者
7061	能原鐘	大□□連者（諸）尸（夷）
7062	柞鐘	中大師右柞
7062	柞鐘	柞拜手對揚中大師休
7062	柞鐘	用乍大鬻鐘
7063	柞鐘二	中大師右柞
7063	柞鐘二	柞拜手對揚中大師休
7063	柞鐘二	用乍大鬻鐘
7064	柞鐘三	中大師右柞
7064	柞鐘三	柞拜手對揚中大師休
7064	柞鐘三	用乍大鬻鐘
7065	柞鐘四	中大師右柞
7065	柞鐘四	柞拜手對揚中大師休
7065	柞鐘四	用乍大鬻鐘
7066	柞鐘五	中大師右柞
7067	柞鐘六	柞拜手對揚中大師休
7082	齊鮑氏鐘	齊鮑氏孫大羼其吉金
7084	邾公牼鐘一	以宴大夫
7085	邾公牼鐘二	以宴大夫
7086	邾公牼鐘三	以宴大夫
7087	邾公牼鐘四	以宴大夫
7108	簷弔之仲子平編鐘一	台濼其大酉
7109	簷弔之仲子平編鐘二	台濼其大酉
7110	簷弔之仲子平編鐘三	台濼其大酉
7111	簷弔之仲子平編鐘四	台濼其大酉
7116	南宮乎鐘	嗣土南宮乎乍大鬻煭鐘
7122	梁其鐘一	汈其身邦君大正
7123	梁其鐘二	汈其身邦君大正
7125	蔡侯鬬紐鐘一	均子大夫
7126	蔡侯鬬紐鐘二	均子大夫
7132	蔡侯鬬紐鐘八	均子大夫
7133	蔡侯鬬紐鐘九	均子大夫

大

7134	蔡侯𤔲甬鐘	均子大夫
7135	逆鐘	弔氏在大廟
7136	郘鐘一	大鐘既縣
7136	郘鐘一	大鐘
7137	郘鐘二	大鐘八聿
7137	郘鐘二	大鐘既縣
7138	郘鐘三	大鐘八聿
7138	郘鐘三	大鐘既縣
7139	郘鐘四	大鐘八聿
7139	郘鐘四	大鐘既縣
7140	郘鐘五	大鐘八聿
7140	郘鐘五	大鐘既縣
7141	郘鐘六	大鐘八聿
7141	郘鐘六	大鐘既縣
7142	郘鐘七	大鐘八聿
7142	郘鐘七	大鐘既縣
7143	郘鐘八	大鐘八聿
7143	郘鐘八	大鐘既縣
7144	郘鐘九	大鐘八聿
7144	郘鐘九	大鐘既縣
7145	郘鐘十	大鐘八聿
7145	郘鐘十	大鐘既縣
7146	郘鐘十一	大鐘八聿
7146	郘鐘十一	大鐘既縣
7147	郘鐘十二	大鐘八聿
7147	郘鐘十二	大鐘既縣
7148	郘鐘十三	大鐘八聿
7148	郘鐘十三	大鐘既縣
7149	郘鐘十四	大鐘八聿
7149	郘鐘十四	大鐘既縣
7150	虢叔旅鐘一	用乍朕皇考叀弔大𪏃龢鐘
7151	虢叔旅鐘二	用乍朕皇考叀弔大𪏃龢鐘
7152	虢叔旅鐘三	用乍朕皇考叀弔大𪏃龢鐘
7153	虢叔旅鐘四	用乍朕皇考叀弔大𪏃龢鐘
7156	虢叔旅鐘七	朕皇考叀弔大𪏃龢鐘
7157	邾公華鐘一	台樂大夫
7158	𤼈鐘一	敢乍文人大寶𠷎龢鐘
7158	𤼈鐘一	卲各樂大神
7158	𤼈鐘一	大神其陟降
7160	𤼈鐘三	敢乍文人大寶𠷎龢鐘
7160	𤼈鐘三	卲各樂大神
7160	𤼈鐘三	大神其陟降
7161	𤼈鐘四	敢乍文人大寶𠷎龢鐘
7161	𤼈鐘四	卲各樂大神
7161	𤼈鐘四	大神其陟降
7162	𤼈鐘五	敢乍文人大寶𠷎龢鐘
7162	𤼈鐘五	卲各樂大神
7162	𤼈鐘五	大神其陟降
7163	𤼈鐘六	上帝降懿德大甹
7174	秦公鐘	以受大福

7174	秦公鐘	大壽萬年
7174	秦公鐘	㠯雁受大命
7178	秦公及王姬編鐘二	以受大福
7178	秦公及王姬編鐘二	大壽萬年
7178	秦公及王姬編鐘二	㠯雁受大命
7203	能原鎛	之於大□者
7203	能原鎛	大□□連者（諸）尸（夷）
7205	蔡侯𨰻編鎛一	均子大夫
7206	蔡侯𨰻編鎛二	均子大夫
7207	蔡侯𨰻編鎛三	均子大夫
7208	蔡侯𨰻編鎛四	均子大夫
7209	秦公及王姬鎛	以受大福
7209	秦公及王姬鎛	大壽萬年
7209	秦公及王姬鎛	㠯雁受大命
7210	秦公及王姬鎛二	以受大福
7210	秦公及王姬鎛二	大壽萬年
7210	秦公及王姬鎛二	㠯雁受大命
7211	秦公及王姬鎛三	以受大福
7211	秦公及王姬鎛三	大壽萬年
7211	秦公及王姬鎛三	㠯雁受大命
7213	𨰻鎛	余為大攻厄
7213	𨰻鎛	大使、大it、大宰
7214	叔夷鎛	為大事
7219	冉鉦鋮（南疆征）	其船□□□大川
7341	大保𣪕戈	大保𣪕
7373	大公戈	大公戈
7393	□大長畫戈	□大長畫
7491	郳大嗣馬之造戈	郳大嗣馬之造戈
7522	卅三年大梁左庫戈	卅三年大梁左庫工帀丑冶㓓
7544	八年亲城大令戈	八年亲城大命韓定工帀宋費冶褚
7556	大兄日乙戈	大兄日乙
7566	十三年相邦義戈	咸陽工師田公大人耆工□
7573	大且日己戈	大且日己
7574	左軍戈	大夫＿之卒
7575	且日乙戈	大父日癸
7575	且日乙戈	大父日癸
7589	大保𣪕勾戟	大保、𣪕
7593	大良造鞅戟	秦大良造鞅之造戟
7674	大攻尹劍	大攻尹
7729	守相杜波劍	冶巡執齊大攻尹公孫桴
7730	十五年守相杜波劍一	冶巡執齊大攻尹公孫桴＿
7744	工𫊸太子劍	王𫊸大子姑發＿反
7761	郘大叔斧一	郘大叔以新金為貣車之斧十
7762	郘大叔斧二	郘大叔＿＿貣車之斧
7763	郘大叔斧三	郘大叔＿＿貣車之斧
7771	大武戚	兵闢大歲
7814	秦右□弩機	秦右＿攻尹五大夫＿攻遑
7830	十六年大良造鞅戈	十六年大良造庶長鞅之造＿革
7867	郢大廥之□筩	郢大廥之敦筩
7868	商鞅方升	黔首大安

大

大奎夾

7868	商鞅方升	齊率卿大夫眾來聘
7868	商鞅方升	大良造鞅
7874	蔡太史鉌	蔡大史𣄨乍其鉌
7891	齊馬節	齊節大夫傳五乘
7899	鄂君啟車節	大司馬卲陽敗晉巿於襄陽之歲
7899	鄂君啟車節	大攻尹脽台王命命集尹悊(悼)nf
7900	鄂君啟舟節	大司馬卲陽敗晉巿於襄陵之歲
7900	鄂君啟舟節	大攻尹脽台王命命集尹悊nf
7900	鄂君啟舟節	則政於大府
7930	𧙖用乍寶缶一	鄭帚大𧙖用乍寶缶
7931	𧙖□乍寶缶二	大𧙖用乍寶缶
7932	集脰大子鎬	集脰大子之鎬
7975	中山王墓兆域圖	閪閟(狹)小大之□
7975	中山王墓兆域圖	大臧宮方百乇
7977	大府銅牛	大府之器
7986	大司馬鐏	□橫大嗣馬
7990	季老□	季老或乍文考大白□□
7996.	上官登	台為大𤔲之從鋘登□□
M299	白大師釐盨	白大師釐乍旅盨
M423.	趞鼎	各于大室、即立
M478	大宰巳段	井姜大宰巳鑄其寶段
M541	大王光戈	大王光逭自乍用戈
M561	越王大子□𨱌矛	於戉□王弋医之大子□𨱌
M612	鄦子鐘	用樂嘉賓大夫及我倗友
M693	曾大工尹戈	曾大工尹
M706	曾侯乙編鐘下一・二	大族之珈鎛
M709	曾侯乙編鐘下二・二	大族之宮
M711	曾侯乙編鐘下二・四	大族之珈鎛
M712	曾侯乙編鐘下二・五	大族之商
M713	曾侯乙編鐘下二・七	為大族之徵頔下角
M714	曾侯乙編鐘下二・八	大族之羽
M714	曾侯乙編鐘下二・八	為大族羽角
M741	曾侯乙編鐘中三・二	大族之才周號為剌音
M745	曾侯乙編鐘中三・六	大族之鼓
M767	曾侯乙編鐘上三・六	宮角、徵，大族之宮，
M767	曾侯乙編鐘上三・六	宮角、徵，大族之宮，
M816	魯大左司徒元鼎	魯大左司徒元乍善鼎

小計：共　648 筆

奎　1666

6910	師永盂	邑人奎父、畢人師同
7975	中山王墓兆域圖	五奎宮方百乇

小計：共　　2 筆

夾　1667

1324	禹鼎	克夾召先王、奠四方

1328	盂鼎	王曰：盂、廼召夾死嗣戎
2774.	南宮弔毀	廼召夾死嗣 ??戎
2856	師訇毀	乍氒□□用夾召氒辟
5202	員乍夾卣	員乍夾
5387	亞__夾乍父辛卣	夾乍父辛尊彝[亞b3]
5645	夾乍彝壺	夾乍彝、㠯
7174	秦公鐘	夾雁受大命
7178	秦公及王姬編鐘二	夾雁受大命
7209	秦公及王姬鎛	夾雁受大命
7210	秦公及王姬鎛二	夾雁受大命
7211	秦公及王姬鎛三	夾雁受大命
		小計：共 12 筆

1668

1026	奄望鼎	奄望聿乍寶尊鼎
1067	雁公方鼎一	曰奄以乃弟
1068	雁公方鼎二	曰奄以乃弟
1069	雁公方鼎三	曰奄以乃弟
		小計：共 4 筆

1669

1561	大玗甗	[夸]
2992	白夸父盨	白夸父乍寶盨
3626	夸爵一	[夸]
3627	夸爵二	[夸]
7312	夸戈一	[夸]
7313	夸戈	[夸]
7314	夸戈三	[夸、眉]
7607	大于矛一	[夸]
7608	大于矛二	[夸]
		小計：共 9 筆

1670

1030	鄣子員鼎	鄣子夷為其行器
1243	仲__父鼎	周白__及仲__父伐南淮夷
1300	南宮柳鼎	嗣義夷陽、佃吏
1328	盂鼎	易夷嗣王臣十又三白
2574	豐兮毀一	豐兮夷作朕皇考尊毀
2574	豐兮毀一	夷其萬年子孫永寶、用喜考
2575	豐兮毀二	豐兮夷作朕皇考尊毀
2575	豐兮毀二	夷其萬年子子孫永寶、用喜考
2739	無㠱毀一	王征南尸(夷)
2740	無㠱毀二	王征南尸(夷)
2741	無㠱毀三	王征南尸(夷)

	2742	無㠱𣪘四	王征南尸(夷)
	2742.	無㠱𣪘五	王征南夷
	2742.	無㠱𣪘五	王征南夷
	2743	𧊒𣪘	易女夷臣十家
	2760	小臣謎𣪘一	𠭯東尸(夷)大反
	2760	小臣謎𣪘一	白懋父目𣪘八𠂤征東尸(夷)
	2761	小臣謎𣪘二	𠭯東尸(夷)大反
	2761	小臣謎𣪘二	白懋父目𣪘八𠂤征東尸(夷)
	2986	曾白𩵦旅𠤳一	克狄淮尸(夷)
	2987	曾白𩵦旅𠤳二	克狄淮尸(夷)
	3055	虢仲旅盨	伐南淮夷
	3081	翏生旅盨一	王征南淮夷
	3082	翏生旅盨二	王征南淮夷
	3082	翏生旅盨二	萬年釁壽永寶王征南淮夷
	3085	駒父旅盨(蓋)	南中邦父命駒父即南者侯逨高父見南淮夷
	3085	駒父旅盨(蓋)	堇夷俗
	4866	小臣艅尊	隹王來正尸(夷)方
	4867	鳌睘尊	才庈、君令余乍冊睘安尸(夷)白
	4879	彔㦴尊	𠭯、淮夷敢伐內國
	6791	兮甲盤	至于南淮夷
	6791	兮甲盤	淮夷舊我䝼晦人
	7061	能原鐘	大□□連者(諸)尸(夷)
	7061	能原鐘	隹余□尸(夷)□□郲曰之
	7061	能原鐘	□□乍(作)尸(夷)□
	7203	能原鎛	大□□連者(諸)尸(夷)
	7203	能原鎛	隹余□尸(夷)□□郲曰之
	7203	能原鎛	□□乍(作)尸(夷)□
	M706	曾侯乙編鐘下一・二	夷則之徵曾
			小計:共 39 筆
㚐	1671		
	1305	師㚐鼎	嗣馬井白右師㚐父
			小計:共 1 筆
㚇	1672		
	2626	㚇乍父乙𣪘	公㚸(始)易㚇貝
			小計:共 1 筆
㚈	1673		
	7885	㚈虎符	□________㚈
			小計:共 1 筆
亦	1674		

1185	強白乍井姬鼎一	井姬婦亦佩祖考弔公宗室
1186	強白乍井姬鼎二	井姬婦亦佩祖考弔公宗室
1217	毛公旅方鼎	毛公旅鼎亦隹毁
1217	毛公旅方鼎	亦引唯考
1274	哀成弔鼎	亦弗其□蒦
1323	師訊鼎	天子亦弗謹公上父猷德
1323	師訊鼎	白亦克款古先且壘孫子一䜌皇辟懿德
1324	禹鼎	肆武公亦弗叚望朕聖且考幽大弔、懿弔
1324	禹鼎	肆禹亦弗敢悆
1324	禹鼎	亦唯噩侯馭方率南淮尸、東尸
1332	毛公鼎	亦唯先正ht辪氒辟
2722	鋅弔乍豐姞旅毁	丝毁䜌(䵄?)皀(餖)亦壽人
2802	六年召白虎毁	亦我考幽白姜令
2841	芹白毁	我亦弗宊亯邦
2842	卯毁	昔乃且亦既令乃父死(司)莽人
2856	師訇毁	亦則於女乃聖且考克左右先王
2857	牧毁	亦多虐庶民
2984	伯公父盤	亦幺亦黃
2984	伯公父盤	亦幺亦黃
4885	效尊	揚公亦
4885	效尊	亦其子子孫孫永寶
5511	效卣一	亦其子子孫孫永寶
6791	兮甲盤	母敢或入䜌宄賈、則亦井
6877	儹乍旅盉	今女亦既又pb誓
6877	儹乍旅盉	逾亦茲五夫
6877	儹乍旅盉	亦既卬乃誓
6877	儹乍旅盉	女亦既從辭從誓
7069	者沕鐘一	q7亦虔秉不經悳
7070	者沕鐘二	女亦虔秉不經悳台克刺＿光之于聿
7071	者沕鐘三	女亦虔秉不經悳
7072	者沕鐘四	女亦虔秉不經德
7073	者沕鐘五	女亦虔秉不經悳
7272	亦戈	[亦]
7612	亦車矛	[亦、車]
7613	亦車矛	[亦、車]

小計：共　35 筆

1675

0771	夨王方鼎蓋	夨王乍寶尊鼎
1512	虢白乍姬夨母鬲	虢白乍姬夨母尊鬲
1616	夨白乍旅甗	夨白乍旅彝
2367	散白乍夨姬毁一	散白乍夨姬寶毁
2368	散白乍夨姬毁二	散白乍夨姬寶毁
2369	散白乍夨姬毁三	散白乍夨姬寶毁
2370	散白乍夨姬毁四	散白乍夨姬寶毁
2371	散白乍夨姬毁五	散白乍夨姬寶毁
2484.	夨王毁	夨王乍奠姜尊毁

2511	矢王段	矢王乍奠姜尊段
2814	鳥冊矢令段一	乍冊矢令尊俎于王姜
2814.	矢令段二	乍冊矢令尊俎于王姜
2828	宜侯矢段	王令虞侯矢曰
2828	宜侯矢段	宜侯矢揚王休
4080	_矢父戊爵一	[_矢]父戊
4081	_矢父戊爵二	[_矢]父戊
4708	矢王尊	矢王乍寶彝
4787	烏矢乍辛尊	烏矢乍父辛寶彝
4862	敡能匋尊	能匋易貝于厥曶公矢ns五朋
4893	矢令尊	丁亥、令矢告于周公宮
4893	矢令尊	亢眔矢
4981	鳥冊令方彝	丁亥、令矢告于周公宮
4981	鳥冊令方彝	今我唯令女二人、亢眔矢
5405	_矢乍父辛卣	_矢乍父辛寶彝
5473	同乍父戊卣	矢王易同金車弓矢
5668	天姬自乍壺	矢姬自乍壺
6793	矢人盤	用矢薄散邑
6793	矢人盤	矢人有嗣履田
6793	矢人盤	矢舍散田
6793	矢人盤	矢卑、鮮、且、Jm
6793	矢人盤	矢王于豆新宮東廷
7576	矢戟	[矢]
7587	白矢戟	白矢
7901	矢當盧	矢
7914	矢車鑾	口乍矢寶
7959	矢銅器	[矢]
M148	矢王壺	矢王乍寶彝

小計：共 37 筆

呉 1676

0968	走馬呉買乍雗鼎	sz父之走馬呉買乍雗貞(鼎)用
1107	番仲呉生鼎	番中呉生乍尊鼎
1153	白頵父鼎	白頵父乍朕皇考屖白呉姬寶鼎
1163	齊陳_鼎蓋	永保用之[呉]
1224	王子呉鼎	王子呉羼其吉金
1331	中山王礐鼎	昔者、呉人并雩(越)
1331	中山王礐鼎	五年遉(覆)呉
2543	釱駇段	用乍父戊寶尊彝[呉]
2560	呉彭父段一	呉彭父乍皇且考庚孟尊段
2561	呉彭父段二	呉彭父乍皇且考庚孟尊段
2562	呉彭父段三	呉彭父乍皇且考庚孟尊段
2600	白睯父段	白睯父乍朕皇考屖白呉姬尊段
2703	免乍旅段	眔呉眔牧
2721	蔺段	王命蔺眔弔緐父歸呉姬飴器
2721	蔺段	呉姬賓帛束
2788	靜段	王目呉桒、呂剛

2789	同段一	王命周左右吳大父嗣昜林吳牧
2789	同段一	世孫孫子子左右吳大父
2790	同段二	王命周左右吳大父嗣昜林吳牧
2790	同段二	世孫孫子子左右吳大父
2798	師瘨段一	王乎內史吳冊令師瘨曰
2799	師瘨段二	王乎內史吳冊令師瘨曰
2803	師酉段一	王才吳
2803	師酉段一	各吳大廟
2804	師酉段二	王才吳
2804	師酉段二	各吳大廟
2804	師酉段二	王才吳
2804	師酉段二	各吳大廟
2805	師酉段三	王才吳
2805	師酉段三	各吳大廟
2806	師酉段四	王才吳
2806	師酉段四	各吳大廟
2806.	師酉段五	王才吳
2806.	師酉段五	各吳大廟
2812	大段一	王呼吳師召大
2813	大段二	王呼吳師召大
2829	師虎段	王乎內史吳曰冊令虎
2855	班段一	王令吳白曰
2855.	班段二	王令吳白曰
2857	牧段	王乎內史吳冊令牧
2899	尹氏弔緐旅匡	吳王御士尹氏弔緐乍旅匡
2921	__弔乍吳姬匜	qi弔乍吳姬尊匜(匡)
3035	魯嗣徒旅段(盨)	魯嗣徒白吳敢肇乍旅段
4413	吳盉	吳乍寶盉[亞俞]
4887	蔡侯𨭦尊	敬配吳王
4926	吳𢦚馭觥(蓋)	[吳]𢦚馭弔史遣馬、弗左
4953	吳父乙方彝	[吳]父乙
4978	吳方彝	宰朏右乍冊吳入門
4978	吳方彝	王乎史戊冊令吳
4978	吳方彝	吳拜稽首、敢對揚王休
4978	吳方彝	吳其世子孫永寶用
5942	吳觚	[吳]
6698	亞腧吳盤	吳乍寶盤[亞俞]
6788	蔡侯𨭦盤	敬配吳王
6803	自乍吳姬賸匜	自乍吳姬賸匕(匜)
6885	吳王夫差御鑑一	攻吳王大差羼𠂹吉金
6886	吳王夫差御鑑二	吳王夫差羼𠂹吉金
6888	吳王光鑑一	吳王光羼其吉金
6889	吳王光鑑二	吳王光羼其吉金
7334	吳寓戈	吳寓(圖)
7553	廿年奠令戈	廿年鄭命韓恙司寇吳裕
J3864	吳王夫差矛	(拓本未見)
7717	吳季子之子劍	吳季子之子逞之永用劍
M252	免簠	嗣奠還𢼸眔吳眔牧
M487	魯司徒伯吳段	魯司徒白吳敢肇乍旅段
M545	配兒勾鑃	吳王□□□□□子配兒曰

吳

M548	吳王孫無壬鼎	吳王孫無壬之脰鼎
M806	滕侯吳戟一	滕侯吳之造戟
M807	滕侯吳戟二	滕侯吳之□

小計：共 69 筆

夭 1677

2982.	甲午匿	帝戒夭休
4019	亞夭餿爵	[亞夭餿]
4027	夭父辛爵	[夭]父辛
6190	夭乍彝觚一	[夭]乍彝
6191	夭乍彝觚二	[夭]乍彝
7296	夭戈	[夭]
7332	夭仲戈	夭仲
7333	夭仲戈	夭仲

小計：共 8 筆

喬 1678

0886.	喬夫人餗鼎	喬夫人鑄其餗鼎
1005	楚王酓肯喬鼎	楚王酓朏吏鑄喬鼎
1115	楚王酓肯喬鼎	楚王酓朏乍鑄喬鼎
1331	中山王譽鼎	母(毋)富而喬(驕)
2393	白喬父飤毀	白喬父乍飤毀
7136	郘鐘一	余不敢為喬隹王正月初吉丁亥
7136	郘鐘一	喬喬其龍
7137	郘鐘二	喬喬其龍
7137	郘鐘二	余不敢為喬
7138	郘鐘三	喬喬其龍
7138	郘鐘三	余不敢為喬
7139	郘鐘四	喬喬其龍
7139	郘鐘四	余不敢為喬
7140	郘鐘五	喬喬其龍
7140	郘鐘五	余不敢為喬
7141	郘鐘六	喬喬其龍
7141	郘鐘六	余不敢為喬
7142	郘鐘七	喬喬其龍
7142	郘鐘七	余不敢為喬
7143	郘鐘八	喬喬其龍
7143	郘鐘八	余不敢為喬
7144	郘鐘九	喬喬其龍
7144	郘鐘九	余不敢為喬
7145	郘鐘十	喬喬其龍
7145	郘鐘十	余不敢為喬
7146	郘鐘十一	喬喬其龍
7146	郘鐘十一	余不敢為喬
7147	郘鐘十二	喬喬其龍

7147	邵鐘十二	余不敢為喬
7148	邵鐘十三	喬喬其龍
7148	邵鐘十三	余不敢為喬
7149	邵鐘十四	喬喬其龍
7149	邵鐘十四	余不敢為喬
7220	喬君鉦	喬君淲虘與朕以wL

小計：共 34 筆

奔 1679

1327	克鼎	易女井人奔于量
1328	盂鼎	敏朝夕入讕（諫）、享奔走、畏天畏
1331	中山王嚳鼎	盧（吾）老貯奔走不聽命
2764	𡚤𣪕	克奔走｛上下帝｝
2836	𢦚𣪕	𢦚達有嗣師氏奔追御戎于𧿒林
4446	麥盉	用奔走夙夕、鬲御吏
4885	效尊	烏虖、效不敢不萬年夙夜奔走
4892	麥尊	妥多友、享奔走令
5451	鄦仲奔乍文考日辛卣	鄦中奔乍氒文考寶尊彝、日辛
5493	召乍__宮旅卣	奔走事皇辟君
5511	效卣一	效不敢不萬年夙夜奔走揚公休
6785	守宮盤	其百世子子孫孫永寶用奔走
7555	二年戈	許__丹鍨___奔

小計：共 13 筆

𡗜 1680

1608	𡗜乍寶彝甗	𡗜乍寶彝

小計：共 1 筆

交 1681

0991	交鼎	交從嘼逨即
1061	交君子__鼎	交君子qf肇乍寶鼎
2622	㺉伐父𣪕一	㺉伐父乍交尊𣪕
2623	㺉伐父𣪕二	㺉伐父乍交尊𣪕
2623.	㺉伐父𣪕	㺉伐父乍交尊𣪕
2623.	㺉伐父𣪕	㺉伐父乍交尊𣪕
2624	㺉伐父𣪕三	㺉伐父乍交尊𣪕
2877	函交仲旅匿	函交中乍旅匿、寶用
2925	交君子__匿一	交君子qf肇乍寶匿
2926	交君子__匿二	交君子qf肇乍寶匿
7240	交戈	［交］

小計：共 11 筆

尢 壺

尢 1682

6792	史墻盤	上帝司vu尢保受天子綰令厚福豐年
		小計：共 1 筆

壺 1683

1247	圅皇父鼎	自豖鼎降十又二、𣪘八、兩罍、兩壺
2678	函皇父𣪘一	兩壺
2679	函皇父𣪘二	兩壺
2680	函皇父𣪘三	兩壺
2680.	圅皇父𣪘四	兩壺
2801	五年召白虎𣪘	余獻寢氏目壺
3718.	隹壺爵	隹壺
3998	長隹壺爵一	長隹壺
3999	長隹壺爵二	長隹壺
3999.	長隹壺爵三	長隹壺
3999.	長隹壺爵四	長隹壺
4632	長隹壺尊	長隹壺
5624	嬰父女壺	[嬰父女]
5638	才乍壺	堯乍壺
5640	乍旅壺一	乍旅壺
5641	員乍旅壺	員乍旅壺
5644	友乍尊壺	友乍尊壺
5646	樊乍寶壺	樊乍寶壺
5653	莊君壺	莊君之壺
5654	事从乍壺	事从乍壺
5657	白乍寶壺一	白乍寶壺
5658	白乍寶壺二	白乍寶壺
5663	㒰嫣乍寶壺	㒰(嬺)嫣乍寶壺
5666	白乍姬	白乍姬歆壺
5667	嬺妊乍安壺	嬺妊乍安壺
5668	夭姬自乍壺	夨姬自乍壺
5669	子婚迺子壺	子婚迺子壺
5670	遟子壺	遟子䍙尊壺
5672	白彧壺	白彧乍歆壺
5678	觴仲多醴壺	觴中多乍醴壺
5679	白濼父旅壺	白濼父乍旅壺
5680	恆乍且辛壺	恆乍且辛壺[戉]
5682	鄭右__盛季壺	鄭右wc盛季壺
5683	孟截父鬱壺	孟截父乍鬱壺
5688	蔡侯䌛之飤壺一	蔡侯䌛之飤壺
5689	蔡侯䌛之飤壺二	蔡侯䌛之飤壺
5691	甚父乍父壬壺	甚父乍父壬寶壺
5692	__子__壺	__子氏之__壺
5694	魯侯乍尹弔姬壺	魯侯乍尹弔姬壺
5697	右走馬嘉行壺	右走馬嘉自乍行壺
5698	鬼乍父丙壺	鬼乍父丙寶壺[ei]
5702	__侯壺	__侯乍旅壺永寶用

5703	內公鑄從壺一	內公乍鑄從壺永寶用
5704	內公鑄從壺二	內公乍鑄從壺永寶用
5705	內公鑄從壺三	內公乍鑄從壺永寶用
5706	子弔乍弔姜壺一	子弔乍弔姜尊壺永用
5707	子弔乍弔姜壺二	子弔乍弔姜尊壺永用
5709	白魚父旅壺	白魚父乍旅壺永寶用
5710	賓車父壺一	賓車父乍寶壺永用享（器蓋）
5711	賓車父壺二	賓車父乍寶壺永用享（器蓋）
5712	白山父方壺	白山父乍尊壺
5713	孟上父尊壺	孟上父乍尊壺
5714	同白邦父壺	同白邦父乍弔姜萬人壺
5715	白多父行壺	____白多父非壺
5716	安白曩生旅壺	安白曩生乍旅壺
5718	曾仲斿父壺	自乍寶尊壺（蓋左行）
5718	曾仲斿父壺	自乍寶尊壺（器右行）
5722	白庶父醴壺	白庶父乍尊壺
5723	王白姜壺一	王白姜乍尊壺
5724	王白姜壺二	王白姜乍尊壺
5725	呂王__乍內姬壺	呂王np乍內姬尊壺
5726	華母薦壺	華母自乍薦壺
5727	廿九年東周左自歙壺	為東周左自歙壺
5728	樊夫人壺	自乍行壺
5729	陳侯乍嬀穌賸壺	陳侯乍嬀穌（蘇）賸壺
5730	保禰母壺	揚始休、用乍寶壺
5731	邛君婦龢壺	邛君婦龢乍其壺
5732	鄧孟乍監嫚壺	鄧孟乍監嫚尊壺
5733	曩中乍倗生歙壺	曩中乍倗生歙壺
5734	尙乍旅壺	尙（尚）自乍旅壺
5735	內大子白壺	內大子白乍鑄寶壺
5735	內大子白壺	內大子白乍鑄寶壺、永享
5736	□自父壺	□自父乍□壺
5738	____壺	o9o1乍寶壺
5739	鄭楙弔賓父醴壺	鄭楙弔賓父乍醴壺
5740	嗣寇良父壺	嗣寇良父乍為衛姬壺
5743	齊良壺	齊良乍壺盂
5744	仲南父壺一	中南父乍尊壺
5745	仲南父壺二	中南父乍尊壺
5746	史僕壺一	史僕乍尊壺
5747	史僕壺二	史僕乍尊壺
5748	虢季子組壺	虢季子組乍寶壺
5749	矩弔乍仲姜壺一	矩弔乍中姜寶尊壺
5750	矩弔乍仲姜壺二	矩弔乍中姜寶尊壺
5751	白公父乍弔姬醴壺	白公父乍弔姬醴壺
5752	陳侯壺	陳侯乍壺
5753	大師小子師聖壺	大師｛小子｝師望乍寶壺
5755	散氏車父壺一	氏車父乍ro姜□尊壺
5756	中白乍賸壺一	中白乍亲姬繺人賸壺
5757	中白乍賸壺二	中白乍亲姬繺人賸壺
5758	匹君壺	匹君兹旅者其成公鑄子孟改賸盥壺
5760	蓮花壺蓋	□弔□__□__以其吉□寶壺

5761	兮熬壺	兮熬乍尊壺
5763	殷句壺	殷句乍其寶壺
5764	杞白每亡壺一	杞白母亡乍鼄婞（曹）寶壺
5765	杞白每亡壺二	杞白每亡乍鼄婞（曹）寶壺
5766	周㚇壺一	周㚇乍公日己尊壺
5767	周㚇壺二	周㚇乍公日己尊壺
5768	虞嗣寇白吹壺一	虞嗣寇白吹乍寶壺
5769	虞嗣寇白吹壺二	虞嗣寇白吹乍寶壺
5773	陳喜壺	JG客敢為尊壺九
5774	楸車父壺	楸車父乍皇母ro姜寶壺
5775	蔡公子壺	蔡公子□□乍尊壺
5776	曩公壺	曩公乍為子弔姜盥壺
5778	番匊生鑄賸壺	番匊生鑄賸壺
5780	公孫窹壺	公子土斧乍子中姜Lw之盤壺
5781	曾姬無卹壺一	甬（用）乍宗彝尊壺
5782	曾姬無卹壺二	甬（用）乍宗彝尊壺
5783	曾白陭壺	用自乍醴壺
5784	㶣氏壺	㶣以為弄壺
5785	史懋壺	用乍父丁寶壺
5786	㚸季良父壺	㚸季良父乍kh姒（始）尊壺
5787	沕其壺一	沕其乍尊壺
5788	沕其壺二	沕其乍尊壺
5789	命瓜君厚子壺一	命瓜君厚子乍鑄尊壺
5790	命瓜君厚子壺二	命瓜君厚子乍尊壺
5793	幾父壺一	用乍朕剌考尊壺
5794	幾父壺二	用乍朕剌考尊壺
5795	白克壺	用乍朕穆考後中尊壺
5796	三年㾓壺一	用乍皇且文考尊壺
5797	三年㾓壺二	用乍皇且文考尊壺
5798	曶壺	用乍朕文考釐公尊壺
5799	頌壺一	皇母龏姒（始）寶尊壺
5800	頌壺二	皇母龏姒（始）寶尊壺
5801	洹子孟姜壺一	兩壺八鼎
5802	洹子孟姜壺二	兩壺
5804	齊侯壺	台鑄其滕（賸）壺
5805	中山王䀫方壺	鑄為彝壺
5805	中山王䀫方壺	明＿之于壺而時觀焉
6783	函皇父盤	殷八、兩罍、兩壺
M349	己侯壺	己侯乍鑄壺
M508	虞侯政壺	虞侯政乍寶壺

小計：共 132 筆

懿 1684

0708	弔乍懿宗方鼎	弔乍懿宗䵼
0895	㴱父乍姜懿母鼎一	㴱父乍姜懿母餜貞（鼎）
0896	㴱父乍姜懿母鼎二	㴱父乍姜懿母餜貞（鼎）
1323	師𩰫鼎	白亦克款古先且蠱孫子一䦃皇辟懿德

1324	禹鼎	肆武公亦弗叚望朕聖且考幽大弔、懿弔
2450	禾乍皇母孟姬設	禾肇乍皇母懿恭孟姬餗彝
2843	沈子它設	克又井斆懿父迺□子
2855	班設一	受京宗懿釐
2855.	班設二	受京宗懿釐
4882	匡乍文考日丁尊	懿王才射廬
5733	曩中乍倗生歆壺	匄三壽懿德萬年
6792	史墻盤	上帝降懿德大甹
7019	邾太宰鐘	鼄大宰欉子懿自乍其御鐘
7020	單伯鐘	余小子肈帥井朕皇且考懿德
7163	瘐鐘六	上帝降懿德大甹
		小計：共 15 筆

1685

0405	夲父庚鼎	[夲]父庚
0501	亞夲嫛鼎	[亞夲嫛]
3289	夲爵	[夲]
3580	尧夲爵	[尧夲]
3641	_夲爵	[eh夲]
3642	_爵	[夲箙夲]
3701	子夲爵	子[夲]
3717.	夲_爵	[夲fe]
3883	夲父己爵	[夲]父己
3960	夲父癸爵一	[夲]父癸
3961	夲父癸爵二	[夲]父癸
4566	夲乙父尊	[夲]乙父
4661	_夲父辛尊	[b8夲]父辛
4668	弓夲父癸尊	[弓夲]父癸
4898	夲旅觥	[夲旅]
4918	夲猷乍父辛觥	[猷]乍父辛寶尊彝[夲]
4965	夲猷乍父辛方彝一	夲猷乍父辛寶尊彝
4966	夲猷乍父辛方彝二(器)	夲猷乍父辛寶尊彝
5805	中山王䜌方壺	氏以身蒙夲(甲)冑
6170	父癸夲箙夲觚	父癸[夲箙夲]
6438	夲父乙觶	[夲]父乙
6458	夲父丁觶	[夲]父丁
7834	夲干	[夲]
		小計：共 23 筆

1686

1187	員乍父甲鼎	王令員執犬、休善
1275	師同鼎	折首執訊
1325	五祀衛鼎	白邑父、定白、琼白、白俗父曰、厲曰：余執
1326	多友鼎	多友右折首執訊
1326	多友鼎	執訊廿又二人
1326	多友鼎	執訊二人

	1326	多友鼎	多友或又折首執訊
	1326	多友鼎	執訊三人
	1329	小字盂鼎	執嘼一人
執	2791.	史密毀	乃執啚寡亞
	2826	師寰毀一	折首執訊
	2826	師寰毀一	折首執訊
	2827	師寰毀二	折首執訊
	2836	或毀	執訊二夫
	2837	敔毀一	執訊卌
	2852	不𡢁毀一	女多折首執訊
	2852	不𡢁毀一	女多禽、折首執訊
	2853	不𡢁毀二	女多折首執訊
	2853	不𡢁毀二	女多禽、折首執訊
	3081	翏生旅盨一	執訊折首
	3082	翏生旅盨二	執訊折首
	3082	翏生旅盨二	執訊折首
	4888	盠駒尊一	王初執駒于𢎫
	4895	觥	[執]
	5804	齊侯壺	冉子執鼓
	5804	齊侯壺	執者獻于𤔲公之所
	5804	齊侯壺	商之台兵執車馬
	5804	齊侯壺	_伐陸寅其王馭𩣡方_勝相
	5804	齊侯壺	執車馬獻之于莊公之所
	6790	虢季子白盤	執訊{ 五十 }
	6791	兮甲盤	兮甲從王折首執訊
	6793	矢人盤	㽙左執要
	7182	叔夷編鐘一	夙夜宦執而政事
	7191	叔夷編鐘十	執而政吏
	7212	秦公鎛	于秦執事
	7214	叔夷鎛	夙夜宦執而政事
	7404	白之□執戈	尹執白之戈
	7567	廿九年相邦尚□戈	左庫工帀𨛭番冶_義執齊
	7658	五年春平侯矛	工帀_____冶執齊
	7659	元年春平侯矛	邦右庫工帀尚痒冶□關執齊
	7661	三年建躬君矛	邦左庫工帀□□冶尹月執齊
	7662	八年建躬君矛	邦左庫工帀机□冶尹□執齊
	7725	元年劍	右庫工帀杜生、冶參執齊
	7726	八年相邦建躬君劍一	冶尹明執齊
	7727	八年相邦建躬君劍二	冶尹明執齊
	7728	八年相邦建躬君劍三	冶尹_執齊
	7729	守相杜波劍	冶巡執齊大攻尹公孫桴
	7730	十五年守相杜波劍一	冶巡執齊大攻尹公孫桴_
	7731	王立事劍一	冶得執齊
	7732	王立事劍二	冶得執齊
	7733	王立事劍三	冶得執齊
	7737	十五年劍	邦左庫工帀代翟工帀長鑄冶執齊齊
	7738	十七年相邦春平侯劍	邦左庫□工帀□戊未□冶執齊
	7740	四年春平相邦劍	右庫工帀睘輅_冶臣成執齊
	7742	十三年劍	冶□執齊
	7831	廿四年銅梃	廿四年_昌_左執齊
	7975	中山王𡨦兆域圖	執旦宮方百乇
	M897	六年安平守劍	冶余執齊

小計：共 58 筆

圉 1687

1657	圉甗	王易圉貝
5952	圉觚	[圉]
6792	史墻盤	執圉武王

小計：共 3 筆

盭 1688

1234	旅鼎	公才盭自
2752	史頌毀一	帥堣盭于成周
2753	史頌毀二	帥堣盭于成周
2754	史頌毀三	帥堣盭于成周
2755	史頌毀四	帥堣盭于成周
2756	史頌毀五	帥堣盭于成周
2757	史頌毀六	帥堣盭于成周
2758	史頌毀七	帥堣盭于成周
2759	史頌毀八	帥堣盭于成周
2759	史頌毀九	帥堣盭于成周
2834	㝬毀	再盭先王宗室
2856	師訇毀	盭龢雩政
4811	盭嗣土幽乍且辛旅尊	盭司土幽乍且辛旅彝
5422	盭嗣土幽旅卣	盭司土幽乍且辛旅彝

小計：共 14 筆

報 1689

2801	五年召白虎毀	報寢氏帛束、璜
2802	六年召白虎毀	白氏則報璧琱生
2814	鳥冊夨令毀一	令敢揚皇王宣、丁公文報
2814	鳥冊夨令毀一	隹丁公報
2814.	夨令毀二	令敢揚皇王宣、丁公文報
2814.	夨令毀二	隹丁公報
3692.	团爵	報亅

小計：共 7 筆

奢 1690

2626	奢乍父乙毀	公姛(始)易奢貝、才葊京
2911	奢虎匿一	鬟山奢虎鑄其寶匿
2912	奢虎匿二	鬟山奢虎鑄其寶匿

小計：共 3 筆

亢 1691

2280	亞高亢乍父癸毁	亞高亢乍父癸尊彝
2454	亢僕乍父己毁	亢僕乍父己尊毁
2733	何毁	王易何赤市、朱亢、䜌旂
2769	師楷毁	金亢、赤舄、戈琱胾、彤沙
2783	趞毁	易女赤市、幽亢、䜌旂、用事
3345	亢爵	[亢]
4890	盠方尊	易盠赤市幽亢、攸勒
4893	矢令尊	明公易亢師鬯、金、牛
4893	矢令尊	亢眔矢
4979	盠方彝一	易盠赤市幽亢、攸勒
4980	盠方彝二	易盠赤市幽亢
4981	𠂤冊令方彝	明公易亢師鬯、金、牛
4981	𠂤冊令方彝	今我唯令女二人、亢眔矢

小計：共 13 筆

𠦪 1692

1135.	獻侯乍丁侯鼎	唯成王大𠦪、才宗周
1136	獻侯乍丁侯鼎二	唯成王大𠦪、才宗周
1227	衛鼎	用𠦪壽、匄永福
1317	善夫山鼎	王乎史𠦪冊令山
1322	九年裘衛鼎	矩取眚車較𠦪、㘣虎冟、蔡韋、畫轉
1322	九年裘衛鼎	㚇𠦪鞃鞃
1332	毛公鼎	金車𠦪縟較、朱䰍㘣(鞃)靳、虎冟熏__、右厄
1657	圉甗	王𠦪于成周
2435	散車父毁一	散車父乍𨟭䧅姞𠦪(肄)毁
2613	白椃乍亢寶毁	唯用𧻚𠦪萬年
2775.	害毁一	易女𠦪
2775.	害毁二	易女𠦪、朱黃
2785	王臣毁	易女朱黃、𠦪親
2788	靜毁	王目吳𠦪、呂剛
2816	彔白戜毁	金車、𠦪䡅較𠦪㘣(宏)、朱虢靳
2830	三年師兌毁	金車𠦪較
2834	㝬毁	用𠦪壽、匄永令
2840	番生毁	車、電軫、𠦪縟較
2841	茾白毁	乃且克𠦪先王
2857	牧毁	易女秬鬯一卣、金車、𠦪較、畫輴
3070	杜白盨一	用𠦪壽、匄永令
3071	杜白盨二	用𠦪壽、匄永令
3072	杜白盨三	用𠦪壽、匄永令
3073	杜白盨四	用𠦪壽、匄永令
3074	杜白盨五	用𠦪壽、匄永令
3088	師克旅盨一(蓋)	牙僰、駒車、𠦪較、朱虢、㘣靳
3089	師克旅盨二	牙僰、駒車、𠦪較、朱虢、㘣靳
3090	㝨盨(器)	乃父市、赤舄、駒車、𠦪較、朱虢、㘣靳

4204	盂爵	隹王初桒于成周
4449	裘衛盉	麀桒兩賁韐一
4818	季𥁕尊	季𥁕乍寶尊彝用桒__
4893	夨令尊	日、用桒
4893	夨令尊	日、用桒
4978	吳方彝	金車、桒圅(鞃)、朱虢靳
4978	吳方彝	桒較、畫轉、金甬
4981	夨冊令方彝	日、用桒
4981	夨冊令方彝	日、用桒
5481	叔卣一	隹王桒于宗周
5482	叔卣二	隹王桒于宗周
5793	幾父壺一	同中宄西宮易幾父Gw桒六
5794	幾父壺二	同中宄西宮易幾父Gw桒六
7159	瘐鐘二	用桒壽、匄永令
M126	圞卣	王桒于成周
M697	曾桒𢼸戈	曾中之孫桒𢼸用戈

小計：共 44 筆

粇 1693

1326	多友鼎	隹十、月用玁粇放興
2853	不嬰毁二	馭方玁粇廣伐西俞
6790	虢季子白盤	搏伐粇玁
6791	兮甲盤	王初各伐玁粇(狁)于𦉢𢊁

小計：共 4 筆

奚 1694

1780	亞奚毁	[亞奚]
3141	奚爵	[奚]
4241	箙亞__乍父癸角	丙申王易箙亞jb奚貝、才䰜
4246	奚斝	[奚]
4984	奚卣	[奚]
5058	亞奚卣	[亞奚]
5930	奚觚	[奚]
5999	亞奚觚	[亞奚]
6909	𨗭盂	寮女寮：奚、𤞷、華

小計：共 9 筆

犀 1694+

2530.14	羉毁	羉乍皇且益公文公武白皇考龏白鬻彝
2530.14	羉毁	羉其洍洍萬年無彊

小計：共 2 筆

桒 粇 奚 犀

哭 1695

2786	縣妃𣪘	日：休白哭Lm卹縣白室
		小計：共 1 筆

𠕋 1696

4863	𠕋乍父乙尊	𠕋從公亥ry洛于官
4863	𠕋乍父乙尊	賞𠕋貝
		小計：共 2 筆

契 1697

5381	契人乍父己卣	[契]人乍父己尊彝
5381	契人乍父己卣	[契]人乍父己尊
5670	遟子壺	遟子契尊壺
5685	契匕乍父己壺	[契]匕乍父己尊彝
6750	白侯父盤	白侯父媵平媯契母槃(盤)
		小計：共 5 筆

㛸 1697

1209	㛸方鼎	夙商又正㛸㛸貝
1209	㛸方鼎	㛸揚夙商
		小計：共 2 筆

夫 1698

0886.	喬夫人𩟄鼎	喬夫人鑄其𩟄鼎
1098	善夫白辛父鼎	善夫白辛父乍尊鼎
1112	十一年庫嗇夫尚不玆鼎	庫嗇夫尚丕玆賙人夫＿所為空二斗
1141	善夫旅白鼎	善夫旅白乍毛中姬尊鼎
1205	公朱左𠂤鼎	左𠂤＿大夫林𠂤□夫＿鑄鼎
1286	大夫始鼎	大夫始易友□𩰫
1286	大夫始鼎	大夫始敢對揚天子休
1291	善夫克鼎一	王命善夫克舍令于成周遹正八𠂤之年
1292	善夫克鼎二	王命善夫克舍令于成周遹正八𠂤之年
1293	善夫克鼎三	王命善夫克舍令于成周遹正八𠂤之年
1294	善夫克鼎四	王命善夫克舍令于成周遹正八𠂤之年
1295	善夫克鼎五	王命善夫克舍令于成周遹正八𠂤之年
1296	善夫克鼎六	王命善夫克舍令于成周遹正八𠂤之年
1297	善夫克鼎七	王命善夫克舍令于成周遹正八𠂤之年
1301	大鼎一	王乎善夫騣召大𠂤厥友入攼
1302	大鼎二	王乎善夫騣召大𠂤厥友入攼
1303	大鼎三	王乎善夫騣召大𠂤厥友入攼
1308	白晨鼎	易女鬯𩰪一卣、玄衮衣、幽夫(黼)

1311	師晨鼎	隹小臣善夫、守□、官犬、眔奠人、善夫、官
1312	此鼎一	旅邑人、善夫
1313	此鼎二	旅邑人、善夫
1314	此鼎三	旅邑人、善夫
1317	善夫山鼎	南宮乎入右善夫山入門
1327	克鼎	醽季右善夫克入門立中廷、北卿
1327	克鼎	王呼尹氏冊令善夫克
1328	盂鼎	人鬲自馭至于庶人六百又五十又九夫
1328	盂鼎	人鬲千又五十夫極nx䢃自氒土、王曰：盂、
1330	曶鼎	用賸祉賣(贖)絲五夫、用百寽
1330	曶鼎	非tr五夫則詛
1330	曶鼎	受絲五夫
1330	曶鼎	昔饉歲匡眔氒臣廿夫
1330	曶鼎	用五田、用眔一夫曰嗌
1330	曶鼎	用絲四夫
1330	曶鼎	凡用即㫚(曶)田七田、人五夫
1331	中山王鼎	昔者郾君子徻觀(叡)弇夫猂(悟)
1457	衛夫人行鬲	衛夫人文君弔姜乍其行鬲用
1507	善夫吉父乍京姬鬲一	善夫吉父乍京姬尊鬲
1638	奘＿夫乍且丁甗	Ln夫乍且丁[奘]
1668	中甗	氒人□廿夫
2592	鄧公設	不故屯夫人始乍鄧公
2592	鄧公設	用為夫人尊諆設
2691	善夫梁其設一	善夫汈其乍朕皇考惠中
2692	善找梁其設二	善夫汈其乍朕皇考惠中
2705	君夫設	王命君夫曰
2705	君夫設	君夫敢每揚王休
2812	大設一	王令善夫豖曰趞睽曰
2813	大設二	王令善夫豖曰趞睽曰
2818	此設一	旅邑人善夫
2819	此設二	旅邑人善夫
2820	此設三	旅邑人善夫
2821	此設四	旅邑人善夫
2822	此設五	旅邑人善夫
2823	此設六	旅邑人善夫
2824	此設七	旅邑人善夫
2825	此設八	旅邑人善夫
2828	宜侯夨設	氒盧□又五十夫
2828	宜侯夨設	易宜庶人六百又□六夫
2836	𢦏設	執訊二夫
2904	善夫吉父旅匿	善夫吉父乍旅匿
3086	善夫克旅盨	王令尹氏友、史趛典善夫克田人
3087	鬲从盨	寠氒Jo夫tu鬲比田
3087	鬲从盨	氒右鬲比善夫＿
4390	亞夫乍從彝盉	亞夫、乍從彝
4693	車父辛尊	夫車父辛
4765	對乍父乙尊	對乍父乙[亞夫]寶尊彝
4847	小子夫尊	𡚬賚小子夫貝二朋
5397	弔夫冊卣	弔夫父冊乍寶彝
5728	樊夫人壺	樊夫人＿姬羼其吉金

夫

5779	安邑下官鍾	府嗇夫＿冶事左＿止大斛斗一益少半益
5781	曾姬無卹壺一	聖趄之夫人曾姬無卹
5782	曾姬無卹壺二	聖趄之夫人曾姬無卹
5795	白克壺	白大師易白克僕卅夫
5803	胤嗣好蚉壺	嗇夫孫固
5805	中山王嚳方壺	賈頫從在｛大夫｝
5805	中山王嚳方壺	曾亡鼪夫之救
5805	中山王嚳方壺	夫古之聖王務才得賢
6259	亞夫乍寶從彝觚一	［亞夫］乍寶從彝
6260	亞夫乍寶從彝觚一	［亞夫］乍寶從彝
6712	樊夫人盤	樊夫人□□□□□□□
6793	矢人盤	凡十又五夫正履
6793	矢人盤	凡散有嗣十夫
6821	樊夫人匜	樊夫人龏贏自乍行它（匜）
6877	儠乍旅盨	迺亦茲五夫
6886	吳王夫差御鑑二	吳王夫差羼氒吉金
6904	善夫吉父盂	善夫吉父乍盂
7001	嘉賓鐘	大夫朋友
7003	舍武編鐘	大夫朋友
7084	邾公牼鐘一	以宴大夫
7085	邾公牼鐘二	以宴大夫
7086	邾公牼鐘三	以宴大夫
7087	邾公牼鐘四	以宴大夫
7125	蔡侯𧽊紐鐘一	均子大夫
7126	蔡侯𧽊紐鐘二	均子大夫
7132	蔡侯𧽊紐鐘八	均子大夫
7133	蔡侯𧽊紐鐘九	均子大夫
7134	蔡侯𧽊甬鐘	均子大夫
7157	邾公華鐘一	台樂大夫
7205	蔡侯𧽊編鎛一	均子大夫
7206	蔡侯𧽊編鎛二	均子大夫
7207	蔡侯𧽊編鎛三	均子大夫
7208	蔡侯𧽊編鎛四	均子大夫
7516	攻敔王夫差戈	攻敔王夫差自乍其用戈
7574	左軍戈	大夫＿之卒
7715	攻敔王夫差劍一	攻敔王夫差自乍其元用
7716	攻敔王夫差劍二	攻敔王夫差自乍其元用
7814	秦右□弩機	秦右＿攻尹五大夫＿攻湟
7868	商鞅方升	齊率卿大夫衆來聘
7871	子禾子釜一	于其事區夫
7878	安邑下闢鍾	安邑下闢□重□□□嗇夫嘉句□....
7891	齊馬節	齊節大夫傳五乘
7975	中山王墓兆域圖	夫人堂方百五十乇
M612	鄦子鐘	用樂嘉賓大夫及我倗友
M738	曾侯乙編鐘中二・十一	夫族之宮
M748	曾侯乙編鐘中三・九	為夫族之徵顛下角
M749	曾侯乙編鐘中三・十	夫族之羽
M749	曾侯乙編鐘中三・十	為夫族羽角
M792	宋公繺簠	乍其妹句敨（敔）夫人季子媵匿
M900	梁十九年鼎	梁十九年鼎亡智＿兼嗇夫庶廆

小計：共　118 筆

枯　1699

2441　枯衍𣪘　枯衍乍寶𣪘

小計：共　1 筆

㝬　1700

0707　㝬乍寶鼎　㝬乍寶鼎［皇］
0864　㝬侯之孫陳鼒　㝬侯之孫陳之𩱹（鼒）
1222　寂鼎一　師雝父省道至于㝬、寂從
1223　寂鼎二　師雝父省道至于㝬、寂從
1265　㝬弔鼎　㝬弔仲姬乍寶鼎
1265　㝬弔鼎　㝬弔眔仲姬其易壽考
1265　㝬弔鼎　㝬弔仲姬其萬年
1286　大夫始鼎　大夫始易友□㝬
1304　王子午鼎　圅龏㝬屖
1323　師𩛥鼎　天子亦弗譚公上父㝬德
1666　透乍旅甗　透事于㝬侯
2634　㝬叔𣪘　㝬弔㝬姬乍白媿賸𣪘
2660　彔乍辛公𣪘　白雝父來自㝬
2834　㝬𣪘　㝬乍𩰫彝寶𣪘
2834　㝬𣪘　朕立㝬身
2834　㝬𣪘　㝬其萬年𩰫實朕多禦
2836　𢦚𣪘　博戎㝬
6792　史墻盤　害（㝬）屖文考乙公遽𧻚
7175　王孫遺者鐘　余圅龏㝬屖
7176　㝬鐘　㝬其萬年

小計：共　20 筆

立　1701

0713　立鼎　立乍寶尊彝
1271　史獸鼎　尹令史獸立工于成周
1277　七年趞曹鼎　井白入右趞曹立中廷、北鄉
1290　利鼎　井白內右利立中廷、北鄉
1300　南宮柳鼎　即立中廷、北卿
1306　無叀鼎　立中廷
1309　寰鼎　旦、王各大室、即立
1309　寰鼎　立中廷、北鄉
1311　師晨鼎　旦、王各大室、即立
1311　師晨鼎　嗣馬共右師晨入門、立中廷
1312　此鼎一　旦、王各大室、即立
1312　此鼎一　嗣土毛弔右此入門、立中廷
1313　此鼎二　旦、王各大室、即立
1313　此鼎二　嗣土毛弔右此入門、立中廷

立

1314	此鼎三	旦、王各大室、即立
1314	此鼎三	嗣土毛弔右此入門、立中廷
1317	善夫山鼎	立中廷、北鄉
1319	頌鼎一	旦、王各大室、即立
1319	頌鼎一	宰引右頌入門、立中廷
1320	頌鼎二	旦、王各大室、即立
1320	頌鼎二	宰引右頌入門、立中廷
1321	頌鼎三	旦、王各大室、即立
1321	頌鼎三	宰引右頌入門、立中廷
1327	克鼎	王各穆廟、即立
1327	克鼎	醽季右善夫克入門立中廷、北卿
1329	小字盂鼎	即立中廷、北卿
1329	小字盂鼎	盂告、贊白即立
1329	小字盂鼎	□咸、賓即立、贊賓
1332	毛公鼎	粤朕立(位)
1332	毛公鼎	死(尸)母(毋)童(動)余一人在立(位)
2641	伯椃虘毁一	畯在立
2642	伯椃虘毁二	畯在立
2644.	伯椃虘毁	畍□立
2725	師毛父毁	師毛父即立
2738	衛毁	榮右衛內、即立
2765	救毁	王才師嗣(司辭)馬宮大室即立
2765	救毁	井白內、右救立中廷北鄉
2767	虘毁一	旦、王各大室、即立
2767	虘毁一	王乎師晨召大師虘入門、立中廷
2768	楚毁	又楚立中廷
2769	師耤毁	榮白內、右師耤即立中廷
2770	截毁	穆公入、右截立中廷北鄉
2771	弭弔師求毁一	即立中廷
2772	弭弔師求毁二	即立中廷
2775	裘衛毁	王才周、各大室、即立
2775	裘衛毁	南白入、右裘衛入門、立中廷、北鄉
2775.	害毁一	宰犀父右害立
2775.	害毁二	宰犀父右害立
2776	走毁	王才周、各大室、即立
2778	格白毁一	氒書史戠武立盟成壆
2778	格白毁一	氒書史戠武立盟成壆
2779	格白毁二	氒書史戠武立盟成壆
2780	格白毁三	氒書史戠武立盟成壆
2781	格白毁四	氒書史戠武立盟成壆
2782	格白毁五	氒書史戠武立盟成壆
2782.	格白毁六	氒書史戠武立盟成壆
2783	趞毁	密弔右趞即立
2784	申毁	各大室、即立
2785	王臣毁	益公入、右王臣即立中廷北鄉
2787	望毁	旦、王各大室即立
2787	望毁	立中廷、北鄉
2787	望毁	旦、王十大室即立
2789	同毁一	榮白右同立中廷、北鄉
2790	同毁二	榮白右同立中廷、北鄉

2792	師俞𣪕	旦、王各大室即立
2792	師俞𣪕	嗣馬共右師俞入門立中廷
2793	元年師旋𣪕一	甲寅、王各廟即立
2793	元年師旋𣪕一	遟公入、右師旋即立中廷
2794	元年師旋𣪕二	甲寅、王各廟即立
2794	元年師旋𣪕二	遟公入、右師旋即立中廷
2795	元年師旋𣪕三	甲寅、王各廟即立
2795	元年師旋𣪕三	遟公入、右師旋即立中廷
2796	諫𣪕	旦、王各大室即立
2796	諫𣪕	嗣馬共又右諫入門立中廷
2796	諫𣪕	旦、王各大室即立
2796	諫𣪕	嗣馬共又右諫入門立中廷
2797	輔師𠭯𣪕	各大室即立
2798	師瘨𣪕一	各大室、即立
2798	師瘨𣪕一	嗣馬井白䚄右師瘨入門立中廷
2799	師瘨𣪕二	各大室、即立
2799	師瘨𣪕二	嗣馬井白䚄右師瘨入門立中廷
2800	伊𣪕	旦、王各穆大室即立
2800	伊𣪕	䵼(緟)季內、右伊立中廷北鄉
2803	師酉𣪕一	右師酉立中廷
2804	師酉𣪕二	右師酉立中廷
2804	師酉𣪕二	右師酉立中廷
2805	師酉𣪕三	右師酉立中廷
2806	師酉𣪕四	右師酉立中廷
2806.	師酉𣪕五	右師酉立中廷
2807	郫𣪕一	立中廷
2808	郫𣪕二	立中廷
2809	郫𣪕三	立中廷
2810	揚𣪕一	旦、各大室即立
2811	揚𣪕二	旦、各大室即立
2817	師穎𣪕	立中廷北鄉
2818	此𣪕一	旦、王各大室既立
2818	此𣪕一	司土毛弔右此入門、立中廷
2819	此𣪕二	旦、王各大室既立
2819	此𣪕二	司土毛弔右此入門、立中廷
2820	此𣪕三	旦、王各大室既立
2820	此𣪕三	司土毛弔右此入門、立中廷
2821	此𣪕四	旦、王各大室既立
2821	此𣪕四	司土毛弔右此入門、立中廷
2822	此𣪕五	旦、王各大室既立
2822	此𣪕五	司土毛弔右此入門、立中廷
2823	此𣪕六	旦、王各大室既立
2823	此𣪕六	司土毛弔右此入門、立中廷
2824	此𣪕七	旦、王各大室既立
2824	此𣪕七	司土毛弔右此入門、立中廷
2825	此𣪕八	旦、王各大室既立
2825	此𣪕八	司土毛弔右此入門、立中廷
2828	宜侯夨𣪕	王立于宜、入土(社)南鄉
2829	師虎𣪕	井白內、右師虎即立中廷北鄉
2830	三年師兌𣪕	各大廟、即立

2830	三年師兌𣪘	𦣞白右師兌入門、立中廷
2831	元年師兌𣪘一	王才周、各康廟即立
2831	元年師兌𣪘一	同中右師兌入門、立中廷
2832	元年師兌𣪘二	王才周、各康廟即立
2832	元年師兌𣪘二	同中右師兌入門、立中廷
2834	㝬𣪘	朕立㝬身
2834	㝬𣪘	畯才立、乍疐才下
2838	師𤸪𣪘一	王才周、各于大室、即立
2838	師𤸪𣪘一	各于大室、即立
2839	師𤸪𣪘二	王才周、各于大室、即立
2839	師𤸪𣪘二	各于大室、即立
2840	番生𣪘	粤王立
2842	卯𣪘	榮季入右卯立中廷
2844	頌𣪘一	旦、王各大室即立
2844	頌𣪘一	宰引右頌入門立中廷
2845	頌𣪘二	旦、王各大室即立
2845	頌𣪘二	宰引右頌入門立中廷
2845	頌𣪘二	旦、王各大室即立
2845	頌𣪘二	宰引右頌入門立中廷
2846	頌𣪘三	旦、王各大室即立
2846	頌𣪘三	宰引右頌入門立中廷
2847	頌𣪘四	旦、王各大室即立
2847	頌𣪘四	宰引右頌入門立中廷
2848	頌𣪘五	旦、王各大室即立
2848	頌𣪘五	宰引右頌入門立中廷
2849	頌𣪘六	旦、王各大室即立
2849	頌𣪘六	宰引右頌入門立中廷
2850	頌𣪘七	旦、王各大室即立
2850	頌𣪘七	宰引右頌入門立中廷
2851	頌𣪘八	旦、王各大室即立
2851	頌𣪘八	宰引右頌入門立中廷
2854	蔡𣪘	旦、王各廟、即立
2854	蔡𣪘	宰曶入、右蔡立中廷
2855	班𣪘一	粤王立、乍四方亟
2855.	班𣪘二	粤王立
2856	師訇𣪘	妥立余小子𤔲乃吏
2857	牧𣪘	各大室即立
2857	牧𣪘	公族𠨘入右牧立中廷
3010	立為旅須	立為旅盨(須)
3083	瘨𣪘(盨)一	各大室、即立
3084	瘨𣪘(盨)二	各大室、即立
3112	𨜶陵君王子申豆一	攸立哉嘗
3113	𨜶陵君王子申豆二	攸立哉嘗
4163	立乍寶䵼彝爵	立乍寶尊彝
4890	盠方尊	立于中廷北鄉
4978	吳方彝	立中廷北鄉
4979	盠方彝一	立于中廷北鄉
4980	盠方彝二	立于中廷北鄉
5234	立关父丁卣一	[立关]父丁
5235	立关父丁卣二	[立关]父丁

5772	陳璋方壺	隹王五年奠陳旻再立事歲
5773	陳喜壺	陳喜再立事歲pf月己酉
5777	孫弔師父行具	邛立宰孫弔師父乍行具
5780	公孫窹壺	公孫窹立事歲飯ho月
5791	十三年瘋壺一	各大室即立
5792	十三年瘋壺一	即立
5799	頌壺一	旦、王各大室即立
5799	頌壺一	宰引右頌入門立中廷
5800	頌壺二	旦、王各大室即立
5800	頌壺二	宰引右頌入門立中廷
5805	中山王嚳方壺	而臣宗驕立
5805	中山王嚳方壺	將與吾君並立於世
5826	國差罏	國差立事歲
6481	立父辛觶	[立]父辛
6787	走馬休盤	旦、王各大室即立
6787	走馬休盤	立中廷北卿
6789	寰盤	旦、王各大室即立
6789	寰盤	立中廷北鄉
6887	郷陵君王子申鑑	攸立歲嘗
7069	者沏鐘一	以r1光朕立
7074	者沏鐘六	台以r1光朕立
7077	者沏鐘九	台以r1光朕立
7174	秦公鐘	秦公其畯黔才立
7178	秦公及王姬編鐘二	秦公其畯黔才立
7209	秦公及王姬鎛	秦公其畯黔才立
7210	秦公及王姬鎛二	秦公其畯黔才立
7211	秦公及王姬鎛三	秦公其畯黔才立
7212	秦公鎛	畯疐才立高引又慶
7496	是氏事歲戈	是立事歲_右工戈
7731	王立事劍一	王立事歲
7732	王立事劍二	王立事歲
7733	王立事劍三	王立事歲
7868	商鞅方升	立號為皇帝
7870	陳純釜	陳猷立事歲
7871	子禾子釜一	□□立事歲
7933	大府鎬	立府為王一僧晉鎬集脰
M423.	趞鼎	各于大室、即立
M423.	趞鼎	宰訊趞入門立中廷北向
M741	曾侯乙編鐘中三・二	穆立楚號為穆鐘
		小計：共 203 筆

立
立
竕
竫

1702

5803	嵐嗣好蚉壺	世世母竕
		小計：共 1 筆

1703 單竫設戈 銘文未見

䥶 1704

1331	中山王礜鼎	烏虖、語不䥶(廢)𢍰(哉)
		小計：共 1 筆

竝 1705

3136	竝爵	[竝]
4244	竝斝	[竝]
6200	竝父辛觚	父辛[竝]
7293	竝戔戈	[竝、戔]
		小計：共 4 筆

並 1705

1162	乃子克鼎	辛白其並受⊠
4983	並卣	[並]
5805	中山王礜方壺	將與吾君並立於世
7461	郕並果戈	郕並果之造戈[Gu]
		小計：共 4 筆

替 1706

1331	中山王礜鼎	母替氒邦
2840	番生𣪘	虔夙夜尃求不替德
		小計：共 2 筆

𪠯 1707

4812	冊𪠯作父乙尊	冊𪠯作父乙寶尊彝[㚸]
6820	冊𪠯匜	𪠯作父乙寶尊彝[冊㚸]
		小計：共 2 筆

鯀 1708

1105	鯀季乍𣪘氏行鼎	鯀季乍𣪘氏行鼎
2826	師𩁹𣪘	余用乍朕後男鯀尊𣪘
		小計：共 2 筆

慮 1709

1331	中山王𰯼鼎	亡忽惕之慮
1331	中山王𰯼鼎	氏（是）以寡許之謀慮𪊨（皆）從
		小計：共 2 筆

心 1710

1307	師望鼎	穆穆克盟（明）𠳿心
1316	𢦏方鼎	安永宕乃子𢦏心
1323	師𩛥鼎	乃用心引正乃辟安德
1327	克鼎	克曰：穆穆朕文且師華父悤hv𠳿心
2834	𤔲𣪘	𧶠𢝊朕心
2836	𢦏𣪘	休宕𠳿心
2856	師訇𣪘	敬明乃心
3090	𨟭𥁕（器）	敬明乃心
3730.	心且乙爵	[心]且乙
3885	心父己爵	[心]父己
5617	心守壺	[心守]
5805	中山王𰯼方壺	不貳其心
6245	子妹壬心觚	[子妹壬心]
6792	史墻盤	遠猷腹心
6793	矢人盤	有爽、實余有散氏心賊
7061	能原鐘	小者乍（作）心□
7125	蔡侯𰧦紐鐘一	既悤于心
7126	蔡侯𰧦紐鐘二	既悤于心
7132	蔡侯𰧦紐鐘八	既悤于心
7133	蔡侯𰧦紐鐘九	既悤于心
7134	蔡侯𰧦甬鐘	既悤于心
7158	𤼈鐘一	克明𠳿心足尹
7160	𤼈鐘二	克明𠳿心足尹
7161	𤼈鐘四	克明𠳿心足尹
7162	𤼈鐘五	克明𠳿心足尹
7174	秦公鐘	克明又（𠳿）心
7175	王孫遺者鐘	余恁𠺪台心
7177	秦公及王姬編鐘一	克明又（𠳿）心
7182	叔夷編鐘一	余既尃乃心
7182	叔夷編鐘一	余引猒乃心
7191	叔夷編鐘十	余引猒乃心
7203	能原鎛	小者乍（作）心□
7205	蔡侯𰧦編鎛一	既悤于心
7206	蔡侯𰧦編鎛二	既悤于心

	7207	蔡侯𤔲編鎛三	既恖于心
	7208	蔡侯𤔲編鎛四	既恖于心
	7209	秦公及王姬鎛	克明又(𠂤)心
	7210	秦公及王姬鎛二	克明又(𠂤)心
	7211	秦公及王姬鎛三	克明又(𠂤)心
	7213	䜌鎛	余彌心畏認
	7214	叔夷鎛	余既專乃心
	7214	叔夷鎛	余引厭乃心
	7721	__劍	自之心
			小計：共 43 筆
息	1711		
	5805	中山王嚳方壺	亡又sv.息
			小計：共 1 筆
性	1712	生字重見	
志	1713		
	5805	中山王嚳方壺	賈渴(竭)志盡忠
			小計：共 1 筆
悳	1714		
	1331	中山王嚳鼎	敬順天悳(德)
	1331	中山王嚳鼎	寡人庸其悳(德)
	1331	中山王嚳鼎	以明其悳(德)
	2215	𣪕霝悳乍𣪘毁	𣪕霝悳乍𣪘毁
	3100	陳侯因資錞	淖(朝)問者侯，合揚𠂤悳(德)
	5805	中山王嚳方壺	是又純悳(德)遺訓
	J3366	𣪕霝悳壺	(拓本未見)
	5803	𡢁嗣好盗壺	悳行盛生(旺)
	5803	𡢁嗣好盗壺	於呼、先王之悳
	7069	者沪鐘一	q7亦虔秉不經悳
	7070	者沪鐘二	女亦虔秉不經悳台克剌__光之于聿
	7071	者沪鐘三	女亦虔秉不經悳
	7073	者沪鐘五	女亦虔秉不經悳
	7076	者沪鐘八	元__乃悳
			小計：共 14 筆
㥁	1715	癄字重見	
慎	1716		
	7157	邾公華鐘一	慎為之耶

7183	叔夷編鐘二	慎中氒罰
7214	叔夷鎛	慎中氒罰
		小計：共 3 筆

忠 1717

1331	中山王嚳鼎	有氒忠臣貯
1331	中山王嚳鼎	非信與忠
5805	中山王嚳方壺	余知其忠信施（也）
5805	中山王嚳方壺	賈渇（竭）志盡忠
		小計：共 4 筆

念 1718

J797	師鼎	師隹懋兄念王母
J797	師鼎	自念于周公
1316	㦰方鼎	㦰曰：烏虖、王唯念㦰辟剌考甲公
1327	克鼎	永念于氒孫辟天子
1327	克鼎	巠念氒聖保且師華父
1331	中山王嚳鼎	烏虖、念之㢸（哉）
1331	中山王嚳鼎	烏虖、念之㢸（哉）
1332	毛公鼎	敬念王畏不易
2598	變乍宮仲念器	用乍宮中念器
2737	段段	念畢中孫子
2843	沈子它段	烏虖隹考取丑念自先王先公
4874	萬諆尊	用乍念于多友
5510	乍冊嗌卣	母念哉
7069	者沵鐘一	今余其念Jh乃有
7074	者沵鐘六	今余其念Jh乃有
7077	者沵鐘九	今余其念Jh乃有
d224	蔡侯𬃿殘鐘	念
		小計：共 17 筆

憲 1719

6792	史墻盤	憲聖成王
7174	秦公鐘	剌剌卲文公、靜公、憲公
7177	秦公及王姬編鐘一	剌剌卲文公、靜公、憲公
7209	秦公及王姬鎛	剌剌卲文公、靜公、憲公
7210	秦公及王姬鎛二	剌剌卲文公、靜公、憲公
7211	秦公及王姬鎛三	剌剌卲文公、靜公、憲公
		小計：共 6 筆

害 1719

1249	害鼎	侯易害貝、金

	1249	害鼎	害萬年子子孫孫寶
	1317	善夫山鼎	用乍害、司賈
	2810	揚毀一	余用乍朕剌考害白寶毀
	2811	揚毀二	余用乍朕剌考害白寶毀
	2834	㝬毀	害殫宇慕遠猷
	4432	白害乍召白父辛盉	白害乍召白父辛寶尊彝
	7047	井人鐘	妄害害聖䚄、疐處
	7048	井人鐘二	妄害害聖䚄、疐處
			小計：共　9 筆
愍	1720	中山王譽方壺	以愍嗣王
			小計：共　1 筆
恕	1721	胤嗣好䖵壺	隹司馬賈訢詻戰恕
			小計：共　1 筆
慈	1722		
	5803	胤嗣好䖵壺	昔者先王㜲（慈）愛百每
	5805	中山王譽方壺	慈孝寰惠
			小計：共　2 筆
慦	1722+		
	5351	嫠慦卣	慦乍□寶尊彝［㮚］
			小計：共　1 筆
慶	1723		
	1325	五祀衛鼎	厲有嗣𪈽季、慶癸、燹□、荊人敢、井人陽屖
	1441	戈弔慶父鼎	戈弔慶父乍弔姬尊鬲
	2777	天亡毀	隹朕又慶
	2802	六年召白虎毀	余告慶
	2802	六年召白虎毀	余告慶
	2833	秦公毀	高引又慶
	2876	慶孫之子蛛鍊匿	慶孫之子蛛之鍊匿
	2953	白其父慶旅祜	唯白其父慶（慶）乍遊祜（匿）
	2958	陳公子匿	陳公子中慶自乍匡匿
	3064	曩白子安父征盨一	割饗壽無疆、慶其以臧
	3064	曩白子安父征盨一	割饗壽無疆、慶其以臧
	3065	曩白子安父征盨二	割饗壽無疆、慶其以臧
	3065	曩白子安父征盨二	割饗壽無疆、慶其以臧
	3066	曩白子安父征盨三	割饗壽無疆、慶其以臧
	3066	曩白子安父征盨三	割饗壽無疆、慶其以臧

3067	㠱白子庭父征盨四	割𩕶壽無疆、慶其以臧
3067	㠱白子庭父征盨四	割𩕶壽無疆、慶其以臧
6875	慶弔匜	慶弔作媵子孟姜盥匜
7125	蔡侯䜌紐鐘一	休有成慶
7126	蔡侯䜌紐鐘二	休有成慶
7132	蔡侯䜌紐鐘八	休有成慶
7133	蔡侯䜌紐鐘九	休有成慶
7134	蔡侯䜌甬鐘	休有成慶
7205	蔡侯䜌編鎛一	休有成慶
7206	蔡侯䜌編鎛二	休有成慶
7207	蔡侯䜌編鎛三	休有成慶
7208	蔡侯䜌編鎛四	休有成慶
7212	秦公鎛	畯疐才立高引又慶
7528	王二年奠令戈	王二年奠命韓□右庫工帀_慶
7570	六年奠令戈	六年奠命_幽司寇向_左庫工帀倉慶冶尹成贛
7664	元年奠命槍□矛	元年奠命槍□司寇芋慶
7665	三年奠令槍□矛	三年奠命槍□司寇□慶
7667	卅四年奠令槍□矛	卅四年奠命槍□司寇造芋慶
7668	二年奠令槍□矛	二年奠命槍□司寇芋慶
M581	陳公子中慶簠蓋	陳公子中慶自乍匡固
		小計：共 35 筆
1724		
7069	者汈鐘一	慈學趄趄
7071	者汈鐘三	慈學趄趄
7074	者汈鐘六	慈學趄趄
7077	者汈鐘九	慈學趄趄
		小計：共 4 筆
1725	0598隹字重見	
3100	陳侯因𬸚錞	其惟因𬸚揚皇考
		小計：共 1 筆
1726	1300褱字重見	
1318	晉姜鼎	妥懷遠玑(邇)君子
1332	毛公鼎	率懷不廷方
6792	史牆盤	受牆爾𪻯福懷
		小計：共 3 筆
1727	0336啻字重見	
1728		
4068	㥦乍父乙爵	㥦乍父乙

慶
慈
惟
懷
意
㥦

			小計：共 1 筆
懼	1729		
	1331	中山王譽鼎	寡懼其忽然不可得
	1332	毛公鼎	烏虖、懼余小子
			小計：共 2 筆
恃	1730	0500寺字重見	
悉	1731		
	5803	胤嗣好盗壺	昔者先王㣈(慈)悉(愛)百每
	5805	中山王譽方壺	㦒悉(愛)深則賢人親
			小計：共 2 筆
懋	1732	0968楙字重見	
	J388	懋史鼎	懋史䌛鼎
	J979	師鼎	師隹懋兄念王母
	1298	師旂鼎	雷事氒友引以告于白懋父
	1298	師旂鼎	白懋父迺罰得䙴古三百寽
	1298	師旂鼎	懋父令日
	2584	卸正衛毁	懋父賞卸(御)正衛馬匹自王
	2713	㾓毁一	王對㾓楙(懋)、易佩
	2714	㾓毁二	王對㾓楙(懋)、易佩
	2715	㾓毁三	王對㾓楙(懋)、易佩
	2716	㾓毁四	王對㾓楙(懋)、易佩
	2717	㾓毁五	王對㾓楙(懋)、易佩
	2718	㾓毁六	王對㾓楙(懋)、易佩
	2719	㾓毁七	王對㾓楙(懋)、易佩
	2720	㾓毁八	王對㾓楙(懋)、易佩
	2731	小臣宅毁	令宅吏白懋父
	2760	小臣謎毁一	白懋父目毁八自征東尸(夷)
	2760	小臣謎毁一	白懋父承王令易自達征自五齵貝
	2761	小臣謎毁二	白懋父目毁八自征東尸(夷)
	2761	小臣謎毁二	白懋父承王令易自達征自五齵貝
	2842	卯毁	余懋再先公官
	4878	召尊	白懋父易召白馬每黃猶(髮)微
	4878	召尊	用u8不杯・召多用追炎不杯白懋父友
	4880	免尊	令史懋易免載市同黃
	5496	召卣	白懋父賜召白馬
	5496	召卣	用追于炎、不䵼白懋父友
	5500	免卣	令史懋易免載市同黃
	5762	呂行壺	唯三月、白懋父北征
	5785	史懋壺	親令史懋路筮、咸
	5785	史懋壺	王乎伊白易懋貝
	5785	史懋壺	懋拜䭫首對王休

		小計：共 30 筆
1733		
1324	禹鼎	于匡朕肅慕
2834	㝬殷	害㝬宇慕遠猷
3100	陳侯因資錞	龏戠大慕克成
6792	史墻盤	亟獄逗（趄）慕
		小計：共 4 筆
1734		
1231	楚王酓忏鼎一	楚王酓忏戰隻銅
1231	楚王酓忏鼎一	剛工師盤野佐秦忏為之
1232	楚王酓忏鼎二	楚王酓忏戰隻銅
1232	楚王酓忏鼎二	剛工師盤野佐秦忏為之
		小計：共 4 筆
1735		
1304	王子午鼎	愵于威儀
2659	郾侯庫殷	郾侯庫畏夜愵人哉
7124	沇兒鐘	愵于威儀
7157	邾公華鐘一	余異龏威忌愵穆
7175	王孫遺者鐘	愵于威儀
J0081	王孫霥鐘	（拓本未見）
		小計：共 6 筆
1736		
1331	中山王譻鼎	非恁與忠
7175	王孫遺者鐘	余恁的台心
		小計：共 2 筆
1737		
0935	季悆乍旅鼎	季悆乍旅鼎其永寶用
M457	鄭虢仲悆鼎	鄭虢中悆肇乍皇且文考寶鼎
J3547	悆母盤	（拓本未見）
		小計：共 3 筆
1738	俞字重見	
1471	魯白愉父鬲一	魯白愉乍鼄姬仁朕（賸）羞鬲
1472	魯白愉父鬲二	魯白愉乍鼄姬仁朕（賸）羞鬲
1473	魯白愉父鬲三	魯白愉乍鼄姬仁朕（賸）羞鬲

	1474	魯白愉父鬲四	魯白愉乍鼄姬仁朕(賸)羞鬲
	1475	魯白愉父鬲五	魯白愉乍鼄姬仁朕(賸)羞鬲
	6841	魯白愈父匜	魯白愉父乍鼄(邾)姬仁朕顀它
			小計:共 6 筆
愚	1739		
	1331	中山王嚳鼎	旋(事)愚女(如)智
			小計:共 1 筆
憼	1740		
	1332	毛公鼎	憼于小大政
	1324	禹鼎	肆禹亦弗敢憼
			小計:共 2 筆
怠	1741		
	1274	哀成弔鼎	勿或能怠
	2689	白康毁一	用夙夜無怠
	2690	白康毁二	用夙夜無怠
	5805	中山王嚳方壺	嚴敬不敢怠荒
			小計:共 4 筆
懈	1742	解字重見	
忽	1743		
	1331	中山王嚳鼎	寡懼其忽然不可得
			小計:共 1 筆
忘	1744		
	1264	𤔲鼎	休朕皇君弗忘氒寶臣
	1331	中山王嚳鼎	母(毋)忘尒(爾)邦
	2682	陳侯午毁	永世母忘
	2972	弔家父乍仲姬匿	哲德不亡(忘)
	3097	陳侯午錞錞一	保又齊邦永世毋忘
	3098	陳侯午錞錞二	保又齊邦永世毋忘
	3099	十年陳侯午𦉢(器)	保有齊邦永世毋忘
	5803	胤嗣好蚉壺	日夕不忘
	5805	中山王嚳方壺	天子不忘其有勛
	6775	__仲乍父丁盤	萬年不忘
	6888	吳王光鑑一	孫子勿忘
	6889	吳王光鑑二	孫子勿忘

7092	屭羌鐘一	永世毋忘
7093	屭羌鐘二	永世毋忘
7094	屭羌鐘三	永世毋忘
7095	屭羌鐘四	永世毋忘
7096	屭羌鐘五	永世毋忘
7125	蔡侯𤔲紐鐘一	余非敢寧忘
7126	蔡侯𤔲紐鐘二	余非敢寧忘
7132	蔡侯𤔲紐鐘八	余非敢寧忘
7133	蔡侯𤔲紐鐘九	余非敢寧忘
7134	蔡侯𤔲甬鐘	余非敢寧忘
7205	蔡侯𤔲編鎛一	余非敢寧忘
7206	蔡侯𤔲編鎛二	余非敢寧忘
7207	蔡侯𤔲編鎛三	余非敢寧忘
7208	蔡侯𤔲編鎛四	余非敢寧忘

小計：共 26 筆

忨 1745

5805	中山王嚳方壺	天不昊（斁）其有忨

小計：共 1 筆

惌 1746

7125	蔡侯𤔲紐鐘一	不惌不貣
7126	蔡侯𤔲紐鐘二	不惌不貣
7131	蔡侯𤔲紐鐘七	不惌不貣
7132	蔡侯𤔲紐鐘八	不惌不貣
7133	蔡侯𤔲紐鐘九	不惌不貣
7134	蔡侯𤔲甬鐘	不惌不貣
7205	蔡侯𤔲編鎛一	不惌不貣
7206	蔡侯𤔲編鎛二	不惌不貣
7207	蔡侯𤔲編鎛三	不惌不貣
7208	蔡侯𤔲編鎛四	不惌不貣

小計：共 10 筆

惑 1747

1331	中山王嚳鼎	猶粯（眯迷）惑烏（於）子之而亡其邦

小計：共 1 筆

忌 1748

1304	王子午鼎	畏忌趩趩
2698	陳䏁簋	畢龏愄（畏）忌
2766	三兒簋	余敢□□聖□□□忌
5805	中山王嚳方壺	不亙（忌）者侯

忘忨惌惑忌

忌恷忓惪恐憚恐惕

	6768	齊大宰歸父盤一	齊大宰歸父vf為忌顋盤
	6769	齊大宰歸父盤二	齊大宰歸父vf為忌顋盤
	7084	邾公牼鐘一	曰：余畢龏威忌
	7085	邾公牼鐘二	曰：余畢龏威忌
	7086	邾公牼鐘三	曰：余畢龏威忌
	7087	邾公牼鐘四	曰：余畢龏威忌
	7157	邾公華鐘一	余異龏威忌惄穆
	7182	叔夷編鐘一	女__畏忌
	7214	叔夷鎛	女__畏忌
			小計：共 13 筆
恷	1749		
	7975	中山王墓兆域圖	丌葬棺(棺)中棺眂恷后
	7975	中山王墓兆域圖	丌葬眂恷后
	7975	中山王墓兆域圖	葬棺中棺眂恷后
			小計：共 3 筆
忓	1750		
	7822	距末一	用乍距悍
			小計：共 1 筆
惪	1751		
	1331	中山王礜鼎	以惪(憂)勞邦家
	5803	胤嗣好蚉壺	以惪(憂)氒民
			小計：共 1 筆
憚	1752		
	1331	中山王礜鼎	憚憚慸慸
			小計：共 1 筆
恐	1753		
	1331	中山王礜鼎	恐隕社稷之光
	2838	師嫠段一	盩叔市巩(恐)告于王
	2839	師嫠段二	盩叔市巩(恐)告于王
			小計：共 3 筆
惕	1754		
	1331	中山王礜鼎	亡窓惕之慮

4887	蔡侯𩃎尊	𢘓敬不惕
5759	趙孟壺一	邗王之惕金
5805	中山王嚳方壺	寧有窓(慷)惕
6788	蔡侯𩃎盤	𢘓敬不惕
7374	子惕子戈	子惕子

小計：共 6 筆

1755

5805	中山王嚳方壺	則臣不忍見施

小計：共 1 筆

1756

6788	蔡侯𩃎盤	忓害訢𩠺暢
7125	蔡侯𩃎𦖞鐘一	既忓于心
7126	蔡侯𩃎𦖞鐘二	既忓于心

小計：共 3 筆

1757

1231	楚王酓忓鼎	忝忎
6659	但盤勺一	但盤埜(野)忝忎為之
6662	但盤勺	但盤野忝忎為之

小計：共 3 筆

1758 1477順字重見

1331	中山王嚳鼎	克悳(順)克卑
1331	中山王嚳鼎	敬悳(順)天悳(德)
1331	中山王嚳鼎	亡不悳(順)道
5805	中山王嚳方壺	下不悳(順)於人施
5805	中山王嚳方壺	以𢦏(誅)不悳(順)
5805	中山王嚳方壺	不顧(顧)逆悳(順)
5805	中山王嚳方壺	隹悳(順)生福

小計：共 7 筆

1759

2855.	班殷二	彝忎(昧)天令

小計：共 1 筆

1760

	4818	季𥁰尊	季𥁰乍寶尊彝用桒＿
			小計：共　1 筆
患	1761		
	1324	禹鼎	于匡朕患慕
			小計：共　1 筆
怨	1762		
	7899	鄂君啟車節	怨(悼)nf
			小計：共　1 筆
恷	1763		
	1331	中山王譽鼎	悥恷邦家
			小計：共　1 筆
恩	1764		
	5803	𡢁嗣好蚉壺	恩祗丞祀
			小計：共　1 筆
𢟪	1765	十一年𢟪鼎	銘文未見
悕	1766		
	1331	中山王譽鼎	介母大而悕
			小計：共　1 筆
𢝐	1767		
	1331	中山王譽鼎	憚憚𢝐𢝐
			小計：共　1 筆
㦞	1768		
	1331	中山王譽鼎	亡㦞惕之慮
	5805	中山王譽方壺	寧有㦞(懅)惕
			小計：共　2 筆
憝	1769		

2722	窒弔乍豐姞旅段	窒弔乍豐姞憝旅段
2722	窒弔乍豐姞旅段	豐姞憝用宿夜亯孝于敨公
		小計：共　2 筆

1770

4823	懂季遽父尊	懂季遽父乍豐姬寶尊彝
5441	懂季遽父卣一	懂季遽父乍豐姬寶尊彝
5442	懂季遽父卣二	懂季遽父乍豐姬寶尊彝
		小計：共　3 筆

1771

J788	般殷鼎	心聖若慵
		小計：共　1 筆

1772

J0081	王孫霁鐘	（拓本未見）
		小計：共　1 筆

1772+

7686	滕之丕劍	滕之丕㤉古于
		小計：共　1 筆

卷十總計：共　2740 筆

水
河
江
沱
池
沮

青銅器銘文檢索卷十一

水 1773

2789	同𣪘一	雩逆至于玄水
2790	同𣪘二	雩逆至于玄水
2843	沈子它𣪘	用水需令、用妥公唯壽
3128	魚鼎匕	出斿（游）水虫
4859	戉箙啟尊	iG山谷才遊水上

小計：共 5 筆

河 1774

2789	同𣪘一	自淲東至于河
2790	同𣪘二	自淲東至于河
5804	齊侯壺	大鄗（筥）從河
7617	河南矛	河南

小計：共 4 筆

江 1775

0949	江小仲鼎	江小中母生自乍甬鬲
7046	□□自乍鐘二	江漢之陰陽
7744	工獻太子劍	余處江之陽
7900	鄂君啟舟節	適汪、逾夏、內𨛬、逾江
7900	鄂君啟舟節	適彭射、適松易、內瀘江
7900	鄂君啟舟節	適爰陵、上江、內湘
7900	鄂君啟舟節	上江、適木關、適郢

小計：共 7 筆

沱池 1776 沱池同字

1165	大師鐘白乍石鯱	大師鐘白侵自乍石沱（鯱）
1528	公姞鬲鼎	子中漁□池
2734	遹𣪘	乎漁于大沱（池）
2788	靜𣪘	𨜒𤼈盩自、邦周射于大沱
5759	趙孟壺一	禺邗王于黃池
6875	慶弔匜	沱沱熙熙
7557	楚屈弔沱戈	楚屈弔沱屈□之孫
M782	曹公子池戈	曹公子池之造戈

小計：共 8 筆

沮 1777 2272且字重見

6792	史墻盤	牆弗敢沮

		小計：共 1 筆

徐 1778

0298	涂鼎	徐(涂)貞
		小計：共 1 筆

1779

7900	鄂君啟舟節	內資、沅、澧、澮
		小計：共 1 筆

1780

7040	克鐘一	王親令克遹涇東至于京自
7041	克鐘二	王親令克遹涇東至于京自
7042	克鐘三	王親令克遹涇東至于京
7204	克鎛	王親令克遹涇東
		小計：共 4 筆

1781

5781	曾姬無卹壺一	osnL茲漾陵
5782	曾姬無卹壺二	osnL茲漾陵
		小計：共 2 筆

1782

1668	中甗	白買父以自隹人戍漢中州
7046	□□自乍鐘二	江漢之陰陽
7900	鄂君啟舟節	自鄂市、逾油、上漢
7900	鄂君啟舟節	適鄖、適芸(郇)陽、逾漢
		小計：共 4 筆

1783

2837	敔毀一	內伐湹、昴、參泉、裕敏、陰陽洛
2837	敔毀一	王令敔追禦于上洛烬谷
3111	大師盧豆	用卲洛朕文且考
4863	桑乍父乙尊	桑從公亥ry洛于官
6790	虢季子白盤	于洛之陽

洛沇𣶃渒湘深潭淮

	6910	師永盂	陰昜洛彊
			小計：共 6 筆
沇	1784		
	7124	沇兒鐘	徐王庚之子沇兒
			小計：共 1 筆
𣶃	1785		
	1327	克鼎	易女田于渒（𣶃）
			小計：共 1 筆
湘	1786		
	7900	鄂君啟舟節	適爰陵、上江、內湘
			小計：共 1 筆
深	1787		
	5805	中山王嚳方壺	㢓愛深則賢人親
			小計：共 1 筆
潭	1788		
	7364	乍潭右戈	無潭右
			小計：共 1 筆
淮	1789		
	1204	淮白鼎	淮白乍鄒__寶尊__
	1243	仲__父鼎	周白__及仲__父伐南淮夷
	1316	㦰方鼎	王用肇事乃子㦰率虎臣禦淮戎
	1324	禹鼎	亦唯噩侯馭方率南淮尸、東尸
	2826	師寰𣪘一	淮尸繇（舊）我貟晦臣
	2826	師寰𣪘一	正淮尸
	2826	師寰𣪘一	淮尸繇（舊）我貟晦臣
	2826	師寰𣪘一	正淮尸
	2827	師寰𣪘二	淮尸繇（舊）我貟晦臣
	2827	師寰𣪘二	正淮尸
	2837	敔𣪘一	南淮尸遷及
	2986	曾白霥旅匿一	克狄淮尸（夷）

2987	曾白霥旅匿二	克狄淮尸(夷)
3055	虢仲旅盨	伐南淮夷
3081	翏生旅盨一	王征南淮夷
3082	翏生旅盨二	王征南淮夷
3082	翏生旅盨二	萬年釁壽永寶王征南淮夷
3085	駒父旅盨(蓋)	南中邦父命駒父即南者侯逹高父見南淮夷
3085	駒父旅盨(蓋)	我乃至于淮{小大}邦亡敢不__具逆王命
4879	彔戓尊	叡、淮夷敢伐內國
5498	彔戓卣	叡、淮尸敢伐內國
5499	彔戓卣二	叡、淮尸敢伐內國
6791	兮甲盤	至于南淮夷
6791	兮甲盤	淮夷舊我負晦人
6793	矢人盤	小門人緐、原人虞艿、 淮嗣工虎、孝龠
		小計：共 25 筆

1790

7900	鄂君啟舟節	內資、沅、澧、澮
		小計：共 1 筆

1791

0777	孟湒父鼎	孟湒父乍寶鼎
3063	遲乍姜湒盨	遲乍姜湒盨
3063	遲乍姜湒盨	遲乍姜湒盨
7421	__湒侯散戈	__湒侯散戈
		小計：共 4 筆

1792

7021	虘鐘一	用濼(樂)好宗
7022	虘鐘二	用濼(樂)好宖
7023	虘鐘三	用濼(樂)好宖
7024	虘鐘四	用濼(樂)
7108	膚弔之仲子平編鐘一	台濼其大酉
7109	膚弔之仲子平編鐘二	台濼其大酉
7110	膚弔之仲子平編鐘三	台濼其大酉
7111	膚弔之仲子平編鐘四	台濼其大酉
7112	者減鐘一	不濼不彫
7113	者減鐘二	不濼不彫
		小計：共 10 筆

1793

2419	白喜父乍洹餗毁一	白喜父乍洹餗毁
2419	白喜父乍洹餗毁一	洹其萬年永寶用
2420	白喜父乍洹餗毁二	白喜父乍洹餗毁
2420	白喜父乍洹餗毁二	洹其萬年永寶用

2422	舟洹秦乍且乙段	洹秦乍且乙寶段
5801	洹子孟姜壺一	齊侯既濟洹子孟姜喪其人民都邑
5801	洹子孟姜壺一	洹子孟姜用嘉命
5802	洹子孟姜壺二	齊侯既濟洹子孟姜喪其人民都邑
5802	洹子孟姜壺二	洹子孟姜用嘉命
7552	_生戈	郾侯揮乍戎_蚔生不祗□無□□□自洹來

小計：共 10 筆

濁 1794

M705	曾侯乙編鐘下一・一	濁新鐘之徵
M705	曾侯乙編鐘下一・一	濁坪皇之商
M705	曾侯乙編鐘下一・一	濁文王之宮
M705	曾侯乙編鐘下一・一	濁割肄之下角
M705	曾侯乙編鐘下一・一	濁坪皇之濬商
M705	曾侯乙編鐘下一・一	濁文王之濬宮
M715	曾侯乙編鐘下二・九	濁獸鐘之羽
M715	曾侯乙編鐘下二・九	濁割肄之羽
M715	曾侯乙編鐘下二・九	濁坪皇之徵
M716	曾侯乙編鐘下二・十	濁獸鐘之徵
M716	曾侯乙編鐘下二・十	濁新鐘之宮
M716	曾侯乙編鐘下二・十	濁坪皇之下角
M716	曾侯乙編鐘下二・十	濁文王之商
M719	曾侯乙編鐘中一・三	濁新鐘之巽反
M719	曾侯乙編鐘中一・三	濁坪皇之觖
M720	曾侯乙編鐘中一・四	濁新之壴
M720	曾侯乙編鐘中一・四	濁坪皇之觖
M720	曾侯乙編鐘中一・四	濁新鐘之冬
M721	曾侯乙編鐘中一・五	濁穆鐘之冬
M721	曾侯乙編鐘中一・五	濁文王之觖
M721	曾侯乙編鐘中一・五	濁新鐘之商
M721	曾侯乙編鐘中一・五	濁獸鐘之巽
M722	曾侯乙編鐘中一・六	濁獸鐘之冬
M722	曾侯乙編鐘中一・六	濁坪皇之觖
M722	曾侯乙編鐘中一・六	濁文王之少商
M722	曾侯乙編鐘中一・六	濁新鐘之巽
M723	曾侯乙編鐘中一・七	濁獸鐘之冬
M723	曾侯乙編鐘中一・七	濁坪皇之商
M723	曾侯乙編鐘中一・七	濁文王之宮
M723	曾侯乙編鐘中一・七	濁坪皇之少商
M723	曾侯乙編鐘中一・七	濁文王之巽
M724	曾侯乙編鐘中一・八	濁新鐘之下角
M724	曾侯乙編鐘中一・八	濁坪皇之宮
M724	曾侯乙編鐘中一・八	濁坪皇之巽
M724	曾侯乙編鐘中一・八	濁割肄之商
M725	曾侯乙編鐘中一・九	濁獸鐘之宮
M725	曾侯乙編鐘中一・九	濁獸鐘之下角
M725	曾侯乙編鐘中一・九	濁穆鐘之商
M725	曾侯乙編鐘中一・九	濁割肄之宮

M726	曾侯乙編鐘中一・十	濁獸鐘之羽
M726	曾侯乙編鐘中一・十	濁坪皇之冬
M726	曾侯乙編鐘中一・十	濁割肄之羽
M727	曾侯乙編鐘中一・十一	濁獸鐘之徵
M727	曾侯乙編鐘中一・十一	濁新鐘之宮
M727	曾侯乙編鐘中一・十一	濁坪皇之下角
M727	曾侯乙編鐘中一・十一	濁文王之商
M729	曾侯乙編鐘中二・二	濁獸鐘之喜
M729	曾侯乙編鐘中二・二	濁獸鐘之巽
M729	曾侯乙編鐘中二・二	濁新鐘之少商
M730	曾侯乙編鐘中二・三	濁新鐘之巽反
M730	曾侯乙編鐘中二・三	濁坪皇之䮠
M731	曾侯乙編鐘中二・四	濁新鐘之䮠
M731	曾侯乙編鐘中二・四	濁文王之喜
M731	曾侯乙編鐘中二・四	濁新鐘之冬
M732	曾侯乙編鐘中二・五	濁穆鐘之冬
M732	曾侯乙編鐘中二・五	濁文王之䮠
M732	曾侯乙編鐘中二・五	濁新鐘之商
M732	曾侯乙編鐘中二・五	濁獸鐘之巽
M733	曾侯乙編鐘中二・六	濁獸鐘之冬
M733	曾侯乙編鐘中二・六	濁坪皇之䮠
M733	曾侯乙編鐘中二・六	濁文王之少商
M733	曾侯乙編鐘中二・六	濁新鐘之巽
M734	曾侯乙編鐘中二・七	濁新鐘之冬
M734	曾侯乙編鐘中二・七	濁坪皇之商
M734	曾侯乙編鐘中二・七	濁文王之宮
M734	曾侯乙編鐘中二・七	濁坪皇之少商
M734	曾侯乙編鐘中二・七	濁文王之巽
M735	曾侯乙編鐘中二・八	濁新鐘之下角
M735	曾侯乙編鐘中二・八	濁坪皇之宮
M735	曾侯乙編鐘中二・八	濁坪皇之巽
M735	曾侯乙編鐘中二・八	濁割肄之商
M736	曾侯乙編鐘中二・九	濁獸鐘之宮
M736	曾侯乙編鐘中二・九	濁哭鐘之下角
M736	曾侯乙編鐘中二・九	濁穆鐘之商
M736	曾侯乙編鐘中二・九	濁割肄之冬
M737	曾侯乙編鐘中二・十	濁獸鐘之羽
M737	曾侯乙編鐘中二・十	濁坪皇之冬
M737	曾侯乙編鐘中二・十	濁割肄之羽
M739	曾侯乙編鐘中二・十二	濁獸鐘之徵
M739	曾侯乙編鐘中二・十二	濁新鐘之宮
M739	曾侯乙編鐘中二・十二	濁坪皇之下角
M739	曾侯乙編鐘中二・十二	濁文王之商
		小計：共　82 筆

1795

6630	郐王__義之耑	耑溉之t3

濁
溉

小計：共 1 筆

湡 1796

1150 小臣缶方鼎 王易小臣缶湡責五年

小計：共 1 筆

濟 1797

5801 洹子孟姜壺一 齊侯既濟洹子孟姜喪其人民都邑
5802 洹子孟姜壺二 齊侯既濟洹子孟姜喪其人民都邑
5805 中山王嚳方壺 穆穆濟濟

小計：共 3 筆

沽 1798

6793 夨人盤 至于大沽
7900 鄂君啓舟節 逾油(沽湖?)上漢

小計：共 2 筆

汈 1799

1268 梁其鼎一 汈(梁)其乍尊鼎
1269 梁其鼎二 汈(梁)其乍尊鼎
1667 陳公子叚遣父甗 用(蒸)爨稻汈(梁)
2447 白汈父乍嫜姞毀一 白汈父乍嫜姞尊毀
2448 白汈父乍嫜姞毀二 白汈父乍嫜姞尊毀
2449 白汈父乍嫜姞毀三 白汈父乍嫜姞尊毀
2691 善夫梁其毀一 善夫汈其乍朕皇考惠中
2692 善找梁其毀二 善夫汈其乍朕皇考惠中
3075 白汈其旅盨一 白汈其乍旅盨
3076 白汈其旅盨二 白汈其乍旅盨
5787 汈其壺一 汈其乍尊壺
5788 汈其壺二 汈其乍尊壺
7007 梁其鐘 光汈(梁)其身
7122 梁其鐘一 汈其曰：不顯皇其考
7122 梁其鐘一 汈其肈帥井皇且考秉明德
7122 梁其鐘一 汈其身邦君大正
7122 梁其鐘一 用天子寵、蔑汈其
7122 梁其鐘一 汈其敢對天子不顯休揚
7123 梁其鐘二 汈其曰：不顯皇其考
7123 梁其鐘二 汈其肈帥井皇且考秉明德
7123 梁其鐘二 汈其身邦君大正
7123 梁其鐘二 用天子寵、蔑汈其
7123 梁其鐘二 汈其敢對天子不顯休揚
7537 汈白戈 汈(梁)白乍宮行元用

小計：共 24 筆

洚 1800

J570	洚弔鼎	(拓本未見)
		小計：共 1 筆

1801

2760	小臣謎設一	伐海眉
2761	小臣謎設二	伐海眉
		小計：共 2 筆

1802

2155	衍__乍父乙彝設	衍__乍父乙彝
2441	姑衍設	姑衍乍寶設
5490	戉稽卣	稽拜韻首衍
		小計：共 3 筆

1803

2724	斊白馭設	徣伐淖黑
3099	十年陳侯午錞	陳侯午淖(朝)群邦者侯于齊
3100	陳侯因𬊤錞	淖(朝)問者侯
		小計：共 3 筆

1804 旓字重見

1013	滔__秉方鼎	滔td秉乍寶鼎
2501	旓嫼乍尊設一	旓(滔)嫼乍尊設
2501	旓嫼乍尊設一	旓(滔)嫼其萬年子子孫孫永寶用
2502	旓嫼乍尊設二	旓(滔)嫼乍尊設
2502	旓嫼乍尊設二	旓(滔)嫼其萬年子子孫孫永寶用
2503	旓嫼乍尊設三	旓(滔)嫼乍尊設
2503	旓嫼乍尊設三	旓(滔)嫼其萬年子子孫孫永寶用
		小計：共 7 筆

1805

2789	同設一	自滮東至于河
2790	同設二	自滮東至于河
7083	鮮鐘	王才成周嗣□滮宮
7220	喬君鉦	喬君滮盧與朕以wL
		小計：共 4 筆

1806

	1309	寰鼎	王呼史減冊
	2793	元年師旋段一	王才減(疒+工)
	2794	元年師旋段二	王才減(疒+工)
	2795	元年師旋段三	王才減(疒+工)
	4448	長甶盉	穆王才下減(疒+工)
			小計：共 5 筆
汪	1807		
	5329	汪白卣	汪白乍寶旅彝
	7535	三年汪陶令戈	三年汪陶令富守
	7900	鄂君啟舟節	適汪、逾夏、內郘、逾江
			小計：共 3 筆
沖	1808		
	0806	沖子行鼎	沖子ja之行貞（鼎）
			小計：共 1 筆
滕	1809		
	1071	龕白御戎鼎	龕白御戎乍滕姬寶貞（鼎）
	1416	吾乍滕公鬲	吾乍滕公寶尊彝
	2412	滕虎乍皇考段一	滕（滕）虎敢肇乍皇考公命中寶尊彝
	2413	滕虎乍皇考段二	滕（滕）虎敢肇乍皇考公命中寶尊彝
	2414	滕虎乍皇考段三	滕（滕）虎敢肇乍皇考公命中寶尊彝
	3054	滕侯穌乍旅段	滕（滕）侯穌乍皇文考滕（滕）中旅段
	5804	齊侯壺	台鑄其滕（賸）壺
	7336	滕子戈	滕子
	7419	滕侯耆之造戈一	滕（滕）侯耆之造
	7420	滕侯耆之造戈二	滕（滕）侯耆之造
	7492	滕司徒戈	滕（滕）司徒乍□用
	7686	滕之丕劍	滕（滕）之丕牙古于
	M806	滕侯吳戟一	滕侯吳之造戟
	M807	滕侯吳戟二	滕侯吳之□
	M808	滕侯__戟	滕侯__之造
			小計：共 15 筆
淪	1810		
	6740	白駟父盤	白駟父乍姬淪朕盤
			小計：共 1 筆
浮	1811		
	6869	浮公之孫公父宅匜	浮公之孫公父宅鑄其行它

小計：共 1 筆

湋 1812

J1471	湋伯設	拓本未見

小計：共 1 筆

測 1813

J788	盤殷鼎	既龢無測

小計：共 1 筆

淑 1814 1354弔字重見

1304	王子午鼎	淑于威義
1327	克鼎	淑哲氒德
2842	卯設	不淑取我家窒用喪
7124	沇兒鐘	淑于威義
7175	王孫遺者鐘	淑于威義

小計：共 5 筆

淵 1815

1331	中山王礜鼎	寧汋（溺）烏（於）於淵
2843	沈子它設	覷吾考克淵克
6639	淵十六□杯	淵十六□
6792	史墻盤	淵悊康王
7410	子鑄戈	子淵鑄之戈

小計：共 5 筆

澮 1816

7900	鄂君啟舟節	內資、沅、澧、澮

小計：共 1 筆

淺 1817

7697	越王勾踐劍	越王欿（句）淺（踐）自乍用劍
7698	越王勾踐之子劍	越王越王、句淺（踐）之子

小計：共 2 筆

沙 1818

1306	無叀鼎	易女玄衣黹屯、戈琱㦸緱必彤沙、攸勒鑾旂

2744	五年師旋殷一	輱(厚)必、彤沙
2745	五年師旋殷二	輱(厚)必、彤沙
2769	師耤殷	金亢、赤舄、戈琱戟、彤沙
2775.	害殷一	彤沙
2775.	害殷二	易戈琱、__、彤沙
2785	王臣殷	戈畫戟、厚必、彤沙、用事
2797	輔師嫠殷	赤市朱黃、戈彤沙琱戟
2815	師𩛥殷	彤沙(綏)
2835	訇殷	戈琱戟、厚必彤沙
6787	走馬休盤	戈琱戟、彤沙厚必、䜌旂
6789	寰盤	戈琱戟厚必彤沙

小計：共　12 筆

湖　1819　沽字重見

津　1820

3081	翏生旅盨一	伐角津、伐桐
3082	翏生旅盨二	伐角津、伐桐
3082	翏生旅盨二	伐角津、伐桐

小計：共　3 筆

湛　1821

1332	毛公鼎	圂湛于艱
4434	師子旅盉	師子下湛乍旅盉
6877	儼乍旅盉	曰：牧牛、𠭰、乃可湛

小計：共　3 筆

沒汋　1822

1331	中山王嚳鼎	𢍰(與)其汋(溺)烏(於)人施(也)
1331	中山王嚳鼎	寧汋(溺)烏(於)於淵

小計：共　2 筆

濱　1823

7900	鄂君啓舟節	內濱(資)沅澧澮

小計：共　1 筆

沉　1824

2843	沈子它殷	朕吾考令乃鴅沈子乍綰于周公宗
2843	沈子它殷	乃沈子其顀褱多公能福
2843	沈子它殷	乃沈子妹克蔑見猒于公

2843	沈子它𣪕	乃沈子肇斁tc賈嗇乍丝𣪕
2843	沈子它𣪕	其蛕哀及乃沈子它唯福
		小計：共　5 筆

1825

5580	淊＿罍	淊td＿乍尊䍜（罍）
		小計：共　1 筆

1826

1127	嗣鼎	溓公蔑嗣曆
1229	厚趠方鼎	厚趠又償于溓（溓）公
1239	＿鼎一	溓公令nt眾史旅曰
1240	＿鼎二	溓公令nt眾史旅曰
1288	令鼎一	王馭溓中僕
1288	令鼎一	王至于溓宮、攸
1289	令鼎二	王馭溓中僕
1289	令鼎二	王至于溓宮、攸
		小計：共　8 筆

1827

5805	中山王嚳方壺	賈渴（竭）志盡忠
		小計：共　1 筆

1828

6793	夨人盤	我既付散氏溼（隰）田、畛田
5785	史懋壺	王在葊京溼宮
		小計：共　2 筆

1829

5826	國差𦉜	卑旨卑滸
		小計：共　1 筆

1830

1220	鄦公鼎	鄦公湯用其吉金
1273	師湯父鼎	師湯父拜䭫首
1318	晉姜鼎	卑貫通弘征緐湯䫉
1326	多友鼎	易女圭瓚一湯
1529	仲枏父鬲一	師湯父有嗣中枏父乍寶鬲
1530	仲枏父鬲二	師湯父有嗣中枏父乍寶鬲
1531	仲枏父鬲三	師湯父有嗣中枏父乍寶鬲
1532	仲枏父鬲四	師湯父有嗣中枏父乍寶鬲
2685	仲枏父𣪕一	師湯父有嗣中枏父乍寶𣪕

湯 澆 潘 濯 潸 涕 減 瀘

	2686	仲枏父段二	師湯父有嗣中枏父乍寶段
	2986	曾白桼旅匿一	印燮繁湯
	2987	曾白桼旅匿二	印燮繁湯
	6773	_湯弔盤	林_湯弔obG1鑄其尊
	6823	長湯匜	長湯白18乍它、永用之
	7682	繁陽之金劍	繁湯之金
			小計：共 15 筆
澆 1831			
	5489	戉箙啟卣	寂if山谷至于上侯澆川上
			小計：共 1 筆
潘 1832		番字重見	
濯 1833			
	7367	右濯戈	右濯戈
			小計：共 1 筆
潸 1834			
	5803	崩嗣好瓷壺	潸潸流涕
			小計：共 1 筆
涕 1835			
	5803	崩嗣好瓷壺	潸潸流涕
			小計：共 1 筆
減 1836			
	7112	者減鐘一	工𫓧王皮然之子者減睪其吉金
	7113	者減鐘二	工𫓧王皮然之子者減睪其吉金
	7114	者減鐘三	工𫓧王皮然之子者減自乍_鐘
	7115	者減鐘四	工𫓧王皮然之子者減自乍_鐘
			小計：共 4 筆
瀘 1837			
	3087	鬲从盨	瀘二邑
	7900	鄂君啟舟節	適彭射、適松昜、內瀘江
			小計：共 2 筆

1838　或釋沪

7069　者汈鐘一　王曰：者汈
7070　者汈鐘二　王曰、者汈
7071　者汈鐘三　王曰：者汈
7073　者汈鐘五　王曰：者沪

小計：共　4 筆

1839

2817　師顯毀　官嗣汸闇
5803　胤嗣好蚉壺　四駐（牡）汸汸

小計：共　2 筆

1840

2573　泆白寺毀　泆白寺自乍寶毀

小計：共　1 筆

1841　疑字參見

4859　戉箙啟尊　1G山谷才洕水上

小計：共　1 筆

1842

5803　胤嗣好蚉壺　大啟邦泀（宇）

小計：共　1 筆

1843

1120　淉白鼎　唯淉白友□林乍鼎

小計：共　1 筆

1844

1502　成白孫父鬲　成白孫父乍浠竇尊鬲

小計：共　1 筆

1845

7175　王孫遺者鐘　龢㒸民人

漂 湯 滄 濇 流 涉

		小計：共 1 筆
漂 1846		
4758	漂白尊	漂白乍寶彝尊
5362	漂白卣一	漂白乍寶尊彝
5363	漂白卣二	漂白乍寶尊彝
		小計：共 3 筆
湯 1847		
5803	胤嗣好蚉壺	逄郾亡道湯（易）上
		小計：共 1 筆
滄 1848		
6793	矢人盤	自滄涉以南
6793	矢人盤	至于邊柳、復涉滄
		小計：共 2 筆
濇 1849		
7900	鄂君啟舟節	適鄴、適兆昜、內濇、適鄙
		小計：共 1 筆
流 1850		
5803	胤嗣好蚉壺	潸潸流涕
		小計：共 1 筆
涉 1851		
2778	格白毀一	涉東門
2778	格白毀一	涉東門
2779	格白毀二	涉東門
2780	格白毀三	涉東門
2781	格白毀四	涉東門
2782	格白毀五	涉東門
2782.	格白毀六	涉東門
4885	效尊	公易厥涉子效王休貝廿朋
5511	效卣一	公易厥涉子效王休貝廿朋
6062	涉車觚	[涉車]
6793	矢人盤	自滄涉以南
6793	矢人盤	至于邊柳、復涉滄

7307	涉戈	[涉]
		小計：共　13 筆

1852

2373	始休毁	始休易(賜)氒瀕吏貝
2764	艾毁	拜稽首、魯天子遊氒瀕福
2834	㝬毁	其瀕才帝廷陟降
4885	效尊	公易氒涉(瀕)子效王休貝廿朋
5511	效卣	公易氒涉(瀕)子效王休貝廿朋
		小計：共　5 筆

1853

1325	五祀衛鼎	逆榮(營)二川、曰：余舍女田五田
1545	川甗一	[川]
1546	川甗二	[川]
2828	宜侯夨毁	易土、氒川三百□
5489	戉箙啟卣	㝅ｆ山谷至于上侯滰川上
7219	冉鉦鋮(南疆征)	其船□□□大川
7760	甬川斧	甬川
		小計：共　7 筆

1854

1318	晉姜鼎	巠雝明德
1327	克鼎	巠念氒聖保且師華父
1328	盂鼎	今余隹令女盂召榮敬雝德巠
1332	毛公鼎	王曰：父厝、□余唯肇巠先王命
2834	㝬毁	巠雝先王
3088	師克旅盨一(蓋)	余隹巠乃先且考
3089	師克旅盨二	余隹巠乃先且考
7204	克鎛	王親令克遹巠(涇)東
		小計：共　8 筆

1855

2209	㐬白乍姬寶毁	㐬白乍姬寶毁
		小計：共　1 筆

1856

1664	邕子良人甗甗	邕子良人擇其吉金自乍飤甗(甗)
		小計：共　1 筆

侃 1857

2353	保侃母毁	保侃母易貝于南宮乍寶毁
2674	弔妣毁	用侃喜百生倗友眔子婦{ 子孫 }永寶用
3112	掷陵君王子申豆一	以會父侃
3113	掷陵君王子申豆二	以會父侃
4874	萬諆尊	用＿侃多友
7006	戰狄鐘	侃先王
7009	兮仲鐘一	用侃喜前文人
7010	兮仲鐘二	用侃喜前文人
7011	兮仲鐘三	用侃喜前
7012	兮仲鐘四	用侃喜前文人
7013	兮仲鐘五	用侃喜前文人
7014	兮仲鐘六	用侃喜前
7015	兮仲鐘七	用侃喜前文人
7049	井人鐘三	用追孝侃前文人
7050	井人鐘四	用追孝侃前文人
7059	師臾鐘	用喜侃前文人
7060	旲生鐘一	用喜侃前文人
7088	士父鐘一	用喜侃皇考
7089	士父鐘二	用喜侃皇考
7090	士父鐘三	用喜侃皇考
7091	士父鐘四	用喜侃皇考
7159	瘐鐘二	用卲各喜侃樂前文人
7473	＿戈	＿侃乍＿戈三百
7652	五年鄭令韓□矛	左庫工帀陽函冶尹侃

小計：共 24 筆

州 1858

1668	中甗	白買父以自氒人戍漢中州
2764	艾毁	易臣三品：州人、重人、亶人
2856	師訇毁	乍州宮寶
3087	鬲从盨	州
6793	矢人盤	陟州剛、登栫
6793	矢人盤	檏、州京、焂從鬲
7186	叔夷編鐘五	咸有九州
7193	叔夷編鐘十二	九州
7214	叔夷鎛	咸有九州
7230	州戈	[州]
7493	十四年戈	四年州工帀明冶乘
7650	越王州勾矛	越王州句自乍用矛
7702	越王州勾劍一	越王州句自乍用鐱
7703	越王州勾劍二	越王州句自乍用鐱
7704	越王州勾劍三	越王州句自乍用鐱
7705	越王州勾劍四	越王州句自乍用鐱
7706	越王州勾劍五	越王州句自乍用鐱
7707	越王州勾劍六	越王州句自乍用鐱

小計：共 18 筆

1859

6792	史墻盤	繁（ 緐 ）猶（ 髮 ）多釐

小計：共 1 筆

1860

1020	鄭𨛜原父鼎	鄭𨛜邍（ 原 ）父鑄鼎
1110	𨛜白原鼎	𨛜白原乍寶鼎
1327	克鼎	易女田于隮原
1667	陳公子弔邍父甗	𨻰公子子弔（ 叔 ）原父乍旅獻（ 甗 ）
2297	奠𩰫原父戶寶毀	鄭𩰫原父寶彝
242.0	雁侯毀	雁侯乍姬原母尊彝
2534	魯大宰邍父毀一	魯大宰原父乍季姬牙媵毀
2534.	魯大宰邍父毀二	魯大宰原父乍季姬牙媵毀
6793	矢人盤	封于單道、封于原道、封于周道
6793	矢人盤	小門人𦆯、原人虞艿、 淮𤔲工虎、孝龠

小計：共 10 筆

1861

0637	今永里者鼎	今永里者
0860	__鼎	ne乍尊彝、用匄永福
0887	迖乍且丁鼎	迖乍且丁尊彝永寶
0916	__鼎	rs乍寶鼎、子孫永用
0918	盜叔鼎	盜弔之行貞（ 鼎 ）永用之
0919	盅鼎	其永用之
0928	穌衛妃乍旅鼎一	穌衛改乍旅鼎其永用
0929	穌衛妃乍旅鼎二	穌衛改乍旅鼎其永用
0930	穌衛妃乍旅鼎三	穌衛改乍旅鼎其永用
0931	穌衛妃乍旅鼎四	穌衛改乍旅鼎其永用
0935	季念乍旅鼎	季念乍旅鼎其永寶用
0937	內公乍鑄從鼎一	內（ 芮 ）公乍鑄從鼎永寶用
0938	內公乍鑄從鼎二	內公乍鑄從鼎永寶用
0939	內公乍鑄從鼎三	內公乍鑄從鼎永寶用
0940	乍寶鼎	乍寶鼎子子孫永寶用
0944	至乍寶鼎	至乍寶鼎其萬年永寶用
0947	𩁹茲乍旅鼎	𩁹茲乍旅鼎孫子永寶
0956	鄭同媿乍旅鼎	鄭同媿乍旅鼎其永寶用
0957	弔盂父鼎	弔盂父乍尊鼎其永寶用
0958	弔師父鼎	弔師父乍尊鼎其永寶用
0959	築鼎	築乍寶鼎其萬年永寶用
0960	大__弔姜鼎	大□乍弔姜鼎其永寶用
0962	亙乍寶鼎	亙乍寶鼎子子孫永寶用
0963	白旬乍尊鼎	白旬乍尊鼎萬年永寶用
0964	萬仲鼎	子孫永寶用
0970	蔡侯鼎	其萬年永寶用

永

0971	内大子鼎一	子孫永用享
0972	内大子鼎二	子孫永用享
0973	白__乍妣羞鼎一	其永寶用
0974	白__乍妣羞鼎二	其永寶用
0975	白__乍妣羞鼎三	其永寶用
0976	白__乍妣羞鼎四	其永寶用
0977	口子每刅乍寶鼎	其萬年永寶
0978	弔狀父鼎	其萬年永寶用
0979	__君鼎	其萬年永寶用
0982	己華父鼎	子子孫永用
0989	仲宦父鼎	子子孫永寶用
0992	龕討鼎	子子孫孫永寶用
0993	陳生雀鼎	孫子其永寶用
0995	内公訙鼎	子孫永寶用享
0996	子適鼎	子子孫孫永寶用
1001	鄭子石鼎	子孫永寶用
1013	滔__秉方鼎	其萬年永寶用
1014	乍寶鼎	其子子孫孫萬年永寶
1015	口大師虎鼎	其永寶用
1016	廟孱鼎	其子子孫孫永寶用
1020	鄭饇原父鼎	其萬年子孫永用
1021	虢弔大父鼎	其萬年永寶用
1023	從乍寶鼎	其萬年子孫孫永寶用
1025	奠姜白寶鼎	子子孫孫其永寶用
1027	番君召鼎	子孫永□
1030	鄁子員鼎	其永壽用止
1031	周__駷鼎	其萬年永寶用
1033	榮子旅乍父戊鼎	其孫子永寶
1036	史宜父鼎	其萬年子子孫永寶用
1038	白執父鼎	其子子孫孫永用[井]
1039	兼咯父旅鼎	子子孫孫其永寶用
1040	弔荼父鼎	子孫孫其萬年永寶用
1042	白庙父鼎	其萬年孫子永寶用
1044	寶__生乍成媿鼎	其子孫永寶用
1045	專車季鼎	其子孫永寶用
1048	雝乍母乙鼎	其萬年子孫孫永寶用
1049	靜弔乍旅鼎	其萬年釁壽永寶用
1050	白筍父鼎一	其萬年子孫永寶用
1051	白筍父鼎二	其萬年子子孫孫永寶用
1052	褱自乍磷鼪	其釁壽無期、永保用之
1053	白考父鼎	其萬年子子孫永寶用
1054	杞白每亡鼎一	子子孫永寶用
1055	杞白每亡鼎二	子子孫永寶用
1057	會娟鼎	其萬年子子孫永寶用享
1060	輔白脽父鼎	子子孫永寶用
1061	交君子__鼎	祈釁壽、萬年永寶用
1062	衪鼎	其萬年子孫永寶用享
1063	鄧公乘鼎	永保用之
1064	武生__弔羞鼎一	子子孫孫永寶用之
1066	穌吉妊鼎	子子孫孫永寶用

1071	龕白御戎鼎	子子孫孫永寶用	
1072	瘵乍其鬻鼎	子孫永寶用之	
1074	奠戚句父鼒	其子孫孫永寶用	
1075	黃季乍季嬴鼎	其萬年子孫永寶用享	永
1076	王伯姜鼎	季姬其永寶用	
1077	曾仲子_鼎	子孫永用亯	
1078	犀白魚父旅鼎一	其萬年子子孫孫永寶用	
1079	犀白魚父旅鼎二	其萬年子子孫孫永寶用	
1080	華仲義父鼎一	其子子孫孫永寶用[華]	
1081	華仲義父鼎二	其子子孫孫永寶用[華]	
1082	華仲義父鼎三	其子子孫孫永寶用[華]	
1083	華仲義父鼎四	其子子孫孫永寶用[華]	
1084	華仲義父鼎五	其子子孫孫永寶用[華]	
1085	曾者子乍鬻鼎	用享于且、子子孫永壽	
1086	內子仲□鼎	子子孫孫永寶用	
1087	鑄子弔黑臣鼎	其萬年釁壽永寶用	
1088	師麻斿弔旅鼎	其萬年子子孫孫永寶用	
1093	奠登白鼎	其子子孫孫永寶用之	
1094	魯大左司徒元善鼎	其萬年釁壽永寶用之	
1095	函皇父鼎	子子孫孫其永寶用	
1096	弗奴父鼎	其釁壽萬年永寶用	
1097	白庳父乍羊鼎	其子子孫孫萬年永寶用享	
1098	善夫白辛父鼎	其萬年子子孫永寶用	
1099	仲旳父鼎	其萬年子子孫孫永寶用享	
1100	白尚鼎	尚其萬年子子孫孫永寶	
1102	無大邑魯生鼎	其萬年釁壽永寶用	
1105	緐季乍嬴氏行鼎	子子孫其釁壽萬年永用享	
1106	曾孫無期乍飤鼎	子孫永寶用之	
1107	番仲吳生鼎	子子孫孫永寶用	
1108	師賸父鼎	其萬年子子孫孫永寶用	
1109	師自乍鬲鼎	其萬年子子孫孫永寶用[cx]	
1110	雝白原鼎	子子孫孫其萬年永用亯	
1111	□魯宰鼎	其子子孫孫永寶用之	
1116	晉司徒白郜父鼎	其萬年永寶用	
1118	宋莊公之孫趨亥鼎	子子孫永壽用之	
1120	淉白鼎	子孫永寶用之	
1122	昶白乍石䵼	子子孫孫永寶用	
1123	伯夏父鼎	永寶用亯	
1123.	番□伯者鼎	其萬年子孫永寶用□	
1125.	郳季宿車鼎	郳季宿車自乍行鼎子子孫孫永寶萬年無疆用	
1128	_白氏鼎	其永寶用	
1129	寒姒好鼎	其萬年子子孫孫永寶用	
1130	虢文公子乍妌鼎一	子孫永寶用亯	
1131	虢文公子乍妌鼎二	子子孫孫永寶用亯	
1132	部白祀乍善鼎	子子孫永寶用亯	
1133	部白乍孟妊善鼎	子子孫孫永寶用	
1134	敶侯鼎	其永壽用之	
1138	白陶乍父考宮弔鼎	用丐永福	
1138	白陶乍父考宮弔鼎	子子孫孫其永寶	
1140	衛鼎	衛其萬年子子孫孫永寶用	

永

1141	善夫旅白鼎	其萬年子子孫孫永寶用亯
1142	杞白每亡鼎	子子孫孫永寶用亯
1143	曾子仲謕鼎	子子孫孫其永用之
1144	__戱鼎	戱其萬年永寶用
1145	舍父鼎	子子孫孫其永寶
1146	□者生鼎一	其萬年子子孫孫永寶用亯
1147	□者生鼎二	其萬年子子孫孫永寶用亯
1148	𪓐姜白鼎一	子子孫孫永寶用
1149	𪓐姜白鼎二	子子孫孫永寶用
1151	曩侯鼎	其萬年子子孫孫永寶用
1153	白頵父鼎	其萬年子子孫孫永寶用
1154	黃孫子𧎹君弔單鼎	子子孫孫永寶用亯
1161	白吉父鼎	其萬年子子孫孫永寶用
1163	齊陳__鼎蓋	永保用之[吳]
1165	大師鐘白乍石𩰫	其子子孫永寶用之
1166	兹太子鼎	子子孫永寶用之
1171	魯白車鼎	子子孫孫永寶用亯
1173	羌乍文考鼎	永余寶
1175	白鮮乍旅鼎一	子子孫孫永寶用
1176	白鮮乍旅鼎二	子子孫孫永寶用
1177	白鮮乍旅鼎三	子子孫孫永寶用
1178	宗婦邯𨻰鼎一	永寶用
1179	宗婦邯𨻰鼎二	永寶用
1180	宗婦邯𨻰鼎三	永寶用
1181	宗婦邯𨻰鼎四	永寶用
1182	宗婦邯𨻰鼎五	永寶用
1183	宗婦邯𨻰鼎六	永寶用
1188	旓弔樊乍易姚鼎	子子孫永寶用
1189	諆鼎	子孫孫永寶用亯
1195	𢦏弔朕鼎一	子子孫孫永寶用之
1196	𢦏弔朕鼎二	子子孫孫永寶用之
1197	𢦏弔朕鼎三	子子孫孫永寶用之
1198	姬𩰫彝鼎	其萬年子子孫孫永寶用
1199	虢宣公子白鼎	子子孫孫永用□寶
1200	散白車父鼎一	其萬年子子孫永寶
1201	椒白車父鼎二	其萬年子子孫永寶
1202	椒白車父鼎三	其萬年子子孫永寶
1203	椒白車父鼎四	其萬年子子孫永寶
1205.	逊鼎	逊其萬年子子孫孫永寶用
1206	旟鼎	子子孫其永寶
1213	師趛鼎一	__其萬年子孫永寶用
1214	師趛鼎二	__其萬年子孫永寶用
1218	𡨦兒鼎	永保用之
1220	鄍公鼎	子子孫孫永寶用亯
1224	王子吳鼎	子子孫孫永保用之
1227	衛鼎	用桒壽、匃永福
1227	衛鼎	子孫永寶
1229	厚趠方鼎	其子子孫永寶[戣]
1230	師器父鼎	子子孫孫永寶用
1233	__鼎	子子孫孫其永寶

1238	曾子仲宣鼎	子子孫孫永寶用
1241	蔡大師䑗鼎	子子孫孫永寶用之
1243	仲__父鼎	其萬年子子孫孫永寶用
1244	瘨鼎	瘨萬年永寶用
1245	仲師父鼎一	其子子孫萬年永寶用亯
1246	仲師父鼎二	其子子孫萬年永寶用亯
1247	函皇父鼎	琱娟其萬年子子孫孫永寶用
1259	都公䡅鼎	子子孫孫永寶用
1262	㝉鼎	其孫孫子子其永寶
1263	呂方鼎	其子子孫永用
1265	𢦚弔鼎	多宗永令
1265	𢦚弔鼎	子子孫永寶
1266	都公平侯鼎一	子子孫孫永寶用亯
1267	都公平侯鼎二	子子孫孫永寶用亯
1268	梁其鼎一	其子子孫孫永寶用
1269	梁其鼎二	其子子孫孫永寶用
1271	史獸鼎	用乍父庚永寶尊彝
1272	剌鼎	其孫孫子子永寶用
1273	師湯父鼎	其萬年孫孫子子永寶用
1274	哀成弔鼎	永用禋祀
1275	師同鼎	子子孫孫其永寶用
1276	__季鼎	其萬年子子孫孫永用
1280	康鼎	子子孫孫其萬　年永寶用
1281	史頌鼎一	子子孫孫永寶用
1282	史頌鼎二	子子孫孫永寶用
1283	微䜌鼎	屯右釁壽、永令霝冬
1283	微䜌鼎	䜌子子孫永寶用享
1285	㦰方鼎一	其子子孫孫永寶
1286	大夫始鼎	孫孫子子永寶用
1290	利鼎	利其萬年子孫永寶用
1291	善夫克鼎一	釁壽永令霝冬
1291	善夫克鼎一	克其子子孫孫永寶用
1292	善夫克鼎二	釁壽永令霝冬
1292	善夫克鼎二	克其子子孫孫永寶用
1293	善夫克鼎三	釁壽永令霝冬
1293	善夫克鼎三	克其子子孫孫永寶用
1294	善夫克鼎四	釁壽永令霝冬
1294	善夫克鼎四	克其子子孫孫永寶用
1295	善夫克鼎五	釁壽永令霝冬
1295	善夫克鼎五	克其子子孫孫永寶用
1296	善夫克鼎六	釁壽永令霝冬
1296	善夫克鼎六	克其子子孫孫永寶用
1297	善夫克鼎七	釁壽永令霝冬
1297	善夫克鼎七	克其子子孫孫永寶用
1299	鼉侯鼎一	其萬年子孫永寶用
1300	南宮柳鼎	其萬年子子孫孫永寶用
1301	大鼎一	大其子子孫孫萬年永寶用
1302	大鼎二	大其子子孫孫萬年永寶用
1303	大鼎三	大其子子孫孫萬年永寶用
1304	王子午鼎	永受其福

永

1305	師奎父鼎	師奎父其萬年子子孫孫永寶用
1306	無叀鼎	子孫永寶用
1307	師望鼎	師望其萬年子子孫孫永寶用
1308	白晨鼎	子子孫孫其萬年永寶用
1309	寰鼎	寰其萬年子子孫孫永寶用
1310	鬲攸從鼎	鬲攸从其萬年子子孫孫永寶用
1311	師晨鼎	子子孫孫其永寶用
1312	此鼎一	子子孫孫永寶用
1313	此鼎二	子子孫孫永寶用
1314	此鼎三	子子孫孫永寶用
1315	善鼎	其永寶用之
1316	彧方鼎	安永宕乃子彧心
1316	彧方鼎	安永㚔彧身
1316	彧方鼎	其子子孫孫永寶兹剌
1317	善夫山鼎	永令霝冬
1317	善夫山鼎	子子孫孫永寶用
1319	頌鼎一	旂丐康𩛥屯右、通彔永令
1320	頌鼎二	旂丐康𩛥屯右、通彔永令
1321	頌鼎三	旂丐康𩛥屯右、通彔永令
1322	九年裘衛鼎	衛其萬年永寶用
1325	五祀衛鼎	衛其萬年永寶用
1326	多友鼎	其子子孫孫永寶用
1327	克鼎	永念于氒孫辟天子
1327	克鼎	子子孫孫永寶用
1330	曶鼎	子子孫孫其永寶
1331	中山王礜鼎	子子孫孫永定保之
1332	毛公鼎	永巩先王
1332	毛公鼎	子子孫孫永寶用
1409	乍寶彝鬲	子其永寶
1429	魯姬乍尊鬲	魯姬乍尊鬲永寶用
1431	衛姒乍鬲	以從永征
1436	王白姜尊鬲一	王白姜乍尊鬲永寶用
1437	王白姜尊鬲二	王白姜乍尊鬲永寶用
1438	王白姜尊鬲三	王白姜乍尊鬲永寶用
1439	王白姜尊鬲四	王白姜乍尊鬲其萬年永寶用
1448	白章父鬲一	永寶用
1449	白墉父鬲二	永寶用
1450	庚姬乍弔娊尊鬲一	其永寶用
1451	庚姬乍弔娊尊鬲二	其永寶用
1452	庚姬乍弔娊尊鬲三	其永寶用
1453	nu嫞鬲	其萬年永寶用
1454	墾肇家鬶	其永子孫寶
1456	京姜鬲	其永缶(寶)用
1458	庶鬲	其萬年子孫永寶用
1459	白上父乍姜氏鬲	其永寶用
1460	奠羌白乍季姜鬲	其永寶用
1463	呂王尊鬲	子子孫孫永寶用亯
1464	王乍姬□母女尊鬲	子子孫孫永寶用
1468	白家父乍孟姜鬲	其子孫永寶用
1469	戲白鬲齋一	其萬年子子孫永寶用

1470	戲白鬲二	其萬年子子孫永寶用
1471	魯白愈父鬲一	其永寶用
1472	魯白愈父鬲二	其永寶用
1473	魯白愈父鬲三	其永寶用
1474	魯白愈父鬲四	其永寶用
1475	魯白愈父鬲五	其永寶用
1476	鼄白乍朕鬲	其萬年子子孫孫永寶用
1477	右戲仲夏父豐鬲	子子孫孫永寶用
1478	齊不超鬲	子子孫孫永寶用
1479	召仲乍生妣奠鬲一	其子子孫孫永寶用
1480	召仲乍生妣奠鬲二	其子子孫孫永寶用
1481	咏仲無龍寶鼎一	其子子孫永寶用亯
1482	咏仲無龍寶鼎二	其萬年子子孫永寶用亯
1483	虢季氏子組鬲	子子孫孫永寶用亯
1484	江叔鬲	子子孫孫永寶用之
1486	宰駟父鬲	其萬年永寶用
1487	白先父鬲一	其子子孫孫永寶用
1488	白先父鬲二	其子子孫孫永寶用
1489	白先父鬲三	其子子孫孫永寶用
1490	白先父鬲四	其子子孫孫永寶用
1491	白先父鬲五	其子子孫孫永寶用
1492	白先父鬲六	其子子孫孫永寶用
1493	白先父鬲七	其子子孫孫永寶用
1494	白先父鬲八	其子子孫孫永寶用
1495	白先父鬲九	其子子孫孫永寶用
1496	白先父鬲十	其子子孫孫永寶用
1497	虢仲乍虢妃鬲	其萬年子子孫孫永寶用
1498	鼄友父鬲	其釁壽永寶用
1500	__白鬲	其萬年子子孫孫永寶用
1501	虢季氏子䢅鬲	子子孫孫永寶用享
1502	成白孫父鬲	子子孫孫永寶用
1504	奠師□父鬲	永寶用
1505	番君酌白鼎	萬年無疆子孫永寶
1506	杜白乍弔嬶鬲	其萬年子子孫孫永寶用
1507	善夫吉父乍京姬鬲一	其子子孫孫永寶用
1508	善夫吉父乍京姬鬲二	其子子孫孫永寶用
1509	虢文公子䢅乍弔妃鬲	其萬年子孫永寶用亯
1510	內公鑄弔姬鬲一	子子孫孫永寶用享
1511	內公鑄弔姬鬲二	子子孫孫永寶用亯
1512	虢白乍姬夨母鬲	其萬年子子孫孫永寶用
1513	睽土父乍蓼妃鬲	其萬年子子孫孫永寶用
1514	白夏父乍畢姬鬲一	其萬年子子孫孫永寶用亯
1515	白夏父乍畢姬鬲二	其萬年子子孫孫永寶用亯
1516	白夏父乍畢姬鬲三	其萬年子子孫孫永寶用亯
1517	白夏父乍畢姬鬲四	其萬年子子孫孫永寶用亯
1518	白夏父乍畢姬鬲六	其萬年子子孫孫永寶用亯
1519	白夏父乍畢姬鬲五	其萬年子子孫孫永寶用亯
1520	奠白荀父鬲	其萬年子子孫孫永寶用
1521	單白遼父鬲	子子孫孫其萬年永寶用享
1522	孟辛父乍孟姞鬲一	其萬年子子孫孫永寶用

永

1523	孟辛父乍孟姞鬲二	其萬年子子孫孫永寶用
1524	□大嗣攻鬲	子子孫孫永保用之
1525	隮子奠白尊鬲	子子孫孫永寶用
1527	釐先父鬲	其萬年子孫永寶
1529	仲柟父鬲一	子孫其永寶用
1530	仲柟父鬲二	子孫其永寶用
1531	仲柟父鬲三	子孫其永寶用
1532	仲柟父鬲四	子孫其永寶用
1636	弔㳙寶甗	弔㳙乍寶彝永用
1645	孚公㺃甗	孚公㺃乍旅甗永寶用
1646	乍寶甗	其萬年永寶用
1647	井乍寶甗	覨乍旅甗子孫孫永寶用、豐井
1648	奠白筍父甗	奠公筍父乍寶獻（甗）永寶用
1650	榮子旅乍且乙甗	榮子旅乍且乙寶彝子孫永寶
1651	仲伐父甗	中伐父乍姬尚母旅獻（甗）其永用
1652	弔碩父旅甗	子子孫孫永寶用
1653	穀父甗	其萬年子子孫永寶用
1654	子邦父旅甗	其子子孫孫永寶用
1655	奠氏白高父旅甗	其萬年子子孫孫永寶用
1656	尌仲甗	子子孫孫永寶用
1658	奠大師小子甗	子子孫孫永寶用
1659	白鮮旅甗	子子永寶用
1660	曾子仲誨旅甗	子子孫孫其永用之
1662	寶甗	其萬年子子孫孫永寶用貞
1663	鸁五世孫矩甗	子子孫孫永寶用之
1664	邕子良人歙甗	其萬年無彊、其子子孫永寶用
1665	王孫壽飤甗	子子孫孫永保用之
2307	睘殷	睘乍寶殷其永寶用
2324	孟𦘔父殷	孟肅父乍寶殷其永用
2329	內公殷	內公乍鑄從用殷永寶
2338	乍寶殷	乍寶殷其子孫萬年永寶
2341	仲乍寶殷	中乍寶尊彝其萬年永用
2342	弔宔乍寶殷	弔宔乍寶殷其萬年永寶
2345	穌公乍王妃羞殷	穌公乍王改羊（羞）孟殷永寶用
2354	仲网父殷一	中网父乍殷其萬年永寶用
2355	仲网父殷二	其萬年永寶用
2356	仲网父殷三	中网父乍殷其萬年永寶用
2360	白乍寶殷	子子孫孫永寶用
2367	散白乍夨姬殷一	其厲（萬）年永用
2368	散白乍夨姬殷二	其厲（萬）年永用
2369	散白乍夨姬殷三	其厲（萬）年永用
2370	散白乍夨姬殷四	其厲（萬）年永用
2371	散白乍夨姬殷五	其厲（萬）年永用
2372	畬乍豐𣪘殷	子子孫孫永用
2374	白庶父殷	彶（及）姞氏永寶用
2375	旂殷	其子子孫孫永寶用
2377	晉人吏寓乍寶殷	其孫子永寶
2378	辰乍𨥨殷	其子子孫孫永寶用
2379	中友父殷一	子子孫永寶用
2380	中友父殷二	子子孫永寶用

2381	友父𣪘一	子子孫孫永寶用
2382	友父𣪘二	子子孫孫永寶用
2383	侯氏𣪘	其萬年永寶
2384	鄧公𣪘一	其永寶用
2385	鄧公𣪘二	其永寶用
2386	白__乍白幽𣪘二	子子孫孫永用亯
2389	𢽾𢀛妊乍寶𣪘	子孫孫永寶用亯
2390	吹乍寶𣪘二	其萬年子子孫孫永用
2391	𩲃乍寶𣪘一	其萬年子子孫孫永用
2393	白喬父𣪕𣪘	子子孫孫永寶用
2394	己侯乍姜縈𣪘一	子子孫其永寶用
2395	丂保子達𣪘	其子子孫永用[丂]
2396	仲競𣪘	其萬年子子孫永用
2398	𪎥弔山父𣪘一	其永寶用
2399	𪎥弔山父𣪘二	其永寶用
2400	𪎥弔山父𣪘三	其永寶用
2401	陳侯乍王嬀媵𣪘	其萬年永寶用
2411	史𡨦𣪘	其萬年子子孫孫永寶
2417	齊𡢁姬寶𣪘	其萬年子子孫孫永用
2418	乎乍姞氏𣪘	子子孫孫其永寶用
2419	白喜父乍洹𩛥𣪘一	洹其萬年永寶用
242.0	雁侯𣪘	其萬年永寶用
2420	白喜父乍洹𩛥𣪘二	洹其萬年永寶用
2420.	改敨𣪘一	子子孫孫其永寶用
2420.	改敨𣪘二	子子孫孫其永寶用
2423	亘__戣𣪘	其永寶用
2424	白𦭞寶𣪘	其萬年子子孫孫永寶用
2425	兮仲寶𣪘一	其萬年子子孫孫永寶用
2426	兮仲寶𣪘二	其萬年子子孫孫永寶用
2427	兮仲寶𣪘三	其萬年子子孫孫永寶用
2428	兮仲寶𣪘四	其萬年子子孫孫永寶用
2429	兮仲寶𣪘五	其萬年子子孫孫永寶用
2430	倗白__尊𣪘	其子子孫孫永寶用亯
2431	__弔侯父乍尊𣪘一	其子子孫孫永寶用
2432	__弔侯父乍尊𣪘二	其子子孫孫永寶用
2433	害弔乍尊𣪘一	其萬年子子孫孫永寶用
2434	害弔乍尊𣪘二	其萬年子子孫孫永寶用
2435	散車父𣪘一	其萬年子子孫孫永寶
2436	散車父𣪘二	其萬年孫子子永寶
2437	散車父𣪘三	其萬年孫子子永寶
2438	散車父𣪘四	其萬年孫子子永寶
2438.	散車父𣪘五	其萬年孫子子永寶
2438.	𢽾車父乍𡠤陊姞𩛥𣪘	其萬年孫子子永寶
2438.	𢽾車父乍𡠤陊姞𩛥𣪘二	其萬年孫子子永寶
2439	寺季故公𣪘一	子子孫孫永寶用亯
2440	寺季故公𣪘二	子子孫孫永寶用亯
2441	𤔲衍𣪘	其萬年子子孫孫永寶用
2442	虢𧇮遣生旅𣪘	其萬年子孫永寶用
2443	孟𢎪父𣪘一	其萬年子子孫永寶用
2444	孟𢎪父𣪘二	其萬年子子孫孫永寶用

永

2445	孟弜父毀三	其萬年子子孫孫永寶用
2447	白汈父乍𡡊姞毀一	子子孫孫永寶用
2448	白汈父乍𡡊姞毀二	子子孫孫永寶用
2449	白汈父乍𡡊姞毀三	子子孫孫永寶用
2454	亢僕乍父己毀	子子孫其萬年永寶用
2455	彔乍文考乙公毀	子子孫其永寶
2456	的白迹毀一	期(箕其)萬年孫孫子子其永用
2457	的白迹毀二	其萬年孫子其永用
2458	孟奠父毀一	其萬年子子孫孫永寶用
2459	孟奠父毀二	其萬年子子孫孫永寶用
2460	孟奠父毀三	其萬年子子孫孫永寶用
2461	白家父乍孟姜毀	其子子孫孫永寶用
2462	弔向父乍婞娼毀一	其子子孫孫永寶用
2463	弔向父乍婞娼毀二	其子子孫孫永寶用
2464	弔向父乍婞娼毀三	其子子孫孫永寶用
2465	弔向父乍婞娼毀四	其子子孫孫永寶用
2466	弔向父乍婞娼毀五	其子子孫孫永寶用
2467	妣__母乍南旁毀	子子孫孫其永寶用
2468	齊癸姜尊毀	其萬年子子孫永寶用
2473	__乍皇母尊毀一	其子子孫孫萬年永寶用
2474	__乍皇母尊毀二	其子子孫孫萬年永寶用
2475	衛始毀	子子孫孫其萬年永寶用
2476	蕫毀	其子子孫孫萬年永用[eL]
2477	蕫父丁毀	其子子孫孫萬年永用[eL]
2478	白賓父毀(器)一	其萬年子子孫孫永寶用
2479	白賓父毀二	其萬年子子孫孫永寶用
2480	是要毀	其子孫永寶用
2481	是要毀	其子孫永寶用
2482	隞侯乍嘉姬毀	其萬年子子孫孫永寶用
2483	量侯毀	子子孫萬年永寶毀勿喪
2484	伯緷父毀	子子孫萬年其永寶用
2484.	矢王毀	子子孫孫其萬年永寶用
2485	陵仲孝毀	子子孫其永寶用[主]
2486	□□且辛毀	其萬年孫孫子子永寶用[賚]
2488	杞白每亡毀一	子子孫孫永寶用亯
2489	杞白每亡毀二	子子孫孫永寶用亯
2490	杞白每亡毀三	子子孫孫永寶用亯
2491	杞白每亡毀四	子子孫孫永寶用亯
2492	杞白每亡毀五	子子孫孫永寶用亯
2493	鄀其肇乍毀一	子子孫孫永寶用
2494	鄀其肇乍毀二	子子孫孫永寶用
2495	季__父徹毀	其萬年子子孫孫永寶用
2496	廣乍弔彭父毀	其萬年子子孫孫永寶用
2497	䣄侯乍王姞毀一	王姞其萬年子子孫孫永寶
2498	䣄侯乍王姞毀二	王姞其萬年子子孫孫永寶
2499	䣄侯乍王姞毀三	王姞其萬年子子孫孫永寶
2500	䣄侯乍王姞毀四	王姞其萬年子子孫孫永寶
2501	旛嫖乍尊毀一	旛嫖其萬年子子孫孫永寶用
2502	旛嫖乍尊毀二	旛嫖其萬年子子孫孫永寶用
2503	旛嫖乍尊毀三	旛嫖其萬年子子孫孫永寶用

2504	旛𦣞毁	子子孫孫永寶用
2505	白疑父乍嬀毁	其萬年子子孫孫永寶用
2505.	井姜大宰毁	子子孫孫永寶用亯
2506	奠牧馬受毁一	其子子孫孫萬年永寶用
2507	尊牧馬受毁二	其子子孫孫萬年永寶用
2509	旅仲毁	其萬年子子孫孫永用亯孝
2511	夨王毁	子子孫孫其年永寶用
2512	乙自乍歆𤔲	永保用之
2513	冉乍季日乙𡜊毁一	子子孫孫永寶用
2514	冉乍季日乙𡜊毁二	子子孫孫永寶用
2516	鄧公諆毁	其萬年子子孫孫永壽用之
2517	是□乍乙公毁	子子孫孫永寶用[鼎]
2518	白田父毁	其萬年子子孫孫永寶用
2519	周䨥生𦣞毁	其孫孫子子永寶用[eL]
2520	大自事良父毁	其萬年子子孫孫永寶用
2521	姞氏自乍𡚬毁	其邁(萬)年子子孫孫永寶用
2522	孟弢父毁	其萬年子子孫孫永寶用
2523	孟弢父毁	其萬年子子孫孫永寶用
2527	柬仲𡨦父毁	其萬年子子孫永寶用亯
2528	魯白大父乍𦣞毁	其萬年𩛥壽永寶用
2529	豐井弔乍白姬毁	其萬年子子孫孫永寶用
2529.	__生毁	uw生乍寶尊毁、uw生其壽考萬年子孫永寶用
2530	𢊁姬乍父辛毁	孫子其萬年永寶
2531	魯白大父乍孟□姜毁	其萬年𩛥壽永寶用亯
2532	魯白大父乍仲姬俞毁	其萬年𩛥壽永寶用亯
2534	魯大宰邍父毁一	其萬年𩛥壽永寶用
2534.	魯大宰邍父毁二	其萬年𩛥壽永寶用
2535	仲殷父毁一	其子子孫孫永用
2536	仲殷父毁二	其子子孫孫永用
2537	仲殷父毁三	其子子孫孫永用
2537	仲殷父毁四	其子子孫孫永寶用
2538	仲殷父毁五	其子子孫孫永用
2539	仲殷父毁六	其子子孫孫永寶用
2540	仲殷父毁六	其子子孫孫永寶用
2541	仲殷父毁七	其子子孫孫永寶用
2541.	仲毁父毁七	其子子孫孫永寶用
2541.	仲毁父毁八	其子子孫孫永寶用
2542	辰才寅□□毁	其子孫其永寶
2545	季䰜乍井弔毁	子子孫孫其永寶用
2547	格白乍晉姬毁	子子孫孫其永寶用
2548	仲恵父諆毁一	其萬年子子孫孫永寶用
2549	仲恵父諆毁二	其萬年子子孫孫永寶用
2550	兌乍弔氏毁	兌其萬年子子孫孫永寶用
2551	弔角父乍宕公毁一	其子子孫孫永寶用[cx]
2552	弔角父乍宕公毁二	其子子孫孫永寶用[cx]
2553	虢季氏子組毁一	子子孫孫永寶用亯
2554	虢季氏子組毁二	子子孫孫永寶用亯
2555	虢季氏子組毁三	子子孫孫永寶用亯
2556	復公子白舍毁一	永壽用之
2557	復公子白舍毁二	永壽用之

永

2558	復公子白舍毀三	永壽用之
2560	吳彭父毀一	其萬年子子孫孫永寶用
2561	吳彭父毀二	其萬年子子孫孫永寶用
2562	吳彭父毀三	其萬年子子孫孫永寶用
2563	德克乍文且考毀	克其萬年子子孫孫永寶用亯
2564	㚔且日庚乃孫毀一	其子子孫孫永寶用[㚔]
2565	且日庚乃孫毀二	其子子孫孫永寶用[㚔]
2569	鼎卓林父毀	其子子孫孫永寶用[鼎]
2571	穌公子癸父甲毀	子子孫孫永寶用亯
2571.	穌公子癸父甲毀二	子子孫孫永寶用亯
2572	毛白嘰父毀	子子孫孫永寶用亯
2573	洑白寺毀	其萬年子子孫孫永寶用亯
2574	豐兮毀一	夷其萬年子孫永寶、用亯考
2575	豐兮毀二	夷其萬年子子孫永寶、用亯考
2576	白倔□寶毀	子子孫孫永寶用
2577	害客毀	客其萬年子子孫孫永寶用
2578	兮吉父乍仲姜毀	子子孫孫永寶用亯
2579	白喜乍文考剌公毀	喜其萬年子子孫孫其永寶用
2580	羿乍北子毀	其萬年子子孫孫永寶
2581	曹伯狄毀	子子孫孫永寶用亯
2582	內弔_毀	子子孫孫永寶用
2583	鄁公毀	子子孫孫永用亯
2588	毛关毀	其子子孫孫萬年永寶用
2589	孫弔多父乍孟姜毀一	其萬年子子孫孫永寶用
2590	孫弔多父乍孟姜毀二	其萬年子子孫孫永寶用
2591	孫弔多父乍孟姜毀三	其萬年子子孫孫永寶用
2593	弔䶂父乍旅毀一	其萬年永寶用
2594	弔䶂父乍旅毀二	其萬年永寶用
2594.	弔䶂父乍旅毀三	其萬年永寶用
2595	奠虢仲毀一	子子孫孫彶永用
2596	奠虢仲毀二	子子孫孫彶永用
2597	奠虢仲毀三	子子孫孫彶永用
2600	白椃父毀	其萬年子子孫孫永寶用
2601	向䀠乍旅毀一	孫子子永寶用
2602	向䀠乍旅毀二	孫子永寶用
2603	白吉父毀	其萬年子孫孫永寶用
2604	黃君毀	子子孫孫永寶用亯
2605	鄁_毀	用易永壽
2605	鄁_毀	子子孫孫永寶用亯
2605	鄁_毀	用易永壽
2605	鄁_毀	子子孫孫永寶用亯
2608	官差父毀	孫孫子子永寶用
2609	筥小子毀一	其萬年子子孫孫永寶用
2610	筥小子毀二	其萬年子子孫孫永寶用
2613	白椃乍宄寶毀	孫孫子子永寶
2614	宗婦鄁嬰毀一	永寶用、以降大福
2615	宗婦鄁嬰毀二	永寶用、以降大福
2616	宗婦鄁嬰毀三	永寶用、以降大福
2617	宗婦鄁嬰毀四	永寶用、以降大福
2618	宗婦鄁嬰毀五	永寶用、以降大福

2619	宗婦鄁嫛毁六	永寶用、以降大福
2620	宗婦鄁嫛毁七	永寶用、以降大福
2621	雁侯毁	其萬年子子孫孫永寶用
2622	琱伐父毁一	子子孫孫永寶用
2623	琱伐父毁二	子子孫孫永寶用
2623.	琱伐父毁	子子孫孫永寶用
2623.	琱伐父毁	子子孫孫永寶用
2624	琱伐父毁三	子子孫孫永寶用
2625	曾白文毁	其萬年子子孫孫永寶用亯
2626	者乍父乙毁	其子孫永寶
2628	畢鮮毁	鮮其萬年子子孫孫永寶用
2629	牧師父毁一	其萬年子子孫孫永寶用亯
2630	牧師父毁二	其萬年子子孫孫永寶用亯
2631	牧師父毁三	其萬年子子孫孫永寶用亯
2632	陳逆毁	以匄羕(永)令釁壽
2633.	食生走馬谷毁	子孫永寶用亯
2634	默叔毁	子子孫孫其萬年永寶用
2639	遣毁	遣其萬年子子孫孫永寶用
2640	弔皮父毁	其萬年子子孫永寶用[引]
2641	伯椃虘毁一	子子孫孫永寶
2642	伯椃虘毁二	子子孫孫永寶
2643	史族毁	其子子孫孫永寶用
2643	史族毁	其子子孫孫永寶用
2644	命毁	命其永以多友毁飤
2644.	伯椃虘毁	子子孫孫永寶
2646	仲辛父毁	子孫孫永寶用亯
2647	魯士商虘毁	子子孫孫永寶用亯
2648	仲虘父毁一	其萬年子子孫孫永寶用亯于宗室
2649	仲虘父毁二	其萬年子子孫孫永寶用亯于宗室
2650	仲虘父毁三	其萬年子子孫孫永寶用亯于宗室
2651	內白多父毁	其萬年子子孫孫永寶用亯
2652	__毁	p6其萬年孫孫子子永寶
2653	歔毁	歔用從永揚公休
2653.	弔__孫父毁	____釁壽永安
2653.	弔__孫父毁	子子孫永寶用亯
2656	師害毁一	子子孫孫永寶用
2657	師害毁二	子子孫孫永寶用
2658	白䢅毁	子子孫孫永寶
2658.	大毁	其子子孫永寶用
2659	郾侯庫毁	永台馬民__
2660	彔乍辛公毁	其子子孫孫永寶
2662.	宴毁一	子子孫孫永寶用
2662.	宴毁二	子子孫孫永寶用
2663	宴毁一	子子孫孫永寶用
2664	宴毁二	子子孫孫永寶用
2665	__弔毁	子子孫孫其萬年永寶用
2666	鑄弔皮父毁	萬年永用
2667	尌仲毁	子子孫孫永寶用
2668	散季毁	子子孫孫永寶
2669	__妊小毁	其子子孫孫永寶用[cx]

永

2670	𣏟侯毁	用永皇方身
2672	伯䒨父毁	其子子孫孫永寶用
2672	伯䒨父毁	其子子孫孫永寶用[cx]
2673	囗弔買毁	買其子子孫孫永寶用喜
2674	弔𡚬毁	用侃喜百生倗友眔子婦{ 子孫 }永寶用
2675	大保毁	王永(造)大保
2678	函皇父毁一	琱娟其萬年子子孫孫永寶用
2679	函皇父毁二	琱娟其萬年子子孫孫永寶用
2680	函皇父毁三	琱娟其萬年子子孫孫永寶用
2680.	函皇父毁四	琱娟其萬年子子孫孫永寶用
2681	鄦侯毁	永保用喜
2682	陳侯午毁	永世毋忘
2683	白家父毁	子孫永寶用喜
2684	𠂤寵乎毁	用匄釁壽永令
2684	𠂤寵乎毁	乎其萬人永用[戕]
2685	仲枏父毁一	其萬年子孫孫其永寶用
2686	仲枏父毁二	其永寶用
2689	白康毁一	它它受丝永命
2689	白康毁一	永寶丝毁
2690	白康毁二	它它受丝永命
2690	白康毁二	永寶丝毁
2691	善夫梁其毁一	孫子子孫孫永寶用喜
2692	善𢦏梁其毁二	孫子子孫孫永寶用喜
2695	𨜒兒毁	子子孫孫永寶用喜
2696	孟毁一	孚子子孫孫其永寶
2697	孟毁二	孚子子孫孫其永寶
2703	免乍旅毁	免其萬年永寶用
2705	君夫毁	子子孫孫其永用止
2706	鄀公敄人毁	子子孫孫永寶用喜
2707	小臣守毁一	子子孫孫永寶用
2708	小臣守毁二	子子孫孫永寶用
2709	小臣守毁三	子子孫孫永寶用
2712	虢姜毁	通彔永令
2712	虢姜毁	子子孫孫永寶用
2722	㝬弔乍豐姞旅毁	子孫其永寶用
2723	𡪞毁	友眔孚子孫永寶
2724	㸓白取毁	其萬年子子孫孫其永寶用
2725	師毛父毁	其萬年子子孫其永寶用
2725.	𦝢星毁	子子孫孫永寶用喜
2726	㫚毁	子子孫孫其永寶
2727	蔡姞乍尹弔毁	綽綰永令
2727	蔡姞乍尹弔毁	子子孫孫永寶用喜
2731	小臣宅毁	子子孫永寶
2732	曾仲大父𧊒𢼸毁	其萬年子子孫孫永寶用喜
2733	何毁	子子孫其永寶用
2734	適毁	其孫孫子子永寶
2735	㕏敖毁	㕏敖其子子孫永寶
2736	師𧺆毁	世孫子永寶
2738	衛毁	衛其萬年子子孫孫永寶用
2739	無㠱毁一	無㠱其萬年子孫永寶用

2740	無曩𣪘二	無曩其萬年子孫永寶用
2741	無曩𣪘三	無曩其萬年子孫永寶用
2742	無曩𣪘四	無曩其萬年子孫永寶用
2742.	無曩𣪘五	無曩其萬年子孫永寶用
2742.	無曩𣪘五	無曩其萬年子孫永寶用
2744	五年師旋𣪘一	子子孫孫永寶用
2745	五年師旋𣪘二	子子孫孫永寶用
2746	追𣪘一	用𣄨匄釁壽永令
2746	追𣪘一	追其萬年子子孫孫永寶用
2747	追𣪘二	用𣄨匄釁壽永令
2747	追𣪘二	追其萬年子子孫孫永寶用
2748	追𣪘三	用𣄨匄釁壽永令
2748	追𣪘三	追其萬年子子孫孫永寶用
2749	追𣪘四	用𣄨匄釁壽永令
2749	追𣪘四	追其萬年子子孫孫永寶用
2750	追𣪘五	用𣄨匄釁壽永令
2750	追𣪘五	追其萬年子子孫孫永寶用
2751	追𣪘六	用𣄨匄釁壽永令
2751	追𣪘六	追其萬年子子孫孫永寶用
2752	史頌𣪘一	子子孫孫永寶用
2753	史頌𣪘二	子子孫孫永寶用
2754	史頌𣪘三	子子孫孫永寶用
2755	史頌𣪘四	子子孫孫永寶用
2756	史頌𣪘五	子子孫孫永寶用
2757	史頌𣪘六	子子孫孫永寶用
2758	史頌𣪘七	子子孫孫永寶用
2759	史頌𣪘八	子子孫孫永寶用
2759	史頌𣪘九	子子孫孫永寶用
2762	免𣪘	免其萬年永寶用
2763	弔向父禹𣪘	勴于永令
2763	弔向父禹𣪘	禹其萬年永寶用
2765	救𣪘	其萬年子子孫孫永寶用
2766	三兒𣪘	子子孫永保用亯
2767	虘𣪘一	虘其萬年永寶用
2768	楚𣪘	其子子孫孫萬年永寶用
2769	師楷𣪘	其萬年子孫永寶用
2770	𢦏𣪘	其子子孫孫永用
2771	弭弔師求𣪘一	弭弔其萬年子子孫孫永寶用
2772	弭弔師求𣪘二	弭弔其萬年子子孫孫永寶用
2773	即𣪘	即其萬年子子孫孫永寶用
2774.	南宮弔𣪘	萬年其永寶
2775	裘衛𣪘	衛其子子孫孫永寶用
2775.	害𣪘一	其子子孫孫永寶用
2775.	害𣪘二	其子子孫孫永寶用
2776	走𣪘	徒其眔𠦪子子孫孫萬年永寶用
2778	格白𣪘一	其萬年子子孫孫永保用[eL]
2778	格白𣪘一	其萬年子子孫孫永保用[eL]
2779	格白𣪘二	其萬年子子孫孫永保用[eL]
2780	格白𣪘三	其萬年子子孫孫永保用[eL]周
2781	格白𣪘四	其萬年子子孫孫永保用[eL]周

永

2782	格白毁五	其萬年子子孫孫永保用[eL]周
2782.	格白毁六	其萬年子子孫孫永保用[eL]周
2784	申毁	子子孫孫其永寶
2785	王臣毁	王臣其永寶用
2787	望毁	其萬年子子孫孫永寶用（蓋）
2787	望毁	朢萬年子子孫孫永寶用（器）
2789	同毁一	其萬年子子孫孫永寶用
2790	同毁二	其萬年子子孫孫永寶用
2791	豆閉毁	永寶用于宗室
2791.	史密毁	子子孫孫其永寶用
2792	師俞毁	俞其萬年永保
2793	元年師旋毁一	其萬年子子孫孫永寶用
2794	元年師旋毁二	其萬年子子孫孫永寶用
2795	元年師旋毁三	其萬年子子孫孫永寶用
2796	諫毁	諫其萬年子子孫孫永寶用（蓋）
2796	諫毁	諫其萬年子子孫孫永寶用（器）
2797	輔師嫠毁	嫠其萬年子子孫孫永寶用吏
2798	師瘨毁一	其萬年孫孫子子其永寶
2799	師瘨毁二	其萬年孫孫子子其永寶
2800	伊毁	子子孫孫永寶用亯
2803	師酉毁一	酉其萬年子子孫孫永寶用
2804	師酉毁二	酉其萬年子子孫孫永寶用（蓋）
2804	師酉毁二	酉其萬年子子孫孫永寶用（器）
2805	師酉毁三	酉其萬年子子孫孫永寶用
2806	師酉毁四	酉其萬年子子孫孫永寶用
2806.	師酉毁五	酉其萬年子子孫孫永寶用
2807	𨛭毁一	子子孫孫永寶用亯
2808	𨛭毁二	子子孫孫永寶用亯
2809	𨛭毁三	子子孫孫永寶用亯
2809	𨛭毁三	子子孫孫永寶用亯
2810	揚毁一	子子孫孫其萬年永寶用
2811	揚毁二	子子孫孫其萬年永寶用
2812	大毁一	其子子孫孫永寶用
2813	大毁二	其子子孫孫永寶用
2814	鳥冊夨令毁一	後人永寶[鼎]
2814.	夨令毁二	後人永寶[鼎]
2815	師𣪘毁	𣪘其萬年子子孫孫永寶用亯
2817	師顆毁	師顆其萬年子子孫孫永寶用
2818	此毁一	子子孫孫永寶用
2819	此毁二	子子孫孫永寶用
2820	此毁三	子子孫孫永寶用
2821	此毁四	子子孫孫永寶用
2822	此毁五	子子孫孫永寶用
2823	此毁六	子子孫孫永寶用
2824	此毁七	子子孫孫永寶用
2825	此毁八	子子孫孫永寶用
2826	師㝨毁一	其萬年子子孫孫永寶用亯（蓋）
2826	師㝨毁一	其萬年子子孫孫永寶用亯（器）
2827	師㝨毁二	其萬年子子孫孫永寶用亯
2829	師虎毁	子子孫孫其永寶用

2830	三年師兌毁	師兌其萬年子子孫孫永寶用
2831	元年師兌毁一	師兌其萬年子子孫孫永寶用
2832	元年師兌毁二	師兌其萬年子子孫孫永寶用
2834	𢉅毁	用桒壽、匃永令
2835	訇毁	訇萬年子子孫永寶用
2836	㦰毁	永襲厥身
2836	㦰毁	其子子孫孫永寶
2837	敔毁一	敔其萬年子子孫孫永寶用
2838	師𤼈毁一	𤼈其萬年子子孫永寶用(蓋)
2838	師𤼈毁一	𤼈其萬年子子子孫孫永寶用(器)
2839	師𤼈毁二	𤼈其萬年子子孫永寶用(蓋)
2839	師𤼈毁二	𤼈其萬年子子子孫孫永寶用(器)
2840	番生毁	用乍毁、永寶
2841	茾白毁	用𣄨屯彔永命魯壽子孫
2842	卯毁	卯其萬年子子孫孫永寶用
2844	頌毁一	通彔永令
2844	頌毁一	子子孫孫永寶用(器蓋)
2845	頌毁二	通彔永令
2845	頌毁二	子孫孫永寶用(蓋)
2845	頌毁二	通彔永令
2845	頌毁二	子子孫孫永寶用(器)
2846	頌毁三	通彔永令
2846	頌毁三	子子孫孫永寶用
2847	頌毁四	通彔永令
2847	頌毁四	子孫永寶用
2848	頌毁五	通彔永令
2848	頌毁五	子子孫孫永寶用(蓋)
2849	頌毁六	通彔永令
2849	頌毁六	子子孫孫永寶用
2850	頌毁七	通彔永令
2850	頌毁七	子子孫孫永寶用(蓋)
2851	頌毁八	通彔永令
2851	頌毁八	子子孫孫永寶用(蓋)
2852	不𡢁毁一	永屯霝冬
2852	不𡢁毁一	子子孫孫其永寶用亯
2853	不𡢁毁二	永屯霝終
2853	不𡢁毁二	子子孫孫其永寶用亯
2854	𦇧毁	子孫永寶用
2855	班毁一	子子孫多世其永寶
2855.	班毁二	子子孫多世其永寶
2856	師訇毁	子子孫孫永寶用
2857	牧毁	牧其萬年壽考子子孫孫永寶用
2863	史頌匿	史頌乍匿永寶
2887	虢弔旅匿一	其萬年永寶
2888	虢弔旅匿二	其萬年永寶
2889	魯士浮父飤匿一	魯士浮父乍飤匿、永寶用
2890	魯士浮父飤匿三	魯士浮父乍飤匿、永寶用
2891	魯士浮父飤匿四	魯士浮父乍飤匿、永寶用
2892	魯士浮父飤匿二	魯士浮父乍飤匿、永寶用
2893	隨侯𢿢逆匿	隨侯𢿢逆之匿、永壽用之

永

2894	曾子原行器一	則永祜福
2895	曾子原行器二	則永祜福
2896	曾子原行器三	則永祜福
2897	白彊行器	永祜福
2900	史免簠	其萬年永寶用
2901	白□父𠤳	其萬年永寶用
2902	白矩食𠤳	其萬年永寶用
2903	鼻𠤳	其子子孫孫永寶用
2904	善夫吉父旅𠤳	其萬年永寶
2905	吉__匱	子子孫孫永寶用
2906	白鷹父𠤳	其萬年永寶用
2907	王子申𠤳	其釁壽期、永保用
2911	奢虎𠤳一	子子孫孫永寶用
2912	奢虎𠤳二	子子孫孫永寶用
2913	旅虎𠤳一	子子孫孫永寶用
2914	旅虎𠤳二	子子孫孫永寶用
2915	旅虎𠤳三	子子孫孫永寶用
2916	窹姒旅𠤳	其子子孫孫永寶用
2917	曺乍𩞁𠤳	其子子孫孫永寶用亯
2918	內大子白𠤳	其萬年子子孫永用
2919	鑄弔乍嬴氏𠤳	其萬年釁壽永寶用
2920	胖子仲安旅𠤳	其子子孫永寶用亯
2920.	白多父𠤳	其永寶用亯
2921	__弔乍吳姬𠤳	其萬年子子孫孫永寶用
2922	魯白俞父𠤳一	其萬年釁壽永寶用
2923	魯白俞父𠤳二	其萬年釁壽永寶用
2924	魯白俞父𠤳三	其萬年釁壽永寶用
2925	交君子__𠤳一	其釁壽萬年永寶用
2926	交君子__𠤳二	其釁壽萬年永寶用
2927	商丘弔旅𠤳一	其萬年子子孫孫永寶用
2928	商丘弔旅𠤳一二	其萬年子子孫孫永寶用
2929	師麻孝弔旅𠤳(匡)	其萬年子子孫孫永寶用
2930	尹氏賈良旅𠤳(匡)	其萬年子子孫孫永寶用
2931	鑄子弔黑臣𠤳一	其萬年釁壽永寶用
2932	鑄子弔黑臣𠤳二	萬年釁壽永寶用
2933	鑄子弔黑臣𠤳三	萬年釁壽永寶用
2935	鬻侯乍弔姬寺男媵𠤳	子子孫孫永寶用亯
2936	走馬胖仲赤𠤳	子子孫孫永保用亯
2937	仲義昱乍縣妃𠤳一	其萬年子子孫孫永寶用之
2938	仲義昱乍縣妃𠤳二	其萬年子子孫孫永寶用之
2939	季良父乍宗媍媵𠤳一	其萬年子子孫孫永寶用
2940	季良父乍宗媍媵𠤳二	其萬年子子孫孫永寶用
2941	季良父乍宗媍媵𠤳三	其萬年子子孫孫永寶用
2942	楚子__飤𠤳一	子孫永保之
2943	楚子__飤𠤳二	子孫永保之
2944	楚子__飤𠤳三	子孫永保之
2945	□仲虎𠤳	其子孫永寶用亯
2946	曾子□𠤳	子孫永保用之
2947	季宮父乍媵𠤳	其萬年子子孫孫永寶用
2948	番君召𩞁𠤳一	子子孫孫永寶用

2949	番君召𨭊匿二	子子孫孫永寶用
2950	番君召𨭊匿三	子子孫孫永寶用
2951	番君召𨭊匿四	子子孫孫永寶用
2952	番君召𨭊匿五	子子孫孫永寶用
2953	白其父麐旅𥙿	子子孫孫永寶用之
2954	史免旅匿	其子子孫孫永寶用亯
2955	齊陳_匿一	乍皇考獻弔𨭊逸永保用匿
2956	齊陳曼匿二	乍皇考獻弔𨭊般永保用匿
2957	子季匿	子子孫孫永保用之
2958	陳公子匿	子子孫孫永壽用之
2959	鑄公乍朕匿一	子子孫孫永寶用
2960	鑄公乍朕匿二	子子孫孫永寶用
2961	𨛯侯乍媵匿一	永壽用之
2962	𨛯侯乍媵匿二	永壽用之
2963	陳侯匿	永壽用之
2964	曾□□𨭊匿	子子孫孫孫永寶用之
2964.	弔邦父匿	子子孫孫永寶
2965	曾侯乍弔姬賸器𪓚彝	其子子孫孫其永用之
2966	蛞公諴旅匿	子子孫孫永寶用
2967	𨛯侯乍孟姜朕匿	永壽用之
2968	奠白大嗣工召弔山父旅匿一	子子孫孫用為永寶
2969	奠白大嗣工召弔山父旅匿二	子子孫孫為永寶
2970	考弔𢼸父尊匿一	子子孫孫永寶用之
2971	考弔𢼸父尊匿二	子子孫孫永寶用之
2973	楚屈子匿	子子孫孫永保用之
2974	上鄀府匿	子子孫孫永寶用之
2975	鄦子妝匿	其子子孫孫羕(永)保用之
2976	𥁕公匿	永命無彊
2976	𥁕公匿	子子孫孫永寶用
2977	□孫弔左𨭊匿	子子孫孫永寶用之
2978	樂子敬豧𩠃匿	子子孫孫永保用之
2979	弔朕自乍薦匿	子子孫孫永寶用之
2979.	弔朕自乍薦匿二	子子孫孫永寶用之
2980	䵼大宰𨭊匿一	子子孫孫永寶用之
2981	䵼大宰𨭊匿二	子子孫孫永寶用之
2982	長子□臣乍媵匿	子子孫孫永保用之
2982	長子□臣乍媵匿	子子孫孫永保用之
2982.	甲午匿	永寶用亯
2984	伯公父盤	其子子孫孫永寶用亯(盉)
2984	伯公父盤	其子子孫孫永寶用亯(器)
2985	陳逆匿一	乍求永命
2985	陳逆匿一	子子孫孫羕(永)保用
2985.	陳逆匿二	乍求永命
2985.	陳逆匿二	子子孫孫羕(永)保用
2985.	陳逆匿三	乍求永命
2985.	陳逆匿三	子子孫孫羕(永)保用
2985.	陳逆匿四	乍求永命
2985.	陳逆匿四	子子孫孫羕(永)保用
2985.	陳逆匿五	乍求永命
2985.	陳逆匿五	子子孫孫羕(永)保用

永

2985.	陳逆𠥓六	乍求永命
2985.	陳逆𠥓六	子子孫孫羕(永)保用
2985.	陳逆𠥓七	乍求永命
2985.	陳逆𠥓七	子子孫孫羕(永)保用
2985.	陳逆𠥓八	乍求永命
2985.	陳逆𠥓八	子子孫孫羕(永)保用
2985.	陳逆𠥓九	乍求永命
2985.	陳逆𠥓九	子子孫孫羕(永)保用
2985.	陳逆𠥓十	乍求永命
2985.	陳逆𠥓十	子子孫孫羕(永)保用
2986	曾白霥旅𠥓一	子子孫孫永寶用之亯
2987	曾白霥旅𠥓二	子子孫孫永寶用之亯
2995	彔盨一	其永寶用
2996	彔盨二	其永寶用
2997	彔盨三	其永寶用
2998	彔盨四	其永寶用
2999	史[illegible]旅盨一	其永寶用
3000	史[illegible]旅盨二	其永寶用
3001	白鮮旅𣪘(盨)一	其永寶用
3002	白鮮旅𣪘(盨)二	其永寶用
3003	白鮮旅𣪘(盨)三	其永寶用
3004	白鮮旅𣪘(盨)	其永寶用
3005	弔謀父旅盨𣪘一	其永用
3005.	弔謀父旅盨𣪘二	其永用
3006	白多父旅盨一	其永寶用
3007	白多父旅盨二	其永寶用
3008	白多父旅盨三	其永寶用
3009	白多父旅盨四	其永寶用
3010	立為旅須	子子孫孫永寶用
3011	弔姞旅[illegible]	其萬年永寶用
3012	仲義父旅盨一	其永寶用[華]
3013	仲義父旅盨二	其永寶用[華]
3014	弭弔旅盨	其萬年永寶用
3015	仲彤盨一	子子孫孫永寶用
3016	仲彤盨二	子子孫孫永寶用
3017	白大師旅盨一	其萬年永寶用
3018	白大師旅盨(器)二	其萬年永寶用
3019	弔賓父盨	子子孫孫永用
3020	劃弔旅盨	子子孫孫永寶用
3022	白車父旅盨(器)一	其萬年永寶用
3023	白車父旅盨(器)二	其萬年永寶用
3024	仲大師旅盨	中大師子為其旅永寶用
3025	白公父旅盨(蓋)	其萬年永寶用
3027	仲鑠旅盨	其萬年永寶用
3028	虢弔行盨	子子孫孫永寶用亯
3029	周駱旅盨	子子孫孫永寶用
3030	奠義白旅盨(器)	子子孫孫其永寶用
3031	奠義羌父旅盨一	子子孫孫永寶用
3032	奠義羌父旅盨二	子子孫孫永寶用
3032.	奠登弔旅盨	奠登弔及子子孫孫永寶用

3033	昜弔旅盨	其子子孫孫永寶用亯
3034	白孝__旅盨	永其萬年子子孫孫寶用白孝kd鑄旅盨（須）
3034	白孝__旅盨	其萬年子子孫孫永寶用
3035	魯嗣徒旅毁（盨）	萬年永寶用
3036	奠井弔康旅盨	子子孫孫其永寶用
3036.	奠井弔康旅盨二	子子孫孫其永寶用
3037	華季嗌乍寶毁（盨）	其萬年子子孫永寶用
3038	鬲弔興父旅盨	其子子孫孫永寶用
3039	白多父盨	其永寶用亯
3040	白庶父盨毁（蓋）	其萬年子子孫孫永寶用
3041	諫季獻旅須	其萬年子孫孫永寶用
3042	頊燹旅盨	其萬年子子孫孫永寶用亯
3043	遣弔吉父旅須一	子子孫孫永寶用
3044	遣弔吉父旅須二	子子孫孫永寶用
3045	遣弔吉父旅須三	子子孫孫永寶用
3046	筍白大父寶盨	其子子孫永寶用
3047	改乍乙公旅盨（蓋）	子子孫孫永寶用
3048	鑄子弔黑臣盨	其萬年釁壽永寶用
3049	單子白旅盨	其子子孫孫萬年永寶用
3050	免弔乍旅盨	免弔其萬年永及中姬寶用
3051	兮白吉父旅盨（蓋）	其萬年無疆子子孫孫永寶用
3052	走亞觽孟延盨一	延其萬年永寶子子孫孫用
3053	走亞觽孟延盨二	延其萬年永寶子子孫孫用
3054	滕侯穌乍旅毁	其子子孫萬年永寶用
3056	師趛乍檎姬旅盨	子孫其萬年永寶用
3056	師趛乍檎姬旅盨	子孫其萬年永寶用
3057	仲自父鍬（盨）	其子孫萬年永寶用亯
3058	曼龏父盨一	其萬年無疆子子孫孫永寶用
3059	曼龏父盨三	子子孫孫永寶用
3060	曼龏父盨二	子子孫孫永寶用
3061	弭弔旅盨	其子子孫孫永寶用
3062	乘父毁（盨）	其萬年釁壽永寶用
3063	𨕖乍姜淉盨	子子孫永寶用
3063	𨕖乍姜淉盨	子子孫永寶用
3068	白寬父盨一	子子孫孫永用
3069	白寬父盨二	子子孫孫永用
3070	杜白盨一	用桒壽、匄永令
3070	杜白盨一	其萬年永寶用
3071	杜白盨二	用桒壽、匄永令
3071	杜白盨二	其萬年永寶用
3072	杜白盨三	用桒壽、匄永令
3072	杜白盨三	其萬年永寶用
3073	杜白盨四	用桒壽、匄永令
3073	杜白盨四	其萬年永寶用
3074	杜白盨五	用桒壽、匄永令
3074	杜白盨五	其萬年永寶用
3075	白汈其旅盨一	子子孫孫永寶用
3076	白汈其旅盨二	子子孫孫永寶用
3077	弔尃父乍奠季盨一	奠季其子子孫孫永寶用
3078	弔尃父乍奠季盨二	奠季其子子孫孫永寶用

永

3079	弔專父乍奠季盨三	奠季其子子孫孫永寶用
3080	弔專父乍奠季盨四	奠季其子子孫孫永寶用
3081	翏生旅盨一	萬年眉壽永寶
3082	翏生旅盨二	萬年眉壽永寶王征南淮夷
3082	翏生旅盨二	萬年眉壽永寶
3083	瘨毀（盨）一	瘨其萬年子子孫孫其永寶［ 䶂 ］
3084	瘨毀（盨）二	瘨其萬年子子孫孫其永寶［ 䶂 ］
3085	駒父旅盨（蓋）	駒父其萬年永用多休
3086	善夫克旅盨	眉壽永令
3086	善夫克旅盨	子子孫孫永寶用
3087	鬲从盨	才永師田宮
3087	鬲从盨	其子子孫孫永寶用［ 丫 ］
3088	師克旅盨一（蓋）	克其萬年子子孫孫永寶用
3089	師克旅盨二	克其萬年子子孫孫永寶用
3090	㝬盨（器）	弔邦父、弔姞萬年子子孫孫永寶用
3092	齊侯乍飤𩞁一	其萬年永保用
3093	齊侯乍飤𩞁二	其萬年永保用
3094	□公克錞	永保用之
3095	拍乍祀彝（蓋）	用祀永枼毋出
3096	齊侯乍孟姜善𩞁	子子孫孫永保用之
3097	陳侯午鐘錞一	保又齊邦永世毋忘
3098	陳侯午鐘錞二	保又齊邦永世毋忘
3099	十年陳侯午𩞁（器）	保有齊邦永世毋忘
3100	陳侯因脊錞	世萬子孫、永為典尚
3110.	元祀豆	子孫永
3110.	弔賓父豆?	子子孫孫永用
3110.	孟＿旁豆	眉壽萬年永寶用
3111	大師虘豆	用匄永令
3111	大師虘豆	虘其永寶用亯
3116	劉公鋪	劉公乍杜孋尊簠永寶用
3117	微伯瘨箙	其萬年永寶
3118	魯大嗣徒厚氏元善匜一	子孫永寶用之
3119	魯大嗣徒厚氏元善匜二	子孫永寶用之
3120	魯大嗣徒厚氏元善匜三	子孫永寶用之
3127	仲枏父匕	中枏父乍匕永寶用
4006	永父辛爵	父辛［ 永 ］
4344	嘉仲父斝	子子孫孫永寶用
4431	史孔盉	子子孫孫永寶用
4434	師子旅盉	萬年永寶用
4437	王乍豐妊盉	其萬年永寶用
4439	白衛父盉	孫孫子子邁（萬）年永寶
4440	白富父盉	其萬年子子孫孫永寶用
4442	季良父盉	其萬年子子孫孫永寶用
4443	王仲皇父盉	其萬年子子孫孫永寶用
4449	裘衛盉	衛其萬年永寶用
4703	永乍旅父丁尊	永乍旅父丁
4822	参尊	参乍□考宗彝其永寶
4822.	＿尊	q6乍宗尊氒孫子永寶
4824	引為慇𪓐尊	引為慇𪓐寶尊彝用永孝
4834	白乍氒文考尊	白乍氒文考尊彝其子孫永寶

4839	史喪尊	孫子其永彝
4841	守宮乍父辛雞形尊	其永寶
4843	[illegible]員父壬尊	子子孫孫其永寶[[illegible]]
4844	□乍父癸尊	孫孫子子永用
4849	鄁啟方尊	子子孫孫其永寶
4851	黃尊	其{ 百世 }孫孫子子永寶
4852	□□乍其為氒考尊	用匄壽萬年永寶
4855	弔爽父乍饙白尊	子子孫孫其永寶
4857	乍文考日己尊	其子子孫孫萬年永寶用[天]
4858	畄甶尊	其萬年子孫永寶用亯
4865	氒方尊	其用匄永福萬年子孫
4875	忻折尊	其永寶〔 羍冊 〕
4877	小子生尊	其萬年永寶
4878	召尊	召萬年永光
4880	免尊	免其萬年永寶用
4881	䍙方尊	子子孫孫其萬年永寶
4882	匡乍文考日丁尊	其子子孫孫永寶用
4884	臤尊	其子子孫孫永用
4885	效尊	亦其子子孫孫永寶
4886	趞尊	世孫子毋敢彖、永寶
4887	蔡侯[illegible]尊	永保用之
4888	盠駒尊一	盠曰、其萬年、世子孫永寶之
4892	麥尊	其永亡冬
4923	守宮乍父辛觥	守宮乍父辛尊彝其永寶
4927	乍文考日己觥	其子子孫孫萬年永寶用[天]
4928	折觥	其永寶[羍冊]
4962	竹室父戊方彝一	[竹室]父戊[告永]
4963	竹室父戊方彝二	[竹室]父戊[告永]
4968	[illegible]方彝一	子子孫孫其永寶
4969	[illegible]方彝二	子子孫孫其永寶
4972	過从父彝	子子孫孫其永寶
4973	乍文考日工夫方彝	其子子孫孫萬年永寶用[天]
4975	麥方彝	用鬲(嗝)井侯出入遲令、孫孫子子其永寶
4976	折方彝	其永寶[羍冊]
4977	師遽方彝	百世孫子永寶
4978	吳方彝	吳其世子孫永寶用
5432	参乍甲考宗彝卣	参乍甲考宗彝其永寶
5444	守宮卣	其永寶
5452	豚乍父庚卣	其子子孫孫永寶
5454	孝卣	其萬年孫子子永寶
5459	榮弔卣	用匄壽、萬年永寶
5461	寓乍幽尹卣	其永寶用
5468	子寡子卣	烏虖、誨帝家以寡子作永寶
5468	子寡子卣	烏虖、誨帝家以寡子乍永寶
5483	周乎卣	用匄永福
5483	周乎卣	孫孫子子其永寶用[eL]
5483	周乎卣	用匄永福
5483	周乎卣	孫子子其永保用周[eL]
5487	靜卣	其子子孫孫永寶用
5488	靜卣二	其子子孫孫永寶用

永

5490	戉𥡴卣	其子子孫永福[戉]
5490	戉𥡴卣	其子子孫永福[戉]
5496	召卣	召萬年永光
5500	免卣	免其萬年永寶用
5503	競卣	子子孫永寶
5504	庚嬴卣一	其子子孫孫萬年永寶用
5505	庚嬴卣二	其子子孫孫萬年永寶用
5509	㚇卣	尹其亙萬年受氒永魯
5511	效卣一	亦其子子孫孫永寶
5578	戈𩠹乍且乙罍	其子子孫永寶[戈]
5580	洺＿罍	子子孫孫永寶用享
5581	甾田罍	其萬年子孫永寶用享
5582	對罍	子子孫孫其萬年永寶
5583	不白夏子罍一	子子孫孫永寶用之
5584	不白夏子罍二	子子孫孫永寶用之
5702	＿侯壺	＿侯乍旅壺永寶用
5703	内公鑄從壺一	内公乍鑄從壺永寶用
5704	内公鑄從壺二	内公乍鑄從壺永寶用
5705	内公鑄從壺三	内公乍鑄從壺永寶用
5706	子弔乍弔姜壺一	子弔乍弔姜尊壺永用
5707	子弔乍弔姜壺二	子弔乍弔姜尊壺永用
5709	白魚父旅壺	白魚父乍旅壺永寶用
5710	㚘車父壺一	㚘車父乍寶壺永用享(器蓋)
5711	㚘車父壺二	㚘車父乍寶壺永用享(器蓋)
5713	孟上父尊壺	其永寶用[dr]
5715	白多父行壺	用子孫永
5716	安白㠱生旅壺	其永寶用
5719	盜弔壺一	□□吉□盜弔永用之
5720	盜弔壺二	□□吉□盜弔永用之
5721	棻侯壺	子子孫永保用享
5722	白庶父醴壺	＿□氏永寶用
5723	王白姜壺一	其萬年永寶用
5724	王白姜壺二	其萬年永寶用
5725	吕王＿乍内姬壺	其永寶用享
5729	陳侯乍嬀穌賸壺	其萬年永寶用
5731	邛君婦龢壺	子子孫孫永匋(寶) 用之
5732	鄧孟乍監曼壺	子子孫孫永寶用
5734	咼乍旅壺	其萬年子子孫孫永用(器蓋)
5735	内大子白壺	萬子孫永用享(蓋)
5735	内大子白壺	内大子白乍鑄寶壺、永享
5736	□自父壺	永□□□
5738	＿＿壺	其萬年孫孫子子永寶用
5739	鄭楙弔賓父醴壺	子子孫孫永寶用
5740	嗣寇良父壺	子子孫永保用
5743	齊良壺	子孫永寶用
5744	仲南父壺一	其萬年子子孫孫永寶用
5745	仲南父壺二	其萬年子子孫孫永寶用
5746	史僕壺一	其萬年子子孫孫永寶用享
5747	史僕壺二	其萬年子子孫孫永寶用享
5748	虢季子組壺	子孫孫永寶其用享

5749	矩弔乍仲姜壺一	其萬年子子孫孫永用
5750	矩弔乍仲姜壺二	其萬年子子孫孫永用
5751	白公父乍弔姬醴壺	萬年子子孫孫永寶用
5752	陳侯壺	子子孫孫永寶是尚
5753	大師小子師望壺	其萬年子孫孫永寶用
5755	散氏車父壺一	其萬年子子孫孫永寶用
5756	中白乍朕壺一	其萬年子子孫孫永寶用
5757	中白乍朕壺二	其萬年子子孫孫永寶用
5758	匽君壺	永保用之
5760	蓮花壺蓋	子子孫孫其永用之
5761	兮熬壺	其萬年子子孫孫永用
5763	殷句壺	其萬年子子孫孫永寶用享
5764	杞白每亡壺一	子子孫永寶用享
5765	杞白每亡壺二	子子孫永寶用享
5766	周䜌壺一	其子子孫孫萬年永寶用[eL](器蓋)
5767	周䜌壺二	其子子孫孫萬年永寶用[eL](器蓋)
5768	虞嗣寇白吹壺一	子子孫孫永寶用之(器蓋)
5769	虞嗣寇白吹壺二	子子孫孫永寶用之(器蓋)
5770	宗婦邯嬰壺一	永寶用
5771	宗婦邯嬰壺二	永寶用
5774	椒車父壺	白車父其萬年子子孫孫永寶
5775	禁公子壺	子子孫孫萬年永寶用享
5776	曩公壺	永保其身
5776	曩公壺	子孫永保用之
5777	孫弔師父行具	子子孫永寶用之
5778	番匊生鑄賸壺	子子孫孫永寶用
5786	㝵季良父壺	子子孫孫是永寶
5787	泅其壺一	永令無彊
5787	泅其壺一	其百子千孫永寶用
5787	泅其壺一	其子子孫永寶用
5788	泅其壺二	永令無彊
5788	泅其壺二	其百子千孫永寶用
5788	泅其壺二	其子子孫永寶用
5789	命瓜君厚子壺一	其永用之
5790	命瓜君厚子壺二	其永用之
5791	十三年瘨壺一	瘨其萬年永寶 (器蓋)
5792	十三年瘨壺一	瘨其萬年永寶 (器蓋)
5793	幾父壺一	其萬年孫孫子子永寶用
5794	幾父壺二	其萬年孫孫子子永寶用
5795	白克壺	克克其子子孫孫永寶用享
5796	三年瘨壺一	瘨其萬年永寶
5797	三年瘨壺二	瘨其萬年永寶
5798	曶壺	永令多福
5798	曶壺	子子孫孫其永寶
5799	頌壺一	通彔永令
5800	頌壺二	通彔永令
5805	中山王嚳方壺	其永保用亡彊
5808	孟城行鈃	子子孫孫永寶用之
5809	弘乍旅鈃	其譽壽、子子孫孫永寶用
5810	喪鈃	永寶是尚

永

5812	仲義父𦉜一	其萬年子子孫孫永寶用
5813	仲義父𦉜二	其萬年子子孫孫永寶用
5814	白夏父𦉜一	其萬年子子孫孫永寶用
5815	白夏父𦉜二	其萬年子子孫孫永寶用
5816	奠義白𦉜	我用以___永歲
5816	奠義白𦉜	易釁壽、孫子__永寶
5816.	伯亞臣𦉜	子孫永寶是尚
5824	孟滕姬𦉜缶	永保用之
5826	國差𦉜	子子孫孫永保用之
6282	召乍父戊觚	子子孫孫其永寶用
6632	白乍蔡姬觶	其萬年、世孫子永寶
6633	𣂔乍文考觶	用乍文考尊彝、永寶
6634	郐王義楚祭耑	永保辝(台)身
6663	白公父金勺一	子孫永寶用者
6719	京弔盤	子孫永寶用
6721	曾中盤	子孫永寶用之
6726	筍侯乍弔姬盤	其永寶用鄉
6727	貞盤	其萬年子子孫孫永寶用
6728	虢𡠕□盤	子子孫孫永寶用
6729	奠登弔旅盤	及子子孫孫永寶用
6731	奠白盤	其子子孫孫永寶用
6733	史頌盤	其萬年子孫孫永寶用
6735	虢金氐孫盤	子子孫孫永寶用
6736	魯白愈父盤一	其永寶用
6737	魯白愈父盤二	其永寶用
6738	魯白愈父盤三	其永寶用
6739	中友父盤	其萬年子子孫孫永寶用
6740	白駟父盤	子子孫孫永寶用
6741	𧘝盤	其萬年子孫永寶用亯
6742	弔五父盤	其萬年子子孫孫永寶用
6744	穌吉妊盤	子子孫孫永寶用之
6745	白考父盤	其萬年子子孫孫永寶用
6746.	郳季宿車盤	郳季宿車自乍行盤子子孫孫永寶用之
6747	師寏父盤	其萬年子子孫孫永寶用
6748	德盤	子子孫孫永寶用
6749	弔高父盤	其萬年子子孫孫永寶用
6751	𧘝白𩰫盤	子孫永寶用亯
6752	取膚子商盤	子子孫永寶用
6754	楚季苟盤	其子子孫孫永寶用亯
6755	毛叔盤	子子孫孫永保用
6756	番君白𤔲盤	萬年子孫永用之亯
6757	干氏弔子盤	子子孫孫永寶用之
6758	殷𣪘盤一	子子孫孫永壽之
6759	殷𣪘盤二	子子孫孫永壽用之
6761	白者君盤	其萬年子孫永寶用亯
6762	薛侯盤	子子孫孫永寶用
6763	句它盤	子子孫孫永寶用亯
6764	般仲__盤	子子孫孫永寶用之
6765	齊弔姬盤	子子孫孫永受大福用
6766	黃韋艅父盤	子子孫孫其永用之

6767	齊縈姬之嬻盤	子子孫孫永寶用亯
6770	嚣白盤	其萬年子子孫孫永用之
6771	宗婦郜嬰盤	永寶用
6772	魯少司寇封孫宅盤	永寶用之
6773	__湯弔盤	子子孫孫永寶
6774	__右盤	迺用萬年□孫永寶用亯□用之
6775	__仲乍父丁盤	孫子其永寶弔休
6777	邛仲之孫白戔盤	子子孫孫永寶用之
6779	齊侯盤	子子孫孫永保用之
6780	黃大子白克盤	子子孫孫永寶用之
6781	夆弔盤	永保其身
6781	夆弔盤	永保用之
6782	者尚余卑盤	者尚余卑□永既羼其吉金
6782	者尚余卑盤	子子孫孫永寶用之
6783	函皇父盤	琱娟其萬年子子孫孫永寶用
6784	三十四祀盤(祼盤)	對王休、用乍子孫其永寶
6785	守宮盤	其百世子子孫孫永寶用奔走
6786	__弔多父盤	子子孫孫永寶用
6787	走馬休盤	休其萬年子子孫孫永寶
6788	蔡侯盤	永保用之
6789	寰盤	寰其萬年子子孫孫永寶用
6791	兮甲盤	子子孫孫永寶用
6792	史墻盤	永不巩狄
6792	史墻盤	其萬年永寶用
6807	乍子□匜	乍子□□匜永寶用
6816	白庶父乍屑匜	白庶父乍屑永寶用
6817	匽白聖匜	匽白聖乍正它、永用
6823	長湯匜	長湯白18乍它、永用之
6829	黃仲匜	永寶用亯
6830	召樂父匜	召樂父乍娟妃寶它、永寶用
6831	杞白每亡匜	其萬年永寶用
6832	保弔黑臣匜	其永寶用
6834	__周匜	{ 子孫 }永寶用
6835	匽公匜	萬年永寶用
6836	史頌匜	其萬年子子孫孫永寶用
6837	虢金氏孫匜	子子孫孫永寶用
6838	荀侯匜	其萬壽、子孫永寶用
6839	函皇父乍周娟匜	其子子孫孫永寶用
6840	__子匜	子孫永保用
6841	魯白愈父匜	其永寶用
6843	白吉父乍京姬匜	其子子孫孫永寶用
6844	中友父匜	其萬年子子孫孫永寶用
6845	弔__父乍師姬匜	其萬年子子孫永寶用
6846	白正父旅它	其萬年子子孫孫永寶用
6849	䢅白匜	其萬年子子孫孫永寶用亯
6849.	郛季宿車匜	郛季宿車自乍行匜子子孫孫永寶用之
6849.	郛季宿車匜	郛季宿車自乍行匜子子孫孫永寶用之
6849.	郛季宿車匜	郛季宿車自乍行匜子子孫孫永寶用之
6850	弔高父匜一	其萬年子子孫孫永寶用
6851	弔高父匜二	其萬年子子孫孫永寶用

永

6852	__邑戋白匜	子子孫孫永寶用之
6853	取膚__商它	用賸之麗奾子孫永寶用
6854	辭馬南弔匜	子子孫孫永寶用享
6855	貯子匜	其子子孫孫永用
6856	番仲縈匜	其萬年子子孫永寶用享
6857	蔡白㴱匜	子子孫永用之
6858	樊君首匜	子子孫孫其永寶用享
6859	白者君匜一	其萬年子孫永寶用享tG
6860	陎白元匜	永壽用之
6861	異甫人匜	子子孫孫永寶用
6862	薛侯乍弔妊朕匜	子子孫永寶用
6863	白君黃生匜	其萬年子子孫孫永寶用
6864	番__匜	其萬年子子孫孫永寶用享
6865	楚嬴匜	其萬年子孫永用享
6866	齊侯乍虢孟姬匜	子子孫孫永寶用
6867	弔男父乍為霍姬匜	其子子孫孫其萬年永寶用[井]
6869	浮公之孫公父宅匜	其萬年子子孫永寶用之
6870	算公孫𢼸父匜	子子孫孫永寶用之
6871	陎子匜	永壽用之
6872	魯大嗣徒子仲白匜	子子孫孫永保用之
6873	齊侯乍孟姜盥匜	子子孫孫永用之
6874	鄭大內史弔上匜	子子孫孫永寶用之
6876	夆弔乍季妃盥盤(匜)	永保其身
6876	夆弔乍季妃盥盤(匜)	永保用之
6887	掷陵君王子申鐳	永甬(用)之官
6897	永盂	永乍寶尊彝[oc]
6900	乍父丁盂	其萬年永寶用享宗彝
6901	白盂	其萬年孫孫子子永寶用享
6902	白公父旅盂	其萬年子子孫孫永寶用
6903	魯大嗣徒元歓盂	萬年眉壽永寶用
6904	善夫吉父盂	其萬年子子孫孫永寶用
6906	王子申盞盂	永保用之
6907	齊侯乍朕子仲姜盂	永保其身
6907	齊侯乍朕子仲姜盂	子子孫孫永保用之
6908	郐宜同歓盂	孫子永壽用之
6909	遡盂	其永寶用
6910	師永盂	易畀師永氒田
6910	師永盂	付永氒田
6910	師永盂	永拜䭫首
6910	師永盂	永用乍朕文考乙白尊盂
6910	師永盂	永其萬年
6910	師永盂	孫孫子子永其率寶用
6917	郻子行飤盆	永寶用之
6919	子弔嬴內君寶器	子孫永用
6919.	郑季宿車盆	郑季宿車自乍行盆子子孫孫永寶用之
6920	曾大保旅盆	子子孫孫永用之
6921	鄧子仲盆	子子孫孫永寶用之
6923	庚午鑫	子子孫孫永寶用之
6924	江仲之孫白戔𩰫鑫	永保用之(蓋)
6924	江仲之孫白戔𩰫鑫	子子孫孫永保用之(器)

6925	晉邦盦	永康寶
6926	杞白每亡盆	其子子孫孫永寶用
6966	永寶用編鐘	永寶用
6980	內公鐘	子孫永寶用
6981	中義鐘一	其萬年永寶
6982	中義鐘二	其萬年永寶
6983	中義鐘三	其萬年永寶
6984	中義鐘四	其萬年永寶
6985	中義鐘五	其萬年永寶
6986	中義鐘六	其萬年永寶
6987	中義鐘七	其萬年永寶
6988	中義鐘八	其萬年永寶
6989	__鐘	其萬年子子孫孫永寶
6991	眉壽鐘一	龢吏朕辟皇王釁壽永寶
6992	眉壽鐘二	龢吏朕辟皇王釁壽永寶
6994	楚公冢鐘一	孫孫子子其永寶
6995	楚公冢鐘二	孫子其永寶
6996	楚公冢鐘三	孫孫子子其永寶
6997	楚公冢鐘四	孫孫子子其永寶
6998	楚公冢鐘五	孫孫子子其永寶
6999	昆疕王鐘	其萬年子孫永寶
7002	鑄侯求鐘	其子子孫孫永享用之
7005	邵公鐘	子孫永□□
7007	梁其鐘	飭于永令
7007	梁其鐘	龢臣皇王釁壽永寶
7008	通彔鐘	飭于永令
7009	兮仲鐘一	子孫永寶用享
7010	兮仲鐘二	子孫永寶用享
7012	兮仲鐘四	子子孫孫永寶用享
7013	兮仲鐘五	子子孫孫永寶用享
7015	兮仲鐘七	子子孫孫永寶用享
7016	楚王鐘	子孫永保用之
7017	楚王酓章鐘一	其永時用享穆商、商
7018	楚王酓章鐘二	其永時用享□羽反、宮反
7019	邾太宰鐘	子孫孫永保用享
7021	虘鐘一	虘眔蔡姬永寶
7022	虘鐘二	虘眔蔡姬永寶
7023	虘鐘三	虘眔蔡姬永寶
7026	邾弔鐘	子子孫孫永寶用享
7028	臧孫鐘	子子孫孫永保是從
7029	臧孫鐘二	子孫孫永保是從
7030	臧孫鐘三	子孫孫永保是從
7031	臧孫鐘四	子孫孫永保是從
7032	臧孫鐘五	子孫孫永保是從
7033	臧孫鐘六	子孫孫永保是從
7034	臧孫鐘七	子孫孫永保是從
7035	臧孫鐘八	子孫孫永保是從
7036	臧孫鐘九	子子孫孫永保是從
7039	應侯見工鐘二	用易釁壽永命
7039	應侯見工鐘二	子子孫孫永寶用

7043	克鐘四	用匄屯叚永令
7043	克鐘四	克其萬年子子孫孫永寶
7044	克鐘五	用匄屯叚永令
7044	克鐘五	克其萬年子子孫孫永寶
7045	□□自乍鐘一	□□自乍永命
7047	井人鐘	永冬于吉
7048	井人鐘二	永冬于吉
7049	井人鐘三	妄其萬年子子孫孫永寶用享
7050	井人鐘四	妄其萬年子子孫孫永寶用享
7051	子璋鐘一	子子孫孫永保鼓之
7052	子璋鐘二	子子孫孫永保鼓之
7053	子璋鐘三	子子孫孫永保鼓之
7054	子璋鐘四	子子孫孫永保鼓之
7055	子璋鐘五	子子孫孫永保鼓之
7056	子璋鐘六	子子孫孫永保鼓之
7057	子璋鐘八	子子孫孫永保鼓之
7058	邾公孫班鐘	子子孫孫永保用之
7059	師臾鐘	用旛屯魯永令
7059	師臾鐘	師臾其萬年永寶用享
7062	柞鐘	其子子孫孫永寶
7063	柞鐘二	其子子孫孫永寶
7064	柞鐘三	其子子孫孫永寶
7065	柞鐘四	其子子孫孫永寶
7068	柞鐘七	其子子孫孫永寶
7076	者汈鐘八	子孫永保
7079	者汈鐘十一	子孫永保
7080	者汈鐘十二	子孫永保
7082	齊鞄氏鐘	子子孫孫永保鼓之
7083	鮮鐘	孫子永寶
7088	士父鐘一	龢于永□
7088	士父鐘一	子子孫孫永寶
7089	士父鐘二	龢于永□
7089	士父鐘二	子子孫孫永寶
7090	士父鐘三	龢于永□
7090	士父鐘三	子子孫孫永寶
7091	士父鐘四	龢于永□
7091	士父鐘四	子子孫孫永寶
7092	屭羌鐘一	永世母忘
7093	屭羌鐘二	永世母忘
7094	屭羌鐘三	永世母忘
7095	屭羌鐘四	永世毋忘
7096	屭羌鐘五	永世母忘
7108	䢼弔之仲子平編鐘一	子子孫孫永保用之
7109	䢼弔之仲子平編鐘二	子子孫孫永保用之
7110	䢼弔之仲子平編鐘三	子子孫孫永保用之
7111	䢼弔之仲子平編鐘四	子子孫孫永保用之
7112	者減鐘一	子子孫孫永保是尚
7113	者減鐘二	子子孫孫永保是尚
7114	者減鐘三	子子孫孫永保用之
7115	者減鐘四	子子孫孫永保用之

7116	南宮乎鐘	畯永保四方、配皇天
7124	沇兒鐘	子子孫孫永保鼓之
7136	邵鐘一	永以為寶
7137	邵鐘二	永以為寶
7138	邵鐘三	永以為寶
7139	邵鐘四	永以為寶
7140	邵鐘五	永以為寶
7141	邵鐘六	永以為寶
7142	邵鐘七	永以為寶
7143	邵鐘八	永以為寶
7144	邵鐘九	永以為寶
7145	邵鐘十	永以為寶
7146	邵鐘十一	永以為寶
7147	邵鐘十二	永以為寶
7148	邵鐘十三	永以為寶
7149	邵鐘十四	永以為寶
7150	虢叔旅鐘一	旅其萬年子子孫孫永寶用享
7151	虢叔旅鐘二	旅其萬年子子孫孫永寶用享
7152	虢叔旅鐘三	旅其萬年子子孫孫永寶用享
7153	虢叔旅鐘四	旅其萬年子子孫孫永寶用享
7156	虢叔旅鐘七	旅其萬年子子孫孫永寶用享
7157	邾公華鐘一	子子孫孫永保用享
7158	瘐鐘一	受余屯魯通祿永令
7158	瘐鐘一	瘐其萬年永寶
7159	瘐鐘二	用桒壽、匄永令
7159	瘐鐘二	畯于永令
7159	瘐鐘二	永余寶
7160	瘐鐘三	受余屯魯通祿永令
7160	瘐鐘三	瘐其萬年永寶日鼓
7161	瘐鐘四	受余屯魯通祿永令
7161	瘐鐘四	瘐其萬年永寶日鼓
7162	瘐鐘五	受余屯魯通祿永令
7162	瘐鐘五	瘐其萬年永寶日鼓
7165	瘐鐘八	畯于永
7168	瘐鐘十一	永余寶
7175	王孫遺者鐘	征永余德
7175	王孫遺者鐘	永保鼓之
7188	叔夷編鐘七	女考壽萬年永保其身
7188	叔夷編鐘七	子孫永保用享
7201	楚王酓章乍曾侯乙鎛	其永時用享
7202	楚公逆鎛	孫子其永寶
7204	克鎛	用匄屯叚永令
7204	克鎛	克其萬年子孫永寶
7212	秦公鎛	永寶宜
7213	黏鎛	用旟侯氏永命萬年
7213	黏鎛	子孫永保用享
7214	叔夷鎛	女考壽萬年永保其身
7214	叔夷鎛	子孫永保用享
7215	其次勾鑃一	子子孫孫永保用之
7216	其次勾鑃二	子子孫孫永保用之

7217	姑馮勾鑃	子子孫孫永保用之
7220	喬君鉦	子子孫孫永寶用之
7223	遞𠔱鐸	其萬年永寶用
7690	蔡公子永之用劍	蔡公子永之用
7690	蔡公子永之用劍	蔡公子永之用
7717	吳季子之子劍	吳季子之子逞之永用劍
7720	越劍	張永□□邵□□弘吉之□舌
7874	蔡太史鉀	永保用
7930	𥘅用乍寶缶一	其萬年子子孫永寶用享
7931	𥘅□乍寶缶二	其萬年子子孫永寶用享
7953	三年錯銀鳩杖首	丞尚五司永昌＿
7990	季老□	子子孫孫其萬年永寶用
M177.	䵼𣪘	子子孫孫其萬年永寶用[co]
M252	免簠	免其萬年永寶用
M299	白大師釐盨	其萬年永寶用
M340	魯伯悆盨	永寶用亯
M341	魯中齊鼎	子子孫孫永寶用亯
M342	魯中齊甗	子子孫孫永寶用
M343	魯司徒中齊盨	子子孫孫永寶用亯
M344	魯司徒中齊盤	其萬年永寶用亯
M345	魯司徒中齊匜	子子孫孫永寶用亯
M349	己侯壺	永寶用
M361	井伯南𣪘	其萬年子子孫孫永寶
M379	夆伯鬲	其萬年子子孫孫永寶用□
M423.	趞鼎	子子孫孫永寶
M457	鄭虢仲悆鼎	子子孫孫永寶用
M466	鄦男鼎	子子孫孫永寶用
M478	大宰巳𣪘	子子孫孫永寶用亯
M487	魯司徒伯吳𣪘	萬年永寶用
M508	虞侯政壺	其萬年子子孫孫永寶用
M581	陳公子中慶簠蓋	用祈顧壽萬年無疆子子孫孫永壽用之
M582	陳公孫𢍰父𤼈	永壽用之
M602	蔡㝨匜	子子孫孫永寶用之、匜
M612	鄦子鐘	子子孫孫永保鼓之
M616	番休伯者君盤	盤永寶用之
M617	番白享匜	子孫永寶用
M685	曾子伯＿鼎	爾永祐福
M816	魯大左司徒元鼎	其萬年釁壽永寶用之

小計：共　1564 筆

羕　1862

2632	陳逆𣪘	以匄羕（永）令釁壽
2975	鄦子妝匿	其子子孫孫羕（永）保用之
2985	陳逆匿一	子子孫孫羕（永）保用
2985.	陳逆匿二	子子孫孫羕（永）保用
2985.	陳逆匿三	子子孫孫羕（永）保用
2985.	陳逆匿四	子子孫孫羕（永）保用
2985.	陳逆匿五	子子孫孫羕（永）保用

2985.	陳逆匿六	子子孫孫羕（永）保用
2985.	陳逆匿七	子子孫孫羕（永）保用
2985.	陳逆匿八	子子孫孫羕（永）保用
2985.	陳逆匿九	子子孫孫羕（永）保用
2985.	陳逆匿十	子子孫孫羕（永）保用
3112	掷陵君王子申豆一	羕甫之
3113	掷陵君王子申豆二	羕甫之
5758	匹君壺	羕（永）保用之
J2506	羕史尊	羕史乍旅彝
5780	公孫窹壺	羕保其身
5780	公孫窹壺	子子孫孫羕保用之
6875	慶弔匜	羕保其身
6875	慶弔匜	子子孫孫羕保用之
7539	伺戈	羕陲公伺之自所造

小計：共 21 筆

1863 永字重見

1864

2633.	食生走馬谷毀	唯食生走馬谷自乍吉金用尊毀
2778	格白毀一	殷人紉霄谷杜木
2778	格白毀一	遷谷旃mh
2778	格白毀一	殷人紉霄谷杜木
2778	格白毀一	遷谷旃mh
2779	格白毀二	則析、格....谷杜木
2779	格白毀二	遷谷旃mh
2780	格白毀三	殷人紉霄谷杜木
2780	格白毀三	遷谷旃mh
2781	格白毀四	殷人紉霄谷杜木
2781	格白毀四	遷谷旃mh
2782	格白毀五	殷人紉霄谷杜木
2782	格白毀五	遷谷旃mh
2782.	格白毀六	殷人紉霄谷杜木
2782.	格白毀六	遷谷旃mh
2837	敔毀一	王令敔追禦于上洛炂谷
4859	戉箙敔尊	1G山谷才遊水上
4891	何尊	叀王龏德谷（裕）天
5489	戉箙敔卣	阬1f山谷至于上侯滰川上

小計：共 19 筆

1865

5330	龠白卣	龠白乍寶尊彝

小計：共 1 筆

1866

4115	亽句毌且辛爵	[亽句毌]且辛
5097	二亽卣	[二、亽]
		小計：共 2 筆

冰 1867

2632	陳逆毁	冰月丁亥
		小計：共 1 筆

冬 1868

0883	曾侯乙鼎	曾侯乙詐(乍)時甬(用)冬(終)
1283	微𢿢鼎	屯右釁壽、永令需冬
1291	善夫克鼎一	釁壽永令需冬
1292	善夫克鼎二	釁壽永令需冬
1293	善夫克鼎三	釁壽永令需冬
1294	善夫克鼎四	釁壽永令需冬
1295	善夫克鼎五	釁壽永令需冬
1296	善夫克鼎六	釁壽永令需冬
1297	善夫克鼎七	釁壽永令需冬
1312	此鼎一	畯(允)臣天子需冬
1313	此鼎二	畯(允)臣天子需冬
1314	此鼎三	畯(允)臣天子需冬
1317	善夫山鼎	永令需冬
1319	頌鼎一	畯(允)臣天子、需冬
1320	頌鼎二	畯(允)臣天子、需冬
1321	頌鼎三	畯(允)臣天子、需冬
2683	白家父毁	需冬萬年
2727	蔡姞乍尹弔毁	彌氒生需冬
2732	曾仲大父蛕蚑毁	用易釁壽黃耇需冬
2746	追毁一	畯(允)臣天子需冬
2747	追毁二	畯(允)臣天子需冬
2748	追毁三	畯(允)臣天子需冬
2749	追毁四	畯(允)臣天子需冬
2750	追毁五	畯(允)臣天子需冬
2751	追毁六	畯(允)臣天子需冬
2764	㺇毁	無冬令𢍉(于)有周
2818	此毁一	畯臣天子需冬
2819	此毁二	畯臣天子需冬
2820	此毁三	畯臣天子需冬
2821	此毁四	畯臣天子需冬
2822	此毁五	畯臣天子需冬
2823	此毁六	畯臣天子需冬
2824	此毁七	畯臣天子需冬
2825	此毁八	畯臣天子需冬
2844	頌毁一	畯臣天子需冬
2845	頌毁二	畯臣天子需冬

2845	頌𣪘二	畯臣天子霝冬
2846	頌𣪘三	畯臣天子霝冬
2847	頌𣪘四	畯臣天子霝冬
2848	頌𣪘五	畯臣天子霝冬
2849	頌𣪘六	畯臣天子霝冬
2850	頌𣪘七	畯臣天子霝冬
2851	頌𣪘八	畯臣天子霝冬
2852	不𡢁𣪘一	永屯霝冬
2873	曾侯乙匿	曾侯乙乍寺甬冬
3021	乍遣盨	匄萬年壽𣪕冬
4435.	𤔲終盉	壽霝冬
4887	蔡侯𩜱尊	冬歲無疆
4892	麥尊	其永亡冬
4892	麥尊	冬用遊德
5582	對罍	用匄𩜱壽敬冬[舟]
5772	陳璋方壺	孟冬戊辰
5786	㝬季良父壺	其萬年霝冬難老
5799	頌壺一	畯臣子霝冬
5800	頌壺二	畯臣子霝冬
6788	蔡侯𩜱盤	冬歲無疆
7028	𨡁孫鐘	攻敔中冬戚之外孫
7029	𨡁孫鐘二	攻敔中冬戚之外孫
7030	𨡁孫鐘三	攻敔中冬戚之外孫
7031	𨡁孫鐘四	攻敔中冬戚之外孫
7032	𨡁孫鐘五	攻敔中冬戚之外孫
7033	𨡁孫鐘六	攻敔中冬戚之外孫
7034	𨡁孫鐘七	攻敔中冬戚之外孫
7035	𨡁孫鐘八	攻敔中冬戚之外孫
7036	𨡁孫鐘九	攻敔中冬戚之外孫
7047	井人鐘	永冬于吉
7048	井人鐘二	永冬于吉
7107	曾侯乙甬鐘	妥賓之冬、黃鐘、羽
7158	㾓鐘一	𩜱壽霝冬
7160	㾓鐘三	𩜱壽霝冬
7161	㾓鐘四	𩜱壽霝冬
7162	㾓鐘五	𩜱壽霝冬
7166	㾓鐘九	褱受余爾𩐁福霝冬
7868	商鞅方升	冬十二月乙酉
M719	曾侯乙編鐘中一・三	穆鐘之冬反
M720	曾侯乙編鐘中一・四	坪皇之冬反
M720	曾侯乙編鐘中一・四	濁新鐘之冬
M721	曾侯乙編鐘中一・五	濁穆鐘之冬
M721	曾侯乙編鐘中一・五	割肆之冬
M722	曾侯乙編鐘中一・六	濁獸鐘之冬
M722	曾侯乙編鐘中一・六	穆鐘之冬
M723	曾侯乙編鐘中一・七	濁獸鐘之冬
M724	曾侯乙編鐘中一・八	坪皇之冬
M724	曾侯乙編鐘中一・八	新鐘之冬
M725	曾侯乙編鐘中一・九	文王之冬
M726	曾侯乙編鐘中一・十	濁坪皇之冬

冬
冶

M729	曾侯乙編鐘中二・二	割肄之冬反
M730	曾侯乙編鐘中二・三	穆鐘之冬反
M731	曾侯乙編鐘中二・四	坪皇之冬反
M731	曾侯乙編鐘中二・四	濁新鐘之冬
M732	曾侯乙編鐘中二・五	濁穆鐘之冬
M732	曾侯乙編鐘中二・五	割肄之冬
M733	曾侯乙編鐘中二・六	濁獸鐘之冬
M733	曾侯乙編鐘中二・六	穆鐘之冬
M734	曾侯乙編鐘中二・七	濁新鐘之冬
M735	曾侯乙編鐘中二・八	坪皇之冬
M735	曾侯乙編鐘中二・八	新鐘之冬
M736	曾侯乙編鐘中二・九	文王之冬
M736	曾侯乙編鐘中二・九	濁割肄之冬
M737	曾侯乙編鐘中二・十	濁坪皇之冬
M740	曾侯乙編鐘中三・一	坪皇之冬
M743	曾侯乙編鐘中三・四	穆音之冬反
M744	曾侯乙編鐘中三・五	妥賓之冬
M745	曾侯乙編鐘中三・六	割肄之冬

小計：共 104 筆

冶 1868+

0868	之左鼎	□賔（府）之左伹（冶）□□盛
1043	卅年鼎	卅年、康___事_冶巡鑄
1090	十三年梁上官鼎	十三年、梁陰命率上官_子疾冶乘鑄
1169	平安邦鼎	廿八年坪安邦冶客哉{四分}齍
1170	信安君鼎	眂（視）事司馬欲、冶王石
1170	信安君鼎	眂（視）事欲、冶瘡
1231	楚王酓忓鼎一	冶工師盤野佐秦忑為之
1232	楚王酓忓鼎二	冶工師盤野佐秦忓為之
5779	安邑下官鍾	府嗇夫_冶事左_止大斛斗一益少半益
6657	伹吏勺一	伹（冶）吏秦苛蛸為之
6658	伹吏勺二	伹（冶）吏秦苛蛸為之
6659	伹盤勺一	伹（冶）盤埜（野）秦忑為之
6660	伹□圣勺一	伹（冶）□圣陳共為之
6661	伹□圣勺二	伹（冶）□圣陳共為之
6662	伹盤勺	伹（冶）盤野秦忑為之
6662	伹盤勺	伹（冶）吏秦
6776	楚王酓忓盤	冶工市紹圣差陳共為之
7350	冶瘍戈	冶瘍
7409	去戈	去皮造戟冶
7493	十四年戈	四年州工市明冶乘
7501	齊成右戈	齊成右造車戟、冶絅
7503	七年戈	十年得工戈冶左勿
7504	廿三年□陽令戈	工市倉壘、冶□
7512	六年奠令韓熙戈	六年鄭令韓熙□、右庫工市馬_冶狄
7522	卅三年大梁左庫戈	卅三年大梁左庫工市丑冶刅
7523	四年戈	四年命韓_右庫工市_冶_
7524	三年脩余令戈	三年逌余命韓_工市___、冶_

7526	卅四年屯丘令戈	卅四年屯丘命爽左工帀𢼸冶□	
7531	廿九年高都令陳愈戈	工帀華、冶無	
7532	九年我□令雍戈	高望、九年𢦏丘命雍工帀__冶__	
7533	卅二年帶令戈	卅三年帶命初左庫工帀臣冶山	冶
7534	□__戈	□__命司馬伐右庫工帀高反冶□	
7535	三年汪陶令戈	下庫工帀王喜冶□	
7538	邢令戈	工帀郢𨻰冶奠	
7541	四年咎奴戈	四年咎奴__命壯罌工帀賓疾冶問	
7542	廿四年右馬令戈	廿四年申陰令右庫工帀䔾冶豎	
7544	八年亲城大令戈	八年亲城大命韓定工帀宋費冶褚	
7546	王三年奠令韓熙戈	王三年奠命韓熙右庫工師吏史□冶□	
7548	元年__令戈	__命夜會上庫工帀冶門旅其都	
7549	十六年喜令戈	喜命(倫)韓鳳左庫工帀司馬裕冶何	
7550	十二年少令邯鄲戈	十二年尚命邯鄲□右庫工帀□紹冶倉造	
7551	十二年尚令邯鄲戈	十二年尚命邯鄲□右庫工帀□紹冶倉造	
7553	廿年奠令戈	右庫長阪冶贛	
7558	十四年奠令戈	工帀鑄章冶□	
7559	十五年奠令戈	工帀陳平冶贛	
7560	十六年奠令戈	工帀皇痽冶__	
7561	十七年奠令戈	工帀皇晏冶□	
7562	廿一年奠令戈	廿一年奠命𩡷族司寇裕左庫工帀吉□冶□	
7563	卅一年奠令戈	卅一年奠命㮊司寇尚它生庫工帀冶稘敀	
7567	廿九年相邦尚□戈	左庫工帀鬱番冶__義執齊	
7568	四年奠令戈	武庫工帀弗__冶尹__造	
7569	五年奠令戈	右庫工帀__高冶尹__ 造	
7570	六年奠令戈	六年奠命__幽司寇向__左庫工帀倉慶冶尹成贛	
7571	八年奠令戈	八年奠命__幽司寇史墜右庫工帀易高冶尹__□	
7572	十七年𢀛令戈	十七年𢀛命𩡷尚司寇奠__右庫工帀□軗冶□□	
7626	格式矛	格氏冶__	
7651	秦子矛	左右市冶用逸□	
7652	五年鄭令韓□矛	左庫工帀陽函冶尹侃	
7653	十年邦司寇富無矛	上庫工帀戎閒冶尹	
7654	十二年邦司寇野矛	上庫工帀司馬丘玆冶賢	
7656	七年宅陽令矛	右庫工帀夜痣冶趣造	
7657	九年鄭令向佃矛	武庫工帀鑄章冶造	
7658	五年春平侯矛	工帀______冶執齊	
7659	元年春平侯矛	邦右庫工帀尚痽冶□闢執齊	
7661	三年建躬君矛	邦左庫工帀□□冶尹月執齊	
7662	八年建躬君矛	邦左庫工帀杌□冶尹□執齊	
7663	卅二年奠令槍□矛	生庫工帀皮冶尹造	
7664	元年奠命槍□矛	生庫工帀皮□冶尹貞造	
7665	三年奠令槍□矛	生庫工帀皮□冶尹貞造	
7666	七年奠令□幽矛	左庫工帀□□冶尹貞造	
7667	卅四年奠令槍□矛	生庫工帀皮□□冶尹造	
7668	二年奠令槍□矛	生庫工帀鈹□□冶尹學造□	
7669	四年□雍令矛	左庫工帀刑秦冶俞敷____	
7719	廿九年高都令劍	廿九年高都命陳愈工帀冶乘	
7724	二年春平侯劍	邦左庫工帀□□冶□□□	
7725	元年劍	右庫工帀杜生、冶參執齊	
7726	八年相邦建躬君劍一	冶尹明執齊	

7727	八年相邦建躬君劍二	冶尹明執齊
7728	八年相邦建躬君劍三	冶尹＿執齊
7729	守相杜波劍	冶巡執齊大攻尹公孫桴
7730	十五年守相杜波劍一	冶巡執齊大攻尹公孫桴＿
7731	王立事劍一	冶得執齊
7732	王立事劍二	冶得執齊
7733	王立事劍三	冶得執齊
7737	十五年劍	邦左庫工帀代翟工帀長鑄冶執齊齊
7738	十七年相邦春平侯劍	邦左庫□工帀□戊未□冶執齊
7739	卅三年奠令□□劍	㞢庫工帀皮冶尹啟造
7740	四年春平相邦劍	右庫工帀覃軺＿冶臣成執齊
7742	十三年劍	冶□執齊
M897	六年安平守劍	冶余執齊
		小計：共　90 筆

雨　1869

0454	子雨己鼎	[子雨]己
0517	亞夂雨鼎	[亞夂雨]
1841	＿雨設	＿雨
3536	子雨爵一	子[雨]
3537	子雨爵二	子[雨]
4899	＿雨觥	[el雨]
J3026	子雨卣	[子雨]
5803	胤嗣好盗壺	雨(雩)祠先王
6036	子雨觚	[子雨]
7202	楚公逆鎛	楚公逆自乍夜雨䨻(雷)鎛
		小計：共　10 筆

霝　1870

1298	師旂鼎	霝事氒友引以告于白懋父
1609	雷甗	霝乍寶尊彝
4888	盠駒尊一	uy(風?)霝騅子
4889	盠駒尊二	uy(風?)霝駱子
5564	單陵乍父日乙方罍	陵乍父日乙寶霝(罍)[dz]
5565	乍父乙罍	乍父乙寶中尊霝(罍)[ba]
5580	洺＿＿罍	洺td＿乍尊霝(罍)
5581	甾田罍	自乍寶霝(罍)
5582	對罍	對乍文考日癸寶尊霝(罍)
5583	不白夏子罍一	不白夏子自乍尊霝(罍)
5584	不白夏子罍二	不白夏子自乍尊霝(罍)
5801	洹子孟姜壺一	齊侯〔女〕霝愳其□
		小計：共　12 筆

電　1871

2840	番生毁	車、電軫、朱𨌲㪤
		小計：共　1 筆

1872

0071	霝鼎一	[霝]
0072	霝鼎二	[霝]
0793	竊霝德乍小鼎	竊霝德乍小鼎
0979	__君鼎	p1君婦媿霝乍旅尊鼎
0980	__君鼎	p1君婦媿霝乍旅__其子孫用
1283	微䜌鼎	屯右𦉼壽、永令霝冬
1291	善夫克鼎一	𦉼壽永令霝冬
1292	善夫克鼎二	𦉼壽永令霝冬
1293	善夫克鼎三	𦉼壽永令霝冬
1294	善夫克鼎四	𦉼壽永令霝冬
1295	善夫克鼎五	𦉼壽永令霝冬
1296	善夫克鼎六	𦉼壽永令霝冬
1297	善夫克鼎七	𦉼壽永令霝冬
1312	此鼎一	畯(允)臣天子霝冬
1313	此鼎二	畯(允)臣天子霝冬
1314	此鼎三	畯(允)臣天子霝冬
1317	善夫山鼎	永令霝冬
1319	頌鼎一	畯(允)臣天子、霝冬
1320	頌鼎二	畯(允)臣天子、霝冬
1321	頌鼎三	畯(允)臣天子、霝冬
1327	克鼎	霝龠鼓鐘
1713	霝毁	[霝]
2052	霝乍寶毁	霝乍寶毁
2215	竊霝悳乍𣪘毁	竊霝悳乍𣪘毁
2683	白家父毁	霝冬萬年
2727	蔡姞乍尹弔毁	彌氒生霝冬
2732	曾仲大父蛕蚑毁	用易𦉼壽黃耇霝冬
2746	追毁一	畯(允)臣天子霝冬
2747	追毁二	畯(允)臣天子霝冬
2748	追毁三	畯(允)臣天子霝冬
2749	追毁四	畯(允)臣天子霝冬
2750	追毁五	畯(允)臣天子霝冬
2751	追毁六	畯(允)臣天子霝冬
2818	此毁一	畯臣天子霝冬
2819	此毁二	畯臣天子霝冬
2820	此毁三	畯臣天子霝冬
2821	此毁四	畯臣天子霝冬
2822	此毁五	畯臣天子霝冬
2823	此毁六	畯臣天子霝冬
2824	此毁七	畯臣天子霝冬
2825	此毁八	畯臣天子霝冬
2843	沈子它毁	用水霝令、用妥公唯壽
2844	頌毁一	畯臣天子霝冬
2845	頌毁二	畯臣天子霝冬

霝 霏 雩

	2845	頌毁二	畯臣天子霝冬
	2846	頌毁三	畯臣天子霝冬
	2847	頌毁四	畯臣天子霝冬
	2848	頌毁五	畯臣天子霝冬
	2849	頌毁六	畯臣天子霝冬
	2850	頌毁七	畯臣天子霝冬
	2851	頌毁八	畯臣天子霝冬
	2852	不嬰毁一	永屯霝冬
	2853	不嬰毁二	永屯霝終
	2965	曾侯乍弔姬賸器𬮿彝	弔姬霝乍黃邦
	4425	季𩚅霝德盉	季𩚅霝德乍寶盉
	4435	＿君盉	pi君婦媿霝乍旅□
	4435.	霝終盉	壽霝冬
	4887	蔡侯𬭚尊	霝頌JJ商
	5786	旻季良父壺	其萬年霝冬難老
	5799	頌壺一	畯臣子霝冬
	5800	頌壺二	畯臣子霝冬
	5814	白夏父𬮿一	白夏父乍畢姬尊霝
	5815	白夏父𬮿二	白夏父乍畢姬尊霝
	6768	齊大宰歸父盤一	霝命難老
	6769	齊大宰歸父盤二	霝命難老
	6788	蔡侯𬭚盤	霝頌JJ商
	6792	史墻盤	才斆霝處
	6978	鄭井弔鐘	鄭井弔乍霝龢鐘用妥賓
	6979	鄭井弔鐘二	鄭井弔乍霝龢鐘用妥賓
	7001	嘉賓鐘	余武于戎攻霝聞
	7003	舍武編鐘	余武于戎攻霝聞
	7027	邾公釛鐘	揚君霝、君以萬年
	7058	邾公孫班鐘	□□是□霝命無其
	7112	者減鐘一	敦叕于我霝龠
	7113	者減鐘二	敦協于我霝龠
	7158	瘐鐘一	釁壽霝冬
	7160	瘐鐘三	釁壽霝冬
	7161	瘐鐘四	釁壽霝冬
	7162	瘐鐘五	釁壽霝冬
	7166	瘐鐘九	褱受余爾𧧼福霝冬
	7186	叔夷編鐘五	趄武霝公易尸吉金
	7187	叔夷編鐘六	霝命難老
	7214	叔夷鎛	霝命難老
			小計：共 83 筆
霏	1873	1124霸字重見	
雩	1874		
	0119	守雩鼎	[守雩]

1315	善鼎	余其用各我宗子雩百生
1315	善鼎	余用丐純魯雩萬年
1324	禹鼎	雩禹𠂤武公徒馭至于噩
1328	盂鼎	在雩御事
1328	盂鼎	隹殷邊侯田雩殷正百辟
1328	盂鼎	雩我其遹省先王受民受疆土
1329	小字盂鼎	雩若昱乙酉
1331	中山王嚳鼎	昔者、吳人并雩（越）
1331	中山王嚳鼎	雩（越）人敂（修）斅備信
1332	毛公鼎	雩四方
1332	毛公鼎	王曰：父厝、雩之庶出入事
1332	毛公鼎	雩參有𤔲、小子、師氏、虎臣雩朕褻事
1640	__仲雩父方甗	jt中雩父乍旅甗
2760	小臣謎毀一	雩厥復歸、才牧𠂤
2761	小臣謎毀二	雩厥復歸、才牧𠂤
2788	靜毀	雩八月初吉庚寅
2841	𣎆白毀	好倗友雩百者婚遘
2856	師訇毀	盩龢雩政
2856	師訇毀	臨保我又周、雩四方民
2857	牧毀	用雩乃訊庶右𦕍
3090	𢐗盨（器）	雩邦人、正人、師氏人又辠又故
3361	雩爵	[雩]
5507	乍冊䰧卣	雩四月既生霸庚午
5803	𢽾嗣好蜜壺	雨（雩）祠先王
5969	雩觚	[雩]
6792	史墻盤	雩武王既𢦏殷
6793	矢人盤	陟雩𢽪sh𨸏以西
7163	㾜鐘六	雩武王既𢦏殷
7183	叔夷編鐘二	雩厥行師
7186	叔夷編鐘五	雩生弔尸
7214	叔夷鎛	雩厥行師
7214	叔夷鎛	雩生弔尸
M191	繁卣	雩旬又一日辛亥

小計：共 34 筆

1875 1163稬字重見

0412	需父辛鼎一	[需]父辛
0413	需父辛鼎二	[需]父辛
2090	盂毀一	盂曰：朕文考眔毛公遣中征無需
2697	盂毀二	盂曰：朕文考眔毛公遣中征無需
2984	伯公父盬	用成糕稻需（稬）粱
2984	伯公父盬	用成糕稻需（稬）粱

小計：共 6 筆

1876

2778	格白毀一	殷人紉雩谷杜木
2778	格白毀一	殷人紉雩谷杜木

2780	格白殷三	殷人紉雩谷杜木
2781	格白殷四	殷人紉雩谷杜木
2782	格白殷五	殷人紉雩谷杜木
2782.	格白殷六	殷人紉雩谷杜木

小計：共 6 筆

雯 1877

1378	雯人守鬲	雯人守乍寶

小計：共 1 筆

魚 1878

0029	魚鼎一	[魚]
0030	魚鼎二	[魚]
0259	魚從鼎	[魚]從
0260	魚羌鼎	[魚羌]
0339	魚父乙鼎 一	[魚]父乙
0340	魚父乙鼎 二	[魚]父乙
0367	魚父丁鼎	[魚]父丁
0428	魚父癸方鼎	[魚]父癸
0502	亞雞魚鼎	[亞雞魚]
0688	魚父癸鼎	[魚]父癸罕[d4]
0755	京犬犬魚父乙鼎	[京犬犬魚]父乙
0772	白魚鼎	白魚乍寶尊彝
1066	穌吉妊鼎	穌吉妊乍虢妃魚母賸
1078	犀白魚父旅鼎一	犀白魚父乍旅鼎
1079	犀白魚父旅鼎二	犀白魚父乍旅鼎
1221	井鼎	攸易魚
1333	魚鬲	[魚]
1528	公姞鬲鼎	吏易公姞魚三百
1681	魚殷	[魚]
1770	魚殷一	[魚]
1771	魚殷二	[魚]
1821	魚從殷	[魚]從
1954	魚父癸殷	[魚]父癸
2087	魚乍父庚殷	[魚]乍父庚彝
2089	白魚乍寶彝殷	白魚乍寶彝
2174	白魚乍寶隮殷	白魚乍寶尊彝
2195	白魚乍寶殷一	白魚乍寶尊彝
2196	白魚乍寶殷二	白魚乍寶尊彝
2197	白魚乍寶殷三	白魚乍寶尊彝
2198	白魚乍寶殷四	白魚乍寶尊彝
2238	魚家殷	魚家乍丁父庚彝
2724	辜白厭殷	隹王伐逨魚
2840	番生殷	金簟弼、魚葡
2898	白旅魚父旅匿	白旅魚父乍旅匿
3128	魚鼎匕	述王魚頂曰

3179	魚爵一	[魚]
3180	魚爵二	[魚]
3181	魚爵三	[魚]
3182	魚爵四	[魚]
3183	魚爵五	[魚]
3184	魚爵六	[魚]
3794.	魚父乙爵	[魚]父乙
3796	魚父乙爵	[魚]父乙
3797	魚父丙爵	[魚]父丙
3804	魚父丁爵一	[魚]父丁
3805	魚父丁爵二	[魚]父丁
4002	魚父乙爵一	[魚]父乙
4294	乙魚斝	乙[魚]
4357	魚從盉	[魚從]
4506	魚尊	[魚]
4528	魚從尊	[魚從]
4613	父癸魚尊	父癸[魚]
4701	魚乍父庚尊	魚乍父庚彝
4773	魚乍父己尊	魚乍父乙寶尊彝
5061	乙魚卣	乙[魚]
5074	魚從卣	[魚]從
5128	魚父乙卣一	[魚]父乙
5129	魚父乙卣二	[魚]父乙
5205	魚父癸卣	[魚]父癸
5295	亞__父己卣	[亞bx]魚父己
5331	白魚卣	白魚乍寶尊彝
5413	魚狽白罰卣	狽白罰乍尊彝[魚]
5633	魚父癸壺	[魚]父癸
5709	白魚父旅壺	白魚父乍旅壺永寶用
5882	魚觚	[魚]
6044	魚從觚	[魚從]
6141	父丁魚觚	父丁[魚]
6516	魚父癸觶	[魚]父癸
6665	魚盤	[魚]
6680	魚從盤	[魚從]
6744	穌吉妊盤	穌吉妊乍虢改魚母般(盤)
6956	魚乙正鐃一	[魚乙正]
6957	魚乙正鐃二	[魚乙正]
6958	魚乙正鐃三	[魚乙正]
6993	弔旅魚父鐘	朕皇考弔旅魚父
7765	魚鉞	[魚]
補4	魚鼎	[魚]

小計：共　77 筆

1879

0798	緐還鼎	緐還乍寶用鼎
6792	史墻盤	左右綬綰剛緐

魚 緐

小計：共 2 筆

鰈 1880

1332	毛公鼎	乃敉鰈寡
5510	乍冊嗌卣（父辛卣）	弋勿＿（侮）鰈寡

小計：共 2 筆

鮮 1881

0783	鮮父鼎	鮮父乍寶尊彝
1175	白鮮乍旅鼎一	白鮮乍旅鼎
1176	白鮮乍旅鼎二	白鮮乍旅鼎
1177	白鮮乍旅鼎三	白鮮乍旅鼎
1659	白鮮旅甗	白鮮乍旅獻（甗）
2628	畢鮮段	畢鮮乍皇且益公尊段
2628	畢鮮段	鮮其萬年子子孫孫永寶用
3001	白鮮旅段（盨）一	白鮮乍旅段
3002	白鮮旅段（盨）二	白鮮乍旅段
3003	白鮮旅段（盨）三	白鮮乍旅段
3004	白鮮旅段（盨）	白鮮乍旅段
5784	妹氏壺	歲賢鮮于
5803	胤嗣好盗壺	以取鮮薧（槁）
6784	三十四祀盤（祼盤）	鮮蔑鄮、王軐鄮玉三品、貝廿朋
6793	矢人盤	鮮、且、散、武父、西宮襄
6793	矢人盤	矢卑、鮮、且、Jm
6793	矢人盤	鮮、且、Jm、旅則誓
7083	鮮鐘	王易鮮□□鮮楚遺卲

小計：共 18 筆

鮑 1882

7213	𬭚鎛	齊群鞄(鮑)弔之孫
7213	𬭚鎛	鞄(鮑)弔又成
7213	𬭚鎛	鮑子𬭚曰

小計：共 3 筆

鱻 1883

1216	貿鼎	公貿用揚休鱻

小計：共 1 筆

罽 1884

1029	罽乍且乙鼎	己亥、王易罽貝

小計：共 1 筆

1885

1331	中山王嚳鼎	昔者、盧（吾）先考成王
1331	中山王嚳鼎	隹盧（吾）老貯
1331	中山王嚳鼎	昔者、盧（吾）先祖桓王
1331	中山王嚳鼎	含（今）盧（吾）老貯
1331	中山王嚳鼎	盧（吾）老貯奔走不聽命
5784	㚸氏壺	盧以為弄壺
5784	㚸氏壺	盧以匽歙
5805	中山王嚳方壺	牆（將）與盧（吾）君並立於世
5825	欒書缶	盧以祈鬢壽
6597	盧父丁乍丙觶	盧父丁乍丙
6791	兮甲盤	王初各伐厰狁于䍐盧
7112	者減鐘一	工盧王皮然之子者減睪其吉金
7113	者減鐘二	工盧王皮然之子者減睪其吉金
7114	者減鐘三	工盧王皮然之子者減自乍＿鐘
7115	者減鐘四	工盧王皮然之子者減自乍＿鐘
7124	沇兒鐘	盧以匽以喜
7213	𦂥鎛	保盧兄弟
7213	𦂥鎛	保盧子姓

小計：共 18 筆

1885

7744	工獻太子劍	王獻大子姑發＿反

小計：共 1 筆

1886

1221	井鼎	辛卯、王漁于nqui
1221	井鼎	呼井從漁
1528	公姞鬲鼎	子中漁□池
1691	弁毁	[漁]
2734	遹毁	乎漁于大沱（池）
3185	弁爵一	[漁]
3186	弁爵二	[漁]
3187	弁爵三	[漁]
4293	子漁斝	[子漁]
4543	子漁尊	[子漁]
4990	弁卣	[漁]
5871	弁觚	[漁]
7462	楚王孫漁戈	楚王孫漁之用

小計：共 13 筆

龍 1887

0028	龍鼎	[龍]
1481	㖩仲無龍寶鼎一	㖩中無龍乍寶鼎
1482	㖩仲無龍寶鼎二	㖩中無龍乍寶鼎
1680	龍段	[龍]
2392	__白段	隹九月初吉叡龍白自乍其寶段
3124	䋣仲無龍匕	㖩中無龍公
3175	龍爵	[龍]
3177	龍爵	[龍]
3691	冂龍爵	[冂龍]
4709	乍龍母彝各尊	乍龍母彝[昔]
5043	龍卣	[龍]
5728	樊夫人壺	樊夫人龍嬴羼其吉金
6087	子龍觚	[子龍]
6821	樊夫人匜	樊夫人龍嬴自乍行它(匜)
7037	遲父鐘	不顯龍光
7136	邵鐘一	喬喬其龍
7137	邵鐘二	喬喬其龍
7138	邵鐘三	喬喬其龍
7139	邵鐘四	喬喬其龍
7140	邵鐘五	喬喬其龍
7141	邵鐘六	喬喬其龍
7142	邵鐘七	喬喬其龍
7143	邵鐘八	喬喬其龍
7144	邵鐘九	喬喬其龍
7145	邵鐘十	喬喬其龍
7146	邵鐘十一	喬喬其龍
7147	邵鐘十二	喬喬其龍
7148	邵鐘十三	喬喬其龍
7149	邵鐘十四	喬喬其龍
7175	王孫遺者鐘	余函龍(龏)猷犀
7554	楚王酓璋戈	楚王酓璋嚴龍(龔)寅乍su戈
7867.	龍__	鑄廾金龍(筩)以䞓
補2	冂觚	[冂龍]
補2	冂觚	[冂龍]
		小計：共　34 筆

龕 1888

6792	史墻盤	龕吏爭辟
6991	眉壽鐘一	龕吏朕辟皇王眉壽永寶
6992	眉壽鐘二	龕吏朕辟皇王眉壽永寶
7007	梁其鐘	龕臣皇王眉壽永寶
		小計：共　4 筆

龖 1889

1010	榮有嗣爯鼎	用媵嬴𪕬母
1462	榮有嗣爯鬲	用朕(媵)嬴女𪕬母
		小計：共 2 筆

翼 1890 0418異字重見

5805	中山王譽方壺	祗祗翼翼
7174	秦公鐘	翼受明德
7177	秦公及王姬編鐘一	翼受明德
7209	秦公及王姬鎛	翼受明德
7210	秦公及王姬鎛二	翼受明德
7211	秦公及王姬鎛三	翼受明德
7423	陳子翼徒戈	陳子翼徒戈
7899	鄂君啟車節	車五十乘、歲翼(代)返
7900	鄂君啟舟節	歲翼(代)返
		小計：共 9 筆

1891

1190	內史鼎	非余曰
1330	曶鼎	非tr五夫則詑
1331	中山王譽鼎	非信與忠
1332	毛公鼎	引唯乃智余非
1332	毛公鼎	㝵非先告父𤔲
2842	卯段	今余非敢m6先公
2854	𥄳段	㝵非先告𥄳
2855	班段一	班非敢覓
2855.	班段二	班非敢覓
3090	𡍬𦁣(器)	㝵非正命
5469	白ns卣	休□非余馬
5506	小臣傳卣	師田父令小臣傳非余傳□朕考kz
5715	白多父行壺	___白多父非壺
5805	中山王譽方壺	寡人非之
7125	蔡侯𩵦歌鐘一	余非敢寧忘
7126	蔡侯𩵦歌鐘二	余非敢寧忘
7132	蔡侯𩵦歌鐘八	余非敢寧忘
7133	蔡侯𩵦歌鐘九	余非敢寧忘
7134	蔡侯𩵦甬鐘	余非敢寧忘
7205	蔡侯𩵦編鎛一	余非敢寧忘
7206	蔡侯𩵦編鎛二	余非敢寧忘
7207	蔡侯𩵦編鎛三	余非敢寧忘
7208	蔡侯𩵦編鎛四	余非敢寧忘
7502	非__戈	非sJ帶𨟻逾陽、廿四
		小計：共 24 筆

扎 1892

扎

2139	扎自乍旅毁	扎自乍旅毁

小計：共 1 筆

第十一卷總計：共 2609 筆

青銅器銘文檢索卷十二

1893

0687	孔乍父癸鼐鼎	孔乍父癸旅
1323	師訊鼎	用乃孔德璐屯
2980	鼄大宰鐘匿一	曰：余諾恭孔惠
2981	鼄大宰鐘匿二	曰：余諾恭孔惠
2982.	甲午匿	__金孔__
2984	伯公父盤	其金孔吉
2984	伯公父盤	其金孔吉
2986	曾白霥旅匿一	曾白霥哲聖元元武武孔黹
2987	曾白霥旅匿二	曾白霥哲聖元元武武孔黹
4431	史孔盉	史孔乍和（盉）
5772	陳璋方壺	大壯孔陳璋內伐匽亳邦之隻
6790	虢季子白盤	王孔嘉子白義
6790	虢季子白盤	孔覭又光
7121	郐王子旃鐘	元鳴孔皇
7124	沇兒鐘	元鳴孔皇
7124	沇兒鐘	孔嘉元成
J0081	王孫弃鐘	（拓本未見）
7175	王孫遺者鐘	元鳴孔皇
7212	秦公鎛	其音sLsL雝雝孔煌
		小計：共　19 筆

1894

1163	齊陳__鼎蓋	齊陳ka不敢逸康
1235	不昝方鼎一	不昝易貝十朋
1235	不昝方鼎一	不昝拜稽首
1236	不昝方鼎甲二	不昝易貝十朋
1236	不昝方鼎甲二	不昝拜稽首
1271	史獸鼎	對揚皇尹不顯休
1280	康鼎	敢對揚天子不顯休
1290	利鼎	對揚天子不顯皇休
1298	師旂鼎	師旂眾僕不從王征于方
1298	師旂鼎	氒不從氒右征
1299	噩侯鼎一	敢____天子不顯休釐
1301	大鼎一	對揚王天子不顯休
1302	大鼎二	對揚王天子不顯休
1303	大鼎三	對揚王天子不顯休
1304	王子午鼎	余不畏不差
1305	師奎父鼎	對揚天子不杯魯休
1306	無叀鼎	無叀敢對揚天子不顯魯休
1307	師望鼎	不顯皇考宄公
1307	師望鼎	不敢不豕不斁
1307	師望鼎	望敢對揚天子不顯魯休
1309	寰鼎	敢對揚天子不顯叚休令
1311	師晨鼎	敢對揚天子不顯休令

不

1312	此鼎一	此敢對揚天子不顯休令
1313	此鼎二	此敢對揚天子不顯休令
1314	此鼎三	此敢對揚天子不顯休令
1315	善鼎	對揚皇天子不杯休
1317	善夫山鼎	毋敢不善
1318	晉姜鼎	余不叚妄寧
1318	晉姜鼎	虔不豥
1319	頌鼎一	頌敢對揚天子不顯魯休
1320	頌鼎二	頌敢對揚天子不顯魯休
1321	頌鼎三	頌敢對揚天子不顯魯休
1323	師訊鼎	白大師不自乍
1324	禹鼎	禹曰:不顯趄趄皇且穆公
1324	禹鼎	敢對揚武公不顯耿光
1325	五祀衛鼎	女寀賈田不
1326	多友鼎	唯孚車不克㠯、卒焚
1326	多友鼎	不逆又成吏
1327	克鼎	不顯天子
1327	克鼎	敢對揚天子不顯魯休
1328	盂鼎	王若曰:盂不顯玟王
1329	小字盂鼎	征□□□□□邦賓、不曻
1330	曶鼎	不逆付
1330	曶鼎	不出、kq余
1331	中山王礜鼎	烏虖、語不遳(廢)㛤(哉)
1331	中山王礜鼎	亡不逹(率)从
1331	中山王礜鼎	夙夜不解
1331	中山王礜鼎	亡不順道
1331	中山王礜鼎	以征不宜(義)之邦
1331	中山王礜鼎	及參(三)世亡不若(赦)
1331	中山王礜鼎	㝬(吾)老貯奔走不聽命
1331	中山王礜鼎	寡懼其忽然不可得
1332	毛公鼎	王若曰、父厝、不顯文武
1332	毛公鼎	率懷不廷方
1332	毛公鼎	亡不閈(覲)于文武耿光
1332	毛公鼎	不巩先王配命
1332	毛公鼎	大從(縱)不靜
1332	毛公鼎	敬念王畏不易
1478	齊不超鬲	齊不超乍厍白尊鬲
2402	敔毁	孚不吉其J9
2592	鄧公毁	不故屯夫人始乍鄧公
2612	不壽毁	王姜易不壽裘
2681	鄘侯毁	鄘(筥)侯少子析乙孝孫不巨
2699	公臣毁一	敢揚天尹不顯休
2700	公臣毁二	敢揚天尹不顯休
2701	公臣毁三	敢揚天尹不顯休
2702	公臣毁四	敢揚天尹不顯休
2711.	乍冊般毁	對揚天子不顯王休命
2713	瘐毁一	不敢弗帥用夙夕
2714	瘐毁二	不敢弗帥用夙夕
2715	瘐毁三	不敢弗帥用夙夕
2716	瘐毁四	不敢弗帥用夙夕

2717	瘨毁五	不敢弗帥用夙夕
2718	瘨毁六	不敢弗帥用夙夕
2719	瘨毁七	不敢弗帥用夙夕
2720	瘨毁八	不敢弗帥用夙夕
2730	獻毁	十葉（世）不謹
2735	厲敖毁	易不諱
2736	師遽毁	敢對揚天子不杯休
2738	衛毁	衛敢對揚天子不顯休
2764	艾毁	追考對、不敢家
2767	盧毁一	盧拜韻首敢對揚天子不顯休
2768	趚毁	趚揚天子不顯休
2773	即毁	即敢對揚天子不顯休
2775	裘衛毁	衛拜韻首敢對揚天子不顯休
2777	天亡毁	天亡又王衣祀于王不顯考文王
2777	天亡毁	不顯王乍省
2777	天亡毁	不緣王乍虎
2777	天亡毁	不克气衣王祀
2785	王臣毁	不敢顯天子對揚休
2786	縣妃毁	我不能不眔縣白萬年保
2787	望毁	對揚天子不顯休
2787	望毁	敢對揚天子不顯休
2788	靜毁	對揚天子不顯休
2791	豆閉毁	敢對揚天子不顯休命
2791.	史密毁	巂不阶（折、哲）
2792	師俞毁	俞敢揚天子不顯休
2793	元年師旋毁一	敢對揚天子不顯魯休命
2794	元年師旋毁二	敢對揚天子不顯魯休命
2795	元年師旋毁三	敢對揚天子不顯魯休命
2796	諫毁	女某不又聞
2796	諫毁	母敢不善
2796	諫毁	敢對揚天子不顯休
2796	諫毁	女某不又聞
2796	諫毁	母敢不善
2796	諫毁	敢對揚天子不顯休
2798	師瘨毁一	敢對揚天子不顯休
2799	師瘨毁二	敢對揚天子不顯休
2800	伊毁	伊用乍朕不顯文且皇考徲弔寶嚻彝
2803	師酉毁一	對揚天子不顯休命
2804	師酉毁二	對揚天子不顯休命
2804	師酉毁二	對揚天子不顯休命
2805	師酉毁三	對揚天子不顯休命
2806	師酉毁四	對揚天子不顯休命
2806.	師酉毁五	對揚天子不顯休命
2810	揚毁一	敢對揚天子不顯休
2811	揚毁二	敢對揚天子不顯休
2812	大毁一	不顯休
2813	大毁二	不顯休
2816	彔白㦰毁	女肇不家
2816	彔白㦰毁	對揚天子不顯休
2817	師類毁	類拜韻首敢對揚天子不顯休

不

2818	此段一	此敢對揚天子不顯休令
2819	此段二	此敢對揚天子不顯休令
2820	此段三	此敢對揚天子不顯休令
2821	此段四	此敢對揚天子不顯休令
2822	此段五	此敢對揚天子不顯休令
2823	此段六	此敢對揚天子不顯休令
2824	此段七	此敢對揚天子不顯休令
2825	此段八	此敢對揚天子不顯休令
2826	師寰段一	師寰虔不家
2826	師寰段一	師寰虔不家
2827	師寰段二	師寰虔不家
2829	師虎段	對揚天子不杯魯休
2830	三年師兌段	敢對揚天子不顯魯休
2831	元年師兌段一	敢對揚天子不顯魯休
2832	元年師兌段二	敢對揚天子不顯魯休
2833	秦公段	秦公曰：不顯朕皇且受天命
2833	秦公段	鍈靜不廷
2835	訇段	不顯文武受令
2840	番生段	不顯皇且考
2840	番生段	番生不敢弗帥井皇且考不杯元德
2840	番生段	虔夙夜專求不朁德
2841	茳白段	朕不顯且玟珷
2842	卯段	不淑取我家窒用喪
2842	卯段	女母敢不善
2843	沈子它段	不敢不緼
2844	頌段一	頌敢對揚天子不顯魯休
2845	頌段二	頌敢對揚天子不顯魯休
2845	頌段二	頌敢對揚天子不顯魯休
2846	頌段三	頌敢對揚天子不顯魯休
2847	頌段四	頌敢對揚天子不顯魯休
2848	頌段五	頌敢對揚天子不顯魯休
2849	頌段六	頌敢對揚天子不顯魯休
2850	頌段七	頌敢對揚天子不顯魯休
2851	頌段八	頌敢對揚天子不顯魯休
2852	不嬰段一	白氏曰：不嬰
2852	不嬰段一	白氏曰：不嬰、女小子
2852	不嬰段一	不嬰拜韻手休
2853	不嬰段二	白氏曰：不嬰
2853	不嬰段二	白氏曰：不嬰、女小子
2853	不嬰段二	不嬰拜韻手休
2854	桒段	母敢又不聞
2854	桒段	敢對揚天子不顯魯休
2855	班段一	三年靜東或、亡不成
2855	班段一	不杯乳皇公
2855.	班段二	亡不成斁天畏
2855.	班段二	不杯乳皇公
2856	師訇段	不顯文武、雁（ 膺 ）受天令
2856	師訇段	亡不康靜
2856	師訇段	首德不克婁
2857	牧段	不用先王乍井

2857	牧毀	不井不中
2857	牧毀	母敢不明不中不井
2857	牧毀	母敢不尹
2857	牧毀	丌不中不井
2857	牧毀	牧拜䭫首敢對揚王不顯休
2955	齊陳__匿一	齊陳ka不敢般康
2956	齊陳曼匿二	齊陳ka不敢逸般康
2972	弔家父乍仲姬匿	哲德不亡（忘）
2986	曾白霥旅匿一	曾白霥叚不黃耇萬年
2987	曾白霥旅匿二	曾白霥叚不黃耇萬年
3085	駒父旅盨（蓋）	豕不敢不敬畏王命逆見我
3085	駒父旅盨（蓋）	我乃至于淮｛小大｝邦亡敢不__具逆王命
3086	善夫克旅盨	敢對天子不顯魯休揚
3088	師克旅盨一（蓋）	師克不顯文武、雁受大令、匍有四方
3088	師克旅盨一（蓋）	克敢對揚天子不顯魯休
3089	師克旅盨二	師克不顯文武、雁受大令、匍有四方
3089	師克旅盨二	克敢對揚天子不顯魯休
3090	㝬盨（器）	則隹輔天降喪不□唯死
3090	㝬盨（器）	對揚天子不顯魯休
3562	子不爵	子［不］
4448	長由盉	井白氏彌不姦
4448	長由盉	敢對揚天子不顯休
4878	召尊	用u8不杯・召多用追炎不杯白懋父友
4882	匡乍文考日丁尊	對揚天子不顯休
4885	效尊	烏虖、效不敢不萬年夙夜奔走
4887	蔡侯䐓尊	祗敬不惕
4887	蔡侯䐓尊	不諱考壽
4888	盠駒尊一	盠曰、王倗下不其
4890	盠方尊	盠曰：天子不假不其
4891	何尊	順我不敏
4977	師遽方彝	對揚天子不顯休
4979	盠方彝一	盠曰：天子不假不其
4980	盠方彝二	盠曰：天子不假不其
5468	子寏子卣	䨻不弔L1乃邦
5468	子寏子卣	䨻不弔L1乃邦
5489	戉箙啟卣	啟從征、堇（謹）不嬰
5496	召卣	用u8不杯召多
5496	召卣	用追于炎、不䜌白懋父友
5508	弔䧹父卣一	余考不克御事
5510	乍冊嗌卣	不彔 嗌子
5510	乍冊嗌卣	不敢____兄鑄彝
5510	乍冊嗌卣	遣祐石宗不㓹
5511	效卣一	效不敢不萬年夙夜奔走揚公休
5583	不白夏子罍一	不白夏子自乍尊䨻（罍）
5584	不白夏子罍二	不白夏子自乍尊䨻（罍）
5784	𡚬氏壺	多寡不訏
5798	曶壺	敢對揚天子不顯魯休令
5799	頌壺一	頌敢對揚天子不顯魯休
5800	頌壺二	頌敢對揚天子不顯魯休
5801	洹子孟姜壺一	余不其事

不

5802	洹子孟姜壺二	余不其事
5803	㝬嗣好蚉壺	日夕不忘
5803	㝬嗣好蚉壺	以憂乎民之隹不辜
5803	㝬嗣好蚉壺	子之大Lf不宜
5803	㝬嗣好蚉壺	不能寧處
5803	㝬嗣好蚉壺	不敢寧處
5803	㝬嗣好蚉壺	母有不敬
5804	齊侯壺	釗不□其王乘馹
5804	齊侯壺	□日不可多天□□□□□□受女
5805	中山王嚳方壺	嚴敬不敢怠荒
5805	中山王嚳方壺	天不臭(斁)其有愿
5805	中山王嚳方壺	不貳其心
5805	中山王嚳方壺	不顧(顧)大宜
5805	中山王嚳方壺	不匱(忌)者侯
5805	中山王嚳方壺	下不順於人施
5805	中山王嚳方壺	不祥莫大焉
5805	中山王嚳方壺	則臣不忍見施
5805	中山王嚳方壺	以栽(誅)不順
5805	中山王嚳方壺	不用禮宜
5805	中山王嚳方壺	不顧(顧)逆順
5805	中山王嚳方壺	天子不忘其有勛
6775	__仲乍父丁盤	萬年不忘
6785	守宮盤	祼周師、不杯
6786	__弔多父盤	兄弟者子聞(婚)媾無不喜
6787	走馬休盤	敢對揚天子不顯休令
6788	蔡侯𨱴盤	𢾊敬不惕
6788	蔡侯𨱴盤	不諱考壽
6789	寰盤	敢對揚天子不顯叚休令
6790	虢季子白盤	不顯子白
6791	兮甲盤	毋敢不出其賨、其積、其進人
6791	兮甲盤	其賈毋敢不即次、即市
6791	兮甲盤	敢不用令
6791	兮甲盤	乎賈毋不即市
6792	史牆盤	永不巩狄
6792	史牆盤	方蠻亡不𢓊見
6792	史牆盤	史牆夙夜不豖
6792	史牆盤	對揚天子不顯休令
6925	晉邦𥁕	莫不來王
6925	晉邦𥁕	諗莫不日卑J0
7006	戰狄鐘	戰狄不龏
7020	單伯鐘	不顯皇且剌考
7037	遲父鐘	不顯龍光
7043	克鐘四	克不敢豖
7044	克鐘五	乘、克不敢豖
7047	井人鐘	妄不敢弗帥用文且皇考穆穆秉德
7048	井人鐘二	妄不敢弗帥用文且皇考穆穆秉德
7069	者沕鐘一	q7亦虔秉不經悳
7070	者沕鐘二	女亦虔秉不經悳台克剌__光之于聿
7071	者沕鐘三	女亦虔秉不經悳
7072	者沕鐘四	女亦虔秉不經德

7073	者汈鐘五	女亦虔秉不經悳
7076	者汈鐘八	勿有不義
7076	者汈鐘八	詨之于不啻
7079	者汈鐘十一	勿有不義
7079	者汈鐘十一	詨之于不啻
7080	者汈鐘十二	勿有不義
7080	者汈鐘十二	詨之于不啻
7081	者汈鐘十三	詨之于不
7112	者減鐘一	不帛不𦍋
7112	者減鐘一	不濼不彫
7113	者減鐘二	不帛不𦍋
7113	者減鐘二	不濼不彫
7116	南宮乎鐘	敢對揚天子不顯魯休
7122	梁其鐘一	汈其曰：不顯皇其考
7122	梁其鐘一	汈其敢對天子不顯休揚
7123	梁其鐘二	汈其曰：不顯皇其考
7123	梁其鐘二	汈其敢對天子不顯休揚
7125	蔡侯綏紐鐘一	有虔不易
7125	蔡侯綏紐鐘一	不愆不貣
7126	蔡侯綏紐鐘二	有虔不易
7126	蔡侯綏紐鐘二	不愆不貣
7131	蔡侯綏紐鐘七	不愆不貣
7132	蔡侯綏紐鐘八	有虔不易
7132	蔡侯綏紐鐘八	不愆不貣
7133	蔡侯綏紐鐘九	有虔不易
7133	蔡侯綏紐鐘九	不愆不貣
7134	蔡侯綏甬鐘	有虔不易
7134	蔡侯綏甬鐘	不愆不貣
7135	逆鐘	母有不聞智
7136	郘鐘一	余不敢為喬隹王正月初吉丁亥
7137	郘鐘二	余不敢為喬
7138	郘鐘三	余不敢為喬
7139	郘鐘四	余不敢為喬
7140	郘鐘五	余不敢為喬
7141	郘鐘六	余不敢為喬
7142	郘鐘七	余不敢為喬
7143	郘鐘八	余不敢為喬
7144	郘鐘九	余不敢為喬
7145	郘鐘十	余不敢為喬
7146	郘鐘十一	余不敢為喬
7147	郘鐘十二	余不敢為喬
7148	郘鐘十三	余不敢為喬
7149	郘鐘十四	余不敢為喬
7150	虢叔旅鐘一	不顯皇考叀弔
7151	虢叔旅鐘二	不顯皇考叀弔
7152	虢叔旅鐘三	不顯皇考叀弔
7153	虢叔旅鐘四	不顯皇考叀弔
7154	虢叔旅鐘五	不顯皇考叀弔
7157	邾公華鐘一	不彖于氒身
7158	𤼈鐘一	不顯高且亞且文考

不

7158	瘨鐘一	瘨不敢弗帥且考
7160	瘨鐘三	不顯高且亞且文考
7160	瘨鐘三	瘨不敢弗帥且考
7161	瘨鐘四	不顯高且亞且文考
7161	瘨鐘四	瘨不敢弗帥且考
7162	瘨鐘五	不顯高且亞且文考
7162	瘨鐘五	瘨不敢弗帥且考
7174	秦公鐘	不㒸于上
7175	王孫遺者鐘	誨猷不飤
7176	㝬鐘	用卲各不顯且考先王
7177	秦公及王姬編鐘一	不㒸于上
7182	叔夷編鐘一	女不㒸
7182	叔夷編鐘一	尸不敢弗儆戒
7183	叔夷編鐘二	弗敢不對揚朕辟皇君之
7184	叔夷編鐘三	虔卹不易
7186	叔夷編鐘五	不顯穆公之孫
7187	叔夷編鐘六	不顯皇祖
7190	叔夷編鐘九	乃不敢
7192	叔夷編鐘十一	虔卹不易
7193	叔夷編鐘十二	不顯䜌虎
7204	克鎛	克不敢㒸
7205	蔡侯鍰𪏚編鎛一	有虔不易
7205	蔡侯鍰𪏚編鎛一	不愆不貣
7206	蔡侯鍰𪏚編鎛二	有虔不易
7206	蔡侯鍰𪏚編鎛二	不愆不貣
7207	蔡侯鍰𪏚編鎛三	有虔不易
7207	蔡侯鍰𪏚編鎛三	不愆不貣
7208	蔡侯鍰𪏚編鎛四	有虔不易
7208	蔡侯鍰𪏚編鎛四	不愆不貣
7209	秦公及王姬鎛	不㒸于上
7210	秦公及王姬鎛二	不㒸于上
7211	秦公及王姬鎛三	不㒸于上
7212	秦公鎛	秦公曰：不顯朕皇且受天命
7212	秦公鎛	十又二公不㒸才下
7212	秦公鎛	鍠靜不廷
7214	叔夷鎛	女不㒸
7214	叔夷鎛	尸不敢弗儆戒
7214	叔夷鎛	弗敢不對揚朕辟皇君之易休命
7214	叔夷鎛	虔卹不易
7214	叔夷鎛	不顯穆公之孫
7214	叔夷鎛	不顯皇祖
7513	宋公差戈	宋公差之所造不陽族戈
7518	四年呂不韋戈	四年相邦呂不韋
7552	＿生戈	郾侯庫乍戎＿蚔生不祗□無□□□自洹來
7564	五年相邦呂不韋戈	五年相邦呂不韋造
7565	八年相邦呂不韋戈	八年相邦呂不韋造
7868	商鞅方升	法度量則不壹歉疑者
7871	子禾子釜一	如關人不用命
7899	鄂君啟車節	不見其金節則政
7900	鄂君啟舟節	不見其金節則征

7975	中山王䂂兆域圖	不行王命者
M423.	趞鼎	敢對揚天子不顯魯休
M545	配兒句鑃	余不敢詩
M553	越王者旨於賜鐘	夙莫不貣
M900	梁十九年鼎	鬲（歷）年萬不承
		小計：共　377 筆

1895

1331	中山王䂂鼎	知天若否
1332	毛公鼎	虩許（赫戲）上下若否
2815	師設毁	母敢否善
2855	班毁一	臥天畏、否畀屯陟
2855.	班毁二	否畀屯陟
6925	晉邦盦	否乍元女
		小計：共　6 筆

1896

1305	師奎父鼎	對揚天子不杯魯休
1315	善鼎	對揚皇天子不杯休
2260	杯𡍻乍父□毁	杯𡍻乍父□寶彝
2736	師遽毁	敢對揚天子不杯休
2829	師虎毁	對揚天子不杯魯休
2840	番生毁	番生不敢弗帥井皇且考不杯元德
2841	芇白毁	歸L8敢對揚天子不杯魯休
4448	長由盉	敢對揚天子不杯休
2855	班毁一	不杯孔皇公
2855.	班毁二	不杯孔皇公
4878	召尊	用u8不杯・召多用追炎不杯白懋父友
5496	召卣	用u8不杯召多
6785	守宮盤	裸周師、不杯
		小計：共　13 筆

1897

0944	至乍寶鼎	至乍寶鼎其萬年永寶用
1222	竄鼎一	師雝父循道至于䛖、竄從
1223	竄鼎二	師雝父循道至于䛖、竄從
1270	小臣夌鼎	王至于汏㕦、無遣
1288	令鼎一	王曰：令眔奮乃克至
1288	令鼎一	王至于溓宮、攸
1289	令鼎二	王曰：令眔奮乃克至
1289	令鼎二	王至于溓宮、攸
1324	禹鼎	至于歷内
1324	禹鼎	雩禹目武公徒馭至于噩
1326	多友鼎	從至、追搏于世

不否杯至

至

1326	多友鼎	乃趨追至于楊冢
1328	盂鼎	人鬲自馭至于庶人六百又五十又九夫
1668	中甗	史兒至、以王令曰
1668	中甗	氒又舍女矧量至于女
2704	穆公設	迺自商自復還至于周囗
2724	章白馭設	至、尞于宗周
2789	同設一	自淲東至于河
2789	同設一	氒逆至于玄水
2790	同設二	自淲東至于河
2790	同設二	氒逆至于玄水
2801	五年召白虎設	余惑至我考我母令
2837	敔設一	至于伊、班
2841	𦯞白設	王命益公征眉敖益公至、告
2841	𦯞白設	二月、眉敖至
3085	駒父旅盨(蓋)	我乃至于淮{小大}邦亡敢不__具逆王命
3085	駒父旅盨(蓋)	四月、還至于蔡、乍旅盨
4893	矢令尊	明公朝至于成周
4981	鼻冊令方彝	明公朝至于成周、徭令
5489	戉箙啟卣	窋if山谷至于上侯竟川上
5789	命瓜君厚子壺一	至于萬意年
5790	命瓜君厚子壺二	至于萬意年
5805	中山王嚳方壺	故辭禮敬則賢人至
6791	兮甲盤	至于南淮夷
6793	矢人盤	至于大沽
6793	矢人盤	至于邊柳、復涉濡
6793	矢人盤	以西至于琟莫
6793	矢人盤	自根木道左至于井邑封
6925	晉邦盦	至于大廷
7040	克鐘一	王親令克遹涇東至于京自
7041	克鐘二	王親令克遹涇東至于京自
7042	克鐘三	王親令克遹涇東至于京
7046	囗囗自乍鐘二	至王父䨵(兄)
7084	邾公牼鐘一	至于萬年
7085	邾公牼鐘二	至于萬年
7086	邾公牼鐘三	至于萬年
7087	邾公牼鐘四	至于萬年
7176	㝬鐘	王辜伐其至
7188	叔夷編鐘七	至于業
7204	克鎛	至于京自
7213	𩛥鎛	業萬至於辝孫子
7214	叔夷鎛	至于業
7218	釗鐳尹征城	oJ至劒兵
7744	工獻太子劍	至于南行
7744	工獻太子劍	至于西行
7975	中山王墓兆域圖	從丘欧目至内宮六步
7975	中山王墓兆域圖	從丘欧目至内宮六步
7975	中山王墓兆域圖	從丘欧目至内宮六步
7975	中山王墓兆域圖	從丘欧目至内宮六步
7975	中山王墓兆域圖	從丘欧至内宮廿四步
7975	中山王墓兆域圖	從丘欧目至内宮六步

7975	中山王墓兆域圖	從丘欿目至內宮六步
7975	中山王墓兆域圖	從丘欿至內宮廿四步
7975	中山王墓兆域圖	從內宮目至中宮卅步
7975	中山王墓兆域圖	從內宮至中宮廿五步
7975	中山王墓兆域圖	從內宮至中宮廿五步
7975	中山王墓兆域圖	從內宮目至中宮卅步
7975	中山王墓兆域圖	從內宮至中宮卅六步
7975	中山王墓兆域圖	從內宮目至中宮卅六步

小計：共 69 筆

刂 1898 或釋侄

1330	曶鼎	用到絲人
2120	白到乍孰段	白到乍孰段
2841	茾白段	己未、王命中到歸茾白or裘
5690	白到方壺	白到乍寶尊彝
6877	儹乍旅盨	則到乃鞭千
7092	鳳羌鐘一	武侄寺力
7093	鳳羌鐘二	武侄寺力
7094	鳳羌鐘三	武侄寺力
7095	鳳羌鐘四	武侄寺力
7096	鳳羌鐘五	武侄寺力

小計：共 10 筆

盩 1899

1273	師湯父鼎	象弭、矢盩、彤欮
4128.	盩公爵	盩周公彝

小計：共 2 筆

1900

1091	小臣趞鼎	小臣趞即事于西、休
1192	亞口伐_乍文乙鼎	丁卯、王令宜子迨西方
1324	禹鼎	王迺命西六自、殷八自曰
1324	禹鼎	恵西六自、 殷六自
1325	五祀衛鼎	氒西彊眔厲田
1326	多友鼎	多友西追
1329	小字盂鼎	伏西旅
2658	白彧段	白彧肇其作西宮寶
2665	_弔段	ki弔u4my于西宮
2803	師酉段一	西門尸、纍尸、秦尸、京尸、畀th尸
2804	師酉段二	西門尸、纍尸、秦尸、京尸、畀th尸
2804	師酉段二	西門尸、纍尸、秦尸、京尸、畀th尸
2805	師酉段三	西門尸、纍尸、秦尸、京尸、畀th尸
2806	師酉段四	西門尸、纍尸、秦尸、京尸、畀th尸
2806.	師酉段五	西門尸、纍尸、秦尸、京尸、畀th尸

西
鹵

2815	師𩛥𣪕	𢦏嗣我西扁東扁
2833	秦公𣪕	西、元器一斗七升、__𣪕-(器刻銘)
2833	秦公𣪕	西、一斗七升大半升、蓋-(蓋刻銘)
2835	訇𣪕	西門尸、秦尸、京尸、㚇尸
2852	不𡢁𣪕一	馭方厥允廣伐西俞
2852	不𡢁𣪕一	王令我羞追于西
2853	不𡢁𣪕二	馭方厥𢽎廣伐西俞
2853	不𡢁𣪕二	王令我羞追于西
2878	西替𨥷	西替乍其妹𣂋尊𨥷(匿)
5431	白__乍西宮白卣	白rz乍西宮白寶尊彝
5509	㚇卣	王畬西宮、烝、咸
J3375	右㕑𢍜壺	(拓本未見)
5701	右征尹壺	右征尹、右征尹、西宮
5793	幾父壺一	同中宄西宮易幾父Gw朱六
5794	幾父壺二	同中宄西宮易幾父Gw朱六
5826	國差𦉜	攻師何鑄西郭寶𦉜四秉
6793	矢人盤	陟雩𢽎sh隡以西
6793	矢人盤	以西至于𢅬莫
6793	矢人盤	還、以西一封
6793	矢人盤	鮮、且、散、 武父、西宮褱
6793	矢人盤	迺卑西宮褱
6793	矢人盤	西宮褱、武父則誓
6860	敶白元匜	陳白vm之子白元乍西孟嬀婤母媵匜
7017	楚王酓章鐘一	返自西𨛜
7017	楚王酓章鐘一	奠之于西𨛜
7018	楚王酓章鐘二	奠之于西𨛜
7201	楚王酓章乍曾侯乙鎛	返自西𨛜
7201	楚王酓章乍曾侯乙鎛	奠之于西𨛜
7744	工𠭯太子劍	至于西行
7881	白君𣝍	白君西里__右
7918	西年車器	西年
M693	曾大工尹戈	西宮之孫
		小計:共 47 筆

鹵 1901

0112	鹵鼎一	[鹵]
0113	鹵鼎二	[鹵]
0114	鹵鼎三	[鹵]
1318	晉姜鼎	易鹵責千兩
4069	鹵獸形父丁爵	[鹵犬]父乙
4276.	鹵斝	[鹵]
4351.	鹵盉	[鹵]
4492	鹵尊	[鹵]
4935	鹵方彝	[鹵]
5038	鹵卣	[鹵]
5587	鹵瓿	[鹵]
5872	鹵觚	[鹵]
5914	鹵觚	[鹵]

6328	鹵觶	[鹵]
6778	免盤	令乍冊內史易免鹵百s1
		小計：共　15 筆

1902

2760	小臣謎毀一	白懋父承王令易自達征自五齵貝
2761	小臣謎毀二	白懋父承王令易自達征自五齵貝
		小計：共　2 筆

1903

1332	毛公鼎	金車𨏈較、朱䖒𠣼（鞃）靳、虎冟熏裏、右厄
2816	彔白㦰毀	金戹畫轉、馬四匹、鋚勒
2830	三年師兌毀	右戹
2840	番生毀	朱𤔲鞃靳、虎冟熏裏、造衡右戹
6066	車戹觚	[車戹]
7213	𬳿鎛	余為大攻戹
		小計：共　6 筆

1904

0717	旁攴乍尊諆鼎	旁肁乍尊諆
2412	滕虎乍氒皇考毀一	滕（滕）虎敢肁（肈）乍氒皇考公命中寶尊彝
2413	滕虎乍氒皇考毀二	滕（滕）虎敢肁（肈）乍氒皇考公命中寶尊彝
2414	滕虎乍氒皇考毀三	滕（滕）虎敢肁（肈）乍氒皇考公命中寶尊彝
2566	寧毀一	寧肁諆乍乙考尊毀
2567	寧毀二	寧肁諆乍乙考尊毀
4830	犀肈其乍父己尊	犀肁（肈）乍父己寶尊彝[㝬__]
4883	耳尊	肁（肈）乍京公寶尊彝
7059	師臾鐘	師臾肁乍朕剌且虢季宄公幽弔
		小計：共　9 筆

1905

2889	魯士浮父飤匿一	魯士浮父乍飤匿、永寶用
2890	魯士浮父飤匿二	魯士浮父乍飤匿、永寶用
2891	魯士浮父飤匿三	魯士浮父乍飤匿、永寶用
2892	魯士浮父飤匿四	魯士浮父乍飤匿、永寶用
		小計：共　4 筆

1906

1306	無叀鼎	𤔲徒南中右無叀內門
1309	寰鼎	宰頵右寰入門

	1311	師晨鼎	𤔲馬共右師晨入門、立中廷
	1312	此鼎一	𤔲土毛弔右此入門、立中廷
	1313	此鼎二	𤔲土毛弔右此入門、立中廷
	1314	此鼎三	𤔲土毛弔右此入門、立中廷
門	1317	善夫山鼎	南宮乎入右善夫山入門
	1319	頌鼎一	宰引右頌入門、立中廷
	1320	頌鼎二	宰引右頌入門、立中廷
	1321	頌鼎三	宰引右頌入門、立中廷
	1327	克鼎	醽季右善夫克入門立中廷、北鄉
	1329	小字盂鼎	鬼方□□□□□□□門
	1329	小字盂鼎	□□□□□□□□□人馘入門
	1329	小字盂鼎	□□□□□□□□□□三門
	1330	曶鼎	數曰于王參門
	1599	門射乍寶彝甗	門射乍寶彝
	1846	門且丁毀	[門]且丁
	2767	虘毀一	王乎師晨召大師虘入門、立中廷
	2774.	南宮弔毀	南宮弔入門
	2775	裘衛毀	南白入、右裘衛入門、立中廷、北鄉
	2778	格白毀一	涉東門
	2778	格白毀一	涉東門
	2779	格白毀二	涉東門
	2780	格白毀三	涉東門
	2781	格白毀四	涉東門
	2782	格白毀五	涉東門
	2782.	格白毀六	涉東門
	2787	望毀	宰倗父右望入門
	2792	師俞毀	𤔲馬共右師俞入門立中廷
	2796	諫毀	𤔲馬共又右諫入門立中廷
	2796	諫毀	𤔲馬共又右諫入門立中廷
	2798	師瘨毀一	𤔲馬井白親右師瘨入門立中廷
	2799	師瘨毀二	𤔲馬井白親右師瘨入門立中廷
	2803	師酉毀一	西門尸、纂尸、秦尸、京尸、畀th尸
	2804	師酉毀二	西門尸、纂尸、秦尸、京尸、畀th尸
	2804	師酉毀二	西門尸、纂尸、秦尸、京尸、畀th尸
	2805	師酉毀三	西門尸、纂尸、秦尸、京尸、畀th尸
	2806	師酉毀四	西門尸、纂尸、秦尸、京尸、畀th尸
	2806.	師酉毀五	西門尸、纂尸、秦尸、京尸、畀th尸
	2807	郿毀一	毛白內門
	2808	郿毀二	毛白內門
	2809	郿毀三	毛白內門
	2818	此毀一	司土毛弔右此入門、立中廷
	2819	此毀二	司土毛弔右此入門、立中廷
	2820	此毀三	司土毛弔右此入門、立中廷
	2821	此毀四	司土毛弔右此入門、立中廷
	2822	此毀五	司土毛弔右此入門、立中廷
	2823	此毀六	司土毛弔右此入門、立中廷
	2824	此毀七	司土毛弔右此入門、立中廷
	2825	此毀八	司土毛弔右此入門、立中廷
	2830	三年師兌毀	䣄白右師兌入門、立中廷
	2831	元年師兌毀一	同中右師兌入門、立中廷

2832	元年師兌毁二	同中右師兌入門、立中廷
2835	訇毁	西門尸、秦尸、京尸、纂尸
2844	頌毁一	宰引右頌入門立中廷
2845	頌毁二	宰引右頌入門立中廷
2845	頌毁二	宰引右頌入門立中廷
2846	頌毁三	宰引右頌入門立中廷
2847	頌毁四	宰引右頌入門立中廷
2848	頌毁五	宰引右頌入門立中廷
2849	頌毁六	宰引右頌入門立中廷
2850	頌毁七	宰引右頌入門立中廷
2851	頌毁八	宰引右頌入門立中廷
4978	吳方彝	宰朏右乍冊吳入門
5799	頌壺一	宰引右頌入門立中廷
5800	頌壺二	宰引右頌入門立中廷
5804	齊侯壺	庚大門之
6787	走馬休盤	益公右走馬休入門
6789	寰盤	宰頵右寰入門
6793	矢人盤	小門人繇、原人虞艿、 淮嗣工虎、孝龠
7548	元年_令戈	_命夜會上庫工市治門旅其郗
M423.	趞鼎	宰訊趞入門立中廷北向
		小計：共 72 筆

門 閈 閣 關 開

1907

1331	中山王嚳鼎	閈烏（於）天下之勿（物）矣
1332	毛公鼎	亡不閈（覲）于文武耿光
		小計：共 2 筆

1908

7416	閣丘戈	閣（筥）丘為雕造
		小計：共 1 筆

1909

1328	盂鼎	關殹匿
1331	中山王嚳鼎	關啟封疆
2407	白閈乍尊毁一	白閈（關）乍尊毁
2408	白閈乍尊毁二	白閈（關）乍尊毁
2816	彔白㦰毁	右關四方
4335	秝關乍父丁斝	[秝]關乍父丁
5805	中山王嚳方壺	以佐右殹關
5805	中山王嚳方壺	朮關封疆
7659	元年春平侯矛	邦右庫工市汖瘠冶□關執齊
7771	大武戚	兵關大歲
		小計：共 10 筆

閒
闌
閑
閉
關

閒 1910

5781	曾姬無卹壺一	蒿閒之無匹
7176	𦖞鐘	㠯子迺遣閒來逆卲王
7653	十年邦司寇富無矛	上庫工帀戎閒冶尹
7975	中山王墓兆域圖	兩堂閒八十乇（尺）
7975	中山王墓兆域圖	兩堂閒百（尺）
7975	中山王墓兆域圖	兩堂閒百（尺）
7975	中山王墓兆域圖	兩堂閒八十乇（尺）
		小計：共 7 筆

闌 1911

J0081	王孫窹鐘	闌闌龢𥨘
1219	戍嗣子鼎	在闌宰
1219	戍嗣子鼎	隹王窨闌大室、才九月
1299	匽侯鼎一	馭方休闌
1304	王子午鼎	闌闌龢𥨘
2446	亞古乍父己毀	己亥王易貝、才闌
2671	利毀	王才闌𠂤
4242	𢊁冊宰椃乍父丁角	庚申、王才闌
5250	闌乍尊彝卣	闌乍尊彝
7175	王孫遺者鐘	闌闌龢鐘
?	監弘鼎	（未見）
		小計：共 11 筆

閑 1912

2789	同毀一	母女又閑
2790	同毀二	母女又閑
		小計：共 2 筆

閉 1913

2791	豆閉毀	右豆閉
2791	豆閉毀	王乎內史冊命豆閉
2791	豆閉毀	王曰：閉、易女戠衣、⊖市、䜌旂
2791	豆閉毀	閉拜䭫首
7871	子禾子釜一	關人築桿rw斧、閉□
		小計：共 5 筆

關 1914

7870	陳純釜	n2命左關帀r4
7870	陳純釜	敕成左關之斧節于稟斧

7871	子禾子釜一	左關斧節于稟斧
7871	子禾子釜一	關鉚節于稟料
7871	子禾子釜一	關人築桿rw斧、閉□
7871	子禾子釜一	如關人不用命
7871	子禾子釜一	關人□□其事
7871	子禾子釜一	丘關之＿
7872	左關之鉚	左關之鉚
7878	安邑下關鍾	安邑下關□重□□□嗇夫嘉句□....
7900	鄂君啟舟節	上江、適木關、適郢
7900	鄂君啟舟節	女載馬、牛、羊台出內關
7900	鄂君啟舟節	母政於關
		小計：共 13 筆

1915

7975	中山王墓兆域圖	闊閡（狹）小大之□
		小計：共 1 筆

1916

7975	中山王墓兆域圖	閔、內宮垣
7975	中山王墓兆域圖	閔、中宮垣
		小計：共 2 筆

1917

7975	中山王墓兆域圖	闊閡（狹）小大之□
		小計：共 1 筆

1918

0692	閱白乍寶鼎	閱白乍寶鼎
2059	閱乍旅毀	閱乍旅毀
5391	閱乍宄白卣	閱乍宄白寶尊彝
		小計：共 3 筆

1919

5416	闢卣	闢乍皇陽日辛尊彝
		小計：共 1 筆

1920

0953	婦闟乍文姑日癸鼎	婦闟乍文姑日癸尊彝

關闊閔閡閱闢闟

闆
耳
耿
聖

4342	㜅婦闆罍	婦闆乍文姑日癸尊彝[㜅]
4924	㜅婦闆乍文姑日癸觥	[㜅]婦闆乍文姑日癸尊彝
5435	婦闆乍文姑日癸卣一	婦闆乍文姑日癸尊彝[㜅]
5436	婦闆乍文姑日癸卣二	婦闆乍文姑日癸尊彝[㜅]
J1008	婦闆甗	婦闆乍文姑日癸尊彝[㜅]

小計：共　6 筆

耳　1921

0296	□耳鼎	[□耳]
1902	□白陪殷	耳白陪
?003	亞耳殷	據金文編補
2580	㚸乍北子殷	㚸乍北子耳殷
3700	内耳爵	[内耳]
3700.	耳髭爵	[耳髭]
4538	危耳尊	[危耳]
4760	亞耳乍且丁尊	亞耳乍且丁尊彝
4883	耳尊	耳日受休
5088	__耳卣	[危]耳
5464	刀耳乍父乙卣	寧史易耳
5464	刀耳乍父乙卣	耳休、弗敢且
5607	耳壺	[耳]
7268	羊戈	[羊、耳]
7275	北耳戈一	[北耳]
7276	北耳戈二	[北耳]

小計：共　16 筆

耿　1922

1324	禹鼎	敢對揚武公不顯耿光
1332	毛公鼎	亡不閈(覲)于文武耿光

小計：共　2 筆

聖　1923

1213	師𧻚鼎一	師𧻚乍文考聖公
1213	師𧻚鼎一	文母聖姬尊
1214	師𧻚鼎二	師𧻚乍文考聖公
1214	師𧻚鼎二	文母聖姬尊
1284	尹姞鼎	休天君弗望穆公聖粦明
1307	師望鼎	王用弗謡聖人之後
1323	師䂂鼎	用井乃聖且考隰明
1324	禹鼎	肆武公亦弗叚望朕聖且考幽大弔、懿弔
1327	克鼎	巠念氒聖保且師華父
1533	尹姞竇鬲一	休天君弗望穆公聖粦明𣪕吏(事)先王
1534	尹姞竇鬲二	休天君弗望穆公聖粦明𣪕吏(事)先王
2546	聖殷	辛巳、王畬(歆)多亞聖㠯京

2684	__寵乎設	用聖夙夜
2766	三兒設	余敢□□聖□□□忌
2855	班設一	毓文王、王姒(始)聖孫
2855.	班設二	王姒(始)聖孫
2856	師訇設	亦則於女乃聖且考克左右先王
2986	曾白霥旅匿一	曾白霥哲聖元元武武孔𢼸
2987	曾白霥旅匿二	曾白霥哲聖元元武武孔𢼸
5781	曾姬無卹壺一	聖趄之夫人曾姬無卹
5782	曾姬無卹壺二	聖趄之夫人曾姬無卹
5805	中山王譽方壺	夫古之聖王務才得賢
6792	史墻盤	憲聖成王
6817	匽白聖匜	匽白聖乍正它、永用
7047	井人鐘	安害害聖䙴、疐處
7048	井人鐘二	安害害聖䙴、疐處
7108	簷弔之仲子平編鐘一	聖智恭睍
7109	簷弔之仲子平編鐘二	聖智恭睍
7110	簷弔之仲子平編鐘三	聖智恭睍
7111	簷弔之仲子平編鐘四	聖智恭睍
7159	癲鐘二	夙夕聖䙴
7175	王孫遺者鐘	肅哲聖武
7213	𩊄鎛	用享用孝于皇祖聖弔
7213	𩊄鎛	皇祉(妣)聖姜

小計：共　34 筆

聖 聽 耶 職

1924

1331	中山王譽鼎	虐(吾)老貯奔走不聽命
2546	聖設	辛巳、王畬(歆)多亞耶(聽聖)亯京
2675	大保設	王伐彔子耶(聽)、𠭯氒反
5801	洹子孟姜壺一	聽命于天子
5802	洹子孟姜壺二	齊侯命大子乘dw來句宗白聽命于天子
6267	王子耶乍父丁觚	王子耶乍父丁彝
7157	邾公華鐘一	慎為之耶
7821	耶七府距末	耶七府

小計：共　8 筆

1925

5781	曾姬無卹壺一	職在王室
5782	曾姬無卹壺二	職在王室
7440	郾王職乍王萃戈一	郾王職乍王萃
7441	郾王職乍王萃戈二	郾王職乍王萃
7442	郾王職乍王萃戈三	郾王職乍王萃
7478	郾王職乍御司馬	郾王職乍御司馬
7479	郾王職乍__萃鋸一	郾王職乍__萃鋸
7480	郾王職乍__萃鋸二	郾王職乍__御萃鋸
7481	郾王職乍釱鋸	郾王職作釱鋸
7482	郾王職乍巨__鋸	郾王職乍巨釱鋸

7483	王職乍卒鋸	王職乍□卒鋸
7484	郾侯職乍巾卒句	郾侯職乍巾萃鋸
7486	郾王詈乍五__鋸二	郾王職乍巨攸鋸
7487	郾王詈乍巨__鋸三	郾王職作巨攸鋸
7488	郾王詈乍五__鋸四	郾王職乍巨攸鋸
7638	郾王職矛一	郾王職□□□□□□□
7639	郾王職矛二	郾王職巨攸矛
7640	郾王職矛三	郾王職乍攸矛
7641	郾王職矛四	郾王職乍□矛
7645	郾王職矛一	郾王職□□□
7646	郾王職矛二	郾王職乍攸矛
7647	郾王職矛三	郾王職□□□
7710	郾王職劍	郾王職乍武畢旅劍
7713	郾王職劍	郾王職乍武畢so劍、右攻

小計：共 24 筆

聞 1926

1328	盂鼎	我聞殷述令
1331	中山王嚳鼎	寡人聞之
1331	中山王嚳鼎	寡人聞之
1332	毛公鼎	庸又聞
1332	毛公鼎	無唯正聞（昏）
2333	妹弔昏毁	義弔聞（昏）肇乍彝用鄉賓
2671	利毁	聞夙又商
2796	諫毁	女某不又聞
2796	諫毁	女某不又聞
2816	彔白㦰毁	虎寶朱裏、金甬、畫聞（轄）
2854	䕫毁	母敢又不聞
3086	善夫克旅盨	隹用獻于師尹、倗友、婚（聞）遘
4153	聞乍寶障彝爵	聞（𠭯?）乍寶尊彝
6786	__弔多父盤	兄弟者子聞（婚）媾無不喜
7001	嘉賓鐘	余武于戎攻靈聞
7003	舍武編鐘	余武于戎攻靈聞
7112	者減鐘一	聞于四旁
7113	者減鐘二	聞于四旁
7121	郘王子旃鐘	聞于四方
7135	逆鐘	母有不聞智
J0081	王孫誥鐘	（拓本未見）
7543	四年相邦樛斿戈	櫟陽工上造聞、吾
7867.	龍__	□客臧（臧）嘉聞王於莪（歲）之歲

小計：共 23 筆

聾 1927

0633	聾乍寶器鼎	聾乍寶器
7410	子鐈戈	子淵聾之戈
7988	聾乍寶器	聾乍寶器

小計：共 3 筆

賊聯臣配

1928

0105	賊鼎	[賊]
0106	賊鼎	[賊]
1326	多友鼎	多友乃獻孚、賊、訊于公
1329	小字盂鼎	隻賊四千八百□二賊
1329	小字盂鼎	孚賊二百卅七賊
1329	小字盂鼎	□□□□□□□□人賊入門
2836	㦰毀	隻(獲)馘(賊)百
2837	敔毀一	敔告禽賊百、訊卌
3240	賊爵一	[賊]
4725	乍父乙尊	[賊]父乙
5970	賊觚一	[賊]
5971	賊觚二	[賊]
5972	賊觚三	[賊]
5973	賊觚四	[賊]
5974	賊觚五	[賊]
6790	虢季子白盤	獻賊于王

小計：共 16 筆

1929

1347	乍医聯鬲	乍医聯
2069	考母乍医聯毀	考母乍医聯
5659	考母壺	考母乍聯医
5659	考母壺	考母乍聯医
6596	聯子乍父丁觶	[聯子]乍父丁

小計：共 5 筆

1930

0810	臣方乍父癸鼎	[臣]寧乍父癸彝
1087	鑄子弔黑臣鼎	鑄子弔黑臣肇乍寶貞(鼎)
2931	鑄子弔黑臣固一	鑄子弔黑臣肇乍寶固
2932	鑄子弔黑臣固二	鑄子弔黑臣肇乍寶固
2933	鑄子弔黑臣固三	鑄子弔黑臣肇乍寶固
3048	鑄子弔黑臣盨	鑄子弔黑臣肇乍寶盨
6715	曩白宨父盤	曩白宨父媵姜無臣般(盤槃)
6826	曩白宨父匜	曩白宨父媵姜無臣它(匜)
M602	蔡看匜	蔡弔季之孫看媵孟臣有止婦盥盤

小計：共 9 筆

1931

3096	齊侯乍孟姜善敦	它它巸巸(熙熙)
5239	安夏父丁卣	[安夏]父丁[巸]
6781	夆弔盤	它它巸巸(熙熙)
6873	齊侯乍孟姜盥匜	它它巸巸(熙熙)
6875	慶弔匜	沱沱巸巸(熙熙)
6876	夆弔乍季妃盥盤(匜)	它它巸巸(熙熙)
7121	郤王子旃鐘	龢龢巸巸(熙熙)

小計:共 7 筆

手 1932

1299	噩侯鼎一	馭方拜手稽首
2739	無曩毀一	無曩拜手稽首
2740	無曩毀二	無曩拜手稽首
2741	無曩毀三	無曩拜手稽首
2742	無曩毀四	無曩拜手稽首
2742.	無曩毀五	無曩拜手稽首
2742.	無曩毀五	無曩拜手稽首
2768	楚毀	楚敢拜手稽首
2774	臣諫毀	拜手稽首
2785	王臣毀	王臣手稽首
2800	伊毀	伊拜手稽首
2810	揚毀一	揚拜手稽首
2811	揚毀二	揚拜手稽首
2816	彔白㦰毀	彔白㦰敢拜手稽首
2838	師嫠毀一	師嫠拜手稽首
2838	師嫠毀一	師嫠拜手稽首
2839	師嫠毀二	師嫠拜手稽首
2839	師嫠毀二	師嫠拜手稽首
2841	芇白毀	芇白拜手稽首天子休
2842	卯毀	卯拜手頁(稽)首
2852	不嬰毀一	不嬰拜稽手休
2853	不嬰毀二	不嬰拜稽手休
2854	禁毀	禁拜手稽首
4882	匡乍文考日丁尊	匡拜手稽首
5798	曶壺	曶拜手稽首
7060	昊生鐘一	拜手頴手敢對揚王休
7062	柞鐘	柞拜手對揚中大師休
7063	柞鐘二	柞拜手對揚中大師休
7064	柞鐘三	柞拜手對揚中大師休
7065	柞鐘四	柞拜手對揚中大師休
7067	柞鐘六	柞拜手對揚中大師休
7116	南宮乎鐘	乎拜手頴首
7135	逆鐘	逆敢拜手頴
M191	繁卣	繁拜手頴首

小計:共 34 筆

拜 1933

1139	寓鼎	易乍冊寓囗__寓拜韻首、對王休
1235	不晳方鼎一	不晳拜韻首
1236	不晳方鼎甲二	不晳拜韻首
1244	癲鼎	拜韻
1262	穻鼎	穻拜韻首
1264	螸鼎	螸拜韻首、曰
1270	小臣夌鼎	夌拜韻首
1273	師楊父鼎	師楊父拜韻首
1276	__季鼎	uJ季拜韻首
1277	七年趞曹鼎	趞曹拜韻首
1278	十五年趞曹鼎	趞曹< 敢對曹 >拜韻首
1280	康鼎	康拜韻首
1284	尹姞鼎	拜韻首、對揚天君休
1285	彧方鼎一	彧拜韻首
1288	令鼎一	令拜韻首
1289	令鼎二	令拜韻首
1290	利鼎	利拜韻首
1299	鼉侯鼎一	馭方拜手韻首
1300	南宮柳鼎	柳拜韻首
1301	大鼎一	大拜韻首
1302	大鼎二	大拜韻首
1303	大鼎三	大拜韻首
1305	師奎父鼎	奎父拜韻首
1308	白晨鼎	晨拜韻首
1309	寰鼎	寰拜韻首
1311	師晨鼎	晨拜韻首
1315	善鼎	善敢拜韻首
1316	彧方鼎	彧拜韻首
1317	善夫山鼎	山拜稽首
1319	頌鼎一	頌拜韻首
1320	頌鼎二	頌拜韻首
1321	頌鼎三	頌拜韻首
1323	師訊鼎	訊拜韻首
1327	克鼎	克拜韻首
1329	小字盂鼎	盂拜韻首
1330	曶鼎	舀(曶)則拜韻首
1430	奠井弔歡父拜鬲	奠井弔歡父乍拜鬲
1528	公姞鬲鼎	拜韻首、對揚天君休
1533	尹姞寶鬲一	拜韻首、對揚天君休
1534	尹姞寶鬲二	拜韻首、對揚天君休
2658.	大設	大拜韻首
2688	大設	大拜韻首
2694	豦乍且考設	豦拜韻首
2699	公臣設一	公臣拜韻首
2700	公臣設二	公臣拜韻首
2701	公臣設三	公臣拜韻首
2702	公臣設四	公臣拜韻首
2723	畓設	友既拜韻首
2728	恆設一	恆拜韻首

拜

2729	恆毁二	恆拜䭬首
2733	何毁	何拜䭬首
2734	適毁	適拜首䭬首
2736	師遽毁	遽拜䭬首
2739	無曩毁一	無曩拜手䭬首
2740	無曩毁二	無曩拜手䭬首
2741	無曩毁三	無曩拜手䭬首
2742	無曩毁四	無曩拜手䭬首
2742.	無曩毁五	無曩拜手䭬首
2742.	無曩毁五	無曩拜手䭬首
2743	虤毁	虤拜䭬首
2764	艾毁	拜䭬首、魯天子逆卑瀕福
2765	敉毁	來se拜䭬首
2767	虘毁一	虘拜䭬首敢對揚天子不顯休
2768	楚毁	楚敢拜手䭬首
2770	㦰毁	㦰拜䭬首
2771	弭弔師求毁一	師求拜䭬首
2772	弭弔師求毁二	師求拜䭬首
2774	臣諫毁	拜手䭬首
2775	裘衛毁	衛拜䭬首敢對揚天子不顯休
2776	走毁	徒敢拜䭬首對揚王休
2783	趩毁	趩拜䭬首對揚王休
2787	望毁	朢拜䭬首
2787	望毁	朢拜䭬首
2788	靜毁	靜敢拜䭬首
2791	豆閉毁	閉拜䭬首
2792	師俞毁	俞拜䭬首
2793	元年師旋毁一	旋拜䭬首
2794	元年師旋毁二	旋拜䭬首
2795	元年師旋毁三	旋拜䭬首
2796	諫毁	諫拜䭬首
2796	諫毁	諫拜䭬首
2797	輔師嫠毁	嫠拜䭬首敢對揚王休令
2798	師瘨毁一	瘨拜䭬首
2799	師瘨毁二	瘨拜䭬首
2800	伊毁	伊拜手䭬首
2803	師酉毁一	師酉拜䭬首
2804	師酉毁二	師酉拜䭬首
2804	師酉毁二	師酉拜䭬首
2805	師酉毁三	師酉拜䭬首
2806	師酉毁四	師酉拜䭬首
2806.	師酉毁五	師酉拜䭬首
2810	揚毁一	揚拜手䭬首
2811	揚毁二	揚拜手䭬首
2812	大毁一	大拜䭬首
2813	大毁二	大拜䭬首
2815	師𣪕毁	𣪕拜䭬首
2816	彔白㦰毁	彔白㦰敢拜手䭬首
2817	師頵毁	頵拜䭬首敢對揚天子不顯休
2829	師虎毁	虎敢拜䭬首

2830	三年師兌𣪘	師兌拜䭬首
2831	元年師兌𣪘一	兌拜䭬首
2832	元年師兌𣪘二	兌拜䭬首
2836	戜𣪘	乃子戜拜䭬首
2838	師嫠𣪘一	師嫠拜手䭬首
2838	師嫠𣪘一	師嫠拜手䭬首
2839	師嫠𣪘二	師嫠拜手䭬首
2839	師嫠𣪘二	師嫠拜手䭬首
2841	芇白𣪘	芇白拜手䭬首天子休
2842	卯𣪘	卯拜手頁(䭬)首
2843	沈子它𣪘	它曰：拜䭬首
2844	頌𣪘一	頌拜䭬首受令冊
2845	頌𣪘二	頌拜䭬首受令冊
2845	頌𣪘二	頌拜䭬首受令冊
2846	頌𣪘三	頌拜䭬首受令冊
2847	頌𣪘四	頌拜䭬首受令冊
2848	頌𣪘五	頌拜䭬首受令冊
2849	頌𣪘六	頌拜䭬首受令冊
2850	頌𣪘七	頌拜䭬首受令冊
2851	頌𣪘八	頌拜䭬首受令冊
2852	不嬰𣪘一	不嬰拜䭬手休
2853	不嬰𣪘二	不嬰拜䭬手休
2854	蔡𣪘	蔡拜手䭬首
2855	班𣪘一	班拜䭬首曰：烏虖
2855.	班𣪘二	班拜䭬首曰
2857	牧𣪘	牧拜䭬首敢對揚王不顯休
3086	善夫克旅盨	克拜䭬首
3090	㬪盨(器)	㬪拜䭬首
4879	彔戜尊	彔拜稽首
4882	匡乍文考日丁尊	匡拜手稽首
4884	臤尊	臤拜稽首、敢對揚競父休
4886	趩尊	趩拜稽首、揚王休對
4888	盠駒尊一	拜稽首曰
4890	盠方尊	盠拜稽首
4890	盠方尊	盠敢拜稽首曰
4977	師遽方彝	師遽拜稽首
4978	吳方彝	吳拜稽首、敢對揚王休
4979	盠方彝一	盠拜稽首
4979	盠方彝一	盠敢拜稽首曰
4980	盠方彝二	盠拜稽首
4980	盠方彝二	盠敢拜稽首曰
5487	靜卣	靜拜䭬首
5488	靜卣二	靜拜䭬首
5490	戉䎛卣	䎛拜䭬首
5490	戉䎛卣	䎛拜䭬首衍
5497	農卣	農三拜䭬首
5498	彔戜卣	彔拜䭬首
5499	彔戜卣二	彔拜䭬首
5785	史懋壺	懋拜䭬首對王休
5791	十三年痶壺一	痶拜䭬首對揚王休

拜

	5792	十三年𤼈壺一	𤼈拜䭫首對揚王休
	5793	幾父壺一	幾父拜䭫首
	5794	幾父壺二	幾父拜䭫首
	5796	三年𤼈壺一	拜䭫首敢對揚天子休
	5797	三年𤼈壺二	拜䭫首敢對揚天子休
	5798	曶壺	曶拜手䭫首
	5799	頌壺一	頌拜䭫首
	5800	頌壺二	頌拜䭫首
	5801	洹子孟姜壺一	齊侯拜嘉命
	5802	洹子孟姜壺二	齊侯拜嘉命
	6787	走馬休盤	休拜䭫首
	6789	寰盤	寰拜䭫首
	6910	師永盂	永拜䭫首
	7060	旲生鐘一	拜手䭫手敢對楊王休
	7062	柞鐘	柞拜手對揚中大師休
	7063	柞鐘二	柞拜手對揚中大師休
	7064	柞鐘三	柞拜手對揚中大師休
	7065	柞鐘四	柞拜手對揚中大師休
	7067	柞鐘六	柞拜手對揚中大師休
	7116	南宮乎鐘	乎拜手䭫首
	7135	逆鐘	逆敢拜手䭫
	7183	叔夷編鐘二	尸敢用拜䭫首
	7185	叔夷編鐘四	尸用或敢再拜䭫首
	7192	叔夷編鐘十一	敢再拜䭫首膺受君公之
	7214	叔夷鎛	尸敢用拜䭫首
	7214	叔夷鎛	尸用或敢再拜䭫首
	M191	繁卣	繁拜手䭫首
	M423.	趞鼎	趞拜䭫首
			小計：共　177 筆
排	1933+		
	0803	棐攸鼎	排攸乍保旅鼎
			小計：共　1 筆
扶	1934		
	J386	扶鼎	扶乍旅鼎
	5299	㚸扠父辛卣	[㚸扶]父辛彝
			小計：共　2 筆
持	1935	0500寺字重見	
搏	1936	博字參見	
	1326	多友鼎	甲申之辰搏于𨛜
	1326	多友鼎	或搏于龏

1326	多友鼎	從至、追搏于世
2774	臣諫𣪕	井侯搏戎
2836	𢦏𣪕	博(搏)戎𠭯
2852	不𡢁𣪕一	女彶戎大𦡱戟(搏)
6790	虢季子白盤	搏伐𤞷𤞷
		小計:共 7 筆

1937 睪字重見

1938

2760	小臣謎𣪕一	白懋父承王令易𠂤遳征自五齵貝
2761	小臣謎𣪕二	白懋父承王令易𠂤遳征自五齵貝
5408	𠂤丞乍文父丁卣	𠂤(追)丞(承)乍文父丁尊彝[ ](器)
5408	𠂤丞乍文父丁卣	𠂤(追)丞(承)乍文父丁尊彝[ ](蓋)
5789	命瓜君厚子壺一	承受屯德
5790	命瓜君厚子壺二	承受屯德
5803	𣫑𠕋𡥆盗壺	寅祗承祀
7187	叔夷編鐘六	母或承__
7214	叔夷鎛	母或承__
M900	梁十九年鼎	鬲(歷)年萬不承
		小計:共 10 筆

1939

1326	多友鼎	迺命向父招多友
1328	盂鼎	今余隹令女盂招榮敬雝德巠
		小計:共 2 筆

1940

1327	克鼎	擾遠能𤞷
		小計:共 1 筆

1941

1091	小臣𧾷鼎	揚中皇、乍寶
1124	玨乍父庚鼎一	己亥、揚見事于彭
1124	玨乍父庚鼎一	車弔賞揚馬
1125	玨乍父庚鼎二	己亥、揚見事于彭
1125	玨乍父庚鼎二	車弔賞揚馬
1145	舍父鼎	揚辛宮休
1173	羌乍文考鼎	羌對揚君令于彝
1209	㛱方鼎	㛱揚𠨘商
1216	貿鼎	公貿用揚休䲆
1221	井鼎	對揚王休

搏 擇 承 招 擾 揚

揚

1222	寂鼎一	對揚其父休
1223	寂鼎二	對揚其父休
1226	師𩛥鼎	𩛥則對揚𠂤德
1228	䱷𧊒方鼎	對揚尹休
1235	不𣅀方鼎一	敢揚王休
1236	不𣅀方鼎甲二	敢揚王休
1249	寍鼎	揚侯休
1255	作冊大鼎一	大揚皇天尹大保宮
1256	作冊大鼎二	大揚皇天尹大保宮
1257	作冊大鼎三	大揚皇天尹大保宮
1258	作冊大鼎四	大揚皇天尹大保宮
1262	𡨦鼎	對揚𧼚中休
1263	呂方鼎	對揚　王休
1264	䗪鼎	對揚、用乍寶尊
1270	小臣𧻚鼎	對揚王休
1271	史獸鼎	對揚皇尹不顯休
1272	剌鼎	剌對揚王休
1276	＿季鼎	對揚王休
1277	七年趞曹鼎	敢對揚天子休
1278	十五年趞曹鼎	敢對揚天子休
1280	康鼎	敢對揚天子不顯休
1284	尹姞鼎	拜稽頒首、對揚天君休
1285	𢦚方鼎一	對揚王𠃚姜休
1286	大夫始鼎	大夫始敢對揚天子休
1288	令鼎一	令對揚王休
1289	令鼎二	令對揚王休
1300	南宮柳鼎	對揚天子休
1301	大鼎一	對揚王天子不顯休
1302	大鼎二	對揚王天子不顯休
1303	大鼎三	對揚王天子不顯休
1305	師奎父鼎	對揚天子不不魯休
1306	無叀鼎	無叀敢對揚天子不顯魯休
1307	師望鼎	望敢對揚天子不顯魯休
1308	白晨鼎	敢對揚王休
1309	袁鼎	敢對揚天子不顯叚休令
1311	師晨鼎	敢對揚天子不顯休令
1312	此鼎一	此敢對揚天子不顯休令
1313	此鼎二	此敢對揚天子不顯休令
1314	此鼎三	此敢對揚天子不顯休令
1315	善鼎	對揚皇天子不不休
1316	𢦚方鼎	對揚王令
1317	善夫山鼎	山敢對揚天子休令
1318	晉姜鼎	每揚𠂤光剌
1319	頌鼎一	頌敢對揚天子不顯魯休
1320	頌鼎二	頌敢對揚天子不顯魯休
1321	頌鼎三	頌敢對揚天子不顯魯休
1324	禹鼎	敢對揚武公不顯耿光
1326	多友鼎	多友敢對揚公休
1327	克鼎	敢對揚天子不顯魯休
1332	毛公鼎	毛公𢉖對揚天子皇休

1528	公姞鬲鼎	拜䭬首、對揚天君休
1533	尹姞賓鬲一	拜䭬首、對揚天君休
1534	尹姞賓鬲二	拜䭬首、對揚天君休
2570	榮㲃	對揚天子休
2598	燮乍宮仲念器	對揚王休
2612	不壽㲃	對揚王休、用乍寶
2633	相侯㲃	易帛金、殳揚侯休
2653	㪣㜏㲃	㪣用從永揚公休
2655	小臣靜㲃	揚天子休
2658.	大㲃	敢對揚休
2660	彔乍辛公㲃	對揚白休
2661	競㲃一	競揚白屖父休
2662	競㲃二	競揚白屖父休
2687	敔㲃	敔對揚王休
2688	大㲃	對揚王休
2690.	相侯㲃	對揚侯休
2693	𩰫㲃	𩰫對揚公休
2694	虘乍且考㲃	對揚白休
2696	孟㲃一	對揚朕考易休
2697	孟㲃二	對揚朕考易休
2699	公臣㲃一	敢揚天尹不顯休
2700	公臣㲃二	敢揚天尹不顯休
2701	公臣㲃三	敢揚天尹不顯休
2702	公臣㲃四	敢揚天尹不顯休
2703	免乍旅㲃	對揚王休
2705	君夫㲃	君夫敢每揚王休
2707	小臣守㲃一	守敢對揚天子休令
2708	小臣守㲃二	守敢對揚天子休令
2709	小臣守㲃三	守敢對揚天子休令
2710	肄自乍寶器一	肄對揚王休
2711	肄自乍寶器二	肄對揚王休
2711.	乍冊般㲃	對揚天子不顯王休命
2721	㒼㲃	㒼對揚天子休
2723	畬㲃	友對揚王休
2724	章白㪤㲃	敢對揚王休
2725	師毛父㲃ㅤ	對揚王休
2726	㫚㲃	㫚敢對揚王休
2728	恆㲃一	敢對揚天子休
2729	恆㲃二	敢對揚天子休
2731	小臣宅㲃	揚公白休
2733	何㲃	對揚天子魯命
2734	遹㲃	敢對揚穆王休
2736	師遽㲃	敢對揚天子丕伓休
2737	段㲃	敢對揚王休、用乍㲃
2738	衛㲃	衛敢對揚天子不顯休
2739	無㠱㲃一	曰敢對揚天子魯休令
2740	無㠱㲃二	曰敢對揚天子魯休令
2741	無㠱㲃三	曰敢對揚天子魯休令
2742	無㠱㲃四	曰敢對揚天子魯休令
2742.	無㠱㲃五	敢對揚天子魯休令

揚

2742.	無㠱𣪕五	敢對揚天子魯休令
2743	[illegible]𣪕	對揚王休命
2746	追𣪕一	追敢對天子覭揚
2747	追𣪕二	追敢對天子覭揚
2748	追𣪕三	追敢對天子覭揚
2749	追𣪕四	追敢對天子覭揚
2750	追𣪕五	追敢對天子覭揚
2751	追𣪕六	追敢對天子覭揚
2762	免𣪕	免對揚王休
2765	殺𣪕	敢對揚天子休
2767	虘𣪕一	虘拜䭫首敢對揚天子不顯休
2768	楚𣪕	疐揚天子不顯休
2770	𢦚𣪕	對揚王休
2771	弭弔師耒𣪕一	敢對揚天子休
2772	弭弔師耒𣪕二	敢對揚天子休
2773	即𣪕	即敢對揚天子不顯休
2774.	南宮弔𣪕	揚天子休
2775	裘衛𣪕	衛拜䭫首敢對揚天子不顯休
2775.	害𣪕一	對揚王休
2775.	害𣪕二	對揚王休
2776	走𣪕	徒敢拜䭫首對揚王休
2777	天亡𣪕	每揚王休于尊𣪕
2783	趞𣪕	趞拜䭫首對揚王休
2784	申𣪕	申敢對揚天子休令
2785	王臣𣪕	不敢顯天子對揚休
2786	縣妃𣪕	縣改每揚白屖父休
2787	望𣪕	對揚天子不顯休
2787	望𣪕	敢對揚天子不顯休
2788	靜𣪕	對揚天子不顯休
2789	同𣪕一	對揚天子𠦪休
2790	同𣪕二	對揚天子𠦪休
2791	豆閉𣪕	敢對揚天子不顯休命
2791.	史密𣪕	對揚天子休
2792	師俞𣪕	俞敢揚天子不顯休
2793	元年師旋𣪕一	敢對揚天子不顯魯休命
2794	元年師旋𣪕二	敢對揚天子不顯魯休命
2795	元年師旋𣪕三	敢對揚天子不顯魯休命
2796	諫𣪕	敢對揚天子不顯休
2796	諫𣪕	敢對揚天子不顯休
2797	輔師嫠𣪕	嫠拜䭫首敢對揚王休令
2798	師瘨𣪕一	敢對揚天子不顯休
2799	師瘨𣪕二	敢對揚天子不顯休
2802	六年召白虎𣪕	對揚朕宗君其休
2803	師酉𣪕一	對揚天子不顯休命
2804	師酉𣪕二	對揚天子不顯休命
2804	師酉𣪕二	對揚天子不顯休命
2805	師酉𣪕三	對揚天子不顯休命
2806	師酉𣪕四	對揚天子不顯休命
2806.	師酉𣪕五	對揚天子不顯休命
2810	揚𣪕一	嗣徒單白內、右揚

2810	揚𣪘一	王乎內史史q4冊令揚
2810	揚𣪘一	王若曰：揚、乍司工
2810	揚𣪘一	揚拜手䭫首
2810	揚𣪘一	敢對揚天子不顯休
2811	揚𣪘二	嗣徒單白內、右揚
2811	揚𣪘二	王乎內史史q4冊令揚
2811	揚𣪘二	王若曰：揚、乍司工
2811	揚𣪘二	揚拜手䭫首
2811	揚𣪘二	敢對揚天子不顯休
2812	大𣪘一	敢對揚天子
2813	大𣪘二	敢對揚天子
2814	鳥冊夨令𣪘一	令敢揚皇王宦、丁公文報
2814.	夨令𣪘二	令敢揚皇王宦、丁公文報
2815	師毀𣪘	敢對揚皇君休
2816	彔白𢦚𣪘	對揚天子不顯休
2817	師𩒨𣪘	𩒨拜䭫首敢對揚天子不顯休
2818	此𣪘一	此敢對揚天子不顯休令
2819	此𣪘二	此敢對揚天子不顯休令
2820	此𣪘三	此敢對揚天子不顯休令
2821	此𣪘四	此敢對揚天子不顯休令
2822	此𣪘五	此敢對揚天子不顯休令
2823	此𣪘六	此敢對揚天子不顯休令
2824	此𣪘七	此敢對揚天子不顯休令
2825	此𣪘八	此敢對揚天子不顯休令
2828	宜侯夨𣪘	宜侯夨揚王休
2829	師虎𣪘	對揚天子不杯魯休
2830	三年師兌𣪘	敢對揚天子不顯魯休
2831	元年師兌𣪘一	敢對揚天子不顯魯休
2832	元年師兌𣪘二	敢對揚天子不顯魯休
2835	訇𣪘	訇䭫首對揚天子休令
2836	𢦚𣪘	對揚文母福剌
2837	敔𣪘一	敔敢對揚天子休
2838	師嫠𣪘一	敢對揚天子休
2838	師嫠𣪘一	敢對揚于子休
2839	師嫠𣪘二	敢對揚天子休
2839	師嫠𣪘二	敢對揚于子休
2842	卯𣪘	敢對揚榮白休
2844	頌𣪘一	頌敢對揚天子不顯魯休
2845	頌𣪘二	頌敢對揚天子不顯魯休
2845	頌𣪘二	頌敢對揚天子不顯魯休
2846	頌𣪘三	頌敢對揚天子不顯魯休
2847	頌𣪘四	頌敢對揚天子不顯魯休
2848	頌𣪘五	頌敢對揚天子不顯魯休
2849	頌𣪘六	頌敢對揚天子不顯魯休
2850	頌𣪘七	頌敢對揚天子不顯魯休
2851	頌𣪘八	頌敢對揚天子不顯魯休
2853.	__弔𣪘	揚天子休
2853.	尹𣪘	唯對揚尹休
2854	蔡𣪘	敢對揚天子不顯魯休
2856	師訇𣪘	訇䭫首、敢對揚天子休

揚

揚

揚	2857	牧段	牧拜䭫首敢對揚王不顯休
	3083	瘨段（盨）一	敢對揚天子休
	3084	瘨段（盨）二	敢對揚天子休
	3086	善夫克旅盨	敢對天子不顯魯休揚
	3088	師克旅盨一（蓋）	克敢對揚天子不顯魯休
	3089	師克旅盨二	克敢對揚天子不顯魯休
	3090	𨊠盨（器）	對揚天子不顯魯休
	3100	陳侯因资錞	其唯因资揚皇考
	3100	陳侯因资錞	合揚氒德
	4432.	𤔲盉	𤔲對揚王休
	4448	長由盉	敢對揚天子不顯休
	4841	守宮乍父辛雞彤尊	守宮揚王休
	4846	𦎫尊	對揚王休
	4848	舟宎𠨘乍父乙尊	對揚公休
	4856	季受尊	揚氒休
	4864	乍冊𤔲尊	𤔲對揚公休
	4869	次尊	對揚公姞休
	4875	𣂔折尊	揚王休
	4877	小子生尊	用對揚王休
	4879	彔戜尊	對揚白休
	4880	免尊	對揚王休
	4881	䨻方尊	敢對揚氒休
	4882	匽乍文考日丁尊	對揚天子不顯休
	4883	耳尊	pp師q3對揚侯休
	4884	㪉尊	㪉拜稽首、敢對揚競父休
	4885	效尊	揚公亦
	4886	趩尊	趩拜稽首、揚王休對
	4888	盠駒尊一	盠曰、余其敢對揚天子之休
	4890	盠方尊	敢對揚王休
	4892	麥尊	麥揚、用乍寶尊彝
	4893	矢令尊	乍冊令、敢揚明公尹氒宦
	4928	折觥	揚王休
	4974	__方彝	o3敀卿宁百生、揚
	4976	折方彝	易金、易貝、揚王休
	4977	師遽方彝	對揚天子不顯休
	4978	吳方彝	吳拜稽首、敢對揚王休
	4979	盠方彝一	敢對揚王休
	4980	盠方彝二	敢對揚王休
	4981	𠂤冊令方彝	乍冊令、敢揚明公尹氒宦
	5461	寓乍幽尹卣	寓對揚王休
	5469	白ns卣	對揚父休
	5470	__盂乍父丁卣	盂對揚公休
	5471	㸓小子省乍父己卣	省揚君商
	5471	㸓小子省乍父己卣	省揚君商
	5473	同乍父戊卣	同對揚王休
	5474	𤔲卣	𤔲對揚公休
	5474	𤔲卣	𤔲對揚公休
	5478	次卣	對揚公姞休
	5484	乍冊睘卣	揚王姜休
	5484	乍冊睘卣	揚王姜休

5485	貉子卣一	貉子對揚王休
5486	貉子卣二	貉子對揚王休
5487	靜卣	敢對揚王休
5488	靜卣二	敢對揚王休
5490	戉𥎦卣	對揚師雝父休
5490	戉𥎦卣	對揚師雝父休
5497	農卣	敢對揚王休、從乍寶彝
5498	彔𢦚卣	對揚白休
5499	彔𢦚卣二	對揚白休
5500	免卣	對揚王休
5503	競卣	對揚白休
5504	庚贏卣一	庚贏對揚王休
5505	庚贏卣二	庚贏對揚王休
5507	乍冊䰧卣	揚公休
5509	㯱卣	隹㯱揚尹休
5511	效卣一	效不敢不萬年夙夜奔走揚公休
5597	次㼛	對揚公姞休
5730	保侃母壺	揚始休、用乍寶壺
5791	十三年𤼈壺一	𤼈拜䭫首對揚王休
5792	十三年𤼈壺一	𤼈拜䭫首對揚王休
5793	幾父壺一	對揚朕皇君休
5794	幾父壺二	對揚朕皇君休
5795	白克壺	白克敢對揚天君王白休
5796	三年𤼈壺一	拜䭫首敢對揚天子休
5797	三年𤼈壺二	拜䭫首敢對揚天子休
5798	曶壺	敢對揚天子不顯魯休令
5799	頌壺一	頌敢對揚天子不顯魯休
5800	頌壺二	頌敢對揚天子不顯魯休
5803	𠚤嗣𡢁𧊒壺	𠚤嗣𡢁𧊒敢明揚告
6633	𣂔乍文考觶	𣂔揚中休
6753	仲𢼸父盤	用揚譱中氏𡧊
6775	_仲乍父丁盤	中揚弔休
6785	守宮盤	守宮對揚周師釐
6787	走馬休盤	敢對揚天子不顯休令
6789	寰盤	敢對揚天子不顯叚休令
6792	史𤔲盤	對揚天子不顯休令
6877	𠈭乍旅盉	白揚父迺成䜭
6877	𠈭乍旅盉	白揚父迺或吏牧牛誓曰
6909	遹盂	遹敢對揚
6910	師永盂	對揚天子休命
7027	邾公釛鐘	揚君靈、君以萬年
7039	應侯見工鐘二	見工敢對揚天子休
7043	克鐘四	叀奠王令克敢對揚天子休
7044	克鐘五	叀奠王令克敢對揚天子休
7062	柞鐘	柞拜手對揚中大師休
7063	柞鐘二	柞拜手對揚中大師休
7064	柞鐘三	柞拜手對揚中大師休
7065	柞鐘四	柞拜手對揚中大師休
7067	柞鐘六	柞拜手對揚中大師休
7083	鮮鐘	敢對揚天子休

7116	南宮乎鐘	敢對揚天子不顯魯休
7122	梁其鐘一	汈其敢對天子不顯休揚
7123	梁其鐘二	汈其敢對天子不顯休揚
7124	沇兒鐘	中訦(翰)叡揚
7150	虢叔旅鐘一	旅對天子魯休揚
7151	虢叔旅鐘二	旅對天子魯休揚
7152	虢叔旅鐘三	旅對天子魯休揚
7153	虢叔旅鐘四	旅對天子魯休揚
7155	虢叔旅鐘六	旅對天子魯休揚
7183	叔夷編鐘二	弗敢不對揚朕辟皇君之
7204	克鎛	克敢對揚天子休
7214	叔夷鎛	弗敢不對揚朕辟皇君之易休命
7837	衛自盾鍚	衛師揚
M121	嗣鼎	嗣揚公休
M171	小臣靜卣	揚天子休
M191	繁卣	對揚公休
M252	免簋	對揚王休
M282	師𧻚尊	𧻚則對揚氒德
M423.	趞鼎	敢對揚天子不顯魯休

小計：共 329 筆

舉 1942

5805	中山王𦅫方壺	舉賢使能

小計：共 1 筆

播 1943

1298	師旂鼎	義播叡
1298	師旂鼎	今母播
6793	矢人盤	封于播城桂木

小計：共 3 筆

撲戔 1944

1324	禹鼎	戔伐鄂侯馭方
6791	兮甲盤	則即井撲伐
6793	矢人盤	用矢撲散邑
7176	㝬鐘	撲伐氒都

小計：共 4 筆

捷 1945

1233	_鼎	王令h0捷東反尸

小計：共 1 筆

拍 1946

3095	拍乍祀彝(蓋)	拍乍朕配平姬亭宮祀彝

小計：共 1 筆

女

1947

0248	嬰女鼎一	[嬰女]
0249	嬰女鼎二	[嬰女]
0285	__射女鼎	[ez射女]
0286	__射女鼎	[ez射女]
0836	曩女鼎	曩女尊彝[亞昊]
1089	女饕方鼎	女饕堇于王
1167	__父鼎一	有女多兄
1167	__父鼎一	母又__女
1167	__父鼎一	隹女率我友以事
1168	__父鼎二	有女多兄
1168	__父鼎二	母又__女
1168	__父鼎二	隹女率我友以事
1226	師艅鼎	王女上侯
1260	我方鼎	征礿繫二女、咸
1261	我方鼎二	征礿繫二女、咸
1279	中方鼎	今兄畀女褱土
1280	康鼎	令女幽黃、鋚革
1288	令鼎一	余其舍女臣卅家
1289	令鼎二	余其舍女臣卅家
1290	利鼎	易女赤θ市、䜌旂、用事
1300	南宮柳鼎	易女赤市、幽黃、攸勒
1306	無叀鼎	易女玄衣黹屯、戈琱胾彤沙、攸勒䜌旂
1308	白晨鼎	易女𩰫鬯一卣、玄袞衣、幽夫(黼)
1310	鬲攸從鼎	曰：女受我田、牧
1312	此鼎一	易女玄衣黹屯、赤市朱黃、䜌旂
1313	此鼎二	易女玄衣黹屯、赤市、朱黃、䜌旅
1314	此鼎三	易女玄衣黹屯、赤市、朱黃、䜌旅
1315	善鼎	王曰：善、昔先王既令女左足虆侯
1315	善鼎	令女左足虆侯、監𤔲師戍
1315	善鼎	易女乃且旂、用事
1317	善夫山鼎	王曰：山、令女官𤔲歙獻人于冕
1317	善夫山鼎	易女玄衣黹屯、赤市朱黃、䜌旂
1319	頌鼎一	王曰：頌、令女官𤔲成周賈廿家、監𤔲新寤
1319	頌鼎一	易女玄衣黹屯、赤市朱黃、䜌旂攸勒、用事
1320	頌鼎二	王曰：頌、令女官𤔲成周賈廿家、監𤔲新寤
1320	頌鼎二	易女玄衣黹屯、赤市朱黃、䜌旂攸勒、用事
1321	頌鼎三	王曰：頌、令女官𤔲成周、賈廿家、監𤔲新寤
1321	頌鼎三	易女玄衣黹屯、赤市朱黃、䜌旂攸勒、用事
1323	師訊鼎	王曰：師訊、女克蠶(贇)乃身
1323	師訊鼎	易女玄袞䖒屯、赤市朱黃、䜌旂、大師金雁
1325	五祀衛鼎	逆榮(營)二川、曰：余舍女田五田
1325	五祀衛鼎	女寀賈田不
1326	多友鼎	女既靜京自、𠭰女
1326	多友鼎	易女土田
1326	多友鼎	余肇吏女休
1326	多友鼎	多禽、女靜京自
1326	多友鼎	易女圭鬲一湯
1327	克鼎	王若曰：克、昔余既令女出內朕令

女

1327	克鼎	易女叔市參冋、苹悤
1327	克鼎	易女田于埜
1327	克鼎	易女田于渒
1327	克鼎	易女井家r5田于𤔲
1327	克鼎	易女田于康
1327	克鼎	易女于田于匽
1327	克鼎	易女田于𨸏原
1327	克鼎	易女田于寒山
1327	克鼎	易女史小臣
1327	克鼎	易女井、𥿆、匍人𣪕
1327	克鼎	易女井人奔于量
1328	盂鼎	已、女妹晨又大服
1328	盂鼎	女勿𣪘余乃辟一人
1328	盂鼎	今余隹令女盂召榮敬雝德巠
1328	盂鼎	令女盂井乃嗣且南公
1328	盂鼎	易女鬯一卣、冋衣、市、舄、車馬
1328	盂鼎	易女邦𤔲四白
1330	曶鼎	□若曰：㫚（曶）、令女更乃且考𤔲卜事
1330	曶鼎	易女赤θ□、用事
1330	曶鼎	我既賣（贖）女五□□父
1330	曶鼎	女其舍𩡧矢五秉
1330	曶鼎	女匡罰大
1331	中山王󰀀鼎	旋（事）｛小子｝（少）女（如）長
1331	中山王󰀀鼎	旋（事）愚女（如）智
1332	毛公鼎	命女辥我邦我家內外
1332	毛公鼎	女母敢妄寧
1332	毛公鼎	命女亟一方
1332	毛公鼎	女母（毋）敢豙在乃福
1332	毛公鼎	女母（毋）弗帥用先王乍明井（型）
1332	毛公鼎	俗（欲）女弗目乃辟圅于𩁹
1332	毛公鼎	命女𣪕𤔲公族
1332	毛公鼎	易女𩰫鬯一卣、鄭（祼）圭鬲（瓚？）寶
1332	毛公鼎	易女兹关（併）
1420	寶鬲	□□□魯□女寶鬲□
1462	榮有𤔲爯𩰫鬲	用朕（賸）𡢁女𩰫母
1466	亞𠇷𢍜母辛鬲	［亞俞］𢍜入餗于女子
1499	□季鬲	＿季乍孟姬＿女＿鬲
1668	中甗	余令女史小大邦
1668	中甗	𠂤又舍女𢦏量至于女
1823	女飞𣪘	女［飞］
2061	女每乍𣪘	女每乍𣪘
2172	女母乍婦己𣪘	女母乍婦己彝
2252	伊生乍公女𣪘	伊生乍公女尊彝
2699	公臣𣪘一	易女馬乘
2700	公臣𣪘二	易女馬乘
2701	公臣𣪘三	易女馬乘
2702	公臣𣪘四	易女馬乘
2704	穆公𣪘	隹王初女＿
2728	恆𣪘一	令女更崇克𤔲直啚
2728	恆𣪘一	易女𢿻旂、用吏

2729	恆毁二	令女更崇克嗣直啚
2729	恆毁二	易女䜌旂、用吏
2743	䖒毁	命女嗣（辭）成周里人
2743	䖒毁	易女夷臣十家
2744	五年師旋毁一	令女羞追于齊
2744	五年師旋毁一	儕女十五易登
2745	五年師旋毁二	令女羞追于齊
2745	五年師旋毁二	儕女十五易登
2762	免毁	令女足周師、嗣（司辭）㪔
2762	免毁	易女赤θ市、用吏
2769	師楷毁	易女玄衣黹屯、叔市
2770	㦰毁	王曰：㦰、令女乍嗣土
2770	㦰毁	易女戠衣、赤θ市、䜌旂
2771	弭弔師求毁一	易女赤舄、攸勒
2772	弭弔師求毁二	易女赤舄、攸勒
2773	即毁	王乎命女赤市朱黃
2774.	南宮弔毁	天子嗣（司）賜（賜）女䜌旂、用狩
2774.	南宮弔毁	賜（賜）女乘馬戈琱、彤矢
2774.	南宮弔毁	又賜（賜）女邦＿百人
2775.	害毁一	易女朿
2775.	害毁二	易女朿、朱黃
2776	走毁	易女赤θ市、䜌旂、用吏
2783	趞毁	命女乍㸚自家嗣馬
2783	趞毁	易女赤市、幽亢、䜌旂、用事
2784	申毁	賜女赤市縈黃
2785	王臣毁	易女朱黃、朿親
2786	縣妃毁	易女婦爵俎之弋周玉
2787	望毁	易女赤θ市、䜌、用吏
2787	望毁	易女赤θ市
2789	同毁一	母女又閑
2790	同毁二	母女又閑
2791	豆閉毁	王曰：閉、易女戠衣、θ市、䜌旂
2793	元年師旋毁一	易女赤市冋黃、麗般（鑿）
2794	元年師旋毁二	易女赤市冋黃、麗般（鑿）
2795	元年師旋毁三	易女赤市冋黃、麗般（鑿）
2796	諫毁	先王既命女飙嗣王宥
2796	諫毁	女某不又聞
2796	諫毁	今余隹或嗣命女
2796	諫毁	易女攸勒
2796	諫毁	先王既命女飙嗣王宥
2796	諫毁	女某不又聞
2796	諫毁	今余隹或嗣命女
2796	諫毁	易女勒
2797	輔師嫠毁	易女韋市素黃、䜌旂
2797	輔師嫠毁	易女玄衣黹屯
2798	師𤸫毁一	先王既令女
2798	師𤸫毁一	今余唯䌛（緟）先王令女官司邑人師氏
2798	師𤸫毁一	易女金勒
2799	師𤸫毁二	先王既令女
2799	師𤸫毁二	今余唯䌛（緟）先王令女官司邑人師氏

	2799	師𤸫𣪕二	易女金勒
	2800	伊𣪕	易女赤巿幽黃
	2801	五年召白虎𣪕	女則宕(宕)其貳
女	2801	五年召白虎𣪕	女則宕(宕)其一
	2803	師酉𣪕一	新易女赤巿朱黃中絅、攸勒
	2804	師酉𣪕二	新易女赤巿朱黃中絅、攸勒
	2804	師酉𣪕二	新易女赤巿朱黃中絅、攸勒
	2805	師酉𣪕三	新易女赤巿朱黃中絅、攸勒
	2806	師酉𣪕四	新易女赤巿朱黃中絅、攸勒
	2806.	師酉𣪕五	新易女赤巿朱黃中絅、攸勒
	2807	𨛭𣪕一	王曰：𨛭、昔先王既命女乍邑
	2807	𨛭𣪕一	易女赤巿冋黃、䜌旂、用吏
	2808	𨛭𣪕二	王曰：𨛭、昔先王既命女乍邑
	2808	𨛭𣪕二	易女赤巿冋黃、䜌旂、用吏
	2809	𨛭𣪕三	王曰：𨛭、昔先王既命女乍邑
	2809	𨛭𣪕三	易女赤巿冋黃、䜌旂、用吏
	2810	揚𣪕一	賜女赤⊖巿、䜌旂
	2811	揚𣪕二	賜女赤⊖巿、䜌旂
	2815	師毀𣪕	女有隹小子
	2815	師毀𣪕	余令女尸我家
	2815	師毀𣪕	易女戈琱戟
	2816	彔白𢦚𣪕	女肇不㒸
	2816	彔白𢦚𣪕	余易女𩰫鬯一卣
	2817	師𩒨𣪕	才先王既令女乍𤔲土
	2817	師𩒨𣪕	易女赤巿朱黃、䜌旂攸勒、用事
	2818	此𣪕一	易女玄衣黹屯
	2819	此𣪕二	易女玄衣黹屯
	2820	此𣪕三	易女玄衣黹屯
	2821	此𣪕四	易女玄衣黹屯
	2822	此𣪕五	易女玄衣黹屯
	2823	此𣪕六	易女玄衣黹屯
	2824	此𣪕七	易女玄衣黹屯
	2825	此𣪕八	易女玄衣黹屯
	2826	師褱𣪕一	今余肇令女達(率)齊帀
	2826	師褱𣪕一	歐孚士女羊牛、孚吉金
	2826	師褱𣪕一	今余肇令女達(率)齊帀
	2826	師褱𣪕一	歐孚士女羊牛、孚吉金
	2827	師褱𣪕二	今余肇令女達(率)齊帀
	2827	師褱𣪕二	歐孚士女羊牛、孚吉金
	2829	師虎𣪕	令女更乃祖考啻官
	2829	師虎𣪕	易女赤舄、用吏
	2830	三年師兌𣪕	余既令女正師龢父
	2830	三年師兌𣪕	令女䙴嗣走馬
	2830	三年師兌𣪕	易女𩰫鬯一卣
	2831	元年師兌𣪕一	易女乃且巾、五黃、赤舄
	2832	元年師兌𣪕二	易女乃且巾、五黃、赤舄
	2835	訇𣪕	今余令女啻官
	2835	訇𣪕	易女玄衣黹屯、戠巿冋黃
	2838	師嫠𣪕一	才先王小學女
	2838	師嫠𣪕一	女敏可吏

2838	師嫠𣪕一	既令女更乃且考嗣（司）
2838	師嫠𣪕一	令女嗣（司）乃且舊官小輔鼓鐘
2838	師嫠𣪕一	易女弔市金黃、赤舄攸勒、用吏
2838	師嫠𣪕一	才昔先王小學女
2838	師嫠𣪕一	女敏可吏
2838	師嫠𣪕一	既令女更乃且考嗣（司）小輔
2838	師嫠𣪕一	令女嗣乃且舊官小輔眔鼓鐘
2838	師嫠𣪕一	易女弔市金黃、赤舄攸勒、用吏
2839	師嫠𣪕二	才先王小學女
2839	師嫠𣪕二	女敏可吏
2839	師嫠𣪕二	既令女更乃且考嗣（司）
2839	師嫠𣪕二	令女嗣（司）乃且舊官小輔鼓鐘
2839	師嫠𣪕二	易女弔市金黃、赤舄攸勒、用吏
2839	師嫠𣪕二	才昔先王小學女
2839	師嫠𣪕二	女敏可吏
2839	師嫠𣪕二	既令女更乃且考嗣（司）小輔
2839	師嫠𣪕二	令女嗣乃且舊官小輔眔鼓鐘
2839	師嫠𣪕二	易女弔市金黃、赤舄攸勒、用吏
2841	𠭯白𣪕	易女or裘
2842	卯𣪕	今余隹令女死嗣（司）莽宮莽人
2842	卯𣪕	女母敢不善
2842	卯𣪕	易女瓚章、㲃、宗彝一造、寶
2842	卯𣪕	易女馬十匹、牛十
2844	頌𣪕一	令女官嗣（司）成周賈
2844	頌𣪕一	易女玄衣黹屯
2845	頌𣪕二	令女官嗣（司）成周賈
2845	頌𣪕二	易女玄衣黹屯
2845	頌𣪕二	令女官嗣（司）成周賈
2845	頌𣪕二	易女玄衣黹屯
2846	頌𣪕三	令女官嗣（司）成周賈
2846	頌𣪕三	易女玄衣黹屯
2847	頌𣪕四	令女官嗣（司）成周賈
2847	頌𣪕四	易女玄衣黹屯
2848	頌𣪕五	令女官嗣（司）成周賈
2848	頌𣪕五	易女玄衣黹屯
2849	頌𣪕六	令女官嗣（司）成周賈
2849	頌𣪕六	易女玄衣黹屯
2850	頌𣪕七	令女官嗣（司）成周賈
2850	頌𣪕七	易女玄衣黹屯
2851	頌𣪕八	令女官嗣（司）成周賈
2851	頌𣪕八	易女玄衣黹屯
2852	不嬰𣪕一	余命女御追于洛
2852	不嬰𣪕一	女以我車宕伐厰允于高陵
2852	不嬰𣪕一	女多折首執訊
2852	不嬰𣪕一	戎大同從追女
2852	不嬰𣪕一	女彶戎大臺戟（搏）
2852	不嬰𣪕一	女休、弗目我車圅（陷）于艱
2852	不嬰𣪕一	女多禽、折首執訊
2852	不嬰𣪕一	白氏曰：不嬰、女小子
2852	不嬰𣪕一	女肇誨于戎工

女

女

2852	不𡢁毀一	易女弓一、矢束
2853	不𡢁毀二	余命女御追于𨛭
2853	不𡢁毀二	女以我車宕伐厰妥于高陶
2853	不𡢁毀二	女多折首執訊
2853	不𡢁毀二	戎大同從追女
2853	不𡢁毀二	女及戎大𦫵
2853	不𡢁毀二	女休、弗以我車函于𩁹
2853	不𡢁毀二	女多禽、折首執訊
2853	不𡢁毀二	白氏曰：不𡢁、女小子
2853	不𡢁毀二	女肈誨于戎工
2853	不𡢁毀二	易女弓一、矢束
2854	𧨳毀	昔先王既令女乍宰、𤔲王家
2854	𧨳毀	令女眔曶：𤔲足對各
2854	𧨳毀	女母弗善效姜氏人
2854	𧨳毀	易女玄衮衣、赤舄
2856	師訇毀	亦則於女乃聖且考克左右先王
2856	師訇毀	鄉女彶屯卹周邦
2856	師訇毀	令女叀𩁹我邦小大猷
2856	師訇毀	欲女弗以乃辟函于艱
2856	師訇毀	易女𩰫鬯一卣、圭瓚
2857	牧毀	牧、昔先王既令女乍𤔲土
2857	牧毀	令女辟百寮有冋吏
2857	牧毀	王曰：牧、女母敢弗帥用先王乍明井
2857	牧毀	易女𩰫鬯一卣、金車、桒較、畫輴
3081	𤕌生旅盨一	其百男百女千孫
3082	𤕌生旅盨二	其百男百女千孫
3082	𤕌生旅盨二	其百男百女千孫
3088	師克旅盨一（蓋）	昔余既令女
3088	師克旅盨一（蓋）	令女更乃且考
3089	師克旅盨二	昔余既令女
3089	師克旅盨二	令女更乃且考
3090	𡐨盨（器）	迺𩁹倗即女
3090	𡐨盨（器）	易女𩰫＿鬯一卣
3096	齊侯乍孟姜善𦫵	它它熙熙、男女無期
3341	女爵一	［女］
3342	女爵二	［女］
3343	女爵三	［女］
3640	囗女爵	［＿女］
3722	亞女方爵	［亞女方］
3722.	齊女囗爵三	齊女＿
4044	卜戈女爵	［卜戈］女
4234.	作＿女角	［cy］作hi女
4305.	女亞斝	女［亞］
4854	＿車𡚬乍公日辛尊	𡚬從王女南
4879	彔𢦚尊	女其以成周師氏戍于古𠂤
4893	矢令尊	迺令曰、今我唯令女二人
4912.	王生女觥	王生女J8
4981	鳥冊令方彝	今我唯令女二人、亢眔矢
5102	亞女卣	［亞女］
5188	帚女彝卣一	帚女彝

5189	帚女彝卣二	帚女彝
5437	獎女子小臣兒乍己卣	女子{ 小臣 }兒乍己尊彝[獎]
5456	冀子乍婦嫡卣	女子母庚宄[冀]
5494	獎𨗅乍母辛卣	子曰：貝、唯蔑女歷
5498	彔䧹卣	女其以成周師氏戍于古𠂤
5499	彔䧹卣二	女其以成周師氏戍于古𠂤
5508	弔趯父卣一	唯女焂其敬辥乃身
5508	弔趯父卣一	余兄為女丝小鬱彝
5508	弔趯父卣一	女其用鄉乃辟軝侯逆造出內事人
5508	弔趯父卣一	唯用其徙女
5518	女罍	[月女]
5574	女姬罍	女姬乍㚸姑夕母(㚸?)寶尊彝
5624	嬰父女壺	[嬰父女]56256252弔姜壺壺弔姜□□□□
5798	曶壺	易女𩰪鬯一卣玄袞衣
5799	頌壺一	令女官𤔲成周賈廿家
5799	頌壺一	易女玄衣黹屯、赤市朱黃
5800	頌壺二	令女官𤔲成周賈廿家
5800	頌壺二	易女玄衣黹屯、赤市朱黃
5801	洹子孟姜壺一	齊侯〔女〕靁喪其□
5801	洹子孟姜壺一	女受＿遄傳＿御
5802	洹子孟姜壺二	齊侯女雷眾𨻰陵＿
5802	洹子孟姜壺二	女受＿遄傳＿御
5803	𤔲嗣好盗壺	其會女(如)林
5804	齊侯壺	□□□□□其士女□＿旬四舟＿＿丘□＿于＿歸獻
5804	齊侯壺	＿＿曰獻余台賜女
5804	齊侯壺	□日不可多天□□□□□受女
6069	賓女觚	[賓女]
6080	朕女觚	[朕女]
6086	犨女觚	[犨女]
6404	盈女觶	[盈女]
6689.	射女盤	[ez射女]
6706	𠑹父乍丝女盤	𠑹父乍丝女(母)匋(寶)盤
6778	免盤	免蔑、靜女王休
6779	齊侯盤	男女無期
6866	齊侯乍虢孟姬匜	齊侯乍虢孟姬良女寶它
6872	魯大𤔲徒子仲白匜	魯大𤔲徒子中白其庶女厲孟姬賸它
6873	齊侯乍孟姜盥匜	男女無期
6875	慶弔匜	男女無期
6877	𠑇乍旅盉	女敢以乃師訟
6877	𠑇乍旅盉	女上印先誓
6877	𠑇乍旅盉	今女亦既又pb誓
6877	𠑇乍旅盉	女亦既從辭從誓
6877	𠑇乍旅盉	弋可、我義便(鞭)女千
6877	𠑇乍旅盉	歌qb女
6877	𠑇乍旅盉	今我赦女
6877	𠑇乍旅盉	義便(鞭)女千
6877	𠑇乍旅盉	p0qb女
6877	𠑇乍旅盉	今大赦女
6877	𠑇乍旅盉	便(鞭)女五百
6877	𠑇乍旅盉	罰女三百守

女

女

6877	儵乍旅盂	乃師或以女告
6878	_射女鑑	[ez射女]
6909	遡盂	寮女寮：奚、賦、華
6925	晉邦盦	否乍元女
7070	者沕鐘二	女亦虔秉不經悳台克剌_光之于聿
7070	者沕鐘二	女其用絃
7070	者沕鐘二	女安乃壽
7071	者沕鐘三	女亦虔秉不經悳
7072	者沕鐘四	女亦虔秉不經德
7073	者沕鐘五	女亦虔秉不經悳
7075	者沕鐘七	女其用絃
7075	者沕鐘七	女安乃壽
7078	者沕鐘十	女其用絃
7078	者沕鐘十	女安乃壽
7080	者沕鐘十二	女其用絃
7081	者沕鐘十三	女安乃壽
7112	者減鐘一	卑女________
7113	者減鐘二	卑女________
7135	逆鐘	今余易女毌五
7182	叔夷編鐘一	公曰：女尸
7182	叔夷編鐘一	女_畏忌
7182	叔夷編鐘一	女不彖
7182	叔夷編鐘一	余命女政于朕三軍
7183	叔夷編鐘二	女敬共辝命
7183	叔夷編鐘二	女雁鬲公家
7183	叔夷編鐘二	女巩勞朕行師
7183	叔夷編鐘二	女肇敏于戎功
7183	叔夷編鐘二	余易女釐都___
7183	叔夷編鐘二	余命女辝釐媽
7183	叔夷編鐘二	為女隸寮
7184	叔夷編鐘三	女康能乃又事
7184	叔夷編鐘三	女尸毋曰余少子
7184	叔夷編鐘三	女專余于艱卹
7184	叔夷編鐘三	余命女裁差正卿
7184	叔夷編鐘三	女台專戒公家
7185	叔夷編鐘四	女台卹余朕身
7185	叔夷編鐘四	余易女馬車戎兵
7185	叔夷編鐘四	女台戒戎攸
7186	叔夷編鐘五	而成公之女
7188	叔夷編鐘七	女考壽萬年永保其身
7189	叔夷編鐘八	而成公之女
7191	叔夷編鐘十	余易女釐都__
7192	叔夷編鐘十一	女專余于艱卹
7214	叔夷鎛	公曰：女尸
7214	叔夷鎛	女_畏忌
7214	叔夷鎛	女不彖
7214	叔夷鎛	余命女政于朕三軍
7214	叔夷鎛	女敬共辝命
7214	叔夷鎛	女雁鬲公家
7214	叔夷鎛	女巩勞朕行師

7214	叔夷鎛	女肇敏于戎功
7214	叔夷鎛	余易女釐都____
7214	叔夷鎛	余命女辝釐㔸
7214	叔夷鎛	為女隸寮
7214	叔夷鎛	女康能乃又事
7214	叔夷鎛	女尸毋曰余少子
7214	叔夷鎛	女專余于艱卹
7214	叔夷鎛	余命女裁差卿
7214	叔夷鎛	女台專戒公家
7214	叔夷鎛	女台卹余朕身
7214	叔夷鎛	余易女車馬戎兵
7214	叔夷鎛	女台戒戎攸
7214	叔夷鎛	而成公之女
7214	叔夷鎛	女考壽萬年永保其身
7219	冉鉦鋮（南疆征）	女勿喪勿敗
7539	伺戈	后己女
7899	鄂君啟車節	母載金革黽箭、女馬、女牛、女特
7899	鄂君啟車節	女擔徒、屯廿
7900	鄂君啟舟節	女載馬、牛、羊台出內關
7976	之利殘片	__書新□□__女長于卲旨
7976	之利殘片	易女、身
		小計：共　419 筆

1947+

7047	井人鐘	井人妄曰
7047	井人鐘	妄不敢弗帥用文且皇考穆穆秉德
7047	井人鐘	妄害害聖喪、疌處
7048	井人鐘二	井人妄曰
7048	井人鐘二	妄不敢弗帥用文且皇考穆穆秉德
7048	井人鐘二	妄害害聖喪、疌處
7049	井人鐘三	宗室、肄妄乍龢父大醬鐘
7049	井人鐘三	妄其萬年子子孫孫永寶用享
7050	井人鐘四	肄妄乍龢父大醬鐘
7050	井人鐘四	妄其萬年子子孫孫永寶用享
		小計：共　10 筆

1948

7213	𬶍鎛	保盧子姓
		小計：共　1 筆

1949

0705	㚸姜乍旅鼎	㚸姜乍旅鼎
0319	王乍仲姜鼎	王乍中姜寶尊
0895	滑父乍姜懿母鼎一	滑父乍姜懿母𩟄貞（鼎）

女 妄 姓 姜

姜

0896	㴱父乍姜懿母鼎二	㴱父乍姜懿母鎌貞(鼎)
0960	大__弔姜鼎	大□乍弔姜鼎其永寶用
0969	從鼎	白姜易從貝{ 三十朋 }
1025	奠姜白寶鼎	奠姜白乍寶鼎
1076	王伯姜鼎	王白姜乍季姬寶尊鼎
1140	衛鼎	衛乍文考小中姜氏盂鼎
1148	鼄姜白鼎一	鼄姜白乍此贏尊鼎
1149	鼄姜白鼎二	鼄姜白乍此贏尊鼎
1206	𢋅鼎	王姜易𢋅田三于待劇
1285	㲋方鼎一	王𠭯姜事內史友員易㲋玄衣、朱褻裣
1285	㲋方鼎一	對揚王𠭯姜休
1318	晉姜鼎	晉姜曰：余佳司朕先姑君晉邦
1318	晉姜鼎	晉姜用旂綽綰釁壽
1322	九年裘衛鼎	舍矩姜帛三兩
1370	同姜尊鬲	同姜乍尊鬲
1414	𥁰姬乍姜虎旅鬲	𥁰姬乍姜虎旅鬲
1426	叔皇父鬲	弔皇父乍中姜尊鬲
1436	王白姜尊鬲一	王白姜乍尊鬲永寶用
1437	王白姜尊鬲二	王白姜乍尊鬲永寶用
1438	王白姜尊鬲三	王白姜乍尊鬲永寶用
1439	王白姜尊鬲四	王白姜乍尊鬲其萬年永寶用
1446	白狺父乍井姬鬲	白狺父乍井姬季姜尊鬲
1456	京姜鬲	京姜年母乍尊鬲
1457	衛夫人行鬲	衛夫人文君弔姜乍其行鬲用
1459	白上父乍姜氏鬲	白上父乍姜氏尊鬲
1460	奠羌白乍季姜鬲	鄭羌白乍季姜尊鬲
1468	白家父乍孟姜鬲	白家父乍孟姜媵鬲
1527	𧇍先父鬲	𧇍先父乍姜姬尊鬲
1926	乍己姜毁	乍己姜
2071	吕姜乍毁	吕姜乍毁
2130	姜婦乍隮彝毁	姜婦乍尊彝
2213	姜林母乍𩰫毁	姜林母乍𩰫毁
2230	王乍姜氏隮毁	王乍姜氏尊毁
2363	保攸母旅毁	保攸母易貝于庚姜
2394	己侯乍姜縈毁一	己侯乍姜縈毁
2461	白家父乍孟姜毁	白家父乍{ 公孟 }姜媵毁
2468	齊癸姜尊毁	齊巫姜乍尊毁
2484.	夨王毁	夨王乍奠姜尊毁
2505.	井姜大宰毁	井姜大宰己鑄其寶毁
2511	夨王毁	夨王乍奠姜尊毁
2531	魯白大父乍孟□姜毁	魯白大父乍孟姬姜媵毁
2533	己侯貉子毁	己侯貉子分己姜寶、乍毁
2533	己侯貉子毁	己姜石用𩁹用匄萬年
2578	兮吉父乍仲姜毁	兮吉父乍中姜寶尊毁
2589	孫弔多父乍孟姜毁一	孫弔多父乍孟姜尊毁
2590	孫弔多父乍孟姜毁二	孫弔多父乍孟姜尊毁
2591	孫弔多父乍孟姜毁三	孫弔多父乍孟姜尊毁
2612	不壽毁	王姜易不壽裘
2621	雁侯毁	雁侯乍生杙姜尊毁
2653.	弔__孫父毁	弔__孫父乍孟姜尊毁

2668	散季毁	楙季肇乍朕王母弔姜寶毁
2670	樠侯毁	樠侯乍姜氏寶䵼彝
2670	樠侯毁	方吏姜氏、乍寶毁
2712	虢姜毁	虢姜乍寶尊毁
2712	虢姜毁	虢姜其萬年釁壽
2721	萳毁	用乍尊毁季姜
2783	趞毁	用乍季姜尊彝
2802	六年召白虎毁	亦我考幽白姜令
2814	鳥冊夨令毁一	乍冊夨令尊俎于王姜
2814	鳥冊夨令毁一	姜商令貝十朋、臣十家、鬲百人
2814.	夨令毁二	乍冊夨令尊俎于王姜
2814.	夨令毁二	姜商令貝十朋、臣十家、鬲百人
2854	蔡毁	嗣百工、出入姜氏令
2854	蔡毁	女母弗善效姜氏人
2967	陳侯乍孟姜朕匿	陳侯乍孟姜䞞匿
2975	鄦子妝匿	用賸（媵）孟姜秦嬴
2985	陳逆匿一	台（以）乍厥元配季姜之祥器
2985.	陳逆匿二	台（以）乍厥元配季姜之祥器
2985.	陳逆匿三	台（以）乍厥元配季姜之祥器
2985.	陳逆匿四	台（以）乍厥元配季姜之祥器
2985.	陳逆匿五	台（以）乍厥元配季姜之祥器
2985.	陳逆匿六	台（以）乍厥元配季姜之祥器
2985.	陳逆匿七	台（以）乍厥元配季姜之祥器
2985.	陳逆匿八	台（以）乍厥元配季姜之祥器
2985.	陳逆匿九	台（以）乍厥元配季姜之祥器
2985.	陳逆匿十	台（以）乍厥元配季姜之祥器
3049	單子白旅盨	單子白乍弔姜旅盨
3063	㻎乍姜涚盨	㻎乍姜涚盨
3063	㻎乍姜涚盨	㻎乍姜涚盨
4436	堯盉	堯敢乍姜盉
4754	魯侯乍姜鴞形尊	魯侯乍姜亯彝
5462	㝬白乍父乙卣一	隹王八月、㝬白易貝于姜
5463	㝬白乍父乙卣二	隹王八月、㝬白易貝于姜
5481	叔卣一	王姜史叔事亍大保
5482	叔卣二	王姜史叔事于大保
5484	乍冊睘卣	王姜令乍冊睘安尸白
5484	乍冊睘卣	揚王姜休
5484	乍冊睘卣	王姜令乍冊睘安尸白
5484	乍冊睘卣	揚王姜休
5624	嬰父女壺	[嬰父女]56256252弔姜壺壺弔姜□□□□
5706	子弔乍弔姜壺一	子弔乍弔姜尊壺永用
5707	子弔乍弔姜壺二	子弔乍弔姜尊壺永用
5714	同白邦父壺	同白邦父乍弔姜萬人壺
5723	王白姜壺一	王白姜乍尊壺
5724	王白姜壺二	王白姜乍尊壺
5749	矩弔乍仲姜壺一	矩弔乍中姜寶尊壺
5750	矩弔乍仲姜壺二	矩弔乍中姜寶尊壺
5755	散氏車父壺一	氏車父乍ro姜□尊壺
5774	楙車父壺	楙車父乍皇母ro姜寶壺
5776	曩公壺	曩公乍為子弔姜盥壺

姜
姬

5780	公孫竈壺	公子土斧乍子中姜Lw之盤壺
5801	洹子孟姜壺一	齊侯既濟洹子孟姜喪其人民都邑
5801	洹子孟姜壺一	洹子孟姜用嘉命
5802	洹子孟姜壺二	齊侯既濟洹子孟姜喪其人民都邑
5802	洹子孟姜壺二	洹子孟姜用嘉命
6715	㠱白庭父盤	㠱白庭父朕姜無須盤
6734	才盤	堯敢乍姜盤
6779	齊侯盤	齊侯乍賸寬v1孟姜盥般
6818	弔侯父匜	弔侯父乍姜□寶它
6822	奠義白乍季姜匜	奠義白乍季姜寶它(匜)用
6826	㠱白庭父匜	㠱白庭父朕姜無顋它
6834	__周匜	[__]周雹乍救姜寶它
6835	匽公匜	匽公乍嫣姜乘般匜
6842	王婦㠱孟姜旅匜	王婦㠱孟姜乍旅它
6868	大師子大孟姜匜	大師子大孟姜乍般匜
6873	齊侯乍孟姜盥匜	齊侯乍賸寬v1孟姜盥盄
6875	慶弔匜	慶弔作朕子孟姜盥匜
6907	齊侯乍朕子仲姜盂	齊侯乍朕子中姜寶盂
7002	鑄侯求鐘	鑄侯求乍季姜朕鐘
7037	遲父鐘	遲父乍姬齊姜龢䜌鐘
7213	𦅫鎛	蹐中之子𦅫乍子中姜寶鎛
7213	𦅫鎛	皇祖(妣)聖姜
7213	𦅫鎛	皇祖(妣)又成惠姜
M339	魯侯盉盖	魯侯乍姜亯彝
M466	鄦男鼎	鄦男乍成姜趄母賸尊鼎
M478	大宰巳段	井姜大宰巳鑄其寶段

小計：共 129 筆

姬 1950

0701	散姬方鼎	散姬乍尊鼎
0820	王乍仲姬方鼎	王乍中姬寶彝
0825	㺇乍井姬鼎	㺇乍井姬用鼎
0850	王乍垂姬鼎	王乍__姬寶尊鼎
0885	井姬㝯鼎	㺇白乍井姬㝯鼎
0911	弔虎父乍弔姬鼎	弔虎父乍弔姬寶鼎
1025	䖒鐘五	好賓䖒眔蔡姬
1028	央__鼎	央__姬昌乍孟田用____鼎
1071	龕白御戎鼎	龕白御戎乍滕姬寶貞(鼎)
1076	王伯姜鼎	王白姜乍季姬寶尊鼎
1076	王伯姜鼎	季姬其永寶用
1104	辛中姬皇母鼎	辛中姬皇母乍尊鼎
1108	師賸父鼎	師賸父乍㸒姬寶鼎
1116	晉司徒白郄父鼎	晉嗣徒白郄父乍周姬寶尊鼎
1123	伯夏父鼎	白夏父乍畢姬尊鼎
1141	善夫旅白鼎	善夫旅白乍毛中姬尊鼎
1153	白頵父鼎	白頵父乍朕皇考屖白吳姬寶鼎
1166	兹太子鼎	□丝大子乍孟姬寶鼎
1185	㺇白乍井姬鼎一	井姬婦亦佩祖考弔公宗室

1185	㴱白乍井姬鼎一	隹㴱白乍井姬用鼎、毀
1186	㴱白乍井姬鼎二	井姬婦亦佩祖考弔公宗室
1186	㴱白乍井姬鼎二	隹㴱白乍井姬用鼎、毀
1198	姬鬻彝鼎	姬鬻彝
1213	師趛鼎一	文母聖姬尊
1214	師趛鼎二	文母聖姬尊
1241	蔡大師䝨鼎	蔡大師䝨媵鄦弔姬可母飤緐
1265	䟒弔鼎	䟒弔仰姬乍寶鼎
1265	䟒弔鼎	䟒弔眔仰姬其易壽老
1265	䟒弔鼎	䟒弔仰姬其萬年
1309	寰鼎	用乍朕皇考鄭白姬尊鼎
1369	仲姬乍鬲	中姬乍鬲
1381	姿姬乍寶鬲	姿姬乍寶鬲
1387	姬莽母鬲	姬莽母乍䵼鬲
1399	魯侯乍姬番鬲	魯侯乍姬番鬲
1404	召姬乍異齊鬲	召姬乍異齊鬲
1414	盤姬乍姜虎旅鬲	盤姬乍姜虎旅鬲
1429	魯姬乍尊鬲	魯姬乍尊鬲永寶用
1434	王乍親王姬__鬲一	王乍親王姬__鬻彝
1435	王乍親王姬__鬲二	王乍親王姬__鬻彝
1441	戈弔慶父鼎	戈弔慶父乍弔姬尊鬲
1446	白狺父乍井姬鬲	白狺父乍井姬季姜尊鬲
1448	白章父鬲一	白章父乍弔姬鬲
1449	白墉父鬲二	白章父乍弔姬鬲
1450	庚姬乍弔娊尊鬲一	庚姬乍弔娊尊鬲
1451	庚姬乍弔娊尊鬲二	庚姬乍弔娊尊鬲
1452	庚姬乍弔娊尊鬲三	庚姬乍弔娊尊鬲
1464	王乍姬□母女尊鬲	王乍姬□母尊鬲
1471	魯白愈父鬲一	魯白愈乍鼄姬仁朕(賸)羞鬲
1472	魯白愈父鬲二	魯白愈父乍鼄姬仁媵(賸)羞鬲
1473	魯白愈父鬲三	魯白愈父乍鼄姬仁媵(賸)羞鬲
1474	魯白愈父鬲四	魯白愈父乍鼄姬仁媵(賸)羞鬲
1475	魯白愈父鬲五	魯白愈父乍鼄姬仁媵(賸)羞鬲
1486	宰駟父鬲	魯宰駟父乍姬𨚕媵鬲
1499	□季鬲	__季乍孟姬__女__鬲
1500	__白鬲	□白乍弔姬尊鬲
1507	善夫吉父乍京姬鬲一	善夫吉父乍京姬尊鬲
1508	善夫吉父乍京姬鬲二	善吉父乍京姬尊鬲
1510	内公鑄弔姬鬲一	内公乍鑄京氏婦弔姬媵
1511	内公鑄弔姬鬲二	内公乍鑄京氏婦弔姬朕鬲
1512	虢白乍姬夨母鬲	虢白乍姬夨母尊鬲
1514	白夏父乍畢姬鬲一	白夏父畢姬尊鬲
1515	白夏父乍畢姬鬲二	白夏父乍畢姬尊鬲
1516	白夏父乍畢姬鬲三	白夏父乍畢姬尊鬲
1517	白夏父乍畢姬鬲四	白夏父乍畢姬尊鬲
1518	白夏父乍畢姬鬲六	白夏父乍畢姬尊鬲
1519	白夏父乍畢姬鬲五	白夏父乍畢姬尊鬲
1520	奠白荀父鬲	奠白荀父乍弔姬尊鬲
1527	䧹先父鬲	䧹先父乍姜姬尊鬲
1639	㴱白乍井姬甗	㴱白乍井姬用甗

姬

1651	仲伐父甗	中伐父乍姬尚母旅獻(甗)其永用
2060	白姬乍_段	白姬乍cx
2110	乍姬寶隮彝段	乍姬寶尊彝
2209	㝐白乍姬寶段	㝐白乍姬寶段
2217	戚姬乍寶隮段	戚姬乍寶尊段
2305	弔噩父乍鵗姬旅段一	弔噩(咢)父乍鵗姬旅段
2306	弔噩父乍鵗姬旅段二	弔噩(咢)父乍鵗姬旅段
2322	庚姬乍𧪡女段	庚姬乍𧪡母寶尊彝[𢍰]
2358	陈侯為季姬段	陈侯白為季姬段
2365	中白段	中白乍亲姬䜌彝
2367	散白乍夨姬段一	散白乍夨姬寶段
2368	散白乍夨姬段二	散白乍夨姬寶段
2369	散白乍夨姬段三	散白乍夨姬寶段
2370	散白乍夨姬段四	散白乍夨姬寶段
2371	散白乍夨姬段五	散白乍夨姬寶段
2383	侯氏段	侯氏乍孟姬尊段
2398	𪒠弔山父段一	𪒠弔山父乍疊姬尊段
2399	𪒠弔山父段二	𪒠弔山父乍疊姬尊段
2400	𪒠弔山父段三	𪒠弔山父乍疊姬尊段
2410	遣小子𩑿段	遣小子𩑿目其友乍𩰫男王姬𧪡彝
2417	齊嫚姬寶段	齊嫚姬乍寶段
2420.3	雁侯段	雁侯乍姬原母尊彝
2450	禾乍皇母孟姬段	禾肇乍皇母懿恭孟姬餗彝
2482	敶侯乍嘉姬段	陳侯乍嘉姬寶段
2522	孟弢父段	孟弢父乍幻白姬媵段八
2523	孟弢父段	孟弢父乍幻白姬媵段八
2528	魯白大父乍媵段	魯白大父乍季姬rk媵段
2529	豐井弔乍白姬段	豐井弔乍白姬尊段
2530	㴞姬乍父辛段	㴞姬乍父辛尊段
2531	魯白大父乍孟□姜段	魯白大父乍孟姬姜媵段
2532	魯白大父乍仲姬俞段	魯白大父乍中姬俞媵段
2534	魯大宰遼父段一	魯大宰原父乍季姬牙媵段
2534.	魯大宰遼父段二	魯大宰原父乍季姬牙媵段
2547	格白乍晉姬段	格白乍晉姬寶段
2593	弔噩父乍旅段一	弔噩父乍鵗姬旅段
2594	弔噩父乍旅段二	弔噩父乍鵗姬旅段
2594.	弔噩父乍旅段三	弔噩父乍鵗姬旅段
2600	白𡧧父段	白𡧧父乍朕皇考屖白吳姬尊段
2634	𢧁叔段	𢧁弔𢧁姬乍白媿媵段
2640	弔皮父段	眔朕文母季姬尊段
2648	仲𠭰父段一	壬母遟姬尊段
2649	仲𠭰父段二	壬母遟姬尊段
2650	仲𠭰父段三	壬母遟姬尊段
2721	𦳋段	王命𦳋眔弔緐父歸吳姬飴器
2721	𦳋段	吳姬賓帛束
2727	蔡姞乍尹弔段	尹弔用妥多福于皇考德尹惠姬
2803	師酉段一	用乍朕文考乙白宄姬尊段
2804	師酉段二	用乍朕文考乙白宄姬尊段
2804	師酉段二	用乍朕考乙白宄姬尊段
2805	師酉段三	用乍朕文考乙白宄姬尊段

2806	師酉毀四	用乍朕文考乙白宄姬尊毀
2806.	師酉毀五	用乍朕文考乙白宄姬尊毀
2835	訇毀	用乍文且乙白同姬尊毀
2852	不嬰毀一	用乍朕皇且公白孟姬尊毀
2853	不嬰毀二	用作朕皇且公白孟姬尊毀
2856	師訇毀	用乍朕剌且乙白咸益姬寶毀
2862	剳白鋁	剳白乍孟姬鋁
2920.	白多父匿	白多父乍戌姬多母寍匜器
2921	_弔乍吳姬匿	qi弔乍吳姬尊簠(匡)
2922	魯白俞父匿一	魯白俞父乍姬仁匿
2923	魯白俞父匿二	魯白俞父乍姬仁匿
2924	魯白俞父匿三	魯白俞父乍姬仁匿
2934	曾子遽彝匿	曾子遽魯為孟姬鄶鑄賸匿
2935	鬻侯乍弔姬寺男賸匿	鬻侯乍弔姬寺男賸匿
2947	季宮父乍賸匿	季宮父乍中姊婚姬賸(侯)匿
2965	曾侯乍弔姬賸器彝	弔姬霝乍黃邦
2965	曾侯乍弔姬賸器彝	曾侯乍弔姬邛嬭賸器彝
2972	弔家父乍仲姬匿	弔家父乍中姬匡
2993	中白乍嫡姬旅盨一	中白乍嫡姬旅盨用
2994	中白乍嫡姬旅盨二	中白乍嫡姬旅盨用
3039	白多父盨	白多父乍戌姬多母寍匜器
3050	覓弔乍旅盨	覓弔乍中姬旅盨
3050	覓弔乍旅盨	覓弔其萬年永及中姬寶用
3056	師趛乍樜姬旅盨	師趛乍樜姬旅盨
3095	拍乍祀彝(蓋)	拍乍朕配平姬章宮祀彝
4417	緻王盉	緻(燹)王乍姬rf盉
4430	白百父乍孟姬朕鎜	白百父乍孟姬朕鎜
4809	強白匄井姬羊形尊	強白匄井姬用盂鏙
4821	禁侯𨟻乍大孟姬尊	禁侯𨟻乍大孟姬賸尊
4823	懽季遽父尊	懽季遽父乍豐姬寶尊彝
4870	奘商尊	帝后賞商庚姬貝卅朋
4887	禁侯𨟻尊	用詐(乍)大孟姬賸彝_
5441	懽季遽父卣一	懽季遽父乍豐姬寶尊彝
5442	懽季遽父卣二	懽季遽父乍豐姬寶尊彝
5479	奘商乍文辟日丁卣	帝司賞庚姬貝卅朋
5574	女姬罍	女姬乍匜姑夕母(妙?)寶尊彝
5666	白乍姬	白乍姬歆壺
5668	夨姬自乍壺	夨姬自乍壺
5687	孟姬媠壺	孟姬媠之尊缶
5694	魯侯乍尹弔姬壺	魯侯乍尹弔姬壺
5725	呂王_乍內姬壺	呂王np乍內姬尊壺
5728	樊夫人壺	樊夫人_姬羀其吉金
5740	嗣寇良父壺	嗣寇良父乍為衛姬壺
5751	白公父乍弔姬醴壺	白公父乍弔姬醴壺
5756	中白乍朕壺一	中白乍亲姬繺人賸壺
5757	中白乍朕壺二	中白乍亲姬繺人賸壺
5781	曾姬無卹壺一	聖趄之夫人曾姬無卹
5782	曾姬無卹壺二	聖趄之夫人曾姬無卹
5814	白夏父鐳一	白夏父乍畢姬尊霝
5815	白夏父鐳二	白夏父乍畢姬尊霝

姬姑

5823	蔡侯[illegible]作大孟姬盥缶	蔡侯[illegible]作大孟姬賸盥缶
5824	孟縢姬賸缶	孟縢姬羼其吉金
6632	白乍蔡姬䮫	白乍蔡姬宗彝
6710	白百父乍孟姬盤	白百父乍孟姬朕盤
6717	魯白厚父乍仲姬俞盤一	魯白厚父乍孟姬俞賸盤
6718	魯白厚父乍仲姬俞盤二	魯白厚父乍中姬俞賸盤
6726	笱侯乍弔姬盤	笱侯乍弔姬賸盤
6736	魯白愈父盤一	魯白俞(愈)父乍鼄姬仁朕顠般
6737	魯白愈父盤二	魯白俞(愈)父乍鼄姬仁朕顠般
6738	魯白愈父盤三	魯白俞(愈)父乍鼄姬仁朕顠般
6740	白駟父盤	白駟父乍姬淪朕盤
6746	齊侯乍孟姬盤	齊侯乍皇氏孟姬寶般(盤)
6747	師寏父盤	師寏父乍季姬般(盤)
6753	仲㪟父盤	中㪟父乍rC姬尊般(盤)
6755	毛叔盤	毛弔朕彪氏孟姬寶般
6757	干氏弔子盤	干氏弔子乍中姬客母賸般
6765	齊弔姬盤	齊弔姬乍孟庚寶般
6767	齊縈姬之嫦盤	齊縈姬之嫦(姪)乍寶般
6772	魯少司寇封孫宅盤	魯少嗣寇封孫宅乍其子孟姬嬰朕般也(匜)
6788	蔡侯[illegible]盤	用詐大孟姬賸彝盤
6789	寰盤	用乍朕皇考奠白奠姬寶盤
6803	自乍吳姬賸匜	自乍吳姬賸它(匜)
6804	乍中姬匜	□□乍中姬□它
6812	蔡侯乍姬單匜	蔡侯乍姬單賸匜
6832	保弔黑臣匜	保弔黑姬乍寶它
6841	魯白愈父匜	魯白偷父乍鼄(邾)姬仁朕顠它
6843	白吉父乍京姬匜	白吉父乍京姬它
6845	弔__父乍師姬匜	弔__父乍睘自姬寶它
6854	辭馬南弔匜	辭馬南弔乍𡟰姬賸它
6866	齊侯乍虢孟姬匜	齊侯乍虢孟姬良女寶它
6867	弔男父乍為霍姬匜	弔男父乍為霍姬賸旅它
6872	魯大嗣徒子仲白匜	魯大嗣徒子中白其庶女厲孟姬賸它
6888	吳王光鑑一	台乍弔姬寺吁宗__薦鑑
6888	吳王光鑑一	往巳弔姬
6889	吳王光鑑二	台乍弔姬寺吁宗__薦鑑
6889	吳王光鑑二	往巳弔姬
7021	虘鐘一	虘眔蔡姬永寶
7022	虘鐘二	虘眔蔡姬永寶
7023	虘鐘三	虘眔蔡姬永寶
7037	遲父鐘	遲父乍姬齊姜龢𬭚鐘
7174	秦公鐘	公及王姬曰：余小子
7177	秦公及王姬編鐘一	公及王姬曰：余小子
7209	秦公及王姬鎛	公及王姬曰：余小子
7210	秦公及王姬鎛二	公及王姬曰：余小子
7211	秦公及王姬鎛三	公及王姬曰：余小子
7974	王乍姬弄器蓋	王乍姬弄
M379	夆伯鬲	夆白乍郜孟姬尊鬲
M423.	趞鼎	用乍朕皇考釐白、奠姬寶鼎

小計：共 217 筆

姞 1951

0794	霸姞鼎	霸姞乍寶尊彝
0851	尹弔乍__姞鼎	尹弔乍Esy姞賸鼎
0898	姞曶母鼎	姞舀(曶)母乍寽寶尊鼎
1200	散白車父鼎一	㪔白車父乍邪姞尊鼎
1201	㪔白車父鼎二	㪔白車父 乍邪姞尊鼎
1202	㪔白車父鼎三	㪔白車父乍邪姞尊鼎
1203	㪔白車父鼎四	㪔白車父乍邪姞尊鼎
1284	尹姞鼎	穆公乍尹姞宗室于py林
1284	尹姞鼎	各于尹姞宗室py林
1284	尹姞鼎	君蔑尹姞曆
1367	虢姞乍鬲	虢姞乍鬲
1377	□姞乍寶鼎	□姞乍寶鼎
1389	仲姞羞鬲一	中姞乍羞鬲[華]
1390	仲姞羞鬲二	中姞乍羞鬲[華]
1391	仲姞羞鬲三	中姞乍羞鬲[華]
1392	仲姞羞鬲四	中姞乍羞鬲[華]
1393	仲姞羞鬲五	中姞乍羞鬲[華]
1394	仲姞羞鬲六	中姞乍羞鬲[華]
1395	仲姞羞鬲七	中姞乍羞鬲[華]
1396	仲姞羞鬲八	中姞乍羞鬲[華]
1397	仲姞羞鬲九	中姞乍羞鬲[華]
1402	虢仲乍姞鬲一	虢中乍姞尊鬲
1403	虢仲乍姞鬲二	虢中乍姞尊鬲
1430.	伯窺父鬲	白窺父乍姞尊鬲
1521	單白邍父鬲	單白邍父乍中姞尊鬲
1522	孟辛父乍孟姞鬲一	u0馬孟辛父乍孟姞寶尊鬲
1523	孟辛父乍孟姞鬲二	u0馬孟辛父乍孟姞寶尊鬲
1528	公姞鬲鼎	天君蔑公姞曆
1528	公姞鬲鼎	史易公姞魚三百
1533	尹姞寶鬲一	穆公乍尹姞宗室于繇林
1533	尹姞寶鬲一	各于尹姞宗室繇林
1533	尹姞寶鬲一	君蔑尹姞曆
1534	尹姞寶鬲二	穆公乍尹姞宗室于繇林
1534	尹姞寶鬲二	各于尹姞宗室繇林
1534	尹姞寶鬲二	君蔑尹姞曆
2184	霸姞乍寶設	霸姞乍寶尊彝
2216	姞□父乍寶設	姞甗父乍寶設
2261	義白乍完婦陸姞設	義白乍完婦陸姞
2326	師奐父乍弔姞設	師奐父乍弔姞寶尊設
2328	師奐父乍季姞設	師奐父乍季姞寶尊設
2374	白庶父設	彶(及)姞氏永寶用
2418	芈乍姞氏設	芈乍姞氏寶設
2435	散車父設一	散車父乍䞣隤姞㮚(餗)設
2436	散車父設二	散車父乍䞣隤姞餗設
2437	散車父設三	散車父乍䞣隤姞餗設
2438	散車父設四	散車父乍䞣隤姞餗設
2438.	散車父設五	散車父乍䞣隤姞餗設

姞

2438.	椒車父乍䢼陓姞𣪘	散車父乍䢼陓姞𣪘
2438.	椒車父乍䢼陓姞𣪘二	散車父乍䢼陓姞𣪘
2447	白汈父乍孅姞𣪘一	白汈父乍孅姞尊𣪘
2448	白汈父乍孅姞𣪘二	白汈父乍孅姞尊𣪘
2449	白汈父乍孅姞𣪘三	白汈父乍孅姞尊𣪘
2497	䣄侯乍王姞𣪘一	䣄侯乍王姞媵𣪘
2497	䣄侯乍王姞𣪘一	王姞其萬年子子孫孫永寶
2498	䣄侯乍王姞𣪘二	䣄侯乍王姞媵𣪘
2498	䣄侯乍王姞𣪘二	王姞其萬年子子孫孫永寶
2499	䣄侯乍王姞𣪘三	䣄侯乍王姞媵𣪘
2499	䣄侯乍王姞𣪘三	王姞其萬年子子孫孫永寶
2500	䣄侯乍王姞𣪘四	䣄侯乍王姞媵𣪘
2500	䣄侯乍王姞𣪘四	王姞其萬年子子孫孫永寶
2521	姞氏自牧𣪘	姞氏自牧（作）為寶尊𣪘
2722	窒弔乍豐姞旅𣪘	窒弔乍豐姞憨旅𣪘
2722	窒弔乍豐姞旅𣪘	豐姞憨用宿夜亯孝于𢿌公
2725.	䔖星𣪘	䔖星父乍𠀠中姞寶𣪘
2727	蔡姞乍尹弔𣪘	蔡姞乍皇兄尹弔尊𪕍彝
2788	静𣪘	用乍文母外姞尊𣪘
3011	弔姞旅𩰫	弔姞乍旅盨（𩰫）
3043	遣弔吉父旅須一	遣弔吉父乍虢王姞旅盨（須）
3044	遣弔吉父旅須二	遣弔吉父乍虢王姞旅盨（須）
3045	遣弔吉父旅須三	遣弔吉父乍虢王姞旅盨（須）
3063	𨖍乍姜㴱盨	用亯孝于姞公
3063	𨖍乍姜㴱盨	用亯孝于姞公
3090	㝬盨（器）	弔邦父、弔姞萬年子子孫孫永寶用
4868	趞乍姞尊	用乍姞寶彝
4869	次尊	公姞令次𤔲田人
4869	次尊	對揚公姞休
5476	趞乍姞寶卣	用乍姞寶彝
5478	次卣	公姞令次𤔲田人
5478	次卣	對揚公姞休
5597	次𩰫	公姞令次𤔲田
5597	次𩰫	對揚公姞休
5774	椒車父壺	用逆姞氏
6528	乍姞彝觶	乍姞彝
6598	姞亘母觶	姞亘母乍寶
6701	宗仲乍尹姞盤	宗中乍尹姞般（盤）
6809	姞母匜	姞剌母乍匜
6810	宗仲乍尹姞匜	宗中乍尹姞匜

小計：共 87 筆

嬴 1952

0710	嬴氏乍寶鼎	嬴（嬴）氏乍寶鼎
0793	嬴霝德乍小鼎	嬴霝德乍小鼎
1010	榮有𤔲再鼎	用媵嬴𪘲母
1075	黃季乍季嬴鼎	黃季乍季嬴寶鼎
1105	𢾅季乍嬴氏行鼎	𢾅季乍嬴氏行鼎

1148	䰜姜白鼎一	䰜姜白乍此嬴尊鼎
1149	䰜姜白鼎二	䰜姜白乍此嬴尊鼎
1248	庚嬴鼎	丁子、王蔑庚嬴曆
J909	樊夫人龍嬴鬲	樊夫人龍嬴用其吉金自乍鬲
1462	榮有嗣再嬴鬲	用朕（ 賸 ）嬴女𪓐母
1502	成白孫父鬲	成白孫父乍浸嬴尊鬲
2183	嬴季乍寶毀	嬴季乍寶尊彝
2215	嬴霝悳乍飤毀	嬴霝悳乍飤毀
2604	黃君毀	黃君乍季嬴vz媵毀
2919	鑄弔乍嬴氏匿	鑄弔乍嬴氏寶匿
2975	鄦子妝匿	用賸（ 媵 ）孟姜秦嬴
3046	筍白大父寶盨	筍白大父乍嬴改鑄匋（ 寶 ）盨
4425	季嬴霝德盉	季嬴霝德乍寶盉
4439	白衛父盉	白衛父乍嬴䵼彝
4747	嬴季尊	嬴季乍寶尊彝
5341	嬴季卣	嬴季乍寶尊彝
5504	庚嬴卣一	王格于庚嬴（ 嬴 ）宮
5504	庚嬴卣一	王蔑庚嬴（ 嬴 ）曆
5504	庚嬴卣一	庚嬴（ 嬴 ）對揚王休
5505	庚嬴卣二	王格于庚嬴（ 嬴 ）宮
5505	庚嬴卣二	王蔑庚嬴（ 嬴 ）曆
5505	庚嬴卣二	庚嬴（ 嬴 ）對揚王休
J3366	嬴霝德壺	（ 拓本未見 ）
5728	樊夫人壺	樊夫人龍嬴羼其吉金
6719	京弔盤	京弔乍孟嬴盤
6770	鬻白盤	鬻白塍（ 賸 ）嬴尹母
6821	樊夫人匜	樊夫人龔嬴自乍行它（ 匜 ）
6865	楚嬴匜	楚嬴鑄其匜
6919	子弔嬴內君寶器	子弔嬴內君乍寶器
J699	嬴氏鼎	（ 拓本宋見 ）
J1775	鄴伯受匿	（ 拓本宋見 ）

小計：共 36 筆

1953

0304	帚嬀鼎一	帚嬀
0305	帚嬀鼎二	帚嬀
1017	剌鼎鼎	其用盟𩰫元嬀日辛
1134	敶侯鼎	敶侯乍朕嬀四母賸鼎
2401	敶侯乍王嬀朕毀	敶（ 陳 ）侯乍王嬀媵毀
2961	敶侯乍媵匿一	陳侯乍王中嬀𤼈媵匿
2962	敶侯乍媵匿二	陳侯乍王中嬀𤼈媵匿
2963	陳侯匿	陳侯乍王中嬀𤼈媵匿
5663	𠐂嬀乍寶壺	𠐂（ 嬗 ）嬀乍寶壺
5729	陳侯乍嬀穌朕壺	陳侯乍嬀穌（ 蘇 ）賸壺
6750	白侯父盤	白侯父塍弔嬀㜏母槃（ 盤 ）
6835	匽公匜	匽公乍嬀姜乘般匜
6860	敶白元匜	陳白vm之子白元乍西孟嬀婤母塍匜
6871	敶子匜	陳子子乍𢊁孟嬀穀母塍匜

嬴 嬀

小計：共 14 筆

妘娟 1954

1057	會娟鼎	會妘乍寶鼎
1060	輔白𤸫父鼎	輔白𤸫父乍豐孟妘賸鼎
1095	函皇父鼎	圅（函）皇父乍琱妘尊ps鼎
1247	函皇父鼎	圅（函）皇父乍琱妘般盉尊器
1247	函皇父鼎	琱娟（妘）其萬年子子孫孫永寶用
1270	小臣𧻚鼎	用乍季娟（妘）寶尊彝
2519	周𩰫生媵𣪘	周𩰫生乍𣛭妘𡡉媵𣪘
2678	函皇父𣪘一	圅（函）皇父乍琱妘般盉尊器
2678	函皇父𣪘一	琱娟（妘）其萬年子子孫孫永寶用
2679	函皇父𣪘二	圅（函）皇父乍琱妘般盉尊器
2679	函皇父𣪘二	琱娟（妘）其萬年子子孫孫永寶用
2680	函皇父𣪘三	圅（函）皇父乍琱妘般盉尊器
2680	函皇父𣪘三	琱娟（妘）其萬年子子孫孫永寶用
2680.1	函皇父𣪘四	圅（函）皇父乍琱妘般盉尊器
2680.1	函皇父𣪘四	琱娟（妘）其萬年子子孫孫永寶用
2939	季良父乍宗娟媵�一	季良父乍宗娟媵匠
2940	季良父乍宗娟媵匠二	季良父乍宗娟媵匠
2941	季良父乍宗娟媵匠三	季良父乍宗娟媵匠
3081	翏生旅盨一	用對剌翏生眔大妘
3082	翏生旅盨二	用對剌翏生眔大妘
3082	翏生旅盨二	用對剌翏生眔大妘
4443	王仲皇父盉	王中皇父乍ou娟（妘）般盉
6783	函皇父盤	圅（函）皇父乍琱妘般盉尊器
6783	函皇父盤	琱娟（妘）其萬年子子孫孫永寶用
6839	圅皇父乍周娟匜	圅皇父乍周妘它
6874	鄭大內史弔上匜	鄭大內史弔上乍弔娟（ ）妘媵匜

小計：共 26 筆

婚 1955 聞字參見

2841	𦬊白𣪘	好倗友雩百者婚遘
3086	善夫克旅盨	隹用獻于師尹、倗友、婚（聞）遘
5477	單光壴乍父癸𩰫卣	其日父癸夙夕鄉爾百婚遘［單光］
5786	𡚬季良父壺	用享孝于兄弔婚媾者老
6786	__弔多父盤	兄弟者子聞（婚）媾無不喜

小計：共 5 筆

妻 1956

0641	子𩁹君妻鼎	子𩁹君妻
1204	淮白鼎	__其及𠂤妻子孫于之__饋𦞤肉
2666	鑄弔皮父𣪘	其妻子用享考于弔皮父
5497	農卣	事𠂤友妻農

5560	𠬝乍父丁方罍	[𠬝]乍父丁妻盟
		小計：共 5 筆

1957

0261	嬜婦鼎	[嬜]婦
0308	婦旋鼎	[婦旋]
0309	婦好鼎一	[婦好]
0310	婦好鼎二	[婦好]
0311	婦好鼎三	[婦好]
0312	婦好鼎四	[婦好]
0313	婦好鼎五	[婦好]
0314	婦好鼎六	[婦好]
0315	婦好鼎七	[婦好]
0316	婦好鼎八	[婦好]
0317	婦好鼎九	[婦好]
0318	婦好鼎十	[婦好]
0319	婦好鼎十一	[婦好]
0320	婦好鼎十二	[婦好]
0321	婦好鳥足鼎十三	[婦好]
0322	婦好鳥足鼎十四	[婦好]
0323	婦好鳥足鼎十五	[婦好]
0325	婦好鼎	[婦好]
0326	婦好帶流鋬鼎	[婦好]
0452	中婦鬻鼎	[中]婦鬻
0525	__婦觚方鼎	[䵼]婦觚
0645	天黿婦于未鼎一	[天黽]婦于未
0646	天黿婦于未鼎二	[天黽]婦于未
0800	䵼乍__婦方鼎	乍h4婦尊彝[䵼]
0857	天黿婦姑鼎一	[天黽]乍婦姑鬻彝
0858	天黿婦姑鼎二	[天黽]乍婦姑鬻彝
0922	嬜婦方鼎	[cm]己且丁父癸嬜婦尊
0953	婦闖乍文姑日癸鼎	婦闖乍文姑日癸尊彝
0979	__君鼎	pi君婦媿霝乍旅尊鼎
0980	__君鼎	pi君婦媿霝乍旅__其子孫用
1178	宗婦鄁嬰鼎一	王子剌公之宗婦鄁嬰為宗彝鬻彝
1179	宗婦鄁嬰鼎二	王子剌公之宗婦鄁嬰為宗彝鬻彝
1180	宗婦鄁嬰鼎三	王子剌公之宗婦鄁嬰為宗彝鬻彝
1181	宗婦鄁嬰鼎四	王子剌公之宗婦鄁嬰為宗彝鬻彝
1182	宗婦鄁嬰鼎五	王子剌公之宗婦鄁嬰為宗彝鬻彝
1183	宗婦鄁嬰鼎六	王子剌公之宗婦鄁嬰為宗彝鬻彝
1185	強白乍井姬鼎一	井姬婦亦佩祖考弔公宗室
1186	強白乍井姬鼎二	井姬婦亦佩祖考弔公宗室
1360	䵼齊婦鬲	[䵼]齊婦
1510	內公鑄弔姬鬲一	內公乍鑄京氏婦弔姬賸
1511	內公鑄弔姬鬲二	內公乍鑄京氏婦弔姬賸鬲
1562	婦好三聯甗架	[婦好]
1563	婦好分體甗甑	[婦好]
1564	婦好三聯甗甑	[婦好]

婦

1565	婦好三聯甗	[婦好]
1566	婦好分體甗	[婦好]
1567	婦好連體甗	[婦好]
1613	Ӿ商婦甗	商婦乍彝[Ӿ]
1620	虢白甗	虢白乍婦獻用
1775	婦好𣪘	[婦好]
1822	守婦𣪘	守婦
1964	𩰫婦娸𣪘	[𩰫]婦娸
2130	姜婦乍障彝𣪘	姜婦乍尊彝
2156	安父乙卯婦□𣪘	[安]父乙卯婦□[安]
2172	女母乍婦己𣪘	女母乍婦己彝
2251	比乍白婦_𣪘	比乍白婦tf尊彝
2261	義白乍宄婦陸姞𣪘	義白乍宄婦陸姞
2271	陸婦乍高姞𣪘	陸婦乍高姞尊彝
2614	宗婦鄁嬰𣪘一	王子剌公之宗婦鄁嬰為宗彝𩰫彝
2615	宗婦鄁嬰𣪘二	王子剌公之宗婦鄁嬰為宗彝𩰫彝
2616	宗婦鄁嬰𣪘三	王子剌公之宗婦鄁嬰為宗彝𩰫彝
2617	宗婦鄁嬰𣪘四	王子剌公之宗婦鄁嬰為宗彝𩰫彝
2618	宗婦鄁嬰𣪘五	王子剌公之宗婦鄁嬰為宗彝𩰫彝
2619	宗婦鄁嬰𣪘六	王子剌公之宗婦鄁嬰為宗彝𩰫彝
2620	宗婦鄁嬰𣪘七	王子剌公之宗婦鄁嬰為宗彝𩰫彝
2674	弔䧹𣪘	用侃喜百生倗友眾子婦{ 子孫 }永寶用
2786	縣妃𣪘	易女婦爵䢅之弋周玉
2814	烏冊矢令𣪘一	用饗寮人婦子
2814.	矢令𣪘二	用饗寮人婦子
3635	𩰫婦爵	[𩰫婦]
3660	婦好爵一	婦好
3661	婦好爵二	婦好
3662	婦好爵三	婦好
3663	婦好爵四	婦好
3664	婦好爵五	婦好
3665	婦好爵六	婦好
3666	婦好爵七	婦好
3666.	婦好爵八	婦好
3666.	婦好爵九	婦好
3666.	婦好爵十	婦好
3666.	婦好爵十一	婦好
4121.	舌乍婦丁爵	[舌]乍婦丁
4122	𩰫婦斂爵一	[𩰫]婦斂
4123	𩰫婦斂爵二	[𩰫]婦斂
4123.	𩰫婦斂爵三	[𩰫]婦斂
4157	𩰫黽婦_爵一	黽婦pd彝[Ӿ]
4158	𩰫黽婦_爵一	黽婦pd彝[Ӿ]
4166.	黽婦_爵	黽婦pd彝[Ӿ]
4232	𩰫婦斂角	[𩰫]婦斂
4299	婦好方斝一	[婦好]
4300	婦好方斝二	[婦好]
4301	婦好方斝三	[婦好]
4302	婦好圓斝	[婦好]
4339	乍婦姞𪓐斝	乍婦姞𪓐尊彝

4342	㚸婦闢罍	婦闢作文姑日癸尊彝[㚸]
4358	婦好盉一	[婦好]
4359	婦好盉二	[婦好]
4360	婦好盉三	[婦好]
4435	__君盉	p1君婦媿霝作旅□
4550	婦好尊一	婦好
4551	婦好尊二	婦好
4552	婦好尊三	婦好
4697	㸓婦㱿尊	[㸓]婦㱿
4897	婦觥	[婦]
4900	婦好圈足觥	[婦好]
4901	婦好觥	[婦好]
4924	㚸婦闢作文姑日癸觥	[㚸]婦闢作文姑日癸尊彝
4948	婦好偶方彝	[婦好]
4949	婦好有蓋方彝	[婦好]
4950	婦好小方彝	[婦好]
5094	㚸婦卣	[㚸]婦
5185	庚婦聿卣	婦庚[聿][e4]
5218	㸓婦__卣	[㸓]婦㱿
5222	亞醜杞婦卣	[亞醜]杞婦
5435	婦闢獒作文姑日癸卣一	婦闢作文姑日癸尊彝[㚸]
5436	婦闢獒作文姑日癸卣二	婦闢作文姑日癸尊彝[㚸]
5456	㠱子作婦婤卣	子作婦婤彝
5466	顯作母辛卣一	顯易婦rb、曰用䵼于乃姑宓
5467	顯作母辛卣二	顯易婦rb、曰用䵼于乃姑宓
5535	婦好方罍一	[婦好]
5536	婦好方罍二	[婦好]
5552	亞吳玄婦方罍一	[玄鳥]婦、[亞吳]
5553	亞吳玄婦方罍二	[玄鳥]婦、[亞吳]
5575	㚸婦闢作文姑日癸罍	婦闢文姑日癸尊彝[㚸]
5591	婦好瓿一	[婦好]
5592	婦好瓿二	[婦好]
5619	婦好扁壺一	[婦好]
5620	婦好扁壺二	[婦好]
5731	邛君婦龢壺	邛君婦龢作其壺
5770	宗婦鄁嬰壺一	王子剌公之宗婦鄁嬰為宗彝䵼彝
5771	宗婦鄁嬰壺二	王子剌公之宗婦鄁嬰為宗彝䵼彝
5947	婦觚	[婦]
6039	婦甲觚	婦[甲]
6073	婦鳥形觚	[婦隹]
6092	婦好觚一	[婦好]
6093	婦好觚二	[婦好]
6094	婦好觚三	[婦好]
6095	婦好觚四	[婦好]
6096	婦好觚五	[婦好]
6097	婦好觚六	[婦好]
6098	婦好觚七	[婦好]
6099	婦好觚八	[婦好]
6100	婦好觚九	[婦好]
6101	婦好觚十	[婦好]

婦
妃

6102	婦好觚十一	[婦好]
6103	婦好觚十二	[婦好]
6104	婦好觚十三	[婦好]
6105	婦好觚十四	[婦好]
6106	婦好觚十五	[婦好]
6107	婦好觚十六	[婦好]
6187	帚䵼觚一	婦[䵼]
6188	帚䵼觚二	婦[䵼]
6248	䜌婦歆觚	[䜌]婦歆
6261	亞䣄婦__觚	婦__乍彝[亞䣄]
6278	臤𢦏用__日義觚	𨒅婦賞于𢦏
6314	婦觶	[婦]
6381	守婦觶一	[守婦]
6382	守婦觶二	[守婦]
6383	晶婦觶	[晶婦]
6384	帚嫡觶	[婦商]
6402	山婦觶	[山婦]
6406	婦好觶	[婦好]
6611	庯䵼婦女觶	婦__[庯䵼]
6648	婦好勺一	[婦好]
6649	婦好勺二	[婦好]
6650	婦好勺三	[婦好]
6651	婦好勺四	[婦好]
6652	婦好勺五	[婦好]
6653	婦好勺六	[婦好]
6654	婦好勺七	[婦好]
6655	婦好勺八	[婦好]
6753	仲㪉父盤	中㪉父乍rG(婦)姬尊般(盤槃)
6771	宗婦邯䙹盤	王子剌公之宗婦邯䙹為宗彝䵼彝
6786	__弔多父盤	用及孝婦嫼氏百子千孫
6842	王婦㠱孟姜旅匜	王婦㠱孟姜乍旅它
6890	婦好盂	[婦好]
6925	晉邦盦	宗婦楚邦
7767	婦好鉞二	[婦好]
7768	婦好鉞一	[婦好]
7925	婦好罐	婦好
7991	婦好其	[婦好]
7993	婦好瓿形器	[婦好]
M143	䵼壺	䵼易婦rb曰
		小計：共 183 筆

妃 1958

2681	鄀侯𣪘	𨟻乍皇妣qJ君中妃祭器八𣪘
2682	陳侯午𣪘	陳侯午台群者侯□鑄乍皇妣□大妃祭器
3097	陳侯午錞錞一	乍皇妣孝大妃祭器sk錞台登台嘗
3098	陳侯午錞錞二	乍皇妣孝大妃祭器sk錞台登台嘗
6694	亞吳母己盤	[亞吳妃]
		小計：共 5 筆

1959

0849	吹乍楷妊鼎	吹乍楷妊尊彝
1066	穌吉妊鼎	穌吉妊乍虢改魚母媵
1133	鄀白乍孟妊善鼎	鄀白肇乍孟妊善寶鼎
1264	螸鼎	螸來遘于妊氏
1264	螸鼎	妊氏令螸
1417	弭弔乍犀妊齊鬲一	弭弔乍犀妊齍
1418	弭弔乍犀妊齊鬲二	弭弔乍犀妊齍
1419	弭弔乍犀妊齊鬲三	弭弔乍犀妊齍
1611	龔妊甗	龔妊媵甗[dz](單)
2389	敔孖妊乍寶設	敔孖妊乍寶設
2669	__妊小設	妊小從
2669	__妊小設	用乍妊小寶設
2670	楷侯設	用乍文母楷妊寶設
2672	伯芳父設	妊小從
2672	伯芳父設	用乍妊小寶設
2778	格白設一	㚸妊彶佗卒從格白安彶甸
2778	格白設一	㚸妊彶佗卒從格白安彶甸
2780	格白設三	㚸妊彶佗卒從格白安彶甸
2781	格白設四	㚸妊彶佗卒從格白安彶甸
2782	格白設五	㚸妊彶佗卒從格白安彶甸
2782.	格白設六	㚸妊彶佗卒從格白安彶甸
2959	鑄公乍朕匿一	鑄公乍孟妊東母朕匿
2960	鑄公乍朕匿二	鑄公乍孟妊東母朕匿
3645	__妊爵	__妊
4437	王乍豐妊盉	王乍豐妊單寶般盉
5667	嬸妊乍安壺	嬸妊乍安壺
6744	穌吉妊盤	穌吉妊乍虢改魚母般(盤)
6762	薛侯盤	薛侯乍弔妊襄朕盤
6862	薛侯乍弔妊朕匜	薛侯乍弔妊襄朕匜
7527	__久白戈	__久白文妊為茲戈
7905	嬸妊車軎	嬸妊乍安車
		小計：共　31 筆

1960

0927	若鳹乍文嬖宗鼎	若鳹乍文嬖宗簡■彝
		小計：共　1 筆

1961　參考女字

0295	母乙鼎	母乙
0453	宙母丁鼎	[宙]母丁
0516	后母戊方鼎	司(后)母戊
0521	后母辛方鼎二	司(后)母辛
0522	后母辛方鼎	司(后)母辛
0564	寧母父丁鼎	寧母父丁

母

0595	亞肘史母子鼎	[亞肘史]母子
0596	彭母彝冉鼎一	彭母彝[冉]
0597	彭母彝冉鼎二	彭母彝[冉]
0653	后母目康方鼎	后母目康
0663	__乍母鼎	__乍母鼎
0664	亞夔方鼎	[亞夔]母__樂
0689	奘母关父癸鼎	[奘]母关父癸
0718	亭母鼎	亭母乍山來
0767	田告乍母辛方鼎	田告乍母辛尊
0847	用貝乍母辛鼎	貝用乍母辛彝[ab]
0878	亞曩吴夆乍母癸鼎	[亞曩吴]夆乍母癸
0895	澹父乍姜懿母鼎一	澹父乍姜懿母鍊貞(鼎)
0896	澹父乍姜懿母鼎二	澹父乍姜懿母鍊貞(鼎)
0898	姞曶母鼎	姞舀(曶)母乍氒寶尊鼎
0912	北子乍母癸方鼎	北子乍母癸寶尊彝
0932	木乍母辛鼎	乍母辛尊彝[木工刪]
0949	江小仲鼎	江小中母生自乍甬鬲
1010	榮有嗣再鼎	用媵嬴𪚷母
1048	雔乍母乙鼎	雔乍母乙尊鼎
1066	穌吿妊鼎	穌吿妊乍虢改魚母媵
1102	無大邑魯生鼎	無大邑魯生乍壽母朕(媵)貞(鼎)
1104	辛中姬皇母鼎	辛中姬皇母乍尊鼎
1134	陳侯鼎	陳侯乍朕嬀四母媵鼎
1167	__父鼎一	母又__女
1168	__父鼎二	母又__女
1189	諆鼎	諆肇乍其皇考皇母者比君鬻鼎
1209	孁方鼎	用乍母己尊孁
1213	師趛鼎一	文母聖姬尊
1214	師趛鼎二	文母聖姬尊
1217	毛公𣪘方鼎	肄母又弗競
1241	蔡大師䀗鼎	蔡大師䀗媵鄦弔姬可母飤䌛
1274	哀成弔鼎	少去母父
1298	師旂鼎	今母播
1316	㺇方鼎	㺇曰：烏虖、朕文考甲公、文母日庚
1316	㺇方鼎	母又眈于氒身
1316	㺇方鼎	用乍文母日庚寶尊鬻彝
1317	善夫山鼎	母敢不善
1319	頌鼎一	皇母龏姒(始)寶尊鼎
1320	頌鼎二	皇母龏姒(始)寶尊鼎
1321	頌鼎三	生母龏姒(始)寶尊鼎
1330	曶鼎	舀(曶)母卑成于觝
1331	中山王譽鼎	隹傅母氏(是)從
1331	中山王譽鼎	母(毋)忘尒(爾)邦
1331	中山王譽鼎	尒(爾)母(毋)大而㣇(肆)
1331	中山王譽鼎	母(毋)富而喬(驕)
1331	中山王譽鼎	母(毋)眾而嚣
1331	中山王譽鼎	母替氒邦
1332	毛公鼎	死(尸)母(毋)童(動)余一人在立(位)
1332	毛公鼎	女母敢妄寧
1332	毛公鼎	母(毋)折緘

1332	毛公鼎	母(毋)又敢㤅尃命于外
1332	毛公鼎	母頓于政
1332	毛公鼎	母(毋)敢龏橐
1332	毛公鼎	母(毋)敢qs于酒
1332	毛公鼎	女母(毋)敢家在乃福
1332	毛公鼎	女母(毋)弗帥用先王乍明井(型)
1346	婺母鬲	[婺]母
1361	亞__母鬲	[亞䴡皿矛]母
1387	姬莽母鬲	姬莽母乍齍鬲
1411	□□母尊鬲	□□母乍寶尊鬲
1432	郳始□母鑄羞鬲	郳始Ir母鑄其羞鬲
1433	召白毛尊鬲	召白毛乍王母尊鬲
1442	王乍贙母鬲	王乍s5䵼贙母寶䵼彝
1456	京姜鬲	京姜年母乍尊鬲
1462	榮有嗣再齍鬲	用朕(賸)嬴女𪊨母
1464	王乍姬□母女尊鬲	王乍姬□母尊鬲
1466	弭䣄龏母辛鬲	用乍又(㝀)母辛尊彝
1512	虢白乍姬夨母鬲	虢白乍姬夨母尊鬲
1580	㚤母癸甗	[㚤]母癸
1603	㝉彭女彝甗	彭母彝[㝉]
1619	𣪕乍母庚籃甗	𣪕乍母庚旅彝
1634	㫃冊㓚乍母戊甗	[㫃冊]㓚乍母戊彝
1643	亞䣄諸女甗	[亞䣄]者母乍大子尊彝
1651	仲伐父甗	中伐父乍姬尚母旅獻(甗)其永用
1719	母𣪘	[母]
1835	龏女𣪘	[龏]母
1925	婺母辛𣪘	[婺]母辛
1955	弔弔母癸𣪘	[弔弔]母癸
1965	戈母丁𣪘	[戈]母丁
1966	史母癸𣪘	[史]母癸
2008	女康丁__𣪘	母庚丁[eb]
2017	乍母尊彝𣪘	乍母尊彝
2051	彭女彝㝉𣪘	彭母彝[㝉]
2069	考母乍医聯𣪘	考母乍医聯
2095	王乍母癸尊𣪘	王乍母癸尊
2141	大万乍母彝𣪘	大帀乍母彝
2172	女母乍婦己𣪘	女母乍婦己彝
2213	姜林母乍𡪱𣪘	姜林母乍𡪱𣪘
2309	__乍㝀母𣪘	__乍㝀母寶尊𣪘
2311	白蔡父𣪘	白蔡父乍母嫊寶𣪘
2322	庚姬乍䵼女𣪘	庚姬乍䵼母寶尊彝[婺]
2353	保侃母𣪘	保侃母易貝于南宮乍寶𣪘
2363	保攸母旅𣪘	保攸母易貝于庚姜
2397	__乍父辛𣪘	G3乍父辛皇母匕乙寶尊彝
2420.3	雁侯𣪘	雁侯乍姬原母尊彝
2450	禾乍皇母孟姬𣪘	禾肇乍皇母懿恭孟姬餗彝
2452	女𦤑𣪘	母𦤑堇千王、癸日
2462	弔向父乍婞姛𣪘一	弔向父乍母辛姛(始)尊𣪘
2463	弔向父乍婞姛𣪘二	弔向父乍母辛姛(始)尊𣪘
2464	弔向父乍婞姛𣪘三	弔向父乍母辛姛(始)尊𣪘

母

2465	弔向父乍𡛜姒𣪘四	弔向父乍母辛姒(始)尊𣪘
2466	弔向父乍𡛜姒𣪘五	弔向父乍母辛姒(始)尊𣪘
2467	妣_母乍南旁𣪘	妣sG母乍南旁寶𣪘
2469	𩰫乍王母媿氏𩙷𣪘一	𩰫乍王母媿氏𩙷𣪘
2470	𩰫乍王母媿氏𩙷𣪘二	𩰫乍王母媿氏𩙷𣪘
2471	𩰫乍王母媿氏𩙷𣪘三	𩰫乍王母媿氏𩙷𣪘
2472	𩰫乍王母媿氏𩙷𣪘四	𩰫乍王母媿氏𩙷𣪘
2473	_乍皇母尊𣪘一	Je乍皇母尊𣪘
2474	_乍皇母尊𣪘二	Je乍皇母尊𣪘
2605	邿_𣪘	用追孝于其父母
2605	邿_𣪘	用追孝于其父母
2640	弔皮父𣪘	眔朕文母季姬尊𣪘
2648	仲𠭰父𣪘一	壬母遲姬尊𣪘
2649	仲𠭰父𣪘二	壬母遲姬尊𣪘
2650	仲𠭰父𣪘三	壬母遲姬尊𣪘
2668	散季𣪘	散季肇乍朕王母弔姜寶𣪘
2670	㮚侯𣪘	用乍文母㮚妊寶𣪘
2682	陳侯午𣪘	永世母忘
2689	白康𣪘一	用𩙷王父王母
2690	白康𣪘二	用𩙷王父王母
2691	善夫梁其𣪘一	皇母惠𡚱尊𣪘
2692	善找梁其𣪘二	皇母惠𡚱尊𣪘
2744	五年師旋𣪘一	敬母敗迹
2745	五年師旋𣪘二	敬母敗迹
2766	三兒𣪘	䧅子□□塱中□□□母气
2774	臣諫𣪘	母弟引𦗀又長子□
2786	縣妃𣪘	其自今日孫孫子子母敢塱白休
2788	静𣪘	用乍文母外姞尊𣪘
2789	同𣪘一	母女又閑
2790	同𣪘二	母女又閑
2796	諫𣪘	母敢不善
2796	諫𣪘	母敢不善
2801	五年召白虎𣪘	余既訊㕟我考我母令
2801	五年召白虎𣪘	余或至我考我母令
2815	師𩛥𣪘	母敢否善
2836	㦰𣪘	朕文母競敏_行
2836	㦰𣪘	對揚文母福剌
2836	㦰𣪘	用乍文母日庚寶尊𣪘
2836	㦰𣪘	用夙夜尊亯孝于𠦪文母
2842	卯𣪘	女母敢不善
2844	頌𣪘一	皇母𩙷姒(始)寶尊𣪘
2845	頌𣪘二	皇母𩙷姒(始)寶尊𣪘
2845	頌𣪘二	皇母𩙷姒(始)寶尊𣪘
2846	頌𣪘三	皇母𩙷姒(始)寶尊𣪘
2847	頌𣪘四	皇母𩙷姒(始)寶尊𣪘
2848	頌𣪘五	皇母𩙷姒(始)寶尊𣪘
2849	頌𣪘六	皇母𩙷姒(始)寶尊𣪘
2850	頌𣪘七	皇母𩙷姒(始)寶尊𣪘
2851	頌𣪘八	皇母𩙷姒(始)寶尊𣪘
2854	𦡱𣪘	母敢又不聞

2854	蔡𣪘	母敢疾又入告
2854	蔡𣪘	女母弗善效姜氏人
2857	牧𣪘	王曰：牧、女母敢弗帥用先王乍明井
2857	牧𣪘	母敢不明不中不井
2857	牧𣪘	母敢不尹
2920.	白多父𠤳	白多父乍成姬多母霝卒器
2959	鑄公乍朕𠤳一	鑄公乍孟妊東母朕𠤳
2960	鑄公乍朕𠤳二	鑄公乍孟妊東母朕𠤳
2982	長子口臣乍媵𠤳	乍其子孟之母賸(媵)𠤳
2982	長子口臣乍媵𠤳	乍其子孟之母賸(媵)𠤳
2985	陳逆𠤳一	皇考皇母
2985.	陳逆𠤳二	皇考皇母
2985.	陳逆𠤳三	皇考皇母
2985.	陳逆𠤳四	皇考皇母
2985.	陳逆𠤳五	皇考皇母
2985.	陳逆𠤳六	皇考皇母
2985.	陳逆𠤳七	皇考皇母
2985.	陳逆𠤳八	皇考皇母
2985.	陳逆𠤳九	皇考皇母
2985.	陳逆𠤳十	皇考皇母
3039	白多父盨	白多父乍成姬多母霝卒器
3496	母癸爵一	母癸
3497	母癸爵二	母癸
3564	子母爵	子[母]
3565	子母爵二	子__[母]
3566	子母爵三	子__[母]
3567	子母爵四	子__[母]
3568	子母爵五	子__[母]
3979	趙母壬爵	[趙]母壬
3980	趙母壬爵	[趙]母壬
4028	后粤母爵一	后粤母
4029	后粤母爵二	后粤母
4030	后粤母爵三	后粤母
4031	后粤母爵四	后粤母
4032	后粤母爵五	后粤母
4033	后粤母爵六	后粤母
4034	后粤母爵七	后粤母
4035	后粤母爵八	后粤母
4036	后粤母爵九	后粤母
4103	䍙母丙逐爵	母丙[逐䍙]
4104	天黽母庚爵	母庚[天黽]
4176	友敄父癸爵一	友養父癸妣止母
4177	友敄父癸爵二	友養父癸妣止母
4202.	____爵	乙未王賞(賞貝合文)姛母中才寢
4236	王乍母癸角	王乍母癸尊
4322	司粤母斝一	[司粤母]
4323	司粤母斝二	[司粤母]
4340	亞吳𠬪乍母癸斝	亞㠱吳𠬪乍母癸
4343	亞吳小臣邑斝	用乍母癸尊彝
4364	亞醜母盉	[亞醜]母、母

母

4366.	_母乙盉	[dp]母乙
4424	白餇乍旅盉	白餇乍母rd旅盉
4426	侖父盉	侖父乍丝母寶盉
4581	母父丁尊一	[母]父丁
4582	母父丁尊二	[母]父丁
4634	司㜽母尊一	[司㜽母]
4635	司㜽母尊二	[司㜽母]
4641	后㜽母方尊一	[后㜽]母癸
4642	后㜽母方尊二	[后㜽]母癸
4695	女子匕丁尊	[母子]匕丁
4709	乍龍母彝各尊	乍龍母彝[冎]
4786	亞㠱_乍母癸尊	亞㠱吴夆乍母癸
4808	亞㠱吴㛸乍母辛尊	[亞㠱吴]㛸乍母辛寶彝
4810	子妥乍母辛尊	子妥乍母辛尊彝[奘]
4872	古白尊	曰母入于公
4872	古白尊	丙曰隹母入于公
4887	蔡侯䌛尊	祐受母已
4887	蔡侯䌛尊	撫文王母
4907	后母辛四足觥一	后母辛
4908	后母辛四足觥二	后母辛
4916	乍母戊觥(蓋)	乍母戊寶尊彝
4958	母____帚方彝一	母[fyfr]帚
4959	母____帚方彝二	母[fyfr]帚
5178	奘母己卣	[奘]母己
5187	刲母彝卣	[刲]母彝
5297	奘父己母癸卣(蓋)	[奘]父己母癸
5303	奘父癸母关卣	[奘]父癸母[关]
5313	小子乍母己卣一	小子乍母己
5314	小子乍母己卣二	小子乍母己
5319	_父乙母告田卣	[亞쥰]父乙、[鳥]父乙母[告田]
5367	亞其吴乍母辛卣一	[亞其吴]母辛彝
5368	亞其吴乍母辛卣二	[亞其吴]母辛彝
5369	亞其吴乍母辛卣三	[亞其吴]母辛彝
5398	亞㠱吴夆乍母癸卣	[亞㠱吴夆]乍母癸
5453	_卣	用乍母乙彝
5456	冀子乍婦㛸卣	女子母庚宊[冀]
5466	顯乍母辛卣一	顯乍母辛尊彝
5467	顯乍母辛卣二	顯乍母辛尊彝
5494	奘霝乍母辛卣	[奘]母辛
5494	奘霝乍母辛卣	霝用乍母辛彝
5497	農卣	母卑農弋
5497	農卣	母又田
5510	乍冊嗌卣	用乍大禦于氒且考父母多申
5510	乍冊嗌卣	母念哉
5558	母壴罍	母[鼓]母
5574	女姬罍	女姬乍氒姑夕母(姼?)寶尊彝
5627	司㜽母方壺一	[司㜽母]
5628	司㜽母方壺二	[司㜽母]
5659	考母壺	考母乍聯匿
5659	考母壺	考母乍聯匿

5726	華母鷹壺	華母自乍鷹壺
5730	保𠊸母壺	王始易保𠊸母貝
5764	杞白每亡壺一	杞白母亡乍鼄𡢁(曹)寶壺
5774	楙車父壺	楙車父乍皇母ro姜寶壺
5799	頌壺一	皇母龏姒(始)寶尊壺
5800	頌壺二	皇母龏姒(始)寶尊壺
5803	胤嗣好蚉壺	世世母絕
5803	胤嗣好蚉壺	母有不敬
5826	國差𦉜	侯氏母咎母瘠
6180	司𡥀母觚一	司(后)𡥀母
6181	司𡥀母觚二	司(后)𡥀母
6182	司𡥀母觚三	司(后)𡥀母
6183	司𡥀母觚四	司(后)𡥀母
6184	司𡥀母觚五	司(后)𡥀母
6185	司𡥀母觚六	司(后)𡥀母
6186	司𡥀母觚七	司(后)𡥀母
6214	甲母__觚	甲母[ɩn]
6370	丁母觶	丁母
6371	母戊觶	母戊
6376	戈母觶	[戈母]
6385	䧹母觶	[䧹母]
6519	㚤母辛觶	[㚤]母辛
6527	母朱戈觶	[朱母戈]
6542	龏母子觶	[龏母子][龏子]
6579	光乍母辛觶	[㞢]乍母辛
6592	㗊小𧕚母乙觶	[㗊小𧕚]母乙
6598	姞亘母觶	姞亘母乍寶
6621	冊木工乍母甲觶	[冊杠]乍母甲尊彝
6706	鴌父乍姯女盤	鴌父乍姯女(母)匋(寶)盤
6743	毳盤	毳乍王母媿氏顈盤
6744	穌吿妊盤	穌吿妊乍虢妀魚母般(盤)
6750	白侯父盤	白侯父媵弔媯㫚母槃(盤)
6757	干氏弔子盤	干氏弔子乍中姬客母賸般
6770	𦋡白盤	𦋡白賸(賸)𣄴尹母
6786	__弔多父盤	曰㕵又父一母
6788	蔡侯𤔲盤	祐受母已
6788	蔡侯𤔲盤	撫文王母
6791	兮甲盤	母敢或入䜌宄賈、則亦井
6809	姞母匜	姞剌母乍匜
6848	毳乍王母媿氏匜	毳乍王母媿氏顈盉
6860	陳白元匜	陳白vm之子白元乍西孟媯婤母媵匜
6871	陳子匜	陳子子乍𢊁孟媯穀母媵匜
6960	亞𠀠母朋鐃一	[亞𠀠母朋]
6961	亞𠀠母朋鐃二	[亞𠀠母朋]
6962	亞𠀠母朋鐃三	[亞𠀠母朋]
6967	亞𠀠朋女鐘一	[亞𠀠母朋]
7092	𠫑羌鐘一	永世母忘
7093	𠫑羌鐘二	永世母忘
7094	𠫑羌鐘三	永世母忘
7096	𠫑羌鐘五	永世母忘

母姁姑

7135	逆鐘	母有不聞智
7135	逆鐘	母彖乃政
7182	叔夷編鐘一	左右母諱
7187	叔夷編鐘六	用享于其皇祖皇妣皇母皇考
7187	叔夷編鐘六	母或承__
7189	叔夷編鐘八	母公之孫
7194	叔夷編鐘十三	外內其皇祖皇妣皇母皇
7213	𬭚鎛	皇丂躋中、皇母
7213	𬭚鎛	用祈壽老母死
7214	叔夷鎛	左右母諱
7214	叔夷鎛	用享于其皇祖皇妣皇母皇考
7214	叔夷鎛	母或承__
7886	新郪虎符	雖母會符
7887	杜虎符	雖母會符
7899	鄂君啟車節	母載金革黽箭、女馬、女牛、女特
7899	鄂君啟車節	見其金節則母政
7899	鄂君啟車節	母舍槫(傳)飤
7900	鄂君啟舟節	見其金節則母征
7900	鄂君啟舟節	母舍槫(傳)飤
7900	鄂君啟舟節	母政於關
7992	后母辛方形高圈足器	后母辛
M143	𩒨壺	𩒨乍母辛尊彝
M340	魯伯悆盨	肇乍其皇孝皇母旅盨毀
M466	郳男鼎	郳男乍成姜趄母賸尊鼎
M612	郳子鐘	饗壽母己
補2	后㝬母甗	后㝬母

小計：共 332 筆

姁 1962

0909	袞__父鼎	袞kw父乍狩姁朕(賸)鼎

小計：共 1 筆

姑 1963

0857	天黿婦姑鼎一	[天黽]乍婦姑𪔂彝
0858	天黿婦姑鼎二	[天黽]乍婦姑𪔂彝
0914	汝乍𡚬姑日辛鼎	汝乍𡚬姑日辛尊彝
0953	婦闟乍文姑日癸鼎	婦闟乍文姑日癸尊彝
1318	晉姜鼎	晉姜曰：余隹司朕先姑君晉邦
1635	天黿乍婦姑甗	[天黽]乍毓姑𪔂彝
2271	陸婦乍高姑毀	陸婦乍高姑尊彝
2556	復公子白舍毀一	歐新乍我姑鄴(鄧)孟媿媵毀
2557	復公子白舍毀二	歐新乍我姑鄴(鄧)孟媿媵毀
2558	復公子白舍毀三	歐新乍我姑鄴(鄧)孟媿媵毀
2634	𧦝叔毀	用亯孝于其姑公
3063	𢕌乍姜湑盨	用亯孝于姑公
3063	𢕌乍姜湑盨	用亯孝于姑公

J1008	婦闟甗	婦闟乍文姑日癸尊彝[㠱]
4339	乍婦姑黽罍	乍婦姑黽尊彝
4342	㠱婦闟罍	婦闟乍文姑日癸尊彝[㠱]
4924	㠱婦闟乍文姑日癸觥	[㠱]婦闟乍文姑日癸尊彝
5435	婦闟㚔乍文姑日癸卣一	婦闟乍文姑日癸尊彝[㠱]
5436	婦闟㚔乍文姑日癸卣二	婦闟乍文姑日癸尊彝[㠱]
5466	顒乍母辛卣一	顒易婦rb、曰用𩛥于乃姑宄
5467	顒乍母辛卣二	顒易婦rb、曰用𩛥于乃姑宄
5504	庚嬴卣一	用乍氒文姑寶尊彝
5505	庚嬴卣二	用乍氒文姑寶尊彝
5574	女姬罍	女姬乍氒姑夕母(姼?)寶尊彝
5575	㠱婦闟乍文姑日癸罍	婦闟文姑日癸尊彝[㠱]
7217	姑馮勾鑃	姑wd昏同之子擇氒吉金
7744	工𠭯太子劍	王𠭯大子姑發__反
M143	顒壺	用𩛥于乃姑宄
		小計：共　28 筆

姑 威 妣

1964

1304	王子午鼎	淑于威義
2713	𤼈殷一	𤼈曰：䫌皇且考𤔲(司辭)威義
2714	𤼈殷二	𤼈曰：䫌皇且考𤔲(司辭)威義
2715	𤼈殷三	𤼈曰：䫌皇且考𤔲(司辭)威義
2716	𤼈殷四	𤼈曰：䫌皇且考𤔲(司辭)威義
2717	𤼈殷五	𤼈曰：䫌皇且考𤔲(司辭)威義
2718	𤼈殷六	𤼈曰：䫌皇且考𤔲(司辭)威義
2719	𤼈殷七	𤼈曰：䫌皇且考𤔲(司辭)威義
2720	𤼈殷八	𤼈曰：䫌皇且考𤔲(司辭)威義
2763	弔向父禹殷	共明德、秉威義
4887	蔡侯𩛥尊	威義遊遊
7084	邾公牼鐘一	曰：余畢龏威忌
7085	邾公牼鐘二	曰：余畢龏威忌
7086	邾公牼鐘三	曰：余畢龏威忌
7087	邾公牼鐘四	曰：余畢龏威忌
7124	沇兒鐘	淑于威義
7150	虢叔旅鐘一	旅敢肇帥井皇考威儀
7151	虢叔旅鐘二	旅敢肇帥井皇考威儀
7152	虢叔旅鐘三	旅敢肇帥井皇考威儀
7153	虢叔旅鐘四	旅敢肇帥井皇考威儀
7155	虢叔旅鐘六	皇考威儀
7157	邾公華鐘一	余異龏威忌悉穆
7158	𤼈鐘一	__氒威義
7160	𤼈鐘三	__氒威義
7161	𤼈鐘四	__氒威義
7162	𤼈鐘五	__氒威義
7175	王孫遺者鐘	淑于威義
M545	配兒勾鑃	余邲龏威嬰
		小計：共　28 筆

妣
姊
妹

妣 1965

0665	亞䡑昌鼎	亞䡑昌匕（妣）酉
1285	㦰方鼎一	于文妣日戊
1412	倗乍義妣鬲	倗乍義妣寶尊彝
1479	召仲乍生妣奠鬲一	召中乍生妣尊鬲
1480	召仲乍生妣奠鬲二	召中乍生妣尊鬲
2294	倗万乍義妣毁	倗万乍義妣寶尊彝
2681	鄦侯毁	鄦乍皇妣qJ君中改祭器八毁
2682	陳侯午毁	陳侯午台群者侯□鑄乍皇妣□大妃祭器
3097	陳侯午錞錞一	乍皇妣孝大妃祭器sk鐓台登台嘗
3098	陳侯午錞錞二	乍皇妣孝大妃祭器sk鐓台登台嘗
3978	爻匕辛爵	[爻]妣辛
4120	舌乍妣丁爵一	[舌]乍妣丁
4121	舌乍妣丁爵二	[舌]乍妣丁
4176	友敉父癸爵一	友養父癸妣止母
4177	友敉父癸爵二	友養父癸妣止母
7187	叔夷編鐘六	用享于其皇祖皇妣皇母皇考
7194	叔夷編鐘十三	外内其皇祖皇妣皇母皇
7213	𬍡鎛	皇祉(妣)聖姜
7213	𬍡鎛	皇祉(妣)又成惠姜
7214	叔夷鎛	用享于其皇祖皇妣皇母皇考

小計：共 20 筆

姊 1966

2947	季宮父乍賸匿	季宮父乍中姊媿姬賸（佚）匿

小計：共 1 筆

妹 1967

0973	白＿乍妣羞鼎一	白oq乍嫊（曹）妹oq羞鼎
0974	白＿乍妣羞鼎二	白oq乍嫊（曹）妹oq羞鼎
0975	白＿乍妣羞鼎三	白oq乍嫊（曹）妹oq羞鼎
0976	白＿乍妣羞鼎四	白oq乍嫊（曹）妹oq羞鼎
1328	盂鼎	已、女妹晨又大服
2843	沈子它毁	迺妹克衣告剌成功
2843	沈子它毁	烏虖、乃沈子妹克蔑見猒于公
2878	西替銽	西替乍其妹靳尊銽（匿）
J1775	鄴伯受匿	（拓本未見）
5508	弔趞父卣一	焂小彝妹吹
6245	子妹壬心觚	[子妹壬心]
6908	郐宜同歙盂	以＿妹
M792	宋公䜌簠	乍其妹句敔（敔）夫人季子賸匿

小計：共 13 筆

1968　2018嬇字參看

0817　王子臺鼎　王子姪自酢（乍）飤貞（鼎）
6714　穌甫人槃　穌甫人乍嬇（姪）改襄賸般（盤槃）
6767　齊縈姬之嬇盤　齊縈姬之嬇（姪）乍寶般（盤槃）
6825　穌甫人匜　穌甫人乍嬇（姪）改襄賸匜
6767　齊縈姬之嬇盤　齊縈姬之嬇（姪）乍寶般

小計：共　5 筆

1969　1350侮字重見

1970　0638薵字重見

6786　__弔多父盤　兄弟者子聞（婚）媾無不喜
小計：共　1 筆

1971

1096　弗奴父鼎　弗奴父乍孟姒（始）守賸鼎
1595　始奴寶甗　始奴寶甗
5497　農卣　迺稟厥奴、厥小子小大事
7541　四年咎奴戈　四年咎奴__命壯罌工币賓疾冶問
7616　高奴矛　高奴
7976　之利殘片　之利寺王之奴旨____弘___莫

小計：共　6 筆

1972

2467　妐__母乍南旁毀　妐sG母乍南旁寶毀
2674　弔妐毀　弔妐乍寶尊毀
2691　善夫梁其毀一　皇母惠妐尊毀
2692　善找梁其毀二　皇母惠妐尊毀
6749　弔高父盤　弔高父乍中妐般
6850　弔高父匜一　弔高父乍中妐它
6851　弔高父匜二　弔高父乍中妐它

小計：共　7 筆

1973

6860　敶白元匜　陳白vm之子白元乍西孟嬀婤母賸匜

小計：共　1 筆

1974

0928　穌衛妃乍旅鼎一　穌衛改乍旅鼎其永用
0929　穌衛妃乍旅鼎二　穌衛改乍旅鼎其永用
0930　穌衛妃乍旅鼎三　穌衛改乍旅鼎其永用
0931　穌衛妃乍旅鼎四　穌衛改乍旅鼎其永用

	1066	穌吉妊鼎	穌吉妊乍虢妀魚母賸
	1130	虢文公子㪘鼎一	虢文公子㪘乍弔改鼎
	1131	虢文公子㪘鼎二	虢文公子㪘乍弔改鼎
改	1497	虢仲乍虢妃鬲	虢中乍虢改尊鬲
姒	1509	虢文公子㪘乍弔妃鬲	虢文公子㪘乍弔改鬲鼎
	1513	睽士父乍蓼妃鬲	睽士士父乍蓼改尊鬲
	2345	穌公乍王妃羊𣪘	穌公乍王改羊（ 羞 ）𣪘永寶用
	2420.	改訦𣪘一	乍改訦寶𣪘
	2420.	改訦𣪘二	乍改訦寶𣪘
	J1411	弔改𣪘	（ 拓本未見 ）
	2681	鄬侯𣪘	媚乍皇妣qJ君中改祭器八𣪘
	2786	縣妃𣪘	白犀父休于縣改曰
	2786	縣妃𣪘	縣改每揚白犀父休
	2937	仲義昱乍縣妃𩰫一	中義昱乍縣改𩰫
	2938	仲義昱乍縣妃𩰫二	中義昱乍縣改𩰫
	3046	筍白大父寶盨	筍白大父乍嬴改鑄匋（ 寶 ）盨
	5758	匹君壺	匹君炫旅者其成公鑄子孟改賸盥壺
	5778	番匊生鑄賸壺	用賸氒元子孟改䒵
	6714	穌甫人槃	穌甫人乍嬺改襄賸般（ 盤 ）
	6744	穌吉妊盤	穌吉妊乍虢改魚母般（ 盤 ）
	6781	夆弔盤	夆弔乍季改盥般（ 盤 ）
	6825	穌甫人匜	穌甫人乍嬺改襄賸匜
	6830	召樂父匜	召樂父乍娽改寶它、永寶用
	6876	夆弔乍季妃盥盤(匜)	夆弔乍季改盥般
			小計：共 28 筆
姒	1975	或隸定作始娴鈳	
	0699	考姒乍旅鼎	考姒（ 始 ）乍旅鼎
	1096	弗奴父鼎	弗奴父乍孟姒（ 始 ）荇賸鼎
	1128	__白氏鼎	白氏姒（ 始 ）氏乍wJrmp8賸鼎
	1129	寒姒好鼎	口事小子__乍寒姒（ 始 ）好尊鼎
	1137	匽侯旨鼎一	用乍姒（ 始 ）寶尊彝
	1245	仲師父鼎一	中師父乍季㚤姒（ 始 ）寶尊鼎
	1246	仲師父鼎二	中師父乍季㚤姒（ 始 ）寶尊鼎
	1319	頌鼎一	皇母龔姒（ 始 ）寶尊鼎
	1320	頌鼎二	皇母龔姒（ 始 ）寶尊鼎
	1321	頌鼎三	生母龔姒（ 始 ）寶尊鼎
	1322	九年裘衛鼎	舍顏姒（ 始 ）虡咎
	1431	衛姒乍鬲	衛姒（ 始 ）乍鬲
	2031	弔乍姃隣𣪘	弔乍姒（ 始 ）尊
	2187	𪓐姒乍寶𣪘	𪓐始（ 姒 ）乍寶尊彝
	2222	季姒乍用𣪘	季始（ 姒 ）乍用𣪘［ 田 ］
	2462	弔向父乍婞姒𣪘一	弔向父乍母辛姒（ 始 ）尊𣪘
	2463	弔向父乍婞姒𣪘二	弔向父乍母辛姒（ 始 ）尊𣪘
	2464	弔向父乍婞姒𣪘三	弔向父乍母辛姒（ 始 ）尊𣪘
	2465	弔向父乍婞姒𣪘四	弔向父乍母辛姒（ 始 ）尊𣪘
	2466	弔向父乍婞姒𣪘五	弔向父乍母辛姒（ 始 ）尊𣪘
	2475	衛始𣪘	衛姒（ 始 ）乍寶尊𣪘

2844	頌𣪘一	皇母韓姒(始)寶尊𣪘
2845	頌𣪘二	皇母韓姒(始)寶尊𣪘
2845	頌𣪘二	皇母韓姒(始)寶尊𣪘
2846	頌𣪘三	皇母韓姒(始)寶尊𣪘
2847	頌𣪘四	皇母韓姒(始)寶尊𣪘
2848	頌𣪘五	皇母韓姒(始)寶尊𣪘
2849	頌𣪘六	皇母韓姒(始)寶尊𣪘
2850	頌𣪘七	皇母韓姒(始)寶尊𣪘
2851	頌𣪘八	皇母韓姒(始)寶尊𣪘
2855	班𣪘一	毓文王、王姒(始)聖孫
2855.	班𣪘二	王姒(始)聖孫
2916	𥨊姒旅匜	𥨊姒(始)乍旅匜
4442	季良父盉	季良父乍kh姒(始)寶盉
5786	叏季良父壺	叏季良父乍kh姒(始)尊壺
5799	頌壺一	皇母韓姒(始)寶尊壺
5800	頌壺二	皇母韓姒(始)寶尊壺
		小計:共 37 筆

姒 始

1975	或隸定作姒㚸㚸	

0699	考姒乍旅鼎	考姒(始)乍旅鼎
0961	乙未鼎	乙未王賞貝始□□□在寢
0984	韓㚸乍父乙鼎一	襲始商易貝于司
0985	韓㚸乍父乙鼎二	襲始商易貝于司
1096	弗奴父鼎	弗奴父乍孟姒(始)府賸鼎
1128	_白氏鼎	白氏姒(始)氏乍wjrmp8賸鼎
1129	寒姒好鼎	□事小子_乍寒姒(始)好尊鼎
1137	匽侯旨鼎一	用乍姒(始)寶尊彝
1245	仲師父鼎一	中師父乍季㚸姒(始)寶尊鼎
1246	仲師父鼎二	中師父乍季㚸姒(始)寶尊鼎
1286	大夫始鼎	大夫始易友□𢦚
1286	大夫始鼎	始獻工
1286	大夫始鼎	始易友曰考曰攸
1286	大夫始鼎	大夫始敢對揚天子休
1319	頌鼎一	皇母韓姒(始)寶尊鼎
1320	頌鼎二	皇母韓姒(始)寶尊鼎
1321	頌鼎三	生母韓姒(始)寶尊鼎
1322	九年裘衛鼎	舍顏姒(始)虡各
1375	會始朕鬲	會始乍朕鬲
1431	衛姒乍鬲	衛姒(始)乍鬲
1595	始奴寶甗	始奴寶甗
2031	弔乍姞𢐗𣪘	弔乍姒(始)尊
2187	𩰫姒乍寶𣪘	𩰫始(姒)乍寶尊彝
2222	季姒乍用𣪘	季始(姒)乍用𣪘[皿]
2223	衛始𣪘一	衛始乍饙qo𣪘
2224	衛始𣪘二	衛始乍饙qo𣪘
2263	寧𡧊乍甲始𣪘	寧𡧊乍甲始尊𣪘
2373	始休𣪘	始休易(賜)㐭瀕吏貝
2456	旳白迹𣪘一	旳(始)白迹乍寶𣪘

姒始婤姛

	2462	弔向父乍婞妀殷一	弔向父乍母辛姒(始)尊殷
	2463	弔向父乍婞妀殷二	弔向父乍母辛姒(始)尊殷
	2464	弔向父乍婞妀殷三	弔向父乍母辛姒(始)尊殷
	2465	弔向父乍婞妀殷四	弔向父乍母辛姒(始)尊殷
	2466	弔向父乍婞妀殷五	弔向父乍母辛姒(始)尊殷
	2475	衛始殷	衛姒(始)乍寶尊殷
	2592	鄧公殷	不故屯夫人始乍鄧公
	2626	耆乍父乙殷	公姛(始)易耆貝、才蒡京
	2844	頌殷一	皇母龏姒(始)寶尊殷
	2845	頌殷二	皇母龏姒(始)寶尊殷
	2845	頌殷二	皇母龏姒(始)寶尊殷
	2846	頌殷三	皇母龏姒(始)寶尊殷
	2847	頌殷四	皇母龏姒(始)寶尊殷
	2848	頌殷五	皇母龏姒(始)寶尊殷
	2849	頌殷六	皇母龏姒(始)寶尊殷
	2850	頌殷七	皇母龏姒(始)寶尊殷
	2851	頌殷八	皇母龏姒(始)寶尊殷
	2855	班殷一	毓文王、王姒(始)聖孫
	2855.	班殷二	王姒(始)聖孫
	2916	𠭯姒旅匿	𠭯姒(始)乍旅匿
	4197	亞醜方爵	[亞醜]者(諸)始㠯大子尊彝
	4442	季良父盉	季良父乍kh姒(始)寶盉
	4806	亞醜方尊	[亞醜]者始以大子尊彝
	4840	弔龜方尊	弔龜易貝于王始用乍寶尊彝
	4919	亞醜者姛觥一	[亞醜]者始大子尊彝
	4920	亞醜者姛觥二	[亞醜]者始大子尊彝
	4967	弔龜方彝	弔龜易貝于王始
	5568	亞醜者姛方罍一	[亞醜]者姛(始)以大子尊彝
	5569	亞醜者姛方罍二	[亞醜]者姛(始)以大子尊彝
	5730	保侜母壺	王始易保侜母貝
	5730	保侜母壺	揚始休、用乍寶壺
	5786	㝬季良父壺	㝬季良父乍kh姒(始)尊壺
	5799	頌壺一	皇母龏姒(始)寶尊壺
	5800	頌壺二	皇母龏姒(始)寶尊壺
	6815	亞醜者姛匜	[亞醜]者始㠯大子尊匜
			小計：共　64 筆
婤	1975	或隸定作始姒姛	
	4202.	＿＿爵	乙未王賓(賞貝合文)婤母申才寢
	5567	楚高罍二	楚婤高
	5568	亞醜者姛方罍一	[亞醜]者姛(始)以大子尊彝
	5569	亞醜者姛方罍二	[亞醜]者姛(始)以大子尊彝
			小計：共　4 筆
姛	1975	或隸定作始婤姒	
	0799	鼉姛鼎	鼉姛乍寶尊彝

2626	奢乍父乙毁	公娟(始)易奢貝、才蒡京
		小計：共 2 筆

1976

0328.	子媚鼎	[子媚]
3547	子媚爵一	子[媚]
3548	子媚爵二	子[媚]
3549	子媚爵三	子[媚]
3550	子媚爵四	子[媚]
3551	子媚爵五	子[媚]
3552	子媚爵六	子[媚]
3553	子媚爵七	子[媚]
3554	子媚爵八	子[媚]
4292	子媚斝	[子媚]
5621	子媚壺	[子媚]
6027	子媚觚	[子媚]
		小計：共 12 筆

1977

0309	婦好鼎一	[婦好]
0310	婦好鼎二	[婦好]
0311	婦好鼎三	[婦好]
0312	婦好鼎四	[婦好]
0313	婦好鼎五	[婦好]
0314	婦好鼎六	[婦好]
0315	婦好鼎七	[婦好]
0316	婦好鼎八	[婦好]
0317	婦好鼎九	[婦好]
0318	婦好鼎十	[婦好]
0319	婦好鼎十一	[婦好]
0320	婦好鼎十二	[婦好]
0321	婦好鳥足鼎十三	[婦好]
0322	婦好鳥足鼎十四	[婦好]
0323	婦好鳥足鼎十五	[婦好]
0325	婦好鼎	[婦好]
0326	婦好帶流盉鼎	[婦好]
1025	虘鐘五	好賓虘眔蔡姬
1120	寒姒好鼎	□事小子_乍寒姒(始)好尊鼎
1539	婦好分體甗下體	[好]
1540	婦好分體甗小甑	[好]
1541	婦好甑形器	[好]
1542	婦好甗	[好]
1562	婦好三聯甗架	[婦好]
1563	婦好分體甗甑	[婦好]
1564	婦好三聯甗甑	[婦好]
1565	婦好三聯甗	[婦好]

好

1566	婦好分體甗	[婦好]
1567	婦好連體甗	[婦好]
1775	婦好殷	[婦好]
2351	仲自父乍好旅殷一	中自父乍好旅殷其用萬年
2352	仲自父乍好旅殷二	中自父乍好旅殷其用萬年
2841	茾白殷	用好宗廟
2841	茾白殷	好倗友雩百者婚遘
3070	杜白盨一	其用亯孝于皇申且考、于好倗友
3071	杜白盨二	其用亯孝于皇申且考、于好倗友
3072	杜白盨三	其用亯孝于皇申且考、于好倗友
3073	杜白盨四	其用亯孝于皇申且考、于好倗友
3074	杜白盨五	其用亯孝于皇申且考、于好倗友
3379	好爵一	[好]
3380	好爵二	[好]
3381	好爵三	[好]
3660	婦好爵一	婦好
3661	婦好爵二	婦好
3662	婦好爵三	婦好
3663	婦好爵四	婦好
3664	婦好爵五	婦好
3665	婦好爵六	婦好
3666	婦好爵七	婦好
3666.	婦好爵八	婦好
3666.	婦好爵九	婦好
3666.	婦好爵十	婦好
3666.	婦好爵十一	婦好
4299	婦好方斝一	[婦好]
4300	婦好方斝二	[婦好]
4301	婦好方斝三	[婦好]
4302	婦好圓斝	[婦好]
4358	婦好盉一	[婦好]
4359	婦好盉二	[婦好]
4360	婦好盉三	[婦好]
4550	婦好尊一	婦好
4551	婦好尊二	婦好
4552	婦好尊三	婦好
4887	蔡侯𪒠尊	康諧龢好
4900	婦好圈足觥	[婦好]
4901	婦好觥	[婦好]
4948	婦好偶方彝	[婦好]
4949	婦好有蓋方彝	[婦好]
4950	婦好小方彝	[婦好]
5280	帚子卣	[帚好口止]
5429	仲乍好旅卣一	中乍好旅彝
5430	仲乍好旅卣二	中乍好旅彝
5535	婦好方罍一	[婦好]
5536	婦好方罍二	[好]
5536	婦好方罍二	[婦好]
5591	婦好瓿一	[婦好]
5592	婦好瓿二	[婦好]

5619	婦好扁壺一	[婦好]
5620	婦好扁壺二	[婦好]
5784	𡚬氏壺	自頌既好
6092	婦好觚一	[婦好]
6093	婦好觚二	[婦好]
6094	婦好觚三	[婦好]
6095	婦好觚四	[婦好]
6096	婦好觚五	[婦好]
6097	婦好觚六	[婦好]
6098	婦好觚七	[婦好]
6099	婦好觚八	[婦好]
6100	婦好觚九	[婦好]
6101	婦好觚十	[婦好]
6102	婦好觚十一	[婦好]
6103	婦好觚十二	[婦好]
6104	婦好觚十三	[婦好]
6105	婦好觚十四	[婦好]
6106	婦好觚十五	[婦好]
6107	婦好觚十六	[婦好]
6406	婦好觶	[婦好]
6601	帚子每觶	帚好正
6648	婦好勺一	[婦好]
6649	婦好勺二	[婦好]
6650	婦好勺三	[婦好]
6651	婦好勺四	[婦好]
6652	婦好勺五	[婦好]
6653	婦好勺六	[婦好]
6654	婦好勺七	[婦好]
6655	婦好勺八	[婦好]
6788	蔡侯𧊒盤	康諧穌好
6890	婦好盂	[婦好]
7021	虘鐘一	用濼(樂)好宗
7022	虘鐘二	用濼(樂)好宀丂
7023	虘鐘三	用濼(樂)好宀丂
7082	齊鮑氏鐘	卑鳴攸好
7707	婦好鉞二	[婦好]
7768	婦好鉞一	[婦好]
7925	婦好罐	婦好
7939	公□帶鉤	公好
7991	婦好其	[婦好]
7993	婦好甑形器	[婦好]
M361	井伯南𣪕	井南白乍鄭季姚好尊𣪕
		小計：共 119 筆

1978

2519	周𧀼生媵𣪕	周𧀼生乍榶娟𡞞媵𣪕
		小計：共 1 筆

好
媅

如 1979

1331	中山王礜鼎	旋(事){小子}(少)女(如)長
1331	中山王礜鼎	旋(事)愚女(如)智
1899	帚如咸段	帚如咸
5803	亂嗣妌畓壺	其會女(如)林
7871	子禾子釜一	如關人不用命
M282	師殺尊	王如上侯

小計：共 6 筆

嬰 1980

0006	嬰鼎	[嬰]
0007	嬰鼎	[嬰]
0248	嬰女鼎一	[嬰女]
0249	嬰女鼎二	[嬰女]
0330	嬰且丁鼎	[嬰]且丁
0380	嬰父丁鼎	[嬰]父丁
1842	□辛嬰段	□辛[嬰]
1847	嬰且丁段	[嬰]且丁
1855	嬰父乙段	[嬰]父乙
1967	父癸嬰段	父癸[嬰]
3092.	嬰父辛爵二	[嬰]父辛
3121	王子嬰次爐	王子嬰次之炒爐
3738	嬰且丁爵	[嬰]且丁
3902	嬰父辛爵一	[嬰]父辛
4214	嬰且癸角一	[嬰]且癸
4215	嬰且癸角二	[嬰]且癸
4374	嬰父丁盉	[嬰]父丁
4588	嬰兄丁尊	[嬰]兄丁
5142	嬰兄丁卣一	[嬰]兄丁
5143	嬰兄丁卣二	[嬰]兄丁
5144	嬰父己卣	[嬰]父己
5624	嬰父女壺	[嬰父女]56256252弔姜壺壺弔姜□□□□
6684	嬰父乙盤	[嬰]父乙

小計：共 23 筆

妝 1981

2975	鄦子妝簠	陳子妝巽其吉金

小計：共 1 筆

孌 1982

2993	中白乍孌姬旅盨一	中白乍孌姬旅盨用
2994	中白乍孌姬旅盨二	中白乍孌姬旅盨用

小計：共 2 筆

1983

1318	晉姜鼎	余不叚妄寧
1332	毛公鼎	女毋敢妄寧

小計：共 2 筆

1984 字从女从㒸，當隸定作㜷

6946	亞醜㜷鐃	[亞醜㜷(婼)]

小計：共 1 筆

1985

2501	旛嫼乍尊𣪘一	旛嫼乍尊𣪘
2501	旛嫼乍尊𣪘一	旛嫼其萬年子子孫孫永寶用
2502	旛嫼乍尊𣪘二	旛嫼乍尊𣪘
2502	旛嫼乍尊𣪘二	旛嫼其萬年子子孫孫永寶用
2503	旛嫼乍尊𣪘三	旛嫼乍尊𣪘
2503	旛嫼乍尊𣪘三	旛嫼其萬年子子孫孫永寶用
2504	旛媵𣪘	觴rJ乍旛嫼媵𣪘
2504	旛媵𣪘	旛嫼其萬年
6786	__弔多父盤	用及孝婦嫼氏百子千孫

小計：共 9 筆

1986

2526	弔䧹𣪘	王易弔德臣嬯十人

小計：共 1 筆

1987

0956	鄭同媿乍旅鼎	鄭同媿乍旅鼎其永寶用
0979	__君鼎	pi君婦媿霝乍旅尊鼎
0980	__君鼎	pi君婦媿霝乍旅__其子孫用
0987	朋仲鼎	倗中乍畢媿賸鼎
1044	寶__生乍成媿鼎	寶__生乍成媿賸鼎
1086	內子仲□鼎	內子中□肇乍弔媿尊鼎
2332	白__乍媿氏旅𣪘	白p1乍媿氏旅用追考(孝)
2469	叒乍王母媿氏𩟄𣪘一	叒乍王母媿氏𩟄𣪘
2469	叒乍王母媿氏𩟄𣪘一	媿氏其饗壽萬年用
2470	叒乍王母媿氏𩟄𣪘二	叒乍王母媿氏𩟄𣪘
2470	叒乍王母媿氏𩟄𣪘二	媿氏其饗壽萬年用
2471	叒乍王母媿氏𩟄𣪘三	叒乍王母媿氏𩟄𣪘

2471	㚸乍王母媿氏餗段三	媿氏其饗壽萬年用
2472	㚸乍王母媿氏餗段四	㚸乍王母媿氏餗段
2472	㚸乍王母媿氏餗段四	媿氏其饗壽萬年用
2556	復公子白舍段一	臤新乍我姑龏（鄧）孟媿媵段
2557	復公子白舍段二	臤新乍我姑龏（鄧）孟媿媵段
2558	復公子白舍段三	臤新乍我姑龏（鄧）孟媿媵段
2634	㝬叔段	㝬弔㝬姬乍白媿媵段
2698	陳肪段	畢龏愄（媿畏）忌
4435	__君盉	p1君婦媿霝乍旅□
6743	㚸盤	㚸乍王母媿氏顈盤
6743	㚸盤	媿氏其饗壽萬年用
6848	㚸乍王母媿氏匜	㚸乍王母媿氏顈盉
6848	㚸乍王母媿氏匜	媿氏其饗壽萬年用

小計：共 25 筆

妏 1988

6262	亞㫃妏__觚	［亞㫃］妏e6尊彝
6272	𠦪妏乍乙公觚	妏乍乙公寶彝［𠦪］

小計：共 2 筆

姦 1989

4448	長由盉	井白氏彌不姦
5541	戶姦罍	［ナ姦］
6386	__姦觶	［□姦］

小計：共 3 筆

妥 1990

0063	妥鼎	［妥］
0222	子妥鼎一	［子妥］
0223	子妥鼎二	［子妥］
1155	戓者乍旅鼎	用妥髮彔
1315	善鼎	唯用妥福唬前文人
1316	㦰方鼎	用穆穆夙夜尊享孝妥福
1318	晉姜鼎	妥懷遠𤔲（邇）君子
1323	師𧊒鼎	用妥
1720	妥段	［妥］
2566	寧段一	用妥多福
2567	寧段二	用妥多福
2658	白㦰段	隹用妥神褱唬前文人
2713	㾓段一	大神妥多福
2714	㾓段二	大神妥多福
2715	㾓段三	大神妥多福
2716	㾓段四	大神妥多福

2717	瘐段五	大神妥多福
2718	瘐段六	大神妥多福
2719	瘐段七	大神妥多福
2720	瘐段八	大神妥多福
2727	蔡姞乍尹弔段	尹弔用妥多福于皇考德尹惠姬
2843	沈子它段	休同公克成妥吾考目于顯受令
2843	沈子它段	用水霝令、用妥公唯壽
2856	師訇段	妥立余小子䢅乃吏
3699	__妥爵	__妥
4892	麥尊	妥多友、享奔走令
6978	鄭井弔鐘	鄭井弔乍霝龢鐘用妥賓
6979	鄭井弔鐘二	鄭井弔乍霝龢鐘用妥賓
7107	曾侯乙甬鐘	妥賓之冬、黃鐘、羽
7158	瘐鐘一	嚴祐毉妥厚多福
7159	瘐鐘二	𩁹妥厚多福
7160	瘐鐘三	嚴祐毉妥厚多福
7161	瘐鐘四	嚴祐毉妥厚多福
7162	瘐鐘五	嚴祐毉妥厚多福
7165	瘐鐘八	𩁹妥厚多福
M706	曾侯乙編鐘下一・二	妥賓之宮
M706	曾侯乙編鐘下一・二	妥賓之才楚號為坪皇
M706	曾侯乙編鐘下一・二	為妥賓之徵顀下角
M708	曾侯乙編鐘下二・一	妥賓之羽
M709	曾侯乙編鐘下二・二	妥賓之宮曾
M711	曾侯乙編鐘下二・四	妥賓之宮
M711	曾侯乙編鐘下二・四	妥賓之才楚號為坪皇
M711	曾侯乙編鐘下二・四	為妥賓之徵顀下角
M712	曾侯乙編鐘下二・五	妥賓之商曾
M714	曾侯乙編鐘下二・八	妥賓之羽曾
M743	曾侯乙編鐘中三・四	妥賓之宮
M743	曾侯乙編鐘中三・四	妥賓之才𨜓(申)號為遲則
M744	曾侯乙編鐘中三・五	妥賓之冬
M746	曾侯乙編鐘中三・七	妥賓之宮
M746	曾侯乙編鐘中三・七	妥賓之才楚號為坪皇
M746	曾侯乙編鐘中三・七	為妥賓之徵顀下角
M766	曾侯乙編鐘上三・五	宮曾、徵角，妥賓之宮，
		小計：共 52 筆

1991

2581	曹伯狄段	曹白狄乍夙姒公尊段
		小計：共 1 筆

1992

1245	仲師父鼎一	中師父乍季姣姒(始)寶尊鼎
1246	仲師父鼎二	中師父乍季姣姒(始)寶尊鼎

小計：共 2 筆

妶 1993

1991	弔妶父乙毁	[弔弔]妶父乙

小計：共 1 筆

妋 1994

6752	取膚子商盤	用賸之麗妋
6853	取膚＿商匜	用賸之麗妋子孫永寶用

小計：共 2 筆

妰 1995

1432	兒始□母鑄羞鬲	兒始ir母鑄其羞鬲

小計：共 1 筆

娊 1996

1450	庚姬乍弔娊尊鬲一	庚姬乍弔娊尊鬲
1451	庚姬乍弔娊尊鬲二	庚姬乍弔娊尊鬲
1452	庚姬乍弔娊尊鬲三	庚姬乍弔娊尊鬲

小計：共 3 筆

䰍 1997

1137	匽侯旨鼎	用乍䰍(姒始?)寶尊彝

小計：共 1 筆

婞 1998

2462	弔向父乍婞姞毁一	弔向父乍婞姞尊毁
2463	弔向父乍婞姞毁二	弔向父乍婞姞尊毁
2464	弔向父乍婞姞毁三	弔向父乍婞姞尊毁
2465	弔向父乍婞姞毁四	弔向父乍婞姞尊毁
2466	弔向父乍婞姞毁五	弔向父乍婞姞尊毁

小計：共 5 筆

娶 1999

2182	䣄娶毁	䣄娶乍寶尊彝

小計：共 1 筆

2000

5669	子婼迺子壺	子婼迺子壺
		小計：共 1 筆

2001

6772	魯少司寇封孫宅盤	魯少𤔲寇封孫宅乍其子孟姬娶朕般也（匜）
		小計：共 1 筆

2002

5456	䢅子乍婦㚻卣	子乍婦㚻彝
7183	叔夷編鐘二	余命女辝釐㚻
7214	叔夷鎛	余命女辝釐㚻
		小計：共 3 筆

2003

2947	季宮父乍賸匿	季宮父乍中姊姳姬賸（媵）匿
		小計：共 1 筆

2004

5949	媓觚	[媓]
		小計：共 1 筆

2005

5016	嫂卣一	[嫂]
5017	嫂卣二	[嫂]
		小計：共 2 筆

2006

2264	嫇仲乍乙白毀	嫇中乍乙白寶毀
		小計：共 1 筆

2007 字从女从𣎆賓即曹字

0973	白＿乍妣羞鼎一	白oq乍嫊（曹）妹oq羞鼎
0974	白＿乍妣羞鼎二	白oq乍嫊（曹）妹oq羞鼎

嫊
嫡
㰢
嬃
嫛

0975	白__乍妣羞鼎三	白oq乍嫊(曹)妹oq羞鼎
0976	白__乍妣羞鼎四	白oq乍嫊(曹)妹oq羞鼎
1054	杞白每亡鼎一	杞白每亡乍鼄嫊(曹)寶貞(鼎)
1055	杞白每亡鼎二	杞白每亡乍鼄嫊(曹)寶貞(鼎)
1498	鼄友父鬲	鼄友父媵其子𦨶嫊(曹)寶鬲
2488	杞白每亡𣪘一	杞白每亡乍鼄嫊(曹)寶𣪘
2489	杞白每亡𣪘二	杞白每亡乍鼄嫊(曹)寶𣪘
2490	杞白每亡𣪘三	杞白每亡乍鼄嫊(曹)寶𣪘
2491	杞白每亡𣪘四	杞白每亡乍鼄嫊(曹)寶𣪘
2492	杞白每亡𣪘五	杞白每亡乍鼄嫊(曹)寶𣪘
5764	杞白每亡壺一	杞白母亡乍鼄嫊(曹)寶壺
5765	杞白每亡壺二	杞白每亡乍鼄嫊(曹)寶壺
6926	杞白每亡盈	杞白每亡乍鼄嫊(曹)寶盈

小計：共 15 筆

嫡 2008

6384	帚嫡觶	[婦嫡]

小計：共 1 筆

㰢 2009

6951	㚇㰢鐃一	[㚇㰢]
6952	㚇㰢鐃二	[㚇㰢]

小計：共 2 筆

嬃 2010

2505	白疑父乍嬃𣪘	白疑父乍嬃寶𣪘

小計：共 1 筆

嫛 2011

1178	宗婦鄁嫛鼎一	王子剌公之宗婦鄁嫛為宗彝𬯿彝
1179	宗婦鄁嫛鼎二	王子剌公之宗婦鄁嫛為宗彝𬯿彝
1180	宗婦鄁嫛鼎三	王子剌公之宗婦鄁嫛為宗彝𬯿彝
1181	宗婦鄁嫛鼎四	王子剌公之宗婦鄁嫛為宗彝𬯿彝
1182	宗婦鄁嫛鼎五	王子剌公之宗婦鄁嫛為宗彝𬯿彝
1183	宗婦鄁嫛鼎六	王子剌公之宗婦鄁嫛為宗彝𬯿彝
2614	宗婦鄁嫛𣪘一	王子剌公之宗婦鄁嫛為宗彝𬯿彝
2615	宗婦鄁嫛𣪘二	王子剌公之宗婦鄁嫛為宗彝𬯿彝
2616	宗婦鄁嫛𣪘三	王子剌公之宗婦鄁嫛為宗彝𬯿彝
2617	宗婦鄁嫛𣪘四	王子剌公之宗婦鄁嫛為宗彝𬯿彝
2618	宗婦鄁嫛𣪘五	王子剌公之宗婦鄁嫛為宗彝𬯿彝
2619	宗婦鄁嫛𣪘六	王子剌公之宗婦鄁嫛為宗彝𬯿彝
2620	宗婦鄁嫛𣪘七	王子剌公之宗婦鄁嫛為宗彝𬯿彝

5770 宗婦邯嬰壺一 王子剌公之宗婦邯嬰為宗彝將彝
5771 宗婦邯嬰壺二 王子剌公之宗婦邯嬰為宗彝將彝
6771 宗婦邯嬰盤 王子剌公之宗婦邯嬰為宗彝將彝

小計：共 16 筆

2012

2357 庸冊繇嫁啟段 繇嫁啟用乍訇辛彀段[庸冊]

小計：共 1 筆

2013

1093 奠登白鼎 奠登白彶弔媥乍寶鼎
1427 鄭興白乍弔媥薦鬲一 鄭興白乍弔媥薦鬲
1428 鄭興伯乍弔媥薦鬲二 鄭興白乍弔媥薦鬲

小計：共 3 筆

2014

1453 nu嬪鬲 nu嬪乍尊鬲
1506 杜白乍弔嬪鬲 杜白乍叔嬪尊鬲

小計：共 2 筆

2015

J025 邾陈斤士鐘 邾陈斤士婷自乍龢鐘

小計：共 1 筆

2016

2681 鄦侯段 婎乍皇妣qJ君中改祭器八段
2907 王子申匿 王子申乍嘉婎
2965 曾侯乍弔姬賸器將彝 曾侯乍弔姬邛孀(婎)賸器將彝
6754 楚季苟盤 楚季苟乍婎尊賸盥般
6906 王子申盞盂 王子申乍嘉婎盞盂
6918 曾孟婎諫盆 曾孟婎諫乍觶盆
7016 楚王鐘 楚王賸邛中婎南龢鐘
M602 蔡賓匜 蔡弔季之孫賓賸孟匜有止婎盥盤

小計：共 8 筆

2017

1089 女虁方鼎 女虁董于王

	1089	女嬃方鼎	癸日、商嬃貝二朋
	1089	女嬃方鼎	用乍嬃尊彝
	2452	女嬃毀	母嬃董千王、癸日
	2452	女嬃毀	商嬃貝朋
	2452	女嬃毀	用作嬃尊彝
	6187	帚嬃觚一	婦[嬃]
	6188	帚嬃觚二	婦[嬃]
			小計：共 8 筆

嬻	2018	汗簡以為姪字	
	5663	偪媯乍寶壺	偪(嬻)媯乍寶壺
	5667	嬻妊乍安壺	嬻妊乍安壺
	5663	偪媯乍寶壺	偪(嬻)媯乍寶壺
	6714	穌甫人槃	穌甫人乍嬻改襄賸般(盤)
	6728	虢嬻□盤	虢嬻□乍寶盤
	6767	齊縈姬之嬻盤	齊縈姬之嬻(姪)乍寶般
	6825	穌甫人匜	穌甫人乍嬻改襄賸匜
	6925	晉邦盦	秉德嬻嬻
	7905	嬻妊車軎	嬻妊乍安車
			小計：共 10 筆

嬸	2019		
	2417	齊嬸姬寶毀	齊嬸姬乍寶毀
			小計：共 1 筆

嬶	2020		
	2447	白汈父乍嬶姞毀一	白汈父乍嬶姞尊毀
	2448	白汈父乍嬶姞毀二	白汈父乍嬶姞尊毀
	2449	白汈父乍嬶姞毀三	白汈父乍嬶姞尊毀
			小計：共 3 筆

媯	2020+		
	0927	若媯乍文娶宗鼎	若媯乍文娶宗尊〓彝
			小計：共 1 筆

㚤	2020+	姓氏稱，即大之繁文，甲骨貞人有大。汪中文說。	
	1487	白先父鬲一	白先父乍㚤尊鬲
	1488	白先父鬲二	白先父乍㚤尊鬲
	1489	白先父鬲三	白先父乍㚤尊鬲
	1490	白先父鬲四	白先父乍㚤尊鬲

1491	白先父鬲五	白先父乍𡚬尊鬲
1492	白先父鬲六	白先父乍𡚬尊鬲
1493	白先父鬲七	白先父乍𡚬尊鬲
1494	白先父鬲八	白先父乍𡚬尊鬲
1495	白先父鬲九	白先父乍𡚬尊鬲
1496	白先父鬲十	白先父乍𡚬尊鬲
		小計：共 10 筆

2020+

0525	__婦𢾊方鼎	[貘]婦𢾊
4122	貘婦𢾊爵一	[貘]婦𢾊
4123	貘婦𢾊爵二	[貘]婦𢾊
4232	貘婦𢾊角	[貘]婦𢾊
4697	貘婦𢾊尊	[貘]婦𢾊
5218	貘婦__卣	[貘]婦𢾊
6248	貘婦𢾊觚	[貘]婦𢾊
		小計：共 7 筆

2020+

1833	冀敕𣪘一	[冀敕]
		小計：共 1 筆

2020+

3986	齊姢爵一	[齊姢]
3987	齊姢爵二	[齊姢]
		小計：共 2 筆

2021 母字重見

1331	中山王譽鼎	母(毋)忘尒(爾)邦
1331	中山王譽鼎	尒(爾)母(毋)大而㣆(肆)
1331	中山王譽鼎	母(毋)富而喬(驕)
1331	中山王譽鼎	母(毋)眾而囂
1332	毛公鼎	死(尸)母(毋)童(動)余一人在立(位)
1332	毛公鼎	母(毋)折緘
1332	毛公鼎	母(毋)又敢㤅專命于外
1332	毛公鼎	母(毋)敢龏橐
1332	毛公鼎	母(毋)敢qs于酒
1332	毛公鼎	女母(毋)敢㒸在乃福
1332	毛公鼎	女母(毋)弗帥用先王乍明井(型)
3095	拍乍祀彝(蓋)	㡭(繼)毋星
3095	拍乍祀彝(蓋)	用祀永某毋出
3097	陳侯午錞錞一	保又齊邦永世毋忘

册民

3098	陳侯午鎛錞二	保又齊邦永世毋忘
3099	十年陳侯午䭾(器)	保有齊邦永世毋忘
3128	魚鼎匕	毋處其所
4886	趩尊	世孫子毋敢彖、永寶
5508	弔趯父卣一	毋尚為小子
5784	林氏壺	戠獵毋後
6791	兮甲盤	毋敢不出其賫、其積、其進人
6791	兮甲盤	其賈毋敢不即次、即市
6791	兮甲盤	氒賈毋不即市
7095	𨙹羌鐘四	永世毋忘
7184	叔夷編鐘三	女尸毋曰余少子
7188	叔夷編鐘七	毋疾毋巳
7190	叔夷編鐘九	左右毋諱
7214	叔夷鎛	女尸毋曰余少子
7214	叔夷鎛	毋疾毋巳
7655	中央勇矛	中央勇生安空五年之後曰毋
7655	中央勇矛	中央勇□生安空三年之後曰毋

小計：共 31 筆

民 2022

1250	曾子斿鼎	百民是奠
1250	曾子斿鼎	民具是鄉
1304	王子午鼎	命尹子庚殹民之所亟
1318	晉姜鼎	辪我萬民
1327	克鼎	惠于萬民
1328	盂鼎	畯(允)正氒民
1328	盂鼎	雩我其遹省先王受民受疆土
2659	𨛭侯𨟻𣪕	休台馬__皇民
2659	𨛭侯𨟻𣪕	永台馬民__
2659	𨛭侯𨟻𣪕	樂民聿諸
2833	秦公𣪕	萬民是敕
2834	㝬𣪕	肆余目餗士獻民
2855	班𣪕一	隹民亡㳄才
2855.	班𣪕二	隹民亡㳄才
2856	師訇𣪕	臨保我又周、雩四方民
2857	牧𣪕	亦多虐庶民
3128	魚鼎匕	下民無智
4444.	卅五年盉	康命周__民吏
4891	何尊	自之辪民
5801	洹子孟姜壺一	齊侯既濟洹子孟姜喪其人民都邑
5802	洹子孟姜壺二	齊侯既濟洹子孟姜喪其人民都邑
5803	𠼔嗣好䖝壺	以憂氒民之隹不辜
5805	中山王嚳方壺	其即得民
5805	中山王嚳方壺	乍斂中則庶民偪(附)
5805	中山王嚳方壺	隹德偪(附)民
6792	史墻盤	達殷畯民
7117	郘𪒠兒鐘一	後民是語
7119	郘𪒠兒鐘三	後民是語

7120	邾𫍳兒鐘四	後民是語
7175	王孫遺者鐘	龢㩳民人
7182	叔夷編鐘一	諫罰朕庶民
7190	叔夷編鐘九	諫罰朕庶民
7212	秦公鎛	燮龢萬民
7213	𬭚鎛	與鄩之民人
7214	叔夷鎛	諫罰朕庶民

小計：共 35 筆

2023

1059	旂乍父戊鼎	弗敢喪
1096	弗奴父鼎	弗奴父乍孟姒（始）守賸鼎
1174	昜乍旅鼎	弗敢喪
1217	毛公旅方鼎	肄毋又弗競
1264	螸鼎	休朕皇君弗忘氒寶臣
1274	哀成弔鼎	亦弗其□蒦
1284	尹姞鼎	休天君弗望穆公聖粦明
1298	師旂鼎	今弗克氒罰
1307	師望鼎	王用弗謹聖人之後
1310	鬲攸從鼎	弗能許鬲从
1310	鬲攸從鼎	敢弗具付鬲从
1323	師訊鼎	天子亦弗諲公上父𢻄德
1324	禹鼎	肆武公亦弗叚望朕聖且考幽大弔、懿弔
1324	禹鼎	肆禹亦弗敢惷
1324	禹鼎	弗克伐噩
1330	曶鼎	乃弗得
1330	曶鼎	□乃來歲弗賞
1332	毛公鼎	司余小子弗彶
1332	毛公鼎	俗（欲）我弗乍先王憂
1332	毛公鼎	女毋（毋）弗帥用先王乍明井（型）
1332	毛公鼎	俗（欲）女弗目乃辟圅于艱
1533	尹姞寶鬲一	休天君弗望穆公聖粦明𢦚吏（事）先王
1534	尹姞寶鬲二	休天君弗望穆公聖粦明𢦚吏（事）先王
1622	函弗生旅甗	函弗生乍旅彝
2609	筥小子𣪘一	筥小子徒家弗受
2610	筥小子𣪘二	筥小子徒家弗受
2640	弔皮父𣪘	弔皮父乍朕文考弗公
2694	㝨乍且考𣪘	㝨弗敢望公白休
2713	㾓𣪘一	不敢弗帥用夙夕
2714	㾓𣪘二	不敢弗帥用夙夕
2715	㾓𣪘三	不敢弗帥用夙夕
2716	㾓𣪘四	不敢弗帥用夙夕
2717	㾓𣪘五	不敢弗帥用夙夕
2718	㾓𣪘六	不敢弗帥用夙夕
2719	㾓𣪘七	不敢弗帥用夙夕
2720	㾓𣪘八	不敢弗帥用夙夕
2801	五年召白虎𣪘	余弗敢𪘲
2812	大𣪘一	余弗敢𢽾

弗 弋

2813	大𣪘二	余弗敢𢿌
2826	師𡨦𣪘一	弗迹東域
2826	師𡨦𣪘一	今余弗叚組
2826	師𡨦𣪘一	弗迹我東域
2826	師𡨦𣪘一	今余弗叚組
2827	師𡨦𣪘二	弗迹我東域
2827	師𡨦𣪘二	今余弗叚組
2840	番生𣪘	番生不敢弗帥井皇且考不伓元德
2841	𦬯白𣪘	我亦弗宗亯邦
2841	𦬯白𣪘	弗望小__邦
2852	不𡢁𣪘一	女休、弗𠀠我車圅(陷)于𩠘
2853	不𡢁𣪘二	女休、弗以我車圅于𩠘
2854	𥜶𣪘	女母弗善效姜氏人
2855	班𣪘一	文王孫亡弗褱井
2855.	班𣪘二	文王孫亡弗褱井
2856	師訇𣪘	欲女弗以乃辟圅于𩠘
2857	牧𣪘	王曰：牧、女母敢弗帥用先王乍明井
4888	盠駒尊一	王弗望𠦪舊宗小子
4926	吳𢦚馭觥(蓋)	[吳]𢦚馭弔史遣馬、弗左
5464	刀耳乍父乙卣	耳休、弗敢且
5493	召乍__宮旅卣	召弗敢譔王休異
5579	乃孫乍且甲罍	其lw(遼)__弗__其乍nc
5803	𤔲嗣好蚉壺	弗可復得
6792	史墻盤	牆弗敢沮
7047	井人鐘	妄不敢弗帥用文且皇考穆穆秉德
7048	井人鐘二	妄不敢弗帥用文且皇考穆穆秉德
7158	𤼈鐘一	𤼈不敢弗帥且考
7160	𤼈鐘三	𤼈不敢弗帥且考
7161	𤼈鐘四	𤼈不敢弗帥且考
7162	𤼈鐘五	𤼈不敢弗帥且考
7182	叔夷編鐘一	尸不敢弗儆戒
7183	叔夷編鐘二	弗敢不對揚朕辟皇君之
7185	叔夷編鐘四	余弗敢𢛳乃命
7214	叔夷鎛	尸不敢弗儆戒
7214	叔夷鎛	弗敢不對揚朕辟皇君之易休命
7214	叔夷鎛	余弗敢𢛳乃命
7463	新弨戈	新弨自命弗戟
7568	四年奠令戈	武庫工帀弗__冶尹__造

小計：共 76 筆

弋 2024

1316	𢦚方鼎	弋休則尚
1330	曶鼎	曰、弋尚卑處𠦪邑、田𠦪田
2786	縣妃𣪘	易女婦爵㚤之弋周玉
2801	五年召白虎𣪘	弋白氏從許
5497	農卣	母卑農弋
5510	乍冊嗌卣	弋勿__嗌鰥寡
6792	史墻盤	剌且文考弋寶(休)
6877	儠乍旅盉	弋可、我義便(鞭)女千

7159	瘐鐘二	弋皇且考高對爾烈
7405	___戈	_弋田_
M561	越王大子□鬮矛	於戉□王弋医之大子□鬮
		小計：共　11 筆

2025

1169	平安邦鼎	卅三年單父上官{冢子}喜所受坪安君者也(蓋)
1169	平安邦鼎	卅三年單父上官{冢子}喜所受坪安君者也(器)
1253	平安君鼎	單父上官宰喜所受坪安君者也
1331	中山王嚳鼎	蒦(與)其汋(溺)烏(於)人施(也)
1331	中山王嚳鼎	此易言而難行施(也)
1331	中山王嚳鼎	智施(也)
1331	中山王嚳鼎	智(知)為人臣之宜施(也)
5776	曩公壺	也熙受福無期
5805	中山王嚳方壺	余知其忠信施(也)
6731	奠白盤	奠白乍盤也(匜)
6772	魯少司寇封孫宅盤	魯少嗣寇封孫宅乍其子孟姬嬰朕般也(匜)
7886	新郪虎符	行殹(也)
		小計：共　12 筆

2026

0710	贏氏乍寶鼎	贏氏乍寶鼎
0881	孎乍父庚鼎	隹□□□氏自乍□鼒
0907	小臣氏樊尹鼎	小臣氏樊尹乍寶用
1105	鐵季乍贏氏行鼎	鐵季乍贏氏行鼎
1128	_白氏鼎	白氏姒(始)氏乍wjrmp8媵鼎
1140	衛鼎	衛乍文考小中姜氏孟鼎
1216	貿鼎	弔氏事貸安曩白賓貿馬車乘
1239	_鼎一	以師氏眔有嗣後或叕伐Ld
1240	_鼎二	以師氏眔有嗣後或叕伐Ld
1264	螢鼎	螢來遘于妊氏
1264	螢鼎	妊氏令螢
1288	令鼎一	有嗣眔師氏小子鄉射
1289	令鼎二	王射、有嗣眔師氏小子鄉射
1319	頌鼎一	尹氏受王令書
1320	頌鼎二	尹氏受王令書
1321	頌鼎三	尹氏受王令書
1327	克鼎	王呼尹氏冊令善夫克
1331	中山王嚳鼎	隹傅母氏(是)從
1331	中山王嚳鼎	氏(是)以寡人医(委)賃(任)之邦
1331	中山王嚳鼎	氏(是)以賜之氒命
1331	中山王嚳鼎	氏(是)以寡許之謀慮虘(皆)從
1332	毛公鼎	雩參有嗣、小子、師氏、虎臣雩朕褻事
1459	白上父乍姜氏鬲	白上父乍姜氏尊鬲
1483	虢季氏子組鬲	虢季氏子緩(組)乍鬲
1501	虢季氏子忟鬲	虢季氏子忟乍寶鬲

氏

1510	内公鑄弔姬鬲一	内公乍鑄京氏婦弔姬媵
1511	内公鑄弔姬鬲二	内公乍鑄京氏婦弔姬朕鬲
1655	奠氏白高父旅甗	奠氏白□父乍旅獻(甗)
2112	乍任氏从毁一	乍任氏从毁
2113	乍任氏从毁二	乍任氏从毁
2230	王乍姜氏隮毁	王乍姜氏尊毁
2332	白_乍媿氏旅毁	白p1乍媿氏旅用追考(孝)
2374	白庶父毁	彶(及)姞氏永寶用
2383	侯氏毁	侯氏乍孟姬尊毁
2418	乎乍姞氏毁	乎乍姞氏寶毁
2469	彝乍王母媿氏𩟄毁一	彝乍王母媿氏𩟄毁
2469	彝乍王母媿氏𩟄毁一	媿氏其釁壽萬年用
2470	彝乍王母媿氏𩟄毁二	彝乍王母媿氏𩟄毁
2470	彝乍王母媿氏𩟄毁二	媿氏其釁壽萬年用
2471	彝乍王母媿氏𩟄毁三	彝乍王母媿氏𩟄毁
2471	彝乍王母媿氏𩟄毁三	媿氏其釁壽萬年用
2472	彝乍王母媿氏𩟄毁四	彝乍王母媿氏𩟄毁
2472	彝乍王母媿氏𩟄毁四	媿氏其釁壽萬年用
2521	姞氏自乍媿毁	姞氏自钕(作)為寶尊毁
2553	虢季氏子組毁一	虢季氏子組乍毁
2554	虢季氏子組毁二	虢季氏子組乍毁
2555	虢季氏子組毁三	虢季氏子組乍毁
2632	陳逆毁	陳氏裔孫逆
2653	𢾊毁	白氏宧𢾊
2670	樠侯毁	樠侯乍姜氏寶䵼彝
2670	樠侯毁	方吏姜氏、乍寶毁
2674	弔妣毁	眔中氏萬年
2695	𦉢兒毁	皇考季氏尊毁
2736	師遽毁	王延正師氏
2768	楚毁	内史尹氏冊命楚
2769	師耤毁	王守内史尹氏冊命師耤
2771	弭弔師求毁一	王乎尹氏冊命師求
2772	弭弔師求毁二	王乎尹氏冊命師求
2792	師俞毁	𣄰司保氏
2793	元年師旋毁一	官司豐還ナ又師氏
2794	元年師旋毁二	官司豐還ナ又師氏
2795	元年師旋毁三	官司豐還ナ又師氏
2798	師瘨毁一	今余唯𦅫(緟)先王令女官司邑人師氏
2799	師瘨毁二	今余唯𦅫(緟)先王令女官司邑人師氏
2801	五年召白虎毁	余獻𡢁氏目壺
2801	五年召白虎毁	告曰：目君氏令曰
2801	五年召白虎毁	弋白氏從許
2801	五年召白虎毁	余sc于君氏大章
2801	五年召白虎毁	報𡢁氏帛束、璜
2802	六年召白虎毁	白氏則報璧琱生
2836	㦰毁	㦰達有𤔲師氏奔追御戎于𨺰林
2837	敔毁一	吏尹氏受𠭯敔圭鬲
2838	師嫠毁一	王乎尹氏冊令師嫠
2838	師嫠毁一	王乎尹氏冊令師嫠
2839	師嫠毁二	王乎尹氏冊令師嫠

2839	師嫠設二	王乎尹氏冊令師嫠
2844	頌設一	尹氏受王令書
2845	頌設二	尹氏受王令書
2845	頌設二	尹氏受王令書
2846	頌設三	尹氏受王令書
2847	頌設四	尹氏受王令書
2848	頌設五	尹氏受王令書
2849	頌設六	尹氏受王令書
2850	頌設七	尹氏受王令書
2851	頌設八	尹氏受王令書
2852	不嬰設一	白氏曰：不嬰
2852	不嬰設一	白氏曰：不嬰、女小子
2853	不嬰設二	白氏曰：不嬰
2853	不嬰設二	白氏曰：不嬰、女小子
2854	蔡設	嗣百工、出入姜氏令
2854	蔡設	女母弗善效姜氏人
2897	白彊行器	白彊為皇氏白行器
2899	尹氏弔緐旅匡	吳王御士尹氏弔緐乍旅匡
2919	鑄弔乍嬴氏匿	鑄弔乍嬴氏寶匿
2930	尹氏賈良旅匿(匡)	尹氏賈良乍旅匡
3086	善夫克旅盨	王令尹氏友、史趛典善夫克田人
3090	盨(器)	雩邦人、正人、師氏人又辠又故
3118	魯大嗣徒厚氏元善匰一	魯大嗣徒厚氏元乍善簠
3119	魯大嗣徒厚氏元善匰二	魯大嗣徒厚氏元乍善簠
3120	魯大嗣徒厚氏元善匰三	魯大嗣徒厚氏元乍善簠
3123	辠氏善鐳	辠氏奮乍善鐳
4448	長由盉	穆王蔑長由以逨即井白氏
4448	長由盉	井白氏彌不姦
4879	彔刻尊	女其以成周師氏戍于古自
4891	何尊	昔才爾考公氏
4891	何尊	視于公氏
5498	彔刻卣	女其以成周師氏戍于古自
5499	彔刻卣二	女其以成周師氏戍于古自
5692	__子__壺	__子氏之__壺
5722	白庶父醴壺	__口氏永寶用
5754	__氏扁壺	__氏、三斗少半
5755	散氏車父壺一	氏車父乍ro姜口尊壺
5774	椒車父壺	用逆姞氏
5784	妹氏壺	妹氏福__
5798	曶壺	王乎尹氏冊令曶曰
5799	頌壺一	尹氏受王令書
5800	頌壺二	尹氏受王令書
5803	胤嗣好蚉壺	以悳(憂)氏民之隹不辜
5805	中山王嚳方壺	氏以遊夕歙飤
5805	中山王嚳方壺	氏以身蒙卒(甲)胄
5826	國差蟾	侯氏受福釁壽
5826	國差蟾	侯氏毋咎毋瘍
6743	霝盤	霝乍王母媿氏顆盤
6743	霝盤	媿氏其釁壽萬年用
6746	齊侯乍孟姬盤	齊侯乍皇氏孟姬寶般(盤)

氏

6753	仲䱷父盤	用揚譖中氏䨻
6755	毛叔盤	毛弔朕彪氏孟姬寶般
6757	干氏弔子盤	干氏弔子乍中姬客母賸般
6786	_弔多父盤	pL弔多父乍朕皇考季氏寶般
6786	_弔多父盤	用及孝婦嫼氏百子千孫
6793	矢人盤	豆人虞丂、彔貞、師氏、右眚
6793	矢人盤	我既付散氏田器
6793	矢人盤	有爽、實余有散氏心賊
6793	矢人盤	我既付散氏溼(隰)田、畛田
6837	虢金氏孫匜	虢金氏孫乍寶匜
6848	蠡乍王母媿氏匜	蠡乍王母媿氏顈盉
6848	蠡乍王母媿氏匜	媿氏其覺壽萬年用
6910	師永盂	井白、滎白、尹氏、師俗父遣中
6910	師永盂	周人嗣工眉、㱿史、師氏
6973	益公鐘	益公為楚氏龢鐘
7082	齊鞄氏鐘	齊鞄氏孫大羅其吉金
7088	士父鐘一	□□□□□乍朕皇考弔氏寶龢鐘
7089	士父鐘二	□□□□□乍朕皇考弔氏寶龢鐘
7090	士父鐘三	□□□□□乍朕皇考弔氏寶龢鐘
7091	士父鐘四	□□□□□乍朕皇考弔氏寶龢鐘
7095	㽙羌鐘四	㽙羌乍rq氏辟䡅(韓)宗徹
7098	㽙氏鐘一	㽙氏之鐘
7099	㽙氏鐘二	㽙氏之鐘
7100	㽙氏鐘三	㽙氏之鐘
7101	㽙氏鐘四	㽙氏之鐘
7102	㽙氏鐘五	㽙氏之鐘
7103	㽙氏鐘六	㽙氏之鐘
7104	㽙氏鐘七	㽙氏之鐘
7105	㽙氏鐘八	㽙氏之鐘
7106	㽙氏鐘九	㽙氏之鐘
7135	逆鐘	弔氏在大廟
7135	逆鐘	弔氏令史__召逆
7135	逆鐘	弔氏若曰：逆
7158	瘋鐘一	秉明德、䦧夙夕、左尹氏
7160	瘋鐘三	秉明德、䦧夙夕、左尹氏
7161	瘋鐘四	秉明德、䦧夙夕、左尹氏
7162	瘋鐘五	秉明德、䦧夙夕、左尹氏
7213	𩛥鎛	用旛侯氏永命萬年
7213	𩛥鎛	侯氏易之邑二百又九十又九邑
7213	𩛥鎛	侯氏從告之日
J3806	弔孫氏戈	弔孫氏師□戈
7459	宮氏白子戈一	宮氏白子元戈__
7460	宮氏白子戈二	宮氏白子元相
7511	□克戈	武克氏楚羅其黃鐂鑄
7626	格式矛	格氏治__
7954	皮氏銅牌	皮氏命□金
M902	韓氏ㄙ官鼎	韓氏ㄙ官、韓__

小計：共 172 筆

2027

0714	竟乍氒寶鼎	竟乍氒寶彝
0725	□乍氒鼎	□乍氒尊彝
0734	彧鼎	彧乍氒尊貞(鼎)
0877	召父鼎	召父乍氒父寶彝
0889	伯甗方鼎	白甗乍氒父寶尊彝
0898	姞智母鼎	姞舀(智)母乍氒寶尊鼎
0899	弔具乍氒考鼎	弔具乍氒考寶尊彝
0905	解子乍氒宄圓宮鼎	解子乍氒宄圓鼎
0914	汝乍氒姑日辛鼎	汝乍氒姑日辛尊彝
0917	游鼎	游乍氒文考寶尊彝
0941	義仲方鼎	義中乍氒父周季尊彝
0954	白__乍氒宗方鼎	白m0乍氒宗寶尊彝v8
0983(	羊庚鼎	La乍氒文考尸弔寶尊彝
0997	__父鼎一	用乍氒寶尊彝
0998	__父鼎二	用乍氒寶尊彝
0999	__父鼎三	用乍氒寶尊彝
1007	史喜鼎	氒日隹乙
1009	繇侯簋鼎	孚(俘)氒金
1012(	康丝鼎	La乍氒文考尸弔寶尊彝
1041	且方鼎	用乍氒□□寶鬻尊鼎
1041	且方鼎	用氒□□宮
1111	□魯宰鼎	□魯宰鑄氒其□賸寶鼎
1138	白陶乍父考宮弔鼎	白陶乍氒文考宮弔寶鬻彝
1144	__獸鼎	朝夕鄉氒多倗友
1159	辛鼎一	其亡彊氒家雝德䢔
1159	辛鼎一	用𨑢氒剌多友
1160	辛鼎二	其亡彊氒家雝德䢔
1160	辛鼎二	用𨑢氒剌多友
1172	征人乍父丁鼎	天君賞氒征人斤貝
1204	淮白鼎	__其及氒妻子孫于之__饋䏤肉
1207	眉__鼎	o0氒師眉vw王為周nr
1207	眉__鼎	其用享于氒帝考
1226	師𩛥鼎	𩛥則對揚氒德
1226	師𩛥鼎	其乍氒文考寶鼎
1227	衛鼎	衛肈乍氒文考己中寶鬻鼎
1228	歔𪓐方鼎	構中賞氒歔𪓐遂毛兩
1229	厚趠方鼎	趠用乍氒文考父辛寶尊齍
1233	__鼎	省于氒身、孚戈
1264	𧍯鼎	史保氒家
1264	𧍯鼎	因付氒且僕二家
1264	𧍯鼎	休朕皇君弗忘氒寶臣
1266	𨛜公平侯鼎一	用追孝于氒皇且晨公
1266	𨛜公平侯鼎一	于氒皇考屖__公
1267	𨛜公平侯鼎二	用追孝于氒皇且晨公
1267	𨛜公平侯鼎二	于氒皇考屖__公
1285	彧方鼎一	其用夙夜享孝于氒文且乙公
1298	師旂鼎	雷事氒友引以告于白懋父
1298	師旂鼎	今弗克氒罰

氒

氒

1298	師旂鼎	氒不從氒右征
1298	師旂鼎	旂對氒賓(貿?)于尊彝
1301	大鼎一	大目氒友守
1301	大鼎一	王乎善夫騣召大目氒友入攼
1302	大鼎二	大目氒友守
1302	大鼎二	王乎善夫騣召大目氒友入攼
1303	大鼎三	大目氒友守
1303	大鼎三	王乎善夫騣召大目氒友入攼
1304	王子午鼎	敬氒盟祀
1307	師望鼎	穆穆克盟(明)氒心
1307	師望鼎	哲氒德
1316	㺇方鼎	氒復享于天子
1316	㺇方鼎	唯氒事乃子㺇萬年辟事天子
1316	㺇方鼎	母又眈于氒身
1318	晉姜鼎	每揚氒光剌
1318	晉姜鼎	取氒吉金
1322	九年裘衛鼎	㪤、氒住顏林
1322	九年裘衛鼎	氒吴喜皮二
1323	師𩛥鼎	用氒剌且介德
1324	禹鼎	休隻氒君馭方
1325	五祀衛鼎	迺舍寓于氒邑
1325	五祀衛鼎	氒逆彊眔厲田
1325	五祀衛鼎	氒東彊眔散田
1325	五祀衛鼎	氒南彊眔散田
1325	五祀衛鼎	氒西彊眔厲田
1327	克鼎	克曰：穆穆朕文且師華父悤hv氒心
1327	克鼎	淑哲氒德
1327	克鼎	肆克龏保氒辟龏王
1327	克鼎	永念于氒孫辟天子
1327	克鼎	巠念氒聖保且師華父
1327	克鼎	以氒臣妾
1328	盂鼎	闢氒匿
1328	盂鼎	畯(允)正氒民
1328	盂鼎	人鬲千又五十夫𢓊nx𨓚自氒土、王曰
1329	小字盂鼎	□□□毄御氒故
1330	曶鼎	□吏氒小子𤔲目限訟于井弔
1330	曶鼎	效□則卑復氒絲束
1330	曶鼎	曰、弋尚卑處氒邑、田氒田
1330	曶鼎	昔饉歲匡眔氒臣廿夫
1331	中山王譽鼎	有氒忠臣貯
1331	中山王譽鼎	氒業才祗
1331	中山王譽鼎	于𡉚(在)氒邦
1331	中山王譽鼎	氏(是)以賜之氒命
1331	中山王譽鼎	母替氒邦
1332	毛公鼎	皇天引厭氒德
1332	毛公鼎	唯天𢍰(將)集氒命
1332	毛公鼎	亦唯先正ht辥氒辟
1332	毛公鼎	氒非先告父厝
1465	魯侯獄鬲	用亯䰜氒文考魯公
1466	亞𩵦𦔮母辛鬲	用乍又(氒)母辛尊彝

1668	中甗	氒又舍女邦量至于女
1668	中甗	白買父以自氒人成漢中州
1668	中甗	氒人口廿夫
1668	中甗	氒賈犇言曰：賓□貝
1968	叕乍氒毀	[戈]叕乍氒
2015	戈叕乍匕毀一	[戈]叕乍氒
2016	戈叕乍氒毀二	[戈]叕乍氒
2189	獎向乍氒障毀一	向乍氒尊彝[獎]
2190	獎向乍氒障毀二	向乍氒尊彝[獎]
2249	__乍氒考寶毀	__乍氒考寶尊彝
2299	白乍氒譚子毀	白乍氒譚子寶尊彝
2309	__乍氒母毀	__乍氒母寶尊毀
2319	嗣土嗣乍氒考毀	嗣土嗣乍氒丂(考)寶尊彝
2349	翼乍氒且毀	翼乍氒且寶尊彝[習亞]
2359	欯乍氒毀	欯乍氒毀兩
2373	始休毀	始休易(賜)氒瀕吏貝
2388	大保乍父丁毀	大保易氒臣椃金
2402	敔毀	用餗氒孫子
2402	敔毀	氒不吉其J9
2404	效父毀一	用乍氒寶尊彝[五八六]
2405	效父毀二	用乍氒寶尊彝[五八六]
2406	五八六效父毀三	用乍氒寶尊彝[五八六]
2412	滕虎乍氒皇考毀一	滕(賸)虎敢肇乍氒皇考公命中寶尊彝
2413	滕虎乍氒皇考毀二	滕(賸滕)虎敢肇乍氒皇考公命中寶尊彝
2414	滕虎乍氒皇考毀三	滕(賸)虎敢肇乍氒皇考公命中寶尊彝
2455	彔乍文考乙公毀	彔乍氒文考乙公寶尊毀
2524	仲幾文毀	用氒賓、乍丁寶毀
2545	季䋣乍井弔毀	季䋣肇乍氒文考井弔寶尊彝
2550	兌乍弔氏毀	兌乍朕皇考弔氒尊毀
2559	白中父毀	用乍氒寶尊毀
2570	縈毀	王休易氒臣父縈瓚
2580	羽乍北子毀	用ue氒且父日乙
2606	易__乍父丁毀一	對氒休、用乍父丁尊彝
2607	易__乍父丁毀二	對氒休
2609	筥小子毀一	徒用乍氒文考尊毀
2610	筥小子毀二	徒用乍氒文考尊毀
2611	畾渣嗣土吴毀	渣司土吴眔畾乍氒考尊彝[畾]
2613	白椃乍宄寶毀	白椃乍氒宄室寶毀
2613	白椃乍宄寶毀	用追孝于氒皇考
2633	相侯毀	相侯休于氒臣殳
2645	周客毀	克氒師眉廌王為周客
2645	周客毀	其用亯于氒帝考
2656	師害毀一	休氒成旋
2657	師害毀二	休氒成旋
2675	大保毀	王伐彔子耶(聽)、慰氒反
2690.	相侯毀	相侯休于氒臣□
2694	豦乍且考毀	公白易氒臣弟豦井五mG
2696	盂毀一	毛公易朕文考臣自氒工
2696	盂毀一	氒子子孫孫其永寶
2697	盂毀二	毛公易朕文考臣自氒工

氒

2697	盂毁二	氒子子孫孫其永寶
2706	郘公孜人毁	用亯孝于氒皇且、于氒皇丂
2710	緙自乍寶器一	萬年以氒孫子寶用
2711	緙自乍寶器二	萬年以氒孫子寶用
2723	畬毁	升于氒文且考
2723	畬毁	用乍氒文考尊毁
2723	畬毁	友眔氒子孫永寶
2727	蔡姞乍尹弔毁	彌氒生霝冬
2730	獻毁	楠白令氒臣獻金車
2746	追毁一	追虔夙夕卹氒死事
2747	追毁二	追虔夙夕卹氒死事
2748	追毁三	追虔夙夕卹氒死事
2749	追毁四	追虔夙夕卹氒死事
2750	追毁五	追虔夙夕卹氒死事
2751	追毁六	追虔夙夕卹氒死事
2760	小臣謎毁一	雩氒復歸、才牧𠂤
2761	小臣謎毁二	雩氒復歸、才牧𠂤
2764	艾毁	拜韻首、魯天子造氒瀕福
2766	三兒毁	其□又之□□䜌氒吉金用乍□寶毁
2776	走毁	徒其眔氒子子孫孫萬年永寶用
2778	格白毁一	氒賈卅田
2778	格白毁一	殹妊彶佗氒從格白安彶甸
2778	格白毁一	氒書史戠武立盟成壁
2778	格白毁一	氒賈卅田
2778	格白毁一	殹妊彶佗氒從格白安彶甸
2778	格白毁一	氒書史戠武立盟成壁
2779	格白毁二	氒賈卅田
2779	格白毁二	氒書史戠武立盟成壁
2780	格白毁三	氒賈卅田
2780	格白毁三	殹妊彶佗氒從格白安彶甸
2780	格白毁三	氒書史戠武立盟成壁
2781	格白毁四	氒賈卅田
2781	格白毁四	殹妊彶佗氒從格白安彶甸
2781	格白毁四	氒書史戠武立盟成壁
2782	格白毁五	氒賈卅田
2782	格白毁五	殹妊彶佗氒從格白安彶甸
2782	格白毁五	氒書史戠武立盟成壁
2782.	格白毁六	氒賈卅田
2782.	格白毁六	殹妊彶佗氒從格白安彶甸
2782.	格白毁六	氒書史戠武立盟成壁
2788	靜毁	小子眔服眔小臣眔氒僕學射
2789	同毁一	氒逆至于玄水
2789	同毁一	對揚天子氒休
2790	同毁二	氒逆至于玄水
2790	同毁二	對揚天子氒休
2802	六年召白虎毁	日：公、氒稟貝
2826	師寰毁一	今敢博氒眔叚
2826	師寰毁一	即斱氒邦嘼
2826	師寰毁一	夙夜卹氒穡旋(事)
2826	師寰毁一	今敢博氒眔叚

2826	師𩛥𣪘一	反氒工吏
2826	師𩛥𣪘一	即斲氒邦嘼
2826	師𩛥𣪘一	夙夜卹氒穡旋（事）
2827	師𩛥𣪘二	今敢愽氒眾叚
2827	師𩛥𣪘二	反氒工吏
2827	師𩛥𣪘二	即斲氒邦嘼
2827	師𩛥𣪘二	夙夜卹氒穡旋（事）
2828	宜侯夨𣪘	易土、氒川三百□
2828	宜侯夨𣪘	氒□百又廿
2828	宜侯夨𣪘	氒宅邑卅又五
2828	宜侯夨𣪘	氒□百又卌
2828	宜侯夨𣪘	氒盧□又五十夫
2833	秦公𣪘	保𤔲氒秦
2836	𤼈𣪘	休宕氒心
2836	𤼈𣪘	永襲氒身
2836	𤼈𣪘	卑克氒啻
2836	𤼈𣪘	用夙夜尊享孝于氒文母
2837	敔𣪘一	復付氒君
2840	番生𣪘	穆穆克誓（哲）氒德
2840	番生𣪘	廣啟氒孫子于下
2854	禁𣪘	氒又見又即令
2854	禁𣪘	氒非先告禁
2855	班𣪘一	公告氒吏于上
2855	班𣪘一	廣成氒工
2855	班𣪘一	亡克競氒剌
2855.	班𣪘二	公告氒吏于上
2855.	班𣪘二	廣成氒工
2855.	班𣪘二	亡克競氒剌
2856	師訇𣪘	乍氒□□用夾召氒辟
2857	牧𣪘	氒訊庶右粦
2857	牧𣪘	以今既司匐氒辠召故
2920.	白多父匿	白多父乍成姬多母霝氒器
2976	𥁕公匿	𥁕（許）公買羼氒吉金
2985	陳逆匿一	羼氒吉金
2985	陳逆匿一	台（以）乍氒元配季姜之祥器
2985.	陳逆匿二	羼氒吉金
2985.	陳逆匿二	台（以）乍氒元配季姜之祥器
2985.	陳逆匿三	羼氒吉金
2985.	陳逆匿三	台（以）乍氒元配季姜之祥器
2985.	陳逆匿四	羼氒吉金
2985.	陳逆匿四	台（以）乍氒元配季姜之祥器
2985.	陳逆匿五	羼氒吉金
2985.	陳逆匿五	台（以）乍氒元配季姜之祥器
2985.	陳逆匿六	羼氒吉金
2985.	陳逆匿六	台（以）乍氒元配季姜之祥器
2985.	陳逆匿七	羼氒吉金
2985.	陳逆匿七	台（以）乍氒元配季姜之祥器
2985.	陳逆匿八	羼氒吉金
2985.	陳逆匿八	台（以）乍氒元配季姜之祥器
2985.	陳逆匿九	羼氒吉金

2985.	陳逆匿九	台(以)乍氒元配季姜之祥器
2985.	陳逆匿十	羃氒吉金
2985.	陳逆匿十	台(以)乍氒元配季姜之祥器
3039	白多父盨	白多父乍戉姬多母霝氒器
3054	賸侯蘇乍旅毁	賸侯鯀乍氒文考賸中旅毁
3085	駒父旅盨(蓋)	氒取氒服
3085	駒父旅盨(蓋)	氒獻氒服
3087	鬲从盨	罕氒Jo夫tu鬲比田
3087	鬲从盨	其邑复__言二邑。畀鬲比复氒小宮tu鬲比田
3087	鬲从盨	氒右鬲比善夫__
3090	曌盨(器)	卑復虐逐氒君氒師
3090	曌盨(器)	氒非正命
3100	陳侯因資錞	合揚氒德
4107	戈罗乍氒爵	[戈]罗乍氒
4188	又乍氒父爵	又乍氒父寶尊彝
4192	美乍氒且可公爵一	美乍氒且可公尊彝
4193	美乍氒且可公爵二	美乍氒且可公尊彝
4201	盟舟惠爵	盟舟綸__乍氒且乙寶宗彝
4321	氒田干斝	[氒田干]
4400	戈罗乍氒盉	[戈罗]乍氒
4429	毌吴乍氒考盉	[毌]吴乍氒考寶尊彝
4445	長陵盉	銅要銅錄乍氒緖父盉樂__一升
4446	麥盉	井侯光氒吏麥鬲干麥宮
4449	裘衛盉	氒賈(價)其舍田十田
4785	卿乍氒考尊	卿乍氒考寶尊彝
4798	厥子乍父辛尊	氒子乍父辛寶尊彝
4805	□乍氒皇考尊	__乍氒皇考寶尊彝
4822.	__尊	q6乍宗尊氒孫子永寶
4831	倗乍氒考尊	倗乍氒考寶尊彝用萬年吏
4832	毌渻白遻尊一	[毌]渻白遻乍氒彝考寶旅尊
4833	毌渻白遻尊二	[毌]渻白遻乍氒彝考寶旅尊
4834	白乍氒文考尊	白乍氒文考尊彝其子孫永寶
4835	無仲尊	無中__乍氒文考寶尊彝、日辛
4852	□□乍其為氒考尊	□□乍其為氒考宗彝
4856	季受尊	揚氒休
4862	與能匋尊	能匋易貝于氒曶公矢ns五朋
4865	氒方尊	乍氒穆文且考寶尊彝
4865	氒方尊	其用夙夜亯于氒大宗
4872	古白尊	日古白子日p7v2氒父彝
4881	鼉方尊	敢對揚氒休
4885	效尊	公易氒涉子效王休貝廿朋
4886	趩尊	王乎内史冊令趩更氒且考服
4888	盠駒尊一	王弗望氒舊宗小子
4893	矢令尊	乍冊令、敢揚明公尹氒室
4975	麥方彝	才八月乙亥、辟井侯光氒正吏
4981	矏冊令方彝	乍冊令、敢揚明公尹氒室
5252	戈罗卣	戈罗乍氒
5332	竟卣	[竟]乍氒寶尊彝
5344	卿乍氒考卣一	卿乍氒考尊彝
5345	卿乍氒考卣二	卿乍氒考尊彝

5346	奬向卣	向氒乍尊彝[奬]
5395	戣弔卣	戣弔乍氒寶尊彝
5417	白睘卣一	白睘乍氒室寶尊彝
5418	白睘卣二	白睘乍氒室寶尊彝
5446	畂湆白逘旅卣一	[畂]湆白逘乍氒考寶旅尊
5449	倗乍氒考卣	倗乍氒考寶尊彝
5451	鄦仲奔乍文考日辛卣	鄦中奔乍氒文考寶尊彝、日辛
5459	縈弔卣	縈弔乍其為氒考宗彝
5497	農卣	事氒友妻農
5497	農卣	迺稟氒奴、氒小子小大事
5504	庚羸卣一	用乍氒文姑寶尊彝
5505	庚羸卣二	用乍氒文姑寶尊彝
5509	麸卣	尹其亙萬年受氒永魯
5510	乍冊嗌卣	氒名義曰
5510	乍冊嗌卣	用乍大禦于氒且考父母多申
5511	效卣一	公易氒涉子效王休貝廿朋
5555	竟乍氒彝罍	[竟]乍氒彝
5561	白罍	白乍氒寶尊彝
5574	女姬罍	女姬乍氒姑夕母(姼?)寶尊彝
5597	次瓿	氒次蔑曆
5778	番匊生鑄賸壺	用賸氒元子孟改﨣
5803	胤嗣好畜壺	以憂氒民之隹不辜
5805	中山王嚳方壺	以輔相氒身
5805	中山王嚳方壺	以佐右氒闢
5811	曾白文鐳	唯曾白父自乍氒pe鐳
6242	戈罖乍氒觚一	[戈]罖乍氒
6243	戈罖乍氒觚二	[戈]罖乍氒
6282	召乍父戊觚	召乍氒文考父戊寶尊彝
6582	戈罖乍氒觶	[戈罖]乍氒
6622	吉偖乍氒觶	吉偖乍氒寶尊彝
6623	白乍氒且觶	白乍氒且寶尊彝
6711	畂逘乍氒考盤	[畂]逘乍氒考寶尊彝
6722	彭生盤	彭生乍氒文考辛寶尊彝[冊光𠂤尹]
6791	兮甲盤	氒賈毋不即市
6792	史墻盤	逑匹氒辟
6792	史墻盤	龢吏氒辟
6793	夨人盤	氒受圖
6793	夨人盤	氒左執要
6885	吳王夫差御鑑一	攻吳王大差羼氒吉金
6886	吳王夫差御鑑二	吳王夫差羼氒吉金
6910	師永盂	公迺出氒命
6910	師永盂	易畀師永氒田
6910	師永盂	氒眔公出氒命
6910	師永盂	付永氒田
6910	師永盂	氒逹vx氒彊宋句
7026	邾弔鐘	邾叔止白□羼氒吉金用乍其龢鐘
7027	邾公釛鐘	陸𩡧之孫邾公釛乍氒禾鐘
7028	臧孫鐘	羼氒吉金
7029	臧孫鐘二	羼氒吉金
7030	臧孫鐘三	羼氒吉金

氒

氒

7031	臧孫鐘四	羼氒吉金
7032	臧孫鐘五	羼氒吉金
7033	臧孫鐘六	羼氒吉金
7034	臧孫鐘七	羼氒吉金
7035	臧孫鐘八	羼氒吉金
7036	臧孫鐘九	羼氒吉金
7047	井人鐘	克哲氒德
7048	井人鐘二	克哲氒德
7084	邾公牼鐘一	鼄(邾)公牼羼氒吉金
7085	邾公牼鐘二	鼄(邾)公牼羼氒吉金
7086	邾公牼鐘三	鼄(邾)公牼羼氒吉金
7087	邾公牼鐘四	鼄(邾)公牼羼氒吉金
7092	驫羌鐘一	驫羌乍rq氒辟軐(韓)宗徹
7093	驫羌鐘二	驫羌乍rq氒辟軐(韓)宗徹
7094	驫羌鐘三	驫羌乍rq氒辟軐(韓)宗徹
7096	驫羌鐘五	驫羌乍rq氒辟軐(韓)宗徹
7122	梁其鐘一	克哲氒德
7123	梁其鐘二	克哲氒德
7150	虢叔旅鐘一	御于氒辟
7151	虢叔旅鐘二	御于氒辟
7152	虢叔旅鐘三	御于氒辟
7153	虢叔旅鐘四	御于氒辟
7154	虢叔旅鐘五	御于氒辟
7157	邾公華鐘一	鼄(邾)公華羼氒吉金
7157	邾公華鐘一	用鑄氒龢鐘
7157	邾公華鐘一	不彖于氒身
7158	癲鐘一	克明氒心足尹
7158	癲鐘一	__氒威義
7160	癲鐘三	克明氒心足尹
7160	癲鐘三	__氒威義
7161	癲鐘四	克明氒心足尹
7161	癲鐘四	__氒威義
7162	癲鐘五	克明氒心足尹
7162	癲鐘五	__氒威義
7164	癲鐘七	今癲夙夕虔苟(敬)卹氒死事
7174	秦公鐘	克明又(氒)心
7174	秦公鐘	乍氒龢鐘
7175	王孫遺者鐘	用氒台孝
7176	㝬鐘	撲伐氒都
7177	秦公及王姬編鐘一	克明又(氒)心
7178	秦公及王姬編鐘二	乍氒龢鐘
7181	秦公及王姬編鐘六	乍氒龢鐘
7182	叔夷編鐘一	虔卹氒死事
7183	叔夷編鐘二	雩氒行師
7183	叔夷編鐘二	慎中氒罰
7186	叔夷編鐘五	敗氒靈師
7202	楚公逆鎛	氒名曰__
7205	蔡侯䌛編鎛一	征中氒德
7209	秦公及王姬鎛	克明又(氒)心
7209	秦公及王姬鎛	乍氒龢鐘

7210	秦公及王姬鎛二	克明又(氒)心
7210	秦公及王姬鎛二	乍氒龢鐘
7211	秦公及王姬鎛三	克明又(氒)心
7211	秦公及王姬鎛三	乍氒龢鐘
7212	秦公鎛	保嬖氒秦
7212	秦公鎛	氒名曰__邦
7214	叔夷鎛	虔卹氒死事
7214	叔夷鎛	雩氒行師
7214	叔夷鎛	慎中氒罰
7214	叔夷鎛	敗氒靈師
7217	姑馮勾鑃	姑wd昏同之子羼氒吉金
7471	鳥篆戈	__乍昔__氒__從
7527	__久白戈	氒______秉䍜
7871	子禾子釜一	氒辟懲
M282	師艅尊	艅則對揚氒德
M282	師艅尊	用乍氒文考寶彝
M545	配兒勾鑃	余羼氒吉金
M553	越王者旨於賜鐘	戉王者旨於賜羼氒吉金
M883	中山侯鉞	目敬氒眾

小計：共 417 筆

2028

6735	虢金氒孫盤	虢金氏孫乍寶盤

小計：共 1 筆

2029

0034	戈鼎一	[戈]
0035	戈鼎二	[戈]
0036	戈鼎三	[戈]
0037	戈鼎四	[戈]
0038	戈鼎五	[戈]
0039	戈鼎六	[戈]
0040	戈鼎七	[戈]
0041	戈鼎八	[戈]
0042	戈鼎九	[戈]
0125	戈鼎	[戈]
0242	戈己鼎	[戈]己
0291	鼉戈鼎一	[鼉戈]
0292	鼉戈鼎二	[鼉戈]
0302	乙戈鼎	乙[戈]
0332	戈且辛鼎	[戈]且辛
0333	戈且癸鼎一	[戈]且癸
0334	戈且癸鼎二	[戈]且癸
0337	戈父甲鼎一	[戈]父甲

戈

0382	戈父丁鼎	[戈]父丁
0389	戈父己方鼎	[戈]父己
0390	戈父己鼎	[戈]父己
0415	戈父辛鼎一	[戈]父辛
0416	戈父辛鼎二	[戈]父辛
0440	戈父癸鼎	[戈]父癸
0450	戈妣辛鼎	[戈]匕辛
0510	戈且己鼎	[戈]且己
0581	亞戈父己鼎	[亞戈]父己
0619	戈乍寶鼎	乍寶鼎[戈]
0952	戈囧藹陶父辛鼎	戈囧藹陶乍父辛寶尊彝
1233	__鼎	省于氒身、孚戈
1305	師奎父鼎	易截市冋黃、玄衣黹屯、戈琱㦸、旂
1306	無叀鼎	易女玄衣黹屯、戈琱㦸緱必彤沙、攸勒鑾旂
1308	白晨鼎	矛、戈、続(宋)冑
1535	戈甗一	[戈]
1536	戈甗二	[戈]
1537	戈甗三	[戈]
1553	戈甗	[戈]
1557	戈网甗	[戈网]
1572	戈父戊甗	[戈]父戊
1686	戈殷一	[戈]
1687	戈殷二	[戈]
1688	戈殷三	[戈]
1689	戈殷四	[戈]
1769	㒼殷	[㒼戈丁]
1806	戈己殷	[戈]己
1810	戈酉殷一	[戈酉]
1811	戈酉殷二	[戈酉]
1866	戈父丁殷一	[戈]父丁
1867	戈父丁殷二	[戈]父丁
1868	戈父丁殷三	[戈]父丁
1900	乙戈毌殷一	乙[戈毌]
1901	乙戈毌殷二	乙[戈毌]
1919	戈父丁殷	[戈]父丁
1961	袄殷	[袄吴戈]
1965	戈母丁殷	[戈]母丁
1968	翌乍氒殷	[戈]翌乍氒
1982	亞戈父己殷	[亞戈]父己
2015	戈翌乍匕殷一	[戈]翌乍氒
2016	戈翌乍氒殷二	[戈]翌乍氒
2066	戈乍旅彝殷一	[戈]乍旅彝
2067	戈乍旅彝殷二	[戈]乍旅彝
2107	戈凡乍旅彝殷	凡乍旅彝[戈ab]
2138	冊毫戈父丁殷	[戈毫冊]父丁
2290	__黃乍父癸殷	[dw]黃乍父癸寶尊彝戈
2298	戈厚乍兄日辛殷	[戈]厚乍兄日辛寶彝
2336	冊戈㒼鄧乍父辛殷	[戈㒼冊]鄧乍父辛尊彝
2694	虘乍且考殷	易袞冑、干戈
2731	小臣宅殷	白易小臣宅畫干戈九

2744	五年師旋𣪕一	盾生皇畫内、戈琱㦰
2745	五年師旋𣪕二	盾生皇畫内、戈琱㦰
2769	師耤𣪕	金亢、赤舄、戈琱㦰、彤沙
2774.	南宮弔𣪕	睗(賜)女乘馬戈琱、彤矢
2775.	害𣪕一	易戈琱
2775.	害𣪕二	易戈琱、＿、彤沙
2785	王臣𣪕	戈畫㦰、厚必、彤沙、用事
2797	輔師𠭰𣪕	赤市朱黃、戈彤沙琱㦰
2815	師𩛥𣪕	易女戈琱㦰
2835	訇𣪕	戈琱㦰、厚必彤沙
2836	䧹𣪕	孚戎兵盾、矛、戈、弓、備、矢、裨、胄
2861.	亞其父辛卣	[亞其戈]父辛
3128.	守戈爵	[守戈]
3162	戈爵	[戈䍐]
3235	戈爵一	[戈]
3236	戈爵三	[戈]
3237	戈爵四	[戈]
3238	戈爵二	[戈]
3239	戈爵五	[戈]
3399	亞戈爵	[亞戈]
3573	戈天爵	[戈天]
3592	家戈爵	[家戈]
3593	门戈爵	[门戈]
3594	𠧟戈爵	[𠧟戈]
3623	戈䍐	[戈斤䍐]
3683	戈叀爵	戈叀爵
3688	守戈爵	[守戈]
3713	辛戈爵一	辛[戈]
3714	辛戈爵二	辛[戈]
3739	戈且戊爵	[戈]且戊
3744	戈且己爵一	[戈]且己
3745	戈且己爵二	[戈]且己
3770	戈父乙爵一	[戈]父乙
3771	戈父乙爵二	[戈]父乙
3772	戈父乙爵三	[戈]父乙
3773	戈父乙爵四	[戈]父乙
3875	戈父己爵一	[戈]父己
3876	戈父己爵二	[戈]父己
3877	戈父己爵三	[戈]父己
3933.	戈父辛爵	[戈]父辛
3947	戈父癸爵一	[戈]父癸
3948	戈父癸爵二	[戈]父癸
4003	戈父丁爵	[戈]父丁
4003.	戈父己爵四	[戈]父己
4044	卜戈女爵	[卜戈]女
4045	亞戈父乙爵	[亞戈]父乙
4101	□父癸爵	[𢆶戈]父癸
4107	戈𡦼乍𡠀爵	[戈]𡦼乍𡠀
4112	戈孔亞毌爵	戈孔[亞毌]
4243	戈斝	[戈]

戈

戈

4259.	戈斝	[戈]
4362	彝戈盉	彝[戈]
4388	戈父戊盉	[戈]父戊
4400	戈𠬝乍氒盉	[戈𠬝]乍氒
4415	戈__乍父丁盉	[戈]pc乍父丁彝
4466	戈尊一	[戈]
4467	戈尊二	[戈]
4468	戈尊三	[戈]
4469	戈尊四	[戈]
4470	戈尊五	[戈]
4471	戈尊六	[戈]
4472	戈尊七	[戈]
4473	戈尊八	[戈]
4506.	戈尊	[戈]
4566.	戈父乙尊	[戈]父乙
4689	戈乍旅彝尊一	戈乍旅彝
4690	戈乍旅彝尊二	戈乍旅彝
4718	戈□乍父丙尊	戈乍父丙彝
4768	戈車乍父己尊	戈車乍父丁寶尊彝
4892	麥尊	侯易玄周戈
5003	戈卣一	[戈]
5004	戈卣二	[戈]
5005	戈卣三	[戈]
5006	戈卣四	[戈]
5007	戈卣五	[戈]
5008	戈卣六	[戈]
5091	缶戈卣	[缶戈]
5099	戈网卣	[戈网]
5151	戈父己卣	[戈]父己
5242	家戈父庚卣	[家戈]父庚
5252	戈𠬝卣	戈𠬝乍氒
5259	戈乍旅彝卣	[戈]乍旅彝
5262	戈乍從卣	[戈]乍從彝
5414	鈇乍父戊卣	鈇乍父戊尊彝[戈]
5515	戈罍一	[戈]
5578	戈蘇乍且乙罍	其子子孫永寶[戈]
5588	戈瓿	[戈]
5623	羉戈壺	[羉戈]
5890	戈觚一	[戈]
5891	戈觚二	[戈]
5892	戈觚三	[戈]
5893	戈觚四	[戈]
5900	戈羉觚	[戈羉]
6048	宁戈觚	[宁戈]
6084	䦗戈觚	[䦗戈]
6090	乙戈觚	乙[戈]
6124	戈且丁觚	[戈]且丁
6152	戈父己觚	[戈]父己
6167	戈父癸觚	[戈]父癸
6196	戈且辛觚	[戈]且辛

6215	戈麗觚	[戈麗]
6242	戈㗊乍氒觚一	[戈]㗊乍氒
6243	戈㗊乍氒觚二	[戈]㗊乍氒
6256	京戈冊父乙觚	[京戈冊]父乙
6296	戈觶一	[戈]
6297	戈觶二	[戈]
6298	戈觶三	[戈]
6299	戈觶四	[戈]
6300	戈觶五	[戈]
6301	戈觶六	[戈]
6302	戈觶七	[戈]
6303	戈觶八	[戈]
6304	戈觶九	[戈]
6305	戈觶十三	[戈]
6306	戈觶十	[戈]
6307	戈觶十一	[戈]
6375	戈辛觶	[戈]辛
6376	戈母觶	[戈母]
6417	戈且己觶	[戈]且己
6428	戈父乙觶	[戈]父乙
6431	戈父乙觶	[戈]父乙
6450	戈父丙觶一	[戈]父丙
6451	戈父丙觶二	[戈]父丙
6507	戈父癸觶	[戈]父癸
6527	母朱戈觶	[朱母戈]
6582	戈㗊乍氒觶	[戈㗊]乍氒
6679	麗戈盤	[麗戈]
6787	走馬休盤	戈琱㦸、彤沙厚必、䜌旂
6789	寰盤	戈琱㦸厚必彤沙
6799	戈父辛匜	[戈]父辛
6922	立戈盦	[戈]
7135	逆鐘	錫戈彤鼏(緌)
7250	戈戈一	[戈]
7251	戈戈二	[戈]
7263	馬戈戈	[馬、戈]
7264	告戈戈	[告、戈]
7289	牛戈	[戈]
7292	戈戈	[戈]
7317	己戈	己[戈]
7318	己戈	[戈]己
7328	__戈	共戈
7367	右濯戈	右濯戈
7373	大公戈	大公戈
7384	陳__錯戈	陳wv造戈
7385	陳__散戈	陳__散戈
7389	高密造戈	高密造戈
7390	易㠯寖戈	易師寖戈
7391	子備造戈	子備造戈
7392	王卒威之戈	王卒威之戈
7394	弔孫敉戈	弔孫敉戈

戈

戈

J3783	口之用戈	口之用戈
7395	自乍用戈	自乍用戈
7396	鳥篆戈一	口口用戈
7399	陳金造戈	陳金造戈
7400	平陸戈	平陸右戈
7401	雝之田戈	雝之田戈
7404	白之口執戈	尹執白之戈
7406	弔侯乍戈	弔侯乍戈
7407	匋斤徒戈	匋斤徒戈
7410	子鑄戈	子淵鑄之戈
7413	陳子戈	陳子__戈
7417	平口口戈	平口口戈
7418	陳麗子造戈	陳麗子窖(造)戈
7421	__淠侯散戈	__淠侯散戈
7422	羊子之造戈	羊子之造戈
7423	陳子翼徒戈	陳子翼徒戈
7424	口戹戈	口戹之侯戈
7425	事孫戈	事孫__丘戈
7426	吁口口造戈	吁口口造戈
7427	子貝之用戈	子貝之用戈
7428	陳皮之告戈	陳皮之造戈
7429	楚公豪秉戈	楚公豪秉戈
7430	__子戈	__子之造戈
7431	右買之用戈	右買之用戈
7436	敚作戈	敚乍mv王戈
J3824	吳王光逗戈	吳王光逗用戈
J3826	單䖒戟戈	(拓本未見)
7443	攻敔王光戈一	攻敔王光自、戈q5
7445	平陽高馬里戈	平陽高馬里戈
7446	成陽辛城里戈	成陽辛城里戈
7447	羊__亲戈造服	羊wm亲造散戈
7448	蔡侯𨐨之行戈	蔡侯𨐨之行戈
7449	蔡侯𨐨之用戈	蔡侯𨐨之用戈
7451	蔡公子果之用戈二	蔡公子果之用戈
7455	宋公𦅫之造戈	宋公𦅫之造戈
7456	宋公得之造戈	宋公得之造戈
7457	虢大子元徒戈一	虢太子元徒戈
7458	虢大子元徒戈二	虢太子元徒戈
7459	宮氏白子戈一	宮氏白子元戈__
7461	邚並果戈	邚並果之造戈[Gu]
7465	曾侯乙寢戈	曾侯乙之寢戈
7469	王子口戈	王子口之共戈
7473	__戈	__侃乍__戈三百
7474	郢侯戈	郢侯之造戈五百
7475	衛公孫呂戈	衛公孫呂之告戈
7476	周王叚戈	周王叚之元用戈
7477	王子玖戈	王子玖之用戈、q5
7491	郲大嗣馬之造戈	郲大嗣馬之造戈
7496	是氏事歲戈	是立事歲__右工戈
7503	七年戈	十年得工戈治左勿

7513	宋公差戈	宋公差之所造不陽族戈
7514	宋公差戈	宋公差之所造栁族戈
7516	攻敔王夫差戈	攻敔王夫差自乍其用戈
7527	__久白戈	__久白文妊為茲戈
7554	楚王酓璋戈	楚王酓璋嚴龔寅乍su戈
7574	左軍戈	巨校馬臧造攸戈
M541	大王光戈	大王光逗自乍用戈
M622	番仲戈	番中乍之造戈、白皇
M697	曾桼叡戈	曾中之孫桼叡用戈
M782	曹公子沱戈	曹公子沱之造戈
M790	宋公差戈	宋公差之徒造戈
		小計：共　279 筆

2030　與0506肈賓為同字，請參看

J445	本鼎	（ 拓本未見 ）
1061	交君子__鼎	交君子qf肈乍寶鼎
1086	內子仲□鼎	內子中□肈乍弔媿尊鼎
1087	鑄子弔黑臣鼎	鑄子弔黑臣肈乍寶貞（ 鼎 ）
1100	白尚鼎	白尚肈其乍寶鼎
1119	曆方鼎	曆肈（ 肈 ）對元德考友隹井乍寶尊彝
1133	邿白乍孟妊善鼎	邿白肈乍孟妊善寶鼎
1163	齊陳__鼎蓋	肈勤經德
1189	諆鼎	諆肈乍其皇考皇母者比君鬻鼎
1227	衛鼎	衛肈乍氒文考己中寶鬻鼎
1233	__鼎	h7肈從h0征
1307	師望鼎	望肈帥井皇考
1315	善鼎	今余唯肈醽先王令
1316	彧方鼎	王用肈事乃子彧率虎臣禦淮戎
1323	師訊鼎	叀余小子肈盄先王德
1326	多友鼎	余肈（ 肈 ）吏女休
1332	毛公鼎	王曰：父厝、□余唯肈巠先王命
1454	曌肈家鬵	曌肈家鑄乍鬲
2333	妹弔昏毁	義弔聞（ 昏 ）肈乍彝用鄉賓
2412	縢虎乍氒皇考毁一	縢（ 賸 ）虎敢肈乍氒皇考公命中寶尊彝
2413	縢虎乍氒皇考毁二	縢（ 賸縢 ）虎敢肈乍氒皇考公命中寶尊彝
2414	縢虎乍氒皇考毁三	縢（ 賸 ）虎敢肈乍氒皇考公命中寶尊彝
2450	禾乍皇母孟姬毁	禾肈乍皇母懿恭孟姬餴彝
2493	鄦其肈乍毁一	鄦其肈乍毁
2494	鄦其肈乍毁二	鄦其肈乍毁
2545	季𩰫乍井弔毁	季𩰫肈乍氒文考井弔寶尊彝
2644.	伯椃虘毁	白椃虘肈乍皇考剌公尊毁
2647	魯士商叡毁	魯士商叡肈乍朕皇考弔猒父尊毁
2658	白彧毁	白彧肈其作西宮寶
2763	弔向父禹毁	肈帥井先文且
2816	彔白彧毁	女肈不豕
2817	師頵毁	今余隹肈醽乃令
2826	師寰毁一	今余肈令女逹（ 率 ）齊帀
2826	師寰毁一	今余肈令女逹（ 率 ）齊帀

	2827	師寰𣪘二	今余肇令女達(率)齊帀
	2852	不嬰𣪘一	女肇誨于戎工
	2853	不嬰𣪘二	女肇誨于戎工
	3035	魯嗣徒旅𣪘(盨)	魯嗣徒白吳敢肇乍旅𣪘
	3048	鑄子弔黑臣盨	鑄子弔黑臣肇乍寶盨
	3062	乘父𣪘(盨)	乘父士杉其肇乍其皇考白明父寶𣪘
	4448	長由盉	用肇乍尊彝
	4830	厍肇其乍父己尊	厍肇乍父己寶尊彝[䵼__]
	7020	單伯鐘	余小子肇帥井朕皇且考懿德
	7176	㝬鐘	王肇遹省文武堇疆土
	7183	叔夷編鐘二	女肇敏于戎功
	7214	叔夷鎛	女肇敏于戎功
	M340	魯伯悆盨	肇乍其皇孝皇母旅盨𣪘
	M341	魯中齊鼎	魯中齊肇乍皇考𩰫鼎
	M343	魯司徒中齊盨	魯司徒中齊肇乍皇考白走公𩵦盨𣪘
	M344	魯司徒中齊盤	魯司徒中齊肇乍般
	M345	魯司徒中齊匜	魯司徒中齊肇乍皇考白走父寶匜
	M457	鄭虢仲悆鼎	鄭虢中悆肇用乍皇且文考寶鼎
			小計:共　48 筆
戎	2031		
	0791	事戎鼎	吏戎乍寶尊鼎
	1071	鼄白御戎鼎	鼄白御戎乍滕姬寶貞(鼎)
	1275	師同鼎	孚戎金oa卅
	1275	師同鼎	戎鼎廿、鋪五十、劍廿
	1316	㦰方鼎	王用肇事乃子㦰率虎臣禦淮戎
	1324	禹鼎	肆武公迺遣禹率公戎車百乘
	1326	多友鼎	癸未、戎伐笱、衣孚
	1326	多友鼎	孚戎車百乘一十又七乘
	1328	盂鼎	王曰:盂、迺召夾死嗣戎
	2735	㕑敖𣪘	戎獻金于子牙父百車
	2774	臣諫𣪘	隹戎大出于軝
	2774	臣諫𣪘	井侯搏戎
	2836	㦰𣪘	戎伐馭
	2836	㦰𣪘	㦰達有嗣師氏奔追御戎于臧林
	2836	㦰𣪘	博戎誅
	2836	㦰𣪘	孚戎兵盾、矛、戈、弓、備、矢、裨、胄
	2836	㦰𣪘	守戎孚人百又十又四人
	2852	不嬰𣪘一	戎大同從追女
	2852	不嬰𣪘一	女彶戎大𦣻戟(搏)
	2852	不嬰𣪘一	女肇誨于戎工
	2853	不嬰𣪘二	戎大同從追女
	2853	不嬰𣪘二	女及戎大𦣻
	2853	不嬰𣪘二	女肇誨于戎工
	2855	班𣪘一	伐東或痟戎、咸
	2855.	班𣪘二	痟戎
	3081	翏生旅盨一	孚戎器、孚金
	3082	翏生旅盨二	孚戎器、孚金

3082	翏生旅盨二	孚戎器、孚金
3993	戰刀爵	[戰(戎)刀]
5349	戰乍從彝卣	[戰(戎)]乍從彝
6790	虢季子白盤	𠭯武于戎工
6793	夨人盤	散人小子履田戎
6990	𨚕篙鐘	晉人救戎於楚競
6990.	秦王鐘	秦王卑命、竟sd王之定救秦戎
7001	嘉賓鐘	余武于戎攻靐聞
7003	舍武編鐘	余武于戎攻靐聞
7183	叔夷編鐘二	女肇敏于戎功
7185	叔夷編鐘四	余易女馬車戎兵
7185	叔夷編鐘四	女台戒戎攸
7191	叔夷編鐘十	余敏于戎攻
7214	叔夷鎛	女肇敏于戎功
7214	叔夷鎛	余易女車馬戎兵
7214	叔夷鎛	女台戒戎攸
7552	__生戈	郾侯庫乍戎__蚔生不祗□無□□□自洹來
7630	郾王戎人矛	郾王戎人
7636	郾王戎人矛一	郾王戎人乍百巨率矛
7637	郾王戎人矛二	郾王戎人乍巨攸矛
7653	十年邦司寇富無矛	上庫工帀戎閒治尹
M545	配兒勾鑃	余其戕于戎攻獻武
M877	郾王戎人戟	郾王戎人乍攸鋸

小計：共 50 筆

2032

7408	陵右戈	陳右銡戟
7409	去戈	去皮造戟冶
7411	平陸戈	平陸左戟
7433	陳子戈	陳子山徒戟
7463	新弨戈	新弨自命弗戟
7464	曾侯乙之用戈	曾侯乙之用戟
7467	滕侯昃戈	滕侯昃之造戟
7470	君子友戈	君子□造戟
7501	齊成右戈	齊成右造車戟、冶絧
7505	陳旺戈	陳旺之歲□府戟
7517	六年上郡守戈	王六年上郡守疾之造戟禮、□□
7591	宜乘之棗戟	宜此之棗戟
J3851	__弔子戟	(拓本未見)
7592	元阿左造徒戟	元阿左造徒戟
7593	大良造鞅戟	秦大良造鞅之造戟
7670	六年安陽令斷矛	右庫工帀□共□工□□造戟
M806	滕侯吳戟一	滕侯吳之造戟
M873	郾侯載戟	右軍戟、郾侯庫(載)乍

小計：共 18 筆

2032+

戎
戟
戚

戓
戭
賊
戍

2744	五年師旋毁一	盾生皇畫内、戈琱戓
2745	五年師旋毁二	盾生皇畫内、戈琱戓
2769	師楮毁	金亢、赤舄、戈琱戓、彤沙
2785	王臣毁	戈畫戓、厚必、彤沙、用事
2815	師斆毁	易女戈戓戓
2835	訇毁	戈琱戓、厚必彤沙
6787	走馬休盤	戈琱戓、彤沙厚必、䜌旂
6789	寰盤	戈琱戓厚必彤沙

小計：共 8 筆

戭 2032

1305	師奎父鼎	易截市冋黃、玄衣黹屯、戈琱戭、旂
1306	無叀鼎	易女玄衣黹屯、戈琱戭緱必彤沙、攸勒旂䜌旂

小計：共 2 筆

賊 2033

6793	夨人盤	有爽、實余有散氏心賊

小計：共 1 筆

戍 2034

0008	戍鼎一	[戍]
0009	戍鼎二	[戍]
1192	亞□伐__乍父乙鼎	王賞戍kx貝二朋
1219	戍嗣子鼎	丙午、王賞戍𤔲貝廿朋
1315	善鼎	令女ナ(左)足𥱧侯、監𤕌(燹)師戍
1666	遇乍旅甗	師雝父戍才古師
1668	中甗	白買父以自氒人戍漢中州
2346	鼎乍餗毁	nb從王伐(戍?)荊、孚，用乍餗毁
2787	望毁	隹王十又三年六月初吉戊戌
2814	鳥冊夨令毁一	公尹白丁父兄(貺)于戍，戍冀、嗣气
2835	訇毁	戍秦人、降人、服尸
4879	彔戜尊	女其以成周師氏戍于古自
4884	臤尊	臤从師雝父戍于古自之年
5394	史戍乍父壬卣	史戍乍父壬尊彝
5490	戉稽卣	稽從師雝父戍于古自
5490	戉稽卣	稽從師雝父戍于古自
5498	彔戜卣	女其以成周師氏戍于古自
5499	彔戜卣二	女其以成周師氏戍于古自
5503	競卣	命戍南尸
5772	陳璋方壺	大臧孔墜(陳)璋(章?)内伐(戍?)匽亳邦之隻(獲
5777	孫弔師父行具	隹王正月初吉甲戌

小計：共 21 筆

戰 2035

1231	楚王酓忏鼎一	楚王酓忏戰隻銅
1232	楚王酓忏鼎二	楚王酓忏戰隻銅
5803	胤嗣好蚉壺	隹司馬賈訢諤戰怒
6776	楚王酓忎盤	楚王酓忎戰隻兵銅

小計：共 4 筆

戲 2036

1332	毛公鼎	虩許（赫戲）上下若否
1469	戲白鬲一	戲白乍鬲
1470	戲白鬲二	戲白乍鬲
1477	右戲仲夏父豐鬲	右戲中夏父乍豐鬲
1604	乍戲尊彝甗	乍戲尊彝
2791	豆閉殷	王各于師戲大室
2829	師虎殷	嗣ナ右戲緐荆（荊）
2829	師虎殷	嗣ナ右戲緐荆（荊）
5251	乍戲尊彝卣	乍戲尊彝
7504	廿三年□陽令戈	__陽命__戲
7863	戲參量	戲參

小計：共 11 筆

或 2037

1239	__鼎一	以師氏眔有嗣後或𢦚伐Ld
1240	__鼎二	以師氏眔有嗣後或𢦚伐Ld
1251	中先鼎一	王令中先省南或（國）
1252	中先鼎二	王令中先省南或（國）
1274	哀成弔鼎	勿或能怠
1324	禹鼎	用天降大喪于下或
1324	禹鼎	廣伐南或、東或
1326	多友鼎	或搏于龏
1326	多友鼎	多友或又折首執訊
1329	小字盂鼎	盂或□□□乎㡭（蔑）我征
1330	曶鼎	㫚（曶）或日匡季告東宮
1330	曶鼎	迺或即㫚（曶）用田二
1332	毛公鼎	康能四或（國）
1668	中甗	王令中先省南或貫行
2791.	史密殷	廣伐東或（國）
2796	諫殷	今余隹或嗣命女
2796	諫殷	今余隹或嗣命女
2801	五年召白虎殷	余或至我考我母令
2828	宜侯夨殷	征省東或圖
2855	班殷一	伐東或痛戎、咸
2855	班殷一	三年靜東或、亡不成
2855.	班殷二	伐東或

或
域
戮

2855.	班𣪘二	靜東或
2857	牧𣪘	今余唯或𣪘改
4200	呂仲僕乍毓子爵	呂中僕乍毓子寶尊彝或
4449	裘衛盉	矩或取赤虎兩
4826	呂仲僕尊	呂仲僕乍毓子寶尊彝[或]
4860	魯侯尊	隹王令明公遣三族伐東或、才vq
4876	保尊	乙卯、王令保及殷東或(國)五侯
4891	何尊	余其宅茲中或
5495	保卣	乙卯、王令保及殷東或五侯
5495	保卣	乙卯、王令保及殷東或五侯
5803	胤嗣好盗壺	或得賢佐司馬賈而冢任之邦
6791	兮甲盤	母敢或入蠻宄貫、則亦井
6877	𠈌乍旅盉	白揚父迺或吏牧牛誓曰
6877	𠈌乍旅盉	乃師或以女告
7174	秦公鐘	商宅受或
7174	秦公鐘	以康奠協朕或
7176	㝬鐘	南或𠬝子敢陷虐我土
7176	㝬鐘	畯保四或
7177	秦公及王姬編鐘一	商宅受或
7177	秦公及王姬編鐘一	以康奠協朕或
7179	秦公及王姬編鐘四	商宅受或□□□□□□□
7180	秦公及王姬編鐘五	商宅受或□□□□□□□
7185	叔夷編鐘四	尸用或敢再拜䭫首
7187	叔夷編鐘六	母或承__
7209	秦公及王姬鎛	商宅受或
7209	秦公及王姬鎛	以康奠𢿡朕或
7210	秦公及王姬鎛二	商宅受或
7210	秦公及王姬鎛二	以康奠𢿡朕或
7211	秦公及王姬鎛三	商宅受或
7211	秦公及王姬鎛三	以康奠𢿡朕或
7213	𬶍鎛	勿或俞改
7214	叔夷鎛	尸用或敢再拜䭫首
7214	叔夷鎛	母或承__
7499	邛季之孫戈	邛季之孫□方或之元
7990	季老□	季老或乍文考大白□□
M191	緐卣	其萬年寶、或
		小計：共　58 筆

域　2037

2826	師寰𣪘一	弗迹東域
2826	師寰𣪘一	弗迹我東域
2827	師寰𣪘二	弗迹我東域
		小計：共　3 筆

戮　2038

1331	中山王嚳鼎	為天下戮

7182	叔夷編鐘一	戮龢三
7214	叔夷鎛	戮龢三軍徒旃
		小計：共 3 筆

戋 2039

1195	戋弔朕鼎一	戋弔朕自乍餗鼎
1196	戋弔朕鼎二	戋弔朕自乍餗鼎
1197	戋弔朕鼎三	戋弔朕自乍餗鼎
1242	㝬方鼎	豐白、尃古咸戋
1324	禹鼎	烏虖哀戋（哉）
1441	戋弔慶父鼎	戋弔慶父乍弔姬尊鬲
3087	鬲从盨	u5（其）邑彶眔句商兒眔讎戋
3128	魚鼎匕	欽戋（哉）
4141	戋作父丁寶爵	戋乍父丁寶
4891	何尊	徹令苟享戋
5508	弔趯父卣	烏虖，焂，敬戋（哉）
6599	亘觶	亘__戋乍彝
6792	史墻盤	雩武王既戋殷
6852	__邑戋白匜	隹__邑戋白自乍寶匜
7163	瘨鐘六	雩武王既戋殷
7532	九年我□令雝戈	高望、九年戋丘命雝工帀__冶__
		小計：共 16 筆

武 2040

1064	武生__弔羞鼎一	武生kJ弔乍其羞鼎
1065	武生__弔羞鼎二	武生kJ弔乍其羞鼎
1184	德方鼎	祉珷（武）福自蒿、咸
1255	作冊大鼎一	公束鑄武王成王異鼎
1256	作冊大鼎二	公束鑄武王成王異鼎
1257	作冊大鼎三	公束鑄武王成王異鼎
1258	作冊大鼎四	公束鑄武王成王異鼎
1279	中方鼎	易于珷（珷）王乍臣
1300	南宮柳鼎	武公有南宮柳
1323	師訊鼎	白大師武臣保天子
1324	禹鼎	肆武公亦弗叚望朕聖且考幽大弔、懿弔
1324	禹鼎	肆武公迺遣禹率公戎車百乘
1324	禹鼎	雩禹目武公徒馭至于噩
1324	禹鼎	敢對揚武公不顯耿光
1326	多友鼎	命武公遣乃元士羞追于京自
1326	多友鼎	武公命多友達公車羞追于京自
1326	多友鼎	武公乃獻于王
1326	多友鼎	迺曰武公曰
1326	多友鼎	丁酉、武公在獻宮
1328	盂鼎	在珷（武）王嗣玟乍邦
1332	毛公鼎	王若曰、父厝、不顯文武
1332	毛公鼎	亡不閈（覲）于文武耿光

武

2671	利毀	珷（武）征商，隹甲子朝
2676	旅肄乍父乙毀	遣于｛匕戊｝武乙爽、豕一［旅］
2778	格白毀一	卒書史戠武立盟成壁
2778	格白毀一	卒書史戠武立盟成壁
2779	格白毀二	卒書史戠武立盟成壁
2780	格白毀三	卒書史戠武立盟成壁
2781	格白毀四	卒書史戠武立盟成壁
2782	格白毀五	卒書史戠武立盟成壁
2782.	格白毀六	卒書史戠武立盟成壁
2828	宜侯夨毀	王省珷（武）王、成王伐商圖
2833	秦公毀	盭盭文武
2835	訇毀	不顯文武受令
2837	敔毀一	武公入右
2841	芇白毀	朕不顯且玟珷（武）
2841	芇白毀	用乍朕皇考武芇幾王尊毀
2856	師訇毀	不顯文武、雁（膺）受天令
2986	曾白霥旅匿一	曾白霥哲聖元元武武孔黹
2987	曾白霥旅匿二	曾白霥哲聖元元武武孔黹
3088	師克旅盨一（蓋）	師克不顯文武、雁受大令、匍有四方
3089	師克旅盨二	師克不顯文武、雁受大令、匍有四方
3100	陳侯因脊錞	皇考孝武超公
3100	陳侯因脊錞	用乍孝武超公祭器錞
4891	何尊	復再珷（武）王豐福自天
4891	何尊	隹珷（武）王既克大邑商
5492	亞獏四祀切其卣	尊文武帝乙宜
5804	齊侯壺	＿王之孫右帀之子武弔曰庚羼其吉金
5805	中山王譽方壺	隹朕皇祖文武
5816	奠義白繻	奠義白乍武□繻
6638	修武府耳杯	脩武府
6732	陶子盤	陶子武易＿＿金一鈞
6790	虢季子白盤	畐武于戎工
6792	史墻盤	𤔲圉武王
6792	史墻盤	天子𤕌饡文武長剌
6792	史墻盤	雩武王既𢦏殷
6792	史墻盤	散史剌且迺來見武王
6792	史墻盤	武王則令周公舍團于周卑處
6793	夨人盤	鮮、且、散、武父、西宮襄
6793	夨人盤	武父誓、曰
6793	夨人盤	西宮襄、武父則誓
6925	晉邦盦	左右武王
6925	晉邦盦	我剌考□□□□□□□□彊武
7001	嘉賓鐘	余武于戎攻霝聞
7003	舍武編鐘	余武于戎攻霝聞
7092	驫羌鐘一	武侄寺力
7092	驫羌鐘一	武文咸剌
7093	驫羌鐘二	武侄寺力
7093	驫羌鐘二	武文咸剌
7094	驫羌鐘三	武侄寺力
7094	驫羌鐘三	武文咸剌
7095	驫羌鐘四	武侄寺力

7095	𧝓羌鐘四	武文咸烈
7096	𧝓羌鐘五	武侄寺力
7096	𧝓羌鐘五	武文咸剌
7136	邵鐘一	畗丮武
7137	邵鐘二	余畗丮武
7138	邵鐘三	余畗丮武
7139	邵鐘四	余畗丮武
7140	邵鐘五	余畗丮武
7141	邵鐘六	余畗丮武
7142	邵鐘七	余畗丮武
7143	邵鐘八	余畗丮武
7144	邵鐘九	余畗丮武
7145	邵鐘十	余畗丮武
7146	邵鐘十一	余畗丮武
7147	邵鐘十二	余畗丮武
7148	邵鐘十三	余畗丮武
7149	邵鐘十四	余畗丮武
7163	瘋鐘六	雩武王既𢦏殷
7164	瘋鐘七	且來見武王
7164	瘋鐘七	武王則令周公舍寓以五十頌處
7175	王孫遺者鐘	肅哲聖武
7176	㝬鐘	王肇遹省文武堇疆土
7186	叔夷編鐘五	又共于趄武靈公之所
7186	叔夷編鐘五	趄武霝公易尸吉金
7188	叔夷編鐘七	曰武靈成
7212	秦公鎛	䰠䰠文武
7214	叔夷鎛	曰武靈成
7339	武城戈	武城
7366	奠武庫戈	奠武庫
7377	奠武庫戈	鄭武庫
7509	丞相觸戈	__年丞相觸造、咸囗工帀葉工、武
7511	囗克戈	武克氏楚翼其黃鐳鑄
7547	廿六年蜀守武戈	武、廿六年蜀守武造東工離宦丞耒工箢
7554	楚王酓璋戈	以卲易文武之戊(茂)用
7558	十四年奠令戈	十四年奠命趙距司寇王造武庫
7561	十七年奠令戈	十七年奠命幽距司寇彭璋武庫
7568	四年奠令戈	武庫工帀弗__冶尹__造
7614	武敢矛一	武敢
7615	武敢矛二	武敢
7657	九年鄭令向佣矛	武庫工帀鑄章冶造
7685	__侯武弔之用劍	p4侯武弔之用
7710	郾王職劍	郾王職乍武畢旅劍
7713	郾王職劍	郾王職乍武畢so劍、右攻
7952	鄭武庫銅器	鄭武庫工帀
M545	配兒勾鑃	余其戕于戎攻敾武

小計：共 117 筆

武
戠

戠 戚 戒 戓

2703	免乍旅設	易戠衣䜌
2726	曶設	易戠衣、赤❍市
2770	𢦏設	易女戠衣、赤❍市、䜌旂
2778	格白設一	氒書史戠武立盟成壁
2778	格白設一	氒書史戠武立盟成壁
2779	格白設二	氒書史戠武立盟成壁
2780	格白設三	氒書史戠武立盟成壁
2781	格白設四	氒書史戠武立盟成壁
2782	格白設五	氒書史戠武立盟成壁
2782.	格白設六	氒書史戠武立盟成壁
2791	豆閉設	王曰：閉、易女戠衣、❍市、䜌旂
4886	趩尊	易趩戠衣、載市冋黃、旂
4891	何尊	烏虖、爾有唯小子亡戠(識)
M252	免簠	易戠衣、䜌
M875	郾王職戟一	郾王戠乍御萃鋸
M876	郾王職戟二	郾王戠乍𢦔鋸

小計：共 16 筆

戚 2042

7028	臧孫鐘	攻敔中冬戚之外孫
7029	臧孫鐘二	攻敔中冬戚之外孫
7030	臧孫鐘三	攻敔中冬戚之外孫
7031	臧孫鐘四	攻敔中冬戚之外孫
7032	臧孫鐘五	攻敔中冬戚之外孫
7033	臧孫鐘六	攻敔中冬戚之外孫
7034	臧孫鐘七	攻敔中冬戚之外孫
7035	臧孫鐘八	攻敔中冬戚之外孫
7036	臧孫鐘九	攻敔中冬戚之外孫

小計：共 9 筆

戒 2043

0889	伯戒方鼎	白戒乍氒父寶尊彝

小計：共 1 筆

戓 2044

0599	戓白乍彝鼎	戓白乍彝
2855	班設一	王令毛公以邦冢君、土(徒)馭、戓人
2855.	班設二	御戓人
2295	𢦚者乍宮白設	𢦚(戓)者乍宮白寶尊彝
7183	叔夷編鐘二	戓徒四千
7214	叔夷鎛	戓徒四千

小計：共 6 筆

2045

J1507	戜作且庚段	（拓本未見）
0734	戜鼎	戜乍氒尊貞（鼎）
1285	戜方鼎一	王俎姜事內史友員易戜玄衣、朱襮裣
1285	戜方鼎一	戜拜韻首
1316	戜方鼎	戜曰：烏虖、王唯念戜辟剌考甲公
1316	戜方鼎	王用肇事乃子戜率虎臣禦淮戎
1316	戜方鼎	戜曰：烏虖、朕文考甲公、文母日庚
1316	戜方鼎	安永宕乃子戜心
1316	戜方鼎	安永襲戜身
1316	戜方鼎	唯氒事乃子戜萬年辟事天子
1316	戜方鼎	戜拜韻首
1588	戜乍旅甗	戜乍旅
2142	白戜乍旅段	白戜乍旅段
2658	白戜段	白戜肇其作西宮寶
2816	彔白戜段	王若曰：彔白戜
2816	彔白戜段	彔白戜敢拜手韻首
2836	戜段	戜達有嗣師氏奔追御戎于棫林
2836	戜段	無眈于戜身
2836	戜段	乃子戜拜韻首
2836	戜段	卑乃子戜萬年
4879	彔戜尊	王令戜曰
5498	彔戜卣	王令戜曰
5499	彔戜卣二	王令戜曰
5672	白戜壺	白戜乍畝壺
5673	白戜乍旅彝壺	白戜乍旅彝
M177.	戜段	戜乍且庚尊段
		小計：共 26 筆

2046

5805	中山王嚳方壺	以棫（誅）不順
		小計：共 1 筆

2047

1331	中山王嚳鼎	栽（仇）人才彷（旁）
5805	中山王嚳方壺	曾亡匙夫之栽（救）
		小計：共 2 筆

2048

7519	越王者旨於賜戈一	戜t7t8□t9ua
7520	越王者旨於賜戈二	戜t7t8□t9ua

戟 戣 戠 戉

			小計：共 2 筆
戟	2049		
	2055	戟乍寶毀一	戟乍寶毀
	2056	戟乍寶毀二	戟乍寶毀
			小計：共 2 筆
戣	2050		
	6788	蔡侯𨱔盤	戣義遊遊
			小計：共 1 筆
戠	2051		
	2836	𢦚毀	𢦚達有嗣師氏奔追御戎于戠林
			小計：共 1 筆
戉	2052		
	0033	戉鼎	[戉]
	1597	箙戉父癸甗	[箙戉]父癸
	3088	師克旅盨一(蓋)	馬四匹、攸勒、素戉
	3089	師克旅盨二	馬四匹、攸勒、素戉
	3595	戉木爵	[戉木]
	3630	____爵	[关戉c2]
	4416	戉中乍父丁盉	中乍彝父丁[戉]
	4474	戉尊	[戉]
	5100	戉箙卣一	[戉箙、bc]
	5101	戉箙卣二	[戉箙、bc]
	5322	𪓐乍父戊旅卣	[𪓐]乍父戊旅彝
	5490	戉𥝢卣	其子子孫永福[戉]
	5490	戉𥝢卣	其子子孫永福[戉]
	5680	恆乍且辛壺	恆乍且辛壺[戉]
	6212	_戉且戊觚	[_戉]且戊
	6213	且辛戉刀觚	且辛[戉刀]
	6275	𢀛戉𢀛乍且癸句觚	[𢀛戉𢀛]乍且癸[句]寶彝
	6414	戉且丁觶	[戉]且丁
	6790	虢季子白盤	賜用戉
	6792	史墻盤	農嗇戉曆
	7069	者沕鐘一	隹戉(越)十有九年
	7070	者沕鐘二	隹戉十有九年
	7072	者沕鐘四	隹戉十有九年、王曰
	7073	者沕鐘五	隹戉十有九年
	7519	越王者旨於賜戈一	戉王者旨於賜、□t7t8□t9ua
	7520	越王者旨於賜戈二	戉王者旨烏於賜、□t7t8□t9ua
	7634	越王者旨於賜矛	戉(越)王者旨於賜(賜)

7698	越王勾踐之子劍一	戉(越)王戉(越)王、勾踐之子
7699	越王者旨於賜劍一	戉(越)王者旨於賜王戉(越)
7700	越王者旨於賜劍二	戉(越)王者旨於賜王戉(越)
7701	越王者旨於賜劍三	戉(越)王者旨於賜王戉(越)
7743	越王丌北古劍	唯戉(越)王丌北自乍元之用之僉(劍)
7743	越王丌北古劍	戉(越)丌北古
7743	越王丌北古劍	戉(越)丌北古
7707	越王州勾劍六	戉(越)王州句自乍用僉(劍)
7702	越王州勾劍一	戉(越)王州句自乍用僉(劍)
7703	越王州勾劍二	戉(越)王州句自乍用僉(劍)
7704	越王州勾劍三	戉(越)王州句自乍用僉(劍)
7705	越王州勾劍四	戉(越)王州句自乍用僉(劍)
7706	越王州勾劍五	戉(越)王州句自乍用僉(劍)
7707	越王州勾劍六	戉(越)王州句自乍用僉(劍)
7708	越王劍	戉(越)王王戉(越),戉(越)王王戉(越)
M553	越王者旨於賜鐘	戉王者旨於賜羼孚吉金
M555	越王者旨於賜劍	戉(越)王者旨於賜王戉(越)
M561	越王大子□矛	於戉□王弋医之大子□

小計:共 45 筆

2053

0590	戚乍父癸鼎	[戚]乍父癸
0923	戚箙束乍父丁鼎	束乍父丁寶鼎[戚箙]
0948	辥侯戚乍父乙鼎	辥侯戚乍父乙鼎彝[史]
1994	戚啚父乙毁	[戚啚]父乙
2217	戚姬乍寶障毁	戚姬乍寶尊毁
3968	戚父癸爵	[戚]父癸
4381	戚父己盉	[戚]父己
4793	隹乍父己尊	隹乍父己寶彝[戚箙]
4859	戉箙啟尊	{戚箙}
4903	啚戚觥	[啚戚]
5224	戚箙且乙卣	[戚箙]且乙
5225	箙戚父乙卣	[箙戚]父乙
5489	戉箙啟卣	用夙夜事[戚箙]

小計:共 13 筆

2054

0598	弔我乍用鼎	弔我乍用
0605	明我乍鼎	明我乍貞(鼎)
1167	__父鼎一	隹女率我友以事
1168	__父鼎二	隹女率我友以事
1217	毛公旅方鼎	我用㪔厚眔我友
1260	我方鼎	我乍禦Gx且乙、匕乙、且己、匕癸
1261	我方鼎二	我乍禦Gx且乙、匕乙、且己、匕癸
1304	王子午鼎	用享以考于我皇且文考
1310	鬲攸從鼎	日:女受我田、牧

戉
戚
我

我

1315	善鼎	余其用各我宗子雩百生
1318	晉姜鼎	宣弋我猷
1318	晉姜鼎	辥我萬民
1318	晉姜鼎	嘉遣我
1322	九年裘衛鼎	我舍顏陳大馬兩
1328	盂鼎	我聞殷述令
1328	盂鼎	今我隹即井㐭于玟王正德
1328	盂鼎	夙夕召我一人糞四方
1328	盂鼎	雩我其遹省先王受民受彊土
1329	小字盂鼎	盂或□□□乎𢦏（蔑）我征
1330	曶鼎	我既賣（贖）女五□□父
1330	曶鼎	既則卑我賞馬
1332	毛公鼎	配我有周
1332	毛公鼎	臨保我有周
1332	毛公鼎	命女辥我邦我家內外
1332	毛公鼎	惠我一人
1332	毛公鼎	雝我邦小大猷
1332	毛公鼎	俗（欲）我弗乍先王憂
1332	毛公鼎	迺唯是喪我國
1332	毛公鼎	亟（宏）我邦我家
2556	復公子白舍𣪘一	臤新乍我姑鄧（鄧）孟媿媵𣪘
2557	復公子白舍𣪘二	臤新乍我姑鄧（鄧）孟媿媵𣪘
2558	復公子白舍𣪘三	臤新乍我姑鄧（鄧）孟媿媵𣪘
2698	陳肪𣪘	用追孝□我皇餗（和）鎗（會）
2763	弔向父禹𣪘	用𩐋（緟）圝奠保我邦我家
2786	縣妃𣪘	易君、我隹易壽
2786	縣妃𣪘	我不能不眔縣白萬年保
2801	五年召白虎𣪘	余既訊㝵我考我母令
2801	五年召白虎𣪘	余或至我考我母令
2802	六年召白虎𣪘	亦我考幽白姜令
2815	師𣪕𣪘	師龢、乃且考又Jq（勞?）于我家
2815	師𣪕𣪘	余令女尸我家
2815	師𣪕𣪘	𩛥嗣我西扁東扁
2826	師寰𣪘一	淮尸繇（舊）我𤔲晦臣
2826	師寰𣪘一	淮尸繇（舊）我𤔲晦臣
2826	師寰𣪘一	弗迹我東域
2827	師寰𣪘二	淮尸繇（舊）我𤔲晦臣
2827	師寰𣪘二	弗迹我東域
2834	𦉢𣪘	用𩐫保我家
2841	𦬁白𣪘	我亦弗宗亯邦
2842	卯𣪘	不淑取我家窒用喪
2843	沈子它𣪘	它用褱𢦚我多弟子我孫
2852	不㠱𣪘一	王令我羞追于西
2852	不㠱𣪘一	女以我車宕伐厰允于高陵
2852	不㠱𣪘一	女休、弗㠯我車圅（陷）于艱
2853	不㠱𣪘二	王令我羞追于西
2853	不㠱𣪘二	女以我車宕伐厰兪于高陶
2853	不㠱𣪘二	女休、弗以我車圅于𩁹
2856	師訇𣪘	臨保我又周、雩四方民
2856	師訇𣪘	令女叀雝我邦小大猷

J1685	鬲比毁	日：女受我田、牧
2984	伯公父盤	我用召卿吏辟王
2984	伯公父盤	我用召卿吏辟王
2986	曾白㰝旅匿一	用孝用亯于我皇文考
2987	曾白㰝旅匿二	用孝用亯于我皇文考
3085	駒父旅盨（蓋）	豕不敢不敬畏王命逆見我
3085	駒父旅盨（蓋）	我乃至于淮{小大}邦亡敢不＿具逆王命
3090	㙷盨（器）	用辟我一人
4888	盠駒尊一	則萬年保我萬宗
4890	盠方尊	萬年保我萬邦
4891	何尊	順我不敏
4893	矢令尊	迺令曰、今我唯令女二人
4979	盠方彝一	萬年保我萬邦
4980	盠方彝二	萬年保我萬邦
4981	𠭯冊令方彝	今我唯令女二人、亢眔矢
5472	乍毓且丁卣	歸福于我多高処山易𤕌
5472	乍毓且丁卣	歸福于我多高oe山易𤕌
5784	㚸氏壺	旴我室家
5784	㚸氏壺	㸑在我車
5789	命瓜君厚子壺一	康樂我家
5790	命瓜君厚子壺二	康樂我家
5816	奠義白𨱏	我酉既清
5816	奠義白𨱏	我用以＿＿永歲
5825	𢇍書缶	以祭我皇祖
6634	郐王義楚祭耑	及我文考
6791	兮甲盤	淮夷舊我員晦人
6791	兮甲盤	其隹我者侯百生
6793	矢人盤	我既付散氏田器
6793	矢人盤	我既付散氏溼（隰）田、畛田
6877	㒨乍旅盉	弋可、我義便（鞭）女千
6877	㒨乍旅盉	今我赦女
6925	晉邦盦	晉公曰：我皇且唐公
6925	晉邦盦	我剌考□□□□□□□彊武
7008	通彔鐘	用寓光我家受
7027	邾公釛鐘	用樂我嘉寅（賓）、及我正卿
7082	齊鞄氏鐘	及我倗友
7112	者減鐘一	䡅燚于我霝龠
7113	者減鐘二	䡅協于我霝龠
7117	郐𥢊兒鐘一	樂我父兄
7119	郐譸兒鐘三	樂我父兄
7120	郐譸兒鐘四	追孝樂我父兄
7121	郐王子旃鐘	及我者□生
7124	沇兒鐘	及我父兄庶士
7125	蔡侯𩰫紐鐘一	建我邦國
7126	蔡侯𩰫紐鐘二	建我邦國
7132	蔡侯𩰫紐鐘八	建我邦國
7133	蔡侯𩰫紐鐘九	建我邦國
7134	蔡侯𩰫甬鐘	建我邦國
7136	郘鐘一	我以享孝樂我先且
7137	郘鐘二	我以享孝樂我先且

我
義

7138	郘鐘三	我以享孝樂我先且
7139	郘鐘四	我以享孝樂我先且
7140	郘鐘五	我以享孝樂我先且
7141	郘鐘六	我以享孝樂我先且
7142	郘鐘七	我以享孝樂我先且
7143	郘鐘八	我以享孝樂我先且
7144	郘鐘九	我以享孝樂我先且
7145	郘鐘十	我以享孝樂我先且
7146	郘鐘十一	我以享孝樂我先且
7147	郘鐘十二	我以享孝樂我先且
7148	郘鐘十三	我以享孝樂我先且
7149	郘鐘十四	我以享孝樂我先且
7174	秦公鐘	秦公曰：我先且受天令
7175	王孫遺者鐘	于我皇且文考
7175	王孫遺者鐘	及我倗友
7176	㝬鐘	南或𠬝子敢陷虐我土
7176	㝬鐘	我隹司配皇天
7177	秦公及王姬編鐘一	秦公曰：我先且受天令
7179	秦公及王姬編鐘四	秦公曰：我先且受天令
7180	秦公及王姬編鐘五	秦公曰：我先且受天令
7205	蔡侯[illegible][illegible]編鎛一	建我邦國
7206	蔡侯[illegible][illegible]編鎛二	建我邦國
7207	蔡侯[illegible][illegible]編鎛三	建我邦國
7208	蔡侯[illegible][illegible]編鎛四	建我邦國
7209	秦公及王姬鎛	秦公曰：我先且受天令
7210	秦公及王姬鎛二	秦公曰：我先且受天令
7211	秦公及王姬鎛三	秦公曰：我先且受天令
7217	姑馮勾鑃	及我父兄
7555	二年戈	宗子攻五吹我左工币__
7823	距末二	廿年尚上長斗乘四其我__攻書
M545	配兒勾鑃	㠯樂我者父
M612	𨜬子鐘	用樂嘉賓大夫及我倗友

小計：共 141 筆

義 2055

0778	仲義父鼎一	中義父乍尊鼎
0779	仲義父鼎二	中義父乍尊鼎
0780	仲義父鼎三	中義父乍尊鼎
0941	義仲方鼎	義中乍𠭯父周季尊彝
1080	華仲義父鼎一	中義父乍新𩰫寶鼎
1081	華仲義父鼎二	中義父乍新𩰫寶鼎
1082	華仲義父鼎三	中義父乍新𩰫寶鼎
1083	華仲義父鼎四	中義父乍新𩰫寶鼎
1084	華仲義父鼎五	中義父乍新𩰫寶鼎
1298	師旂鼎	義播𣪕
1304	王子午鼎	淑于威義
1331	中山王嚳鼎	以征不宜（ 義 ）之邦
2261	義白乍宂婦陸姑𣪘	義白乍宂婦陸姑

2269	仲義昌乍食𩛥	中義昌自乍食𩛥
2277	弔單毁	弔單乍義公尊彝
2294	倗万乍義妣毁	倗万乍義妣寶尊彝
2333	妹弔昏毁	義弔聞(昏)肇乍彝用鄉賓
2608	官差父毁	官差父乍義友寶毁
2713	㾓毁一	㾓曰：㬎皇且考嗣(司辭)威義
2714	㾓毁二	㾓曰：㬎皇且考嗣(司辭)威義
2715	㾓毁三	㾓曰：㬎皇且考嗣(司辭)威義
2716	㾓毁四	㾓曰：㬎皇且考嗣(司辭)威義
2717	㾓毁五	㾓曰：㬎皇且考嗣(司辭)威義
2718	㾓毁六	㾓曰：㬎皇且考嗣(司辭)威義
2719	㾓毁七	㾓曰：㬎皇且考嗣(司辭)威義
2720	㾓毁八	㾓曰：㬎皇且考嗣(司辭)威義
2763	弔向父禹毁	共明德、秉威義
2878.	蔡公子義工飤匠	蔡公子義工之飤匠
2937	仲義㚸乍𩁹妃𥂴一	中義㚸乍𩁹紀妃𥂴
2938	仲義㚸乍𩁹妃𥂴二	中義㚸乍𩁹紀妃𥂴
3012	仲義父旅盨一	中義父乍旅盨
3013	仲義父旅盨二	中義父乍旅盨
3030	奠義白旅盨(器)	奠義白乍旅盨(彤)
3031	奠義羌父旅盨一	奠義羌父乍旅盨
3032	奠義羌父旅盨二	奠義羌父乍旅盨
3121.	義子鑪	囗義子丙囗盧考□
4887	蔡侯𤔲尊	威義遊遊
4892	麥尊	用𩡧義寧侯
5510	乍冊嗌卣	氒名義曰
5812	仲義父𬮱一	中義父乍旅𬮱
5813	仲義父𬮱二	中義父乍旅𬮱
5816	奠義白𬮱	奠義白乍武□𬮱
6602	義楚之祭耑	義楚之祭耑
6634	郐王義楚祭耑	仔郐王義楚羼余吉金
6725	郐王義楚盤	徐王義楚羼其吉金自乍朕盤
6788	蔡侯𤔲盤	㦰義遊遊
6790	虢季子白盤	王孔嘉子白義
6792	史墻盤	義其𬊱祀
6822	奠義白乍季姜匜	奠義白乍季姜寶它(匜)用
6877	僩乍旅盉	弋可、我義便(鞭)女千
6877	僩乍旅盉	義便(鞭)女千
6981	中義鐘一	中義乍龢鐘
6982	中義鐘二	中義乍龢鐘
6983	中義鐘三	中義乍龢鐘
6984	中義鐘四	中義乍龢鐘
6985	中義鐘五	中義乍龢鐘
6986	中義鐘六	中義乍龢鐘
6987	中義鐘七	中義乍龢鐘
6988	中義鐘八	中義乍龢鐘
7076	者沕鐘八	勿有不義
7079	者沕鐘十一	勿有不義
7080	者沕鐘十二	勿有不義
7117	郐𰯌兒鐘一	余義楚之良臣

7124	沇兒鐘	淑于威義
7150	虢叔旅鐘一	旅敢肇帥井皇考威義(儀)
7151	虢叔旅鐘二	旅敢肇帥井皇考威義(儀)
7152	虢叔旅鐘三	旅敢肇帥井皇考威義(儀)
7153	虢叔旅鐘四	旅敢肇帥井皇考威義(儀)
7158	瘋鐘一	__戽威義
7159	瘋鐘二	義文神無彊覭福
7160	瘋鐘三	__戽威義
7161	瘋鐘四	__戽威義
7162	瘋鐘五	__戽威義
7167	瘋鐘十	義天神無彊覭福
7174	秦公鐘	盭盭允義
7175	王孫遺者鐘	淑于威義
7177	秦公及王姬編鐘一	盭盭允義
7188	叔夷編鐘七	肅肅義政
7189	叔夷編鐘八	肅肅義政
7209	秦公及王姬鎛	盭盭允義
7210	秦公及王姬鎛二	盭盭允義
7211	秦公及王姬鎛三	盭盭允義
7213	𬭚鎛	肅肅義政
7214	叔夷鎛	肅肅義政
7566	十三年相邦義戈	十三年相邦義之造
7567	廿九年相邦尚□戈	左庫工帀鄮番冶__義執齊
M599	蔡公子義工簠	蔡公子義工之飤臣
		小計：共　87 筆

戩　2055+

2423	亘__戩設	亘ws戩乍黹設
		小計：共　1 筆

直　2056

2728	恆設一	令女更崇克嗣直啚
2729	恆設二	令女更崇克嗣直啚
		小計：共　2 筆

亡　2057

1054	杞白每亡鼎一	杞白每亡乍鼄婞(曹)寶貞(鼎)
1055	杞白每亡鼎二	杞白每亡乍鼄婞(曹)寶貞(鼎)
1113	梁廿七年鼎一	大梁司寇肖亡智新為量
1114	廿七年大梁司寇肖無智鼎二	大梁司寇肖亡智鑄新量
1142	杞白每亡鼎	杞白每亡乍鼄曹寶鼎
1159	辛鼎一	其亡彊戽家雝德䨼
1160	辛鼎二	其亡彊戽家雝德䨼

1307	師望鼎	得屯亡敃
1327	克鼎	得屯亡敃
1331	中山王嚳鼎	猶粯（眯迷）惑烏（於）子之而亡其邦
1331	中山王嚳鼎	亡不逹（率）从
1331	中山王嚳鼎	亡不順道
1331	中山王嚳鼎	亡寍惕之慮
1331	中山王嚳鼎	及參（三）世亡不若（赦）
1332	毛公鼎	亡不閈（覲）于文武耿光
1332	毛公鼎	肆皇天亡斁
2488	杞白每亡毀一	杞白每亡乍鼄婕（曹）寶毀
2489	杞白每亡毀二	杞白每亡乍鼄婕（曹）寶毀
2490	杞白每亡毀三	杞白每亡乍鼄婕（曹）寶毀
2491	杞白每亡毀四	杞白每亡乍鼄婕（曹）寶毀
2492	杞白每亡毀五	杞白每亡乍鼄婕（曹）寶毀
2675	大保毀	大保克敬亡譴
2730	獻毀	休、亡尤
2734	遹毀	王鄉酉、遹御亡遣
2766	三兒毀	余□□□豕□□亡一人訇三邑□□□朢□□皇
2774	臣諫毀	臣諫□亡
2777	天亡毀	天亡又王衣祀于王不顯考文王
2777	天亡毀	亡尌爾復橐
2834	㝬毀	余亡康晝夜
2842	卯毀	易于亡一田
2855	班毀一	三年靜東或、亡不成
2855	班毀一	隹民亡徣才
2855	班毀一	彝忝天令、故亡
2855	班毀一	允才顯、隹苟（敬）德、亡攸違
2855	班毀一	文王孫亡弗褱井
2855	班毀一	亡克競氒剌
2855.	班毀二	亡不成斁天畏
2855.	班毀二	隹民亡徣才
2855.	班毀二	故亡
2855.	班毀二	隹苟（敬）德亡卣違
2855.	班毀二	文王孫亡弗褱井
2855.	班毀二	亡克競氒剌
2856	師訇毀	肆皇帝亡昊
2856	師訇毀	亡不康靜
2856	師訇毀	古亡丞于先王
2972	弔家父乍仲姬匿	哲德不亡（忘）
3085	駒父旅盨（蓋）	我乃至于淮｛小大｝邦亡敢不＿具逆王命
4891	何尊	烏虖、爾有唯小子亡識
4892	麥尊	侯見于周、亡尤
4892	麥尊	唯歸、遅天子休、告亡尤
4892	麥尊	其永亡冬
4977	師遽方彝	用匄萬年亡（無）彊
5509	燓卣	亡競才服
5510	乍冊嗌卣	征先饗死亡
5764	杞白每亡壺一	杞白母亡乍鼄婕（曹）寶壺
5765	杞白每亡壺二	杞白每亡乍鼄婕（曹）寶壺
5803	胤嗣好蚉壺	竹oz亡彊

亡

5803	胤嗣妾蚉壺	逢郾亡道易上
5805	中山王嚳方壺	亡又sv息
5805	中山王嚳方壺	故邦亡身死
5805	中山王嚳方壺	曾亡鼠夫之救
5805	中山王嚳方壺	其永保用亡彊
6791	兮甲盤	休亡眈
6792	史墻盤	昊照亡斁
6792	史墻盤	方蠻亡不規見
6831	杞白每亡匜	杞白每亡囗寶它
6926	杞白每亡盆	杞白每亡乍鼄婞（曹）寶盆
7037	遲父鐘	子子孫孫亡彊寶
7088	士父鐘一	降余魯多福亡彊
7089	士父鐘二	降余魯多福亡彊
7090	士父鐘三	降余魯多福亡彊
7091	士父鐘四	降余魯多福亡彊
7122	梁其鐘一	得屯亡敃
7123	梁其鐘二	得屯亡敃
7150	虢叔旅鐘一	得屯亡敃
7151	虢叔旅鐘二	得屯亡敃
7152	虢叔旅鐘三	得屯亡敃
7153	虢叔旅鐘四	得屯亡敃
7154	虢叔旅鐘五	得屯亡敃
7176	㝬鐘	朕猷又成亡競
7975	中山王墓兆域圖	死亡若
M191	繁卣	衣事亡眈
M553	越王者旨於賜鐘	萬葉亡彊
M900	梁十九年鼎	梁十九年鼎亡智＿兼嗇夫庶魔

小計：共 84 筆

2058

0270	㪤乍鼎	㪤乍
0400	乍父己鼎	乍父己
0461	弔乍寶鼎	弔乍寶
0462	羞乍寶鼎	羞乍寶
0463	貞乍鼎	貞乍鼎
0464	乍旅彝鼎	乍旅彝
0465	乍彝鼎一	v7乍彝
0466	乍彝鼎二	v7乍彝
0467	白乍彝鼎一	白乍彝
0468	白乍彝鼎二	白乍彝
0470	白乍鼎	白乍鼎
0471	白公乍鼎一	白公乍
0472	白公乍鼎二	白公乍
0473	乍旅鼎一	乍旅鼎
0474	乍旅鼎二	乍旅鼎
0475	乍旅鼎三	乍旅鼎
0476	乍旅鼎四	乍旅鼎
0477	乍旅鼎五	乍旅鼎
0478	乍籠鼎	乍旅鼎
0479	乍旅寶鼎	乍旅寶
0480	乍寶鼎一	乍寶鼎
0481	乍寶鼎二	乍寶鼎
0482	乍寶鼎三	乍寶鼎
0483	乍寶鼎四	乍寶鼎
0484	乍寶鼎五	乍寶鼎
0485	乍寶鼎六	乍寶鼎
0486	乍寶鼎七	乍寶鼎
0487	乍寶鼎八	乍寶鼎
0488	乍寶鼎	白乍寶
0489	仲乍齋鼎	中乍齋
0490	□乍旅鼎	□乍旅
0497	乍父己鼎	乍父己
0500	尚乍齋鼎	尚乍齋
0520	芾弔鼎	芾弔乍
0523	__乍尊方鼎	[c5]乍尊
0551	__乍且戊鼎	[am]乍且戊
0582	乍父己舁鼎	乍父己[舁]
0583	邨乍父辛鼎	[邨]乍父辛
0590	戚乍父癸鼎	[戚]乍父癸
0598	弔我乍用鼎	弔我乍用
0500	戣白乍彝鼎	戣白乍彝
0604	北白乍尊鼎	北白乍尊
0605	明我乍鼎	明我乍貞(鼎)
0608	弔乍尊鼎	弔乍尊鼎
0609	老乍寶鼎	老乍寶鼎
0610	中乍寶鼎	中乍寶鼎
0611	亹乍寶鼎	亹乍寶鼎
0612	𣪘乍寶鼎	𣪘乍寶鼎

乍

0613	__乍寶鼎	ks乍寶鼎
0614	白乍寶鼎	白乍寶鼎
0615	榣乍寶鼎	榣乍寶鼎
0616	甲乍寶鬲鼎	甲乍寶鬳
0617	車乍寶鼎	車乍寶鼎
0618	__乍寶鼎	tJ乍寶鼎
0619	戈乍寶鼎	乍寶鼎[戈]
0620	㝐長乍鬲方鼎	㝐長乍鬳
0621	白乍旅鼎	白乍旅鼎
0622	右乍籮鼎	右乍旅鼎
0623	樂乍旅鼎一	樂乍旅鼎
0624	樂乍旅鼎二	樂乍旅鼎
0625	囗乍旅鼎	囗乍旅鼎
0626	弔乍旅鼎	弔乍旅鼎
0627	__乍籮鼎	__乍旅鼎
0629	__乍寶彝鼎	__乍寶彝
0630	白乍寶彝鼎一	白乍寶彝
0631	白乍寶彝鼎二	白乍寶彝
0632	白乍寶彝鼎三	白乍寶彝
0633	龔乍寶器鼎	龔乍寶器
0634	乍寶尊彝鼎	乍寶尊彝
0635	中乍旅鼎	中乍旅鼎
0638	雁__乍旅鼎	雁ux乍旅
0639	戕禾乍籮鼎	[戕]禾乍旅
0640	__乍寶彝鼎	tL乍寶彝
0649	白乍旅彝鼎	白乍旅彝
0650	__乍寶鼎	ss乍寶鼎
0651	弔乍穌子鼎	弔乍穌子
0655	弔尹乍旅方鼎	弔尹乍旅
0661	季乍寶彝鼎	季乍寶彝
0662	父乍寶鼎	父乍寶鼎
0663	__乍母鼎	__乍母鼎
0666	亞白禾燮乍鼎	亞白禾燮乍
0667	哀子鼎	囗子哀乍是鼎
0671	乍父甲鼎	乍父甲尊彝
0677	乍父乙鼎	乍父乙尊彝
0687	孔乍父癸籮鼎	孔乍父癸旅
0690	雁公乍籮彝鼎一	雁公乍旅彝
0691	雁公乍籮彝鼎二	雁公乍旅彝
0692	闕白乍寶鼎	闕白乍寶鼎
0693	__白乍旅鼎	kn白乍旅鼎
0694	仲𠂤父乍鬲	中𠂤父乍鬳
0695	仲乍旅寶鼎	中乍旅寶鼎
0696	䣜鼎	䣜乍寶尊彝
0697	遝鼎	遝乍寶尊彝
0698	丂隻鼎	丂隻乍尊彝
0699	考㚸乍旅鼎	考㚸(始)乍旅鼎
0700	姚乍__肆鼎	姚乍n7肆鼎
0701	散姬方鼎	散姬乍尊鼎
0702	𣐋仲乍旅鼎	𣐋中乍旅彝

0703	訡敔乍旅鼎	訡敔乍旅鼎
0704	__歡乍寶鼎	vL歡乍寶na
0705	寰姜乍旅鼎	寰姜乍旅鼎
0706	麓乍寶鼎	麓乍寶齍鼎
0707	䵼乍寶鼎	䵼乍寶鼎[皇]
0708	弔乍懿宗齍方鼎	弔乍懿宗齍
0709	弔攸乍旅鼎	弔攸乍旅鼎
0710	嬴氏乍寶鼎	嬴氏乍寶鼎
0711	徝__乍寶鼎	徝__乍寶鼎
0712	白旃乍寶鼎	白旃乍寶鼎
0713	立鼎	立乍寶尊彝
0714	竟乍氒寶鼎	竟乍氒寶彝
0715	翦乍寶鼎	翦乍寶彝__
0716	小臣鼎	小臣乍尊彝
0717	旁敀乍尊諆鼎	旁敀乍尊諆
0718	䍙母鼎	䍙母乍山來
0723	__律乍寶鼎	qt律乍寶器
0724	䍦乍從旅鼎	[䍦]乍從旅彝
0725	□乍氒鼎	□乍氒尊彝
0733	史宮鼎	史宮乍旅鼎
0734	戜鼎	戜乍氒尊貞(鼎)
0735	叔乍寶尊鼎一	叔乍寶尊彝
0736	叔乍寶尊鼎二	叔乍寶尊彝
0739	伯□鼎	白□乍寶鼎
0740	伯父方鼎	白父乍寶鼎
0741	乍□鼎	乍□寶尊彝
0742	己方鼎	己乍寶尊彝
0743	小子乍父己鼎一	小子乍父己
0744	小子乍父乙鼎二	小子乍父乙
0745	龏鼎	龏乍旅尊鼎
0751	䫫父方鼎	䫫(其)父乍旅鼎
0752	__乍且丁鼎	kL乍且丁盟彝
0756	疋弓欿乍父丙鼎	[疋弓]欿乍父丙
0757	𢼸乍父丁鼎	𢼸乍父丁寶鼎
0759	天黿乍父戊方鼎	[天黽]乍父戊彝
0760	戔冊乍父己鼎	[戔冊]乍父己彝
0761	𢿢韋乍父丁鼎	𢿢韋乍父丁彝
0762	具乍父庚鼎	具乍父庚寶鼎
0763	剌乍父庚鼎	剌乍父庚尊彝
0764	乍父辛方鼎	乍父辛寶尊彝
0765	冉乍父癸鼎	冉乍父癸寶鼎
0767	田告乍母辛方鼎	田告乍母辛尊
0768	堇白乍䵼鼎	堇白乍旅尊彝
0769	______乍鼎	[abd2d3]乍彝
0770	康侯丰鼎	康侯丰乍寶尊
0771	夨王方鼎蓋	夨王乍寶尊鼎
0772	白魚鼎	白魚乍寶尊彝
0773	雁公方鼎	雁公乍寶尊彝
0774	白卿鼎	白卿乍寶尊彝
0775	陵弔乍衣鼎	陵弔乍衣寶鼎

乍

乍

0776	遣弔乍旅鼎	遣弔乍旅鼎用
0777	孟淠父鼎	孟淠父乍寶鼎
0778	仲義父鼎一	中義父乍尊鼎
0779	仲義父鼎二	中義父乍尊鼎
0780	仲義父鼎三	中義父乍尊鼎
0781	弔旃鼎	弔旃(旅)乍寶尊鼎
0782	雁弔乍寶鼎	雁弔乍寶尊齍
0783	鮮父鼎	鮮父乍寶尊彝
0784	旂父鼎	旂父乍寶鬻彝
0785	才僩父鼎	才僩父乍尊彝
0786	史盄父鼎	史盄父乍寶鼎
0787	考乍友父鼎	考乍友父尊鼎
0788	㚤父鼎	㚤父乍__台鼎
0789	畕逘鼎一	[畕]逘乍寶尊彝
0790	畕逘鼎二	[畕]逘乍寶尊彝
0791	事戎鼎	吏戎乍寶尊鼎
0792	史昔其乍籠鼎	史昔其乍旅鼎
0793	觮霝德乍小鼎	觮霝德乍小鼎
0794	䨣姞鼎	䨣姞乍寶尊彝
0795	大保__鼎一	i4乍尊彝大保
0796	大保__鼎二	i4乍尊彝大保
0797	大保__鼎三	i4乍尊彝大保
0798	緐還鼎	緐還乍寶用鼎
0799	鱻姛鼎	鱻姛乍寶尊彝
0800	樊乍__婦方鼎	乍h4婦尊彝[樊]
0801	大万方鼎一	周大亥亥__乍
0802	大万方鼎二	周大亥亥__乍
0803	斐攺鼎	排攺乍保旅鼎
0804	井季㚸乍旅鼎	井季㚸乍旅鼎
0808	安父鼎	安父乍寶尊彝
0809	木乍父辛鼎	木乍父辛寶尊
0810	臣方乍父癸鼎	[臣]寍乍父癸彝
0811	田農鼎	田農乍寶尊彝
0812	虫留乍旅鼎	虫留乍寶旅鼎
0813	白遟父乍雜鼎	白遟父乍雜貞(鼎)
0817	王子臺鼎	王子臺自酢(乍)飤貞(鼎)
0818	外弔鼎	外弔乍寶尊彝
0819	王乍仲姜鼎	王乍中姜寶尊
0820	王乍仲姬方鼎	王乍中姬寶彝
0821	史逹方鼎一	史逹乍寶方鼎
0822	史逹方鼎二	史逹乍寶方鼎
0823	__乍父癸方鼎	乍父癸尊彝[rr]
0824	隥白方鼎	隥白乍寶尊彝
0825	強乍井姬鼎	強乍井姬用鼎
0826	白䭬乍籠鼎	白䭬乍旅尊鼎
0828	䜌史鼎	䜌史乍考尊鼎
0829	尹小弔乍鑾鼎	尹小弔乍鑾鼎
0834	鳥壬侜鼎	鳥壬侜乍尊彝
0837.	北子鼎	北子Lj乍車彝
0839	宊舟乍父乙鼎	[宊舟]乍父乙寶□

0840	亞䚖曆乍且己鼎	[亞俞]曆乍且己彝
0841	䵼乍且乙鼎	䵼乍且乙寶尊彝
0842	鼎乍父己鼎	鼎其用乍父己寶鼎
0843	__乍父丁鼎	亞__乍父丁寶尊
0844	匽侯旨乍父辛鼎	匽侯旨乍父辛尊
0845	𤰔乍父癸鼎	[𤰔]乍父癸寶尊彝
0847	用貝乍母辛鼎	貝用乍母辛彝[ab]
0848	木工乍妣戊鼎	木工乍匕戊𩰫[冊]
0849	吹乍樠妊鼎	吹乍樠妊尊彝
0850	王乍垂姬鼎	王乍__姬寶尊鼎
0851	尹弔乍__姞鼎	尹弔乍sy姞媵鼎
0852	𠂤乍陧仲方鼎一	𠂤乍陧中寶尊彝
0853	𠂤乍陧仲方鼎二	𠂤乍陧中寶尊彝
0854	𠂤乍陧仲方鼎三	𠂤乍陧中寶尊彝
0855	𠂤乍陧仲方鼎四	𠂤乍陧中寶尊彝
0856	大保冊鼎	[冊]乍寶尊彝[大保]
0857	天黽婦姑鼎一	[天黽]乍婦姑䚙彝
0858	天黽婦姑鼎二	[天黽]乍婦姑䚙彝
0859	㕝小子句鼎	㕝小子句乍寶鼎
0860	__鼎	ne乍尊彝、用匄永福
0863	弓䵼乍公尊鼎	乍公尊彝[彊]
0877	召父鼎	召父乍皇父寶彝
0878	亞㠱矣𠂤乍母癸鼎	[亞㠱矣]𠂤乍母癸
0879	乍父乙鼎	[as]般乍父乙
0880	弔乍單公方鼎	弔乍單公寶尊彝
0881	嬬乍父庚鼎	嬬乍父庚鬲[膚冊]
0881	嬬乍父庚鼎	隹□□□氏自乍□鬲
0882	王乍康季鬲	王乍康季寶尊鬲
0883	曾侯乙鼎	曾侯乙詐(乍)時甬(用)冬(終)
0885	井姬䆑鼎	㵒白乍井姬䆑鼎
0886	亞䣓季乍兄己鼎	[亞䣓]季乍兄己尊彝
0887	戉乍且丁鼎	戉乍且丁尊彝永寶
0888	咸妹早乍且丁鼎	咸𠭯乍且丁尊彝
0889	伯㦰方鼎	白㦰乍皇父寶尊彝
0890	堇臨乍父乙鼎	堇臨乍父乙寶尊彝
0891	堇臨乍父乙方鼎	堇臨乍父乙寶尊彝
0892	㪟䙴弘乍文父丁鼎	弘乍文父丁[䙴㪟鑊]
0893	亞牧乍父辛鼎	乍父辛寶尊彝[亞牧]
0894	__乍父癸鼎	sb季乍父癸寶尊彝
0895	滫父乍姜懿母鼎一	滫父乍姜懿母𩰫貞(鼎)
0896	滫父乍姜懿母鼎二	滫父乍姜懿母𩰫貞(鼎)
0897	㚇𡚸乍父癸鼎	𡚸乍父癸寶尊彝[㚇]
0898	姞曶母鼎	姞𠧞(曶)母乍皇寶尊鼎
0899	弔具乍皇考鼎	弔具乍皇考寶尊彝
0900	季鄦乍宮白方鼎	季𪊨(鄦)乍宮白寶尊齍
0901	白六辝方鼎	白六辝乍祈寶尊齍
0902	弔__肇乍南宮鼎	弔sa肇乍南宮寶尊
0903	𤰔濬白鼎	[𤰔]濬白□乍寶尊彝
0904	旅日戊乍長鼎	乍長寶尊彝
0905	解子乍皇宄團宮鼎	解子乍皇宄團鼎

乍

0906	魯内小臣床生鼎	魯内小臣床生乍鬻
0907	小臣氏樊尹鼎	小臣氏樊尹乍寶用
0908	宥乍父辛鼎	宥乍父辛尊彝[亞俞]
0909	夏__父鼎	夏kw父乍狩姁朕(媵)鼎
0910	亞亳乍父乙方鼎	[亞弘]亳乍父乙尊彝
0911	弔虎父乍弔姬鼎	弔虎父乍弔姬寶鼎
0912	北子乍母癸方鼎	北子乍母癸寶尊彝
0913	大保乍宗室鼎	大保乍宗室寶尊彝
0914	汝乍氒姑日辛鼎	汝乍氒姑日辛尊彝
0915	亞叀弜乍父辛鼎	[亞叀弜]乍父辛尊彝
0916	__鼎	rs乍寶鼎、子孫永用
0917	游鼎	游乍氒文考寶尊彝
0923	戚箙束乍父丁鼎	束乍父丁寶鼎[戚箙]
0924	髑奪乍父丁鼎一	奪乍父丁寶尊彝[髑]
0925	𨙶乍且壬鼎	𨙶乍且壬寶尊彝□金
0926	趞乍文父戊鼎	趞乍文父戊尊彝[韭冊]
0927	若媯乍文嫛宗鼎	若媯乍文嫛宗尊〓彝
0928	穌衛妃乍旅鼎一	穌衛改乍旅鼎其永用
0929	穌衛妃乍旅鼎二	穌衛改乍旅鼎其永用
0930	穌衛妃乍旅鼎三	穌衛改乍旅鼎其永用
0931	穌衛妃乍旅鼎四	穌衛改乍旅鼎其永用
0932	木乍母辛鼎	乍母辛尊彝[木工冊]
0933	遂攸諆鼎	遂攸諆乍廟弔寶尊彝
0934	中斿父鼎	中斿父乍寶尊彝貞(鼎)[七五八]
0935	季念乍旅鼎	季念乍旅鼎其永寶用
0936	天黿敕𢿚乍丁侯鼎	敕𢿚乍丁侯尊彝[天黽]
0937	内公乍鑄從鼎一	内(芮)公乍鑄從鼎永寶用
0938	内公乍鑄從鼎二	内公乍鑄從鼎永寶用
0939	内公乍鑄從鼎三	内公乍鑄從鼎永寶用
0940	乍寶鼎	乍寶鼎子子孫永寶用
0941	義仲方鼎	義中乍氒父周季尊彝
0944	至乍寶鼎	至乍寶鼎其萬年永寶用
0947	𩁹茲乍旅鼎	𩁹茲乍旅鼎孫子永寶
0948	辪侯戚乍父乙鼎	辪侯戚乍父乙鼎彝[史]
0949	江小仲鼎	江小中母生自乍甬鬲
0950	羊甚諆臧鼎	甚諆臧聿乍父丁尊彝[羊]
0952	戈囧𢿚陶父辛鼎	戈囧𢿚陶乍父辛寶尊彝
0953	婦闌乍文姑日癸鼎	婦闌乍文姑日癸尊彝
0954	白__乍氒宗方鼎	白m0乍氒宗寶尊彝v8
0955	霍乍己公鼎	霍乍己公寶鼎其萬年用
0956	鄭同媿乍旅鼎	鄭同媿乍旅鼎其永寶用
0957	弔盂父鼎	弔盂父乍尊鼎其永寶用
0958	弔師父鼎	弔師父乍尊鼎其永寶用
0959	蘗鼎	蘗乍寶鼎其萬年永寶用
0960	大__弔姜鼎	大□乍弔姜鼎其永寶用
0961	乙未鼎	用乍__彝
0962	亙乍寶鼎	亙乍寶鼎子子孫永寶用
0963	白旬乍尊鼎	白旬乍尊鼎萬年永寶用
0964	萬仲鼎	萬中□□乍用鼎
0965	曾侯仲子斿父鼎	曾侯中子游父自乍鬻彝

0966	匚方乃孫乍且己鼎	乃孫乍且己宗寶䵼鬻[匚亏]
0967	㚸＿＿乍文父甲鼎	p5u3用乍文父甲寶尊彝[㚸]
0968	走馬吳買乍雝鼎	sz父之走馬吳買乍雝貞(鼎)用
0969	從鼎	從用乍寶鼎
0970	蔡侯鼎	蔡侯乍旅貞(鼎)
0971	內大子鼎一	內大子乍鑄鼎
0972	內大子鼎二	內大子乍鑄鼎
0973	白＿乍妣羞鼎一	白oq乍嫊(曹)妹oq羞鼎
0974	白＿乍妣羞鼎二	白oq乍嫊(曹)妹oq羞鼎
0975	白＿乍妣羞鼎三	白oq乍嫊(曹)妹oq羞鼎
0976	白＿乍妣羞鼎四	白oq乍嫊(曹)妹oq羞鼎
0977	口子每刅乍寶鼎	口子每刅乍寶鼎
0978	弔猷父鼎	弔猷父乍鼎
0979	＿君鼎	pi君婦媿霝乍旅尊鼎
0980	＿君鼎	pi君婦媿霝乍旅＿其子孫用
0981	德鼎	用乍寶尊彝
0982	己華父鼎	己華父乍寶鼎
0983(	羊庚鼎	La乍氒文考尸弔寶尊彝
0984	犛娟乍父乙鼎一	乍父乙彝
0985	犛娟乍父乙鼎二	乍父乙彝
0986	中乍且癸鼎	用乍且癸寶鼎
0987	朋仲鼎	倗中乍畢媿媵鼎
0988	白矩鼎	白矩乍寶彝
0989	仲宦父鼎	中宦父乍寶鼎
0990	＿白肄鼎	L9白肄乍pz寶鼎
0991	交鼎	王易貝、用乍寶彝
0993	陳生雈鼎	陳生雈乍飤鼎
0995	內公飤鼎	內公乍鑄飤鼎
0996	子遹鼎	子遹乍寶鼎
0997	＿父鼎一	用乍氒寶尊彝
0998	＿父鼎二	用乍氒寶尊彝
0999	＿父鼎三	用乍氒寶尊彝
1000	邿造鼎	邿造遣乍寶鼎
1001	鄭子石鼎	鄭子石乍鼎
1007	史喜鼎	史喜乍朕文考翟祭
1008	虎嗣君鼎	自乍載鼾
1009	繇侯簋鼎	商、用乍旅鼎
1010	榮有嗣爯鼎	榮有司爯乍齍鼎
1011	彥乍父丁鼎	用乍父丁尊彝
1012(	康丝鼎	La乍氒文考尸弔寶尊彝
1013	滔＿秉方鼎	滔td秉乍寶鼎
1014	乍寶鼎	乍寶鼎
1015	口大師虎鼎	口大師虎口乍口鼎
1016	廟孱鼎	廟孱乍鼎
1017	剌鼎鼎	剌鼎乍寶尊
1018	𩣡屯乍父己鼎一	用乍鬻彝、父己[𩣡]
1019	＿屯乍父己鼎二	用乍鬻彝、父己[𩣡]
1021	虢弔大父鼎	虢弔大父乍尊鼎
1022	白宓父旅鼎	白宓父乍旅鼎
1023	從乍寶鼎	从乍寶鼎

乍

1024	大師人__乎鼎	大師人o6乎乍寶鼎
1025	奠姜白寶鼎	奠姜白乍寶鼎
1026	奄塱鼎	奄塱聿乍寶尊鼎
1027	番君召鼎	番君召自乍鼎
1028	央__鼎	央__姬昌乍孟田用____鼎
1029	鬻乍且乙鼎	用乍且乙尊[田告亞]
1031	周__騥鼎	周__騥乍用寶鼎
1032	㝵乍父丁鼎	乙__□□__貝□用乍父丁彝、才六月
1033	榮子旅乍父戊鼎	榮子旅乍父戊寶尊彝
1034	仲殷父鼎一	中殷父乍鼎
1035	仲殷父鼎二	中殷父乍鼎
1036	史宜父鼎	史宜父乍尊鼎
1037	乍冊峀鼎	康侯才歹自易乍冊峀貝
1037	乍冊峀鼎	用乍寶彝
1038	白馭父鼎	白馭父乍寶鼎
1039	兼咯父旅鼎	兼咯父乍旅鼎
1040	弔荼父鼎	弔荼父乍尊鼎
1041	且方鼎	用乍孪□□寶鬻尊鼎
1042	白庣父鼎	白庣父乍比鼎
1044	寶__生乍成媿鼎	寶__生乍成媿賸鼎
1045	専車季鼎	専車季乍寶鼎
1046	圜方鼎	用乍寶尊彝
1047	鼬白鼎	鼬白乍寶尊彝
1048	鼬乍母乙鼎	鼬乍母乙尊鼎
1049	靜弔乍旅鼎	靜弔乍鄙兄旅貞(鼎)
1050	白筍父鼎一	白筍父乍寶鼎
1051	白筍父鼎二	白筍父乍寶鼎
1052	褭自乍礁鼣	褭自乍飤礁鼣
1053	白考父鼎	白考父乍寶鼎
1054	杞白每亡鼎一	杞白每亡乍鼄媄(曹)寶貞(鼎)
1055	杞白每亡鼎二	杞白每亡乍鼄媄(曹)寶貞(鼎)
1056	曾白從寵鼎	曾白從寵自乍寶鼎用
1057	會娟鼎	會妘乍寶鼎
1058	復鼎	復用乍父乙寶尊彝[㚖]
1059	旂乍父戊鼎	旂用乍父戊寶尊彝
1060	輔白雁父鼎	輔白雁父乍豐孟妘賸鼎
1061	交君子__鼎	交君子qf肈乍寶鼎
1062	䢵鼎	䢵白乍寶鼎
1063	鄧公乘鼎	鄧公乘自乍飤鐈
1064	武生__弔羞鼎一	武生kj弔乍其羞鼎
1065	武生__弔羞鼎二	武生kj弔乍其羞鼎
1066	穌吉妊鼎	穌吉妊乍虢改魚母賸
1067	雁公方鼎一	雁公乍寶尊彝
1068	雁公方鼎二	雁公乍寶尊彝
1069	雁公方鼎三	雁公乍寶尊彝
1071	鼄白御戎鼎	鼄白御戎乍滕姬寶貞(鼎)
1072	㾓乍其鬳鼎	隹正月初㾓乍其鬳鬲貞貞(鼎)
1073	白鼎	乍帚寶鼎尊彝
1074	奠戚句父鼒	奠戚句父自乍飤鎡
1075	黃季乍季贏鼎	黃季乍季贏寶鼎

1076	王伯姜鼎	王白姜乍季姬寶尊鼎
1078	犀白魚父旅鼎一	犀白魚父乍旅鼎
1079	犀白魚父旅鼎二	犀白魚父乍旅鼎
1080	華仲義父鼎一	中義父乍新竊寶鼎
1081	華仲義父鼎二	中義父乍新竊寶鼎
1082	華仲義父鼎三	中義父乍新竊寶鼎
1083	華仲義父鼎四	中義父乍新竊寶鼎
1084	華仲義父鼎五	中義父乍新竊寶鼎
1085	曾者子乍鬻鼎	曾者子鑄用乍鬻鼎
1086	內子仲□鼎	內子中□肇乍弔媿尊鼎
1087	鑄子弔黑臣鼎	鑄子弔黑臣肇乍寶貞(鼎)
1088	師麻斿弔旅鼎	師麻斿乍旅鼎
1089	女嬃方鼎	用乍嬃尊彝
1091	小臣趙鼎	揚中皇、乍寶
1092	小臣建鼎	用乍寶尊彝
1093	奠登白鼎	奠登白彶弔嬭乍寶鼎
1094	魯大左司徒元善鼎	魯大左司徒元乍善鼎
1095	函皇父鼎	圅(函)皇父乍琱妘尊ps鼎
1096	弗奴父鼎	弗奴父乍孟姒(始)府賸鼎
1097	白虘父乍羊鼎	白虘父乍羊鼎
1098	善夫白辛父鼎	善夫白辛父乍尊鼎
1099	仲旳父鼎	中旳父乍尊鼎
1100	白尚鼎	白尚肇其乍寶鼎
1101	亞受乍父丁方鼎	用乍父丁尊[亞受]
1102	無大邑魯生鼎	無大邑魯生乍壽母朕(賸)貞(鼎)
1103	臣卿乍父乙鼎	用乍父乙寶彝
1104	辛中姬皇母鼎	辛中姬皇母乍尊鼎
1105	幾季乍嬴氏行鼎	幾季乍嬴氏行鼎
1106	曾孫無期乍飤鼎	曾孫無箕自乍飤𩰫
1107	番仲吳生鼎	番中吳生乍尊鼎
1108	師賸父鼎	師賸父乍燹姬寶鼎
1109	師眉乍齋鼎	師眉其乍寶齋鼎
1110	鼬白原鼎	鼬白原乍寶鼎
1115	楚王酓肯鬲鼎	楚王酓朏乍鑄喬鼎
1116	晉司徒白郄父鼎	晉嗣徒白郄父乍周姬寶尊鼎
1117	豐乍父丁鼎	丁亥、豐用乍父乙齍彝[亞高]
1118	宋莊公之孫趣亥鼎	宋莊公之孫趣亥自乍會鼎
1119	曆方鼎	曆肇對元德考友隹井乍寶尊彝
1120	渠白鼎	唯渠白友□林乍鼎
1121	唯弔從王南征鼎	誨乍寶鬲鼎(蓋)
1121	唯弔從王南征鼎	誨乍寶鬲鼎(器)
1122	昶白乍石鼒	隹昶白鮺自乍寶□鼒
1123	伯夏父鼎	白夏父乍畢姬尊鼎
1123.	番□伯者鼎	隹番□伯者自乍寶鼎
1124	玨乍父庚鼎一	用乍父庚彝[天黽]
1125	玨乍父庚鼎二	用乍父庚彝[天黽]
1125.	郛季宿車鼎	郛季宿車自乍行鼎子子孫孫永寶萬年無疆用
1127	嗣鼎	用乍父□□□
1128	__白氏鼎	白氏姒(始)氏乍wJrmp8賸鼎
1129	寒姒好鼎	□事小子__乍寒姒(始)好尊鼎

乍

乍

1130	虢文公子㝅鼎一	虢文公子㝅乍弔改鼎
1131	虢文公子㝅鼎二	虢文公子㝅乍弔改鼎
1132	郜白祀乍善鼎	郜白祀乍善鼎
1133	郜白乍孟妊善鼎	郜白肇乍孟妊善寶鼎
1134	㣈侯鼎	㣈侯乍朕㜏四母媵鼎
1135	獻侯乍丁侯鼎	用乍丁侯尊彝[天黽]
1136	獻侯乍丁侯鼎二	用乍丁侯尊彝[天黽]
1137	匽侯旨鼎一	用乍姒(始)寶尊彝
1138	白陶乍父考宮弔鼎	白陶乍氒文考宮弔寶𩰫彝
1139	寓鼎	易乍冊寓□＿寓拜䭫首、對王休
1139	寓鼎	用乍尊彝
1140	衛鼎	衛乍文考小中姜氏盂鼎
1141	善夫旅白鼎	善夫旅白乍毛中姬尊鼎
1142	杞白每亡鼎	杞白每亡乍鼄曹寶鼎
1143	曾子仲誨鼎	自乍𩰫彝
1144	＿𪉷鼎	＿𪉷乍朕考寶尊鼎
1145	舍父鼎	用乍寶鼎
1146	□者生鼎一	□者生□辰用吉金乍寶鼎
1147	□者生鼎二	□者生□辰用吉金乍寶鼎
1148	鼄姜白鼎一	鼄姜白乍此羸尊鼎
1149	鼄姜白鼎二	鼄姜白乍此羸尊鼎
1150	小臣缶方鼎	缶用乍享大子乙家祀尊
1151	曩侯鼎	弟＿乍寶鼎
1153	白頵父鼎	白頵父乍朕皇考屖白吳姬寶鼎
1154	黃孫子㜏君弔單鼎	唯黃孫子㜏君弔單自乍鼎
1155	戜者乍旅鼎	戜者乍旅鼎
1155	戜者乍旅鼎	用乍文考宮白寶尊彝
1156	亳鼎	用乍尊鼎
1157	禽鼎	禽用乍寶彝
1158	小子＿鼎	Jn用乍父己寶尊[㸚]
1159	辛鼎一	辛乍寶
1160	辛鼎二	辛乍寶
1161	白吉父鼎	白吉父乍毅尊鼎
1162	乃子克鼎	用乍父辛寶尊彝
1163	齊陳＿鼎蓋	乍皇考獻弔餗鼎
1164	旂乍文父日乙鼎	旂用乍文父日乙寶尊彝[㸚]
1165	大師鐘白乍石鼧	大師鐘白侵自乍碩鼧
1166	玆太子鼎	□玆大子乍孟姬寶鼎
1167	＿父鼎一	＿父乍＿寶鼎延令日
1168	＿父鼎二	＿父乍＿寶鼎延令日
1171	魯白車鼎	魯白車自乍文考造靜鼎
1172	征人乍父丁鼎	用乍父丁尊彝[天黽]
1173	羌乍文考鼎	用乍文考㝛弔𩰫彝
1174	昜乍旅鼎	昜用乍寶旅鼎
1175	白鮮乍旅鼎一	白鮮乍旅鼎
1176	白鮮乍旅鼎二	白鮮乍旅鼎
1177	白鮮乍旅鼎三	白鮮乍旅鼎
1184	德方鼎	用乍寶尊彝
1185	㴱白乍井姬鼎一	隹㴱白乍井姬用鼎、段
1186	㴱白乍井姬鼎二	隹㴱白乍井姬用鼎、段

1187	員乍父甲鼎	用乍父甲鬻彝[𤔲]
1188	旃弔樊乍易姚鼎	旃弔樊乍易姚寶鼎
1189	諆鼎	諆肈乍其皇考皇母者比君鬻鼎
1191	堇乍大子癸鼎	用乍大子癸寶尊𩰫[句毌句]
1192	亞□伐__乍父乙鼎	用乍父乙齍[bp]
1193	新邑鼎	用乍寶彝
1195	𢦏弔朕鼎一	𢦏弔朕自乍饎鼎
1196	𢦏弔朕鼎二	𢦏弔朕自乍饎鼎
1197	𢦏弔朕鼎三	𢦏弔朕自乍饎鼎
1199	虢宣公子白鼎	虢宣公子白乍尊鼎
1200	散白車父鼎一	㪔白車父乍郳姞尊鼎
1201	㪔白車父鼎二	㪔白車父 乍郳姞尊鼎
1202	㪔白車父鼎三	㪔白車父乍郳姞尊鼎
1203	㪔白車父鼎四	㪔白車父乍郳姞尊鼎
1204	淮白鼎	淮白乍鄁__寶尊__
1205.	逋鼎	朕乍文考胤白尊鼎(貞)
1208	乙亥乍父丁方鼎	用乍父丁彝
1209	嬰方鼎	用乍母己尊𩰫
1210	寡__鼎	乍冊友史易圚貝
1210	寡__鼎	用乍父乙尊[羊冊]
1211	庚兒鼎一	郐王之子庚兒自乍飤䋣
1212	庚兒鼎二	郐王之子庚兒自乍飤䋣
1213	師㵒鼎一	師㵒乍文考聖公
1214	師㵒鼎二	師㵒乍文考聖公
1215	麥鼎	用乍鼎
1216	貿鼎	用乍寶彝
1218	𪎼兒鼎	自乍飤𩰫
1219	戍嗣子鼎	用乍父癸寶𩰫
1220	鄁公鼎	自乍__鼎
1221	井鼎	用乍寶尊鼎
1222	㝨鼎一	用乍寶鼎
1223	㝨鼎二	用乍寶鼎
1224	王子吳鼎	自乍飤鼎
1225	蔿大史申鼎	乍其造貞(鼎)十
1226	師𩛥鼎	其乍氒文考寶鼎
1227	衛鼎	衛肈乍氒文考己中寶鬻鼎
1228	𣪕𤔲方鼎	用乍己公寶尊彝
1229	厚趠方鼎	趠用乍氒文考父辛寶尊齍
1230	師器父鼎	師器父乍尊鼎
1233	__鼎	用乍寶尊彝
1234	旅鼎	旅用乍父尊彝
1235	不𣅀方鼎一	用乍寶鬻彝
1236	不𣅀方鼎甲二	用乍寶鬻彝
1238	曾子仲宣鼎	自乍寶貞(鼎)
1239	__鼎一	nt用乍㝨公寶尊鼎
1240	__鼎二	nt用乍㝨公寶尊鼎
1242	𡎖方鼎	用乍尊鼎
1243	仲__父鼎	用乍寶鼎
1244	𤠔鼎	用乍皇且文考盂鼎
1245	仲師父鼎一	中師父乍季㚸𡚸(始)寶尊鼎

乍

1246	仲師父鼎二	中師父乍季妏姒(始)寶尊鼎
1247	函皇父鼎	函皇父乍琱娟般、盉尊器、鼎、毁具
1248	庚羸鼎	用乍寶
1249	𡨦鼎	用乍召白父辛寶尊彝
1255	作冊大鼎一	公賞乍冊大白馬
1255	作冊大鼎一	用乍且丁寶尊彝[鳥冊]
1256	作冊大鼎二	公賞乍冊大白馬
1256	作冊大鼎二	用乍且丁寶尊彝[鳥冊]
1257	作冊大鼎三	公賞乍冊大白馬
1257	作冊大鼎三	用乍且丁寶尊彝[鳥冊]
1258	作冊大鼎四	公賞乍冊大白馬
1258	作冊大鼎四	用乍且丁寶尊彝[鳥冊]
1259	鄀公鼬鼎	下鄀雝公誸乍尊鼎
1260	我方鼎	我乍禦Gx且乙、匕乙、且己、匕癸
1260	我方鼎	用乍父己寶尊彝
1261	我方鼎二	我乍禦Gx且乙、匕乙、且己、匕癸
1261	我方鼎二	用乍父己寶尊彝
1262	㝉鼎	用乍朕文考釐弔尊鼎
1263	呂方鼎	用乍寶齍
1264	螸鼎	對揚、用乍寶尊
1265	䰾弔鼎	䰾弔仙姬乍寶鼎
1266	鄀公平侯鼾一	鄀公平侯自乍尊鼾
1267	鄀公平侯鼾二	鄀公平侯自乍尊鼾
1268	梁其鼎一	梁其乍尊鼎
1269	梁其鼎二	梁其乍尊鼎
1270	小臣㚇鼎	用乍季娟（妘）寶尊彝
1271	史獸鼎	用乍父庚永寶尊彝
1272	剌鼎	用乍黃公尊𪔂彝
1273	師湯父鼎	乍朕文考毛叔𪔂彝
1274	哀成弔鼎	乍鑄飤器黃鑊
1276	__季鼎	用乍寶鼎
1277	七年趞曹鼎	用乍寶鼎
1278	十五年趞曹鼎	用乍寶鼎
1279	中方鼎	易于珷王乍臣
1279	中方鼎	乍乃采
1280	康鼎	用乍朕文考釐白寶尊鼎
1281	史頌鼎一	用乍𪔂彝
1282	史頌鼎二	用乍𪔂彝
1283	微䜌鼎	䜌乍朕皇考𪔂彝尊鼎
1284	尹姞鼎	穆公乍尹姞宗室于py林
1284	尹姞鼎	用乍寶齍
1285	㦰方鼎一	用乍寶𪔂尊鼎
1286	大夫始鼎	用乍文考日己寶鼎
1290	利鼎	王乎乍命內史冊令利曰
1291	善夫克鼎一	克乍朕皇且釐季寶宗彝
1292	善夫克鼎二	克乍朕皇且釐季寶宗彝
1293	善夫克鼎三	克乍朕皇且釐季寶宗彝
1294	善夫克鼎四	克乍朕皇且釐季寶宗彝
1295	善夫克鼎五	克乍朕皇且釐季寶宗彝
1296	善夫克鼎六	克乍朕皇且釐季寶宗彝

1297	善夫克鼎七	克乍朕皇且釐季寶宗彝
1299	𨜴侯鼎一	__乍尊鼎
1300	南宮柳鼎	王乎乍冊尹冊令柳嗣六𠂤牧、陽、大□
1300	南宮柳鼎	用乍朕剌考尊鼎
1301	大鼎一	用乍朕剌考己白盂鼎
1302	大鼎二	用乍朕剌考己白盂鼎
1303	大鼎三	用乍朕剌考己白盂鼎
1304	王子午鼎	自乍𩰫彝𪔂鼎
1305	師𡍧父鼎	用乍尊鼎
1306	無叀鼎	用乍尊鼎
1307	師望鼎	用乍朕皇考究公尊鼎
1308	白晨鼎	用乍朕文考h8公宮尊鼎
1309	寰鼎	用乍朕皇考鄭白姬尊鼎
1310	鬲攸從鼎	从乍朕皇且丁公皇考叀公尊鼎
1311	師晨鼎	王乎乍冊尹冊令師晨足師俗嗣邑人
1311	師晨鼎	用乍朕文且辛公尊鼎
1312	此鼎一	用乍朕皇考癸公尊鼎
1313	此鼎二	用乍朕朕皇考癸公尊鼎
1314	此鼎三	用乍朕朕皇考癸公尊鼎
1315	善鼎	用乍宗室寶尊
1316	𢦚方鼎	用乍文母日庚寶尊𩰫彝
1317	善夫山鼎	用乍𡩜、司賈
1317	善夫山鼎	用乍朕皇考叔碩父尊鼎
1318	晉姜鼎	用乍寶尊鼎
1318	晉姜鼎	乍疐為極
1319	頌鼎一	用乍朕皇考龏弔
1320	頌鼎二	用乍朕皇考龏弔
1321	頌鼎三	用乍朕皇考龏弔
1322	九年裘衛鼎	衛用乍朕文考寶鼎
1323	師𩛥鼎	白大師不自乍
1323	師𩛥鼎	乍公上父尊于朕考虢季易父wu宗
1324	禹鼎	用乍大寶鼎
1325	五祀衛鼎	衛用乍朕文考寶鼎
1326	多友鼎	乍尊鼎
1327	克鼎	用乍朕文且師華父寶𩰫彝
1328	盂鼎	在珷王嗣玟乍邦
1328	盂鼎	用乍南公寶鼎
1330	曶鼎	㫚(曶)用絲金乍朕文孝𡨦白𩰫牛鼎
1331	中山王䂂鼎	隹十四年中山王䂂詐(乍、作)鼎、于銘曰
1332	毛公鼎	俗(欲)我弗乍先王憂
1332	毛公鼎	女母(毋)弗帥用先王乍明井(型)
1332	毛公鼎	用乍尊鼎
1347	乍医𦗏鬲	乍医𦗏
1354	乍尊彝鬲	乍尊彝
1355	乍寶彝鬲	乍寶彝
1357	弘乍彝鬲	[弘]乍彝
1358	弔乍彝鬲	[弔]乍彝
1365	𢐗乍父辛鬲	乍父辛[𢐗]
1366	北白鬲	北白乍彝
1367	虢姞乍鬲	虢姞乍鬲

乍

1368	兮__鬲	兮hm乍彝
1369	仲姬乍鬲	中姬乍鬲
1370	同姜尊鬲	同姜乍尊鬲
1371	矜鬲	矜乍寶尊彝
1372	竟父乙鬲一	竟乍父乙
1373	竟父乙鬲二	竟乍父乙
1374	虢弔尊鬲	虢弔乍尊鬲
1375	會始朕鬲	會始乍朕鬲
1376	季貞尊鬲	季真乍尊鬲
1377	□姞乍寶鼎	□姞乍寶鼎
1378	叜人守鬲	叜人守乍寶
1379	轟鬲	轟乍寶尊彝
1380	白__鬲	白uf乍尊彝
1381	変姬乍寶鬲	変姬乍寶鬲
1382	敚白乍齋鬲一	敚白乍齍鬲
1383	敚伯鬲二	敚白乍齍鬲
1384	敚伯鬲三	敚白乍齍鬲
1385	敚伯鬲四	敚白乍齍鬲
1386	敚伯鬲五	敚白乍齍鬲
1387	姬莽母齋	姬莽母乍齍鬲
1388	鐵白乍齋鼎	鐵白乍齍鼎□
1389	仲姞羞鬲一	中姞乍羞鬲[華]
1390	仲姞羞鬲二	中姞乍羞鬲[華]
1391	仲姞羞鬲三	中姞乍羞鬲[華]
1392	仲姞羞鬲四	中姞乍羞鬲[華]
1393	仲姞羞鬲五	中姞乍羞鬲[華]
1394	仲姞羞鬲六	中姞乍羞鬲[華]
1395	仲姞羞鬲七	中姞乍羞鬲[華]
1396	仲姞羞鬲八	中姞乍羞鬲[華]
1397	仲姞羞鬲九	中姞乍羞鬲[華]
1398	季右父尊鬲	季右父乍尊鬲
1399	魯侯乍姬番鬲	魯侯乍姬番鬲
1400	仲翃父齋鬲	中翃父乍齍鬲
1401	大乍rL鬲	大乍rL寶尊彝
1402	虢仲乍姞鬲一	虢中乍姞尊鬲
1403	虢仲乍姞鬲二	虢中乍姞尊鬲
1404	召姬乍異齊鬲	召姬乍異齊鬲
1405	白邦父乍齋鼎	白邦父乍齍鬲
1406	梳弔知父鬲	梳弔知父乍鼎
1408	茍鬲	茍乍父丁尊齍
1409	乍寶彝鬲	乍寶彝
1411	□□母尊鬲	□□母乍寶尊鬲
1412	倗乍義妣鬲	倗乍義妣寶尊彝
1413	戒乍葊宮鬲	戒乍葊官明尊彝
1414	盄姬乍姜虎旅鬲	盄姬乍姜虎旅鬲
1415	夙鬲	[夙岦]白乍父乙彝
1416	吾乍滕公鬲	吾乍滕公寶尊彝
1417	弭弔乍犀妊齊鬲一	弭弔乍犀妊齍
1418	弭弔乍犀妊齊鬲二	弭弔乍犀妊齍
1419	弭弔乍犀妊齊鬲三	弭弔乍犀妊齍

1421	時白鬲一	時白乍□中□羞鬲
1422	時白鬲二	時白乍□中□羞鬲
1423	時白鬲三	時白乍□中□羞鬲
1424	榮子鬲	榮子□乍父戊寶彝
1425	鄭弔蒦父羞鬲	鄭弔蒦父乍羞鬲
1426	叔皇父鬲	弔皇父乍中姜尊鬲
1427	鄭興白乍弔媾薦鬲一	鄭興白乍弔媾薦鬲
1428	鄭興伯乍弔媾薦鬲二	鄭興白乍弔媾薦鬲
1429	魯姬乍尊鬲	魯姬乍尊鬲永寶用
1430	奠井弔歔父拜鬲	奠井弔歔父乍拜鬲
1430.	伯竈父鬲	白竈父乍姑尊鬲
1431	衛姒乍鬲	衛姒(始)乍鬲
1433	召白毛尊鬲	召白毛乍王母尊鬲
1434	王乍親王姬＿鬲一	王乍親王姬＿鬻彝
1435	王乍親王姬＿鬲二	王乍親王姬＿鬻彝
1436	王白姜尊鬲一	王白姜乍尊鬲永寶用
1437	王白姜尊鬲二	王白姜乍尊鬲永寶用
1438	王白姜尊鬲三	王白姜乍尊鬲永寶用
1439	王白姜尊鬲四	王白姜乍尊鬲其萬年永寶用
1440	亞俞林Ｘ鬲	林Ｘ乍父辛寶尊彝[亞俞]
1441	戢弔慶父鼎	戢弔慶父乍弔姬尊鬲
1442	王乍贊母鬲	王乍s5鬻贊母寶鬻彝
1443	宋瞖父乍寶子媵鬲	宋瞖父乍豊子媵鬲
1444	黃虎棓鬲	唯黃虎棓用吉金乍鬲
1445	樊君鬲	樊君乍弔qywj賸器寶j2
1446	白狺父乍井姬鬲	白狺父乍井姬季姜尊鬲
1447	弔霝鬲	弔霝乍己白父丁寶尊彝
1448	白章父鬲一	白章父乍弔姬鬲
1449	白墉父鬲二	白章父乍弔姬鬲
1450	庚姬乍弔娊尊鬲一	庚姬乍弔娊尊鬲
1451	庚姬乍弔娊尊鬲二	庚姬乍弔娊尊鬲
1452	庚姬乍弔娊尊鬲三	庚姬乍弔娊尊鬲
1453	nu嫥鬲	nu嫥乍尊鬲
1454	鬳肇家鬻	鬳肇家鑄乍鬲
1456	京姜鬲	京姜年母乍尊鬲
1457	衛夫人行鬲	衛夫人文君弔姜乍其行鬲用
1458	庶鬲	庶乍寶鬲
1459	白上父乍姜氏鬲	白上父乍姜氏尊鬲
1460	奠羌白乍季姜鬲	鄭羌白乍季姜尊鬲
1461	鼄來隹鼎	鼄來隹乍貞(鼎)
1462	榮有嗣爯齋鬲	榮又(有)嗣爯乍齋鬲
1463	呂王尊鬲	呂王乍尊鬲
1464	王乍姬□母女尊鬲	王乍姬□母尊鬲
1405	魯侯獄鬲	魯侯獄乍彝
1466	亞艅犨母辛鬲	用乍又(畢)母辛尊彝
1467	呂餅姬乍鬲	呂餅乍齋鬲
1468	白家父乍孟姜鬲	白家父乍孟姜媵鬲
1469	戲白饙齋一	戲白乍饙齋
1470	戲白饙齋二	戲白乍饙齋
1471	魯白愈父鬲一	魯白愈乍鼄姬仁朕(賸)羞鬲

1472	魯白愈父鬲二	魯白愈父乍鼄姬仁媵（ 賸 ）羞鬲
1473	魯白愈父鬲三	魯白愈父乍鼄姬仁媵（ 賸 ）羞鬲
1474	魯白愈父鬲四	魯白愈父乍鼄姬仁媵（ 賸 ）羞鬲
1475	魯白愈父鬲五	魯白愈父乍鼄姬仁媵（ 賸 ）羞鬲
1476	鼄白乍朕鬲	鼄白乍塍（ 賸 ）鬲
1477	右戲仲夏父豊鬲	右戲中夏父乍豊鬲
1478	齊不趄鬲	齊不趄乍床白尊鬲
1479	召仲乍生妣奠鬲一	召中乍生妣尊鬲
1480	召仲乍生妣奠鬲二	召中乍生妣尊鬲
1481	昹仲無龍寶鼎一	昹中無龍乍寶鼎
1482	昹仲無龍寶鼎二	昹中無龍乍寶鼎
1483	虢季氏子組鬲	虢季氏子綅（ 組 ）乍鬲
1484	江叔鬲	江弔盌乍其尊鬲
1485	白矩鬲	用乍父戊尊彝
1486	宰駟父鬲	魯宰駟父乍姬𨹧媵鬲
1487	白先父鬲一	白先父乍𡚬尊鬲
1488	白先父鬲二	白先父乍𡚬尊鬲
1489	白先父鬲三	白先父乍𡚬尊鬲
1490	白先父鬲四	白先父乍𡚬尊鬲
1491	白先父鬲五	白先父乍𡚬尊鬲
1492	白先父鬲六	白先父乍𡚬尊鬲
1493	白先父鬲七	白先父乍𡚬尊鬲
1494	白先父鬲八	白先父乍𡚬尊鬲
1495	白先父鬲九	白先父乍𡚬尊鬲
1496	白先父鬲十	白先父乍𡚬尊鬲
1497	虢仲乍虢妃鬲	虢中乍虢改尊鬲
1499	□季鬲	__季乍孟姬__女__鬲
1500	__白鬲	□白乍弔姬尊鬲
1501	虢季氏子𠂤鬲	虢季氏子𠂤乍寶鬲
1502	成白孫父鬲	成白孫父乍浸嬴尊鬲
1503	御鬲	用乍父彝
1504	奠師□父鬲	奠師__父乍__鬲
1505	番君酌白鼎	隹番君酌白自乍寶鼎
1506	杜白乍弔嫞鬲	杜白乍叔嫞尊鬲
1507	善夫吉父乍京姬鬲一	善夫吉父乍京姬尊鬲
1508	善夫吉父乍京姬鬲二	善吉父乍京姬尊鬲
1509	虢文公子𠂤乍弔妃鬲	虢文公子𠂤乍弔改鬲鼎
1510	内公鑄弔姬鬲一	内公乍鑄京氏婦弔姬媵
1511	内公鑄弔姬鬲二	内公乍鑄京氏婦弔姬朕鬲
1512	虢白乍姬夨母鬲	虢白乍姬夨母尊鬲
1513	睽土父乍蓼妃鬲	睽土土父乍蓼改尊鬲
1515	白夏父乍畢姬鬲二	白夏父乍畢姬尊鬲
1516	白夏父乍畢姬鬲三	白夏父乍畢姬尊鬲
1517	白夏父乍畢姬鬲四	白夏父乍畢姬尊鬲
1518	白夏父乍畢姬鬲六	白夏父乍畢姬尊鬲
1519	白夏父乍畢姬鬲五	白夏父乍畢姬尊鬲
1520	奠白荀父鬲	奠白荀父乍弔姬尊鬲
1521	單白遼父鬲	單白遼父乍中姞尊鬲
1522	孟辛父乍孟姞鬲一	u0馬孟辛父乍孟姞寶尊鬲
1523	孟辛父乍孟姞鬲二	u0馬孟辛父乍孟姞寶尊鬲

1525	隮子奠白尊鬲	隮(鄫)子子奠白乍尊鬲
1526	琱生乍宄仲尊鬲	琱生乍文考宄中尊鬻
1527	蠪先父鬲	蠪先父乍姜姬尊鬲
1528	公姞齋鼎	用乍齋鼎
1529	仲枏父鬲一	師湯父有嗣中枏父乍寶鬲
1530	仲枏父鬲二	師湯父有嗣中枏父乍寶鬲
1531	仲枏父鬲三	師湯父有嗣中枏父乍寶鬲
1532	仲枏父鬲四	師湯父有嗣中枏父乍寶鬲
1533	尹姞寶齋一	穆公乍尹姞宗室于繇林
1533	尹姞寶齋一	用乍寶齍
1534	尹姞寶齋二	穆公乍尹姞宗室于繇林
1534	尹姞寶齋二	用乍寶齍
1574	乍父乙甗	乍父乙
1581	白乍彝甗一	白乍彝
1582	見乍甗	見乍甗
1583	白乍彝甗二	白乍彝
1584	乍寶彝甗一	乍寶彝
1585	乍寶彝甗二	乍寶彝
1586	爻乍彝甗	爻乍彝
1588	或乍旅甗	或乍旅
1594	黽乍父辛甗	黽乍父辛
1596	命乍寶彝甗	命乍寶彝
1598	nG乍寶彝甗	nG乍寶彝
1599	門射乍寶彝甗	門射乍寶彝
1601	白乍寶甗	白乍寶彝
1602	仲乍齋彝甗	中乍旅彝
1604	乍戱尊彝甗	乍戲尊彝
1605	白乍旅甗	白乍旅甗
1606	中乍旅甗	中乍旅甗
1606.	__乍旅甗	h7乍旅甗
1607	丫射乍尊甗	[丫]射乍尊
1608	㹥乍寶彝甗	㹥乍寶彝
1609	雷甗	雷乍寶尊彝
1610	井白甗	井白乍甗
1612	白盧甗	白盧乍尊彝
1613	獎商婦甗	商婦乍彝[獎]
1614	白真乍齋甗	白真乍旅獻
1615	解子乍齋甗	解子乍旅獻(甗)
1616	夨白乍旅甗	夨白乍旅彝
1617	鼎乍父乙甗	鼎乍父乙尊彝
1618	乍父庚寶甗	乍父庚寶彝[ac]
1619	殺乍母庚齋甗	殺乍母庚旅彝
1620	虢白甗	虢白乍婦獻用
1621	夆白甗	夆白命乍旅彝
1622	函弗生齋甗	函弗生乍旅彝
1623	寡史䫤齋甗	寡史䫤乍旅彝
1624	䀠寮白甗	[䀠]寮白采乍旅
1625	白口齋甗	白__乍寶旅獻
1626	田農甗	田農乍寶尊彝
1628	何__安甗	何__安乍寶彝

乍

乍

1629	應監甗	雁監乍寶尊彝
1630	伯矩甗	白矩乍寶尊彝
1631	師__方甗	師h2乍旅甗尊
1632	亞旃乍父□甗	[亞旃]乍父乙彝甗
1633	戣瘦乍父乙甗	戣瘦乍父乙尊彝
1634	雔冊切乍母戊甗	[雔冊]切乍母戊彝
1635	天黿乍婦姑甗	[天黽]乍毓姑饎彝
1636	弔濇寶甗	弔濇乍寶彝永用
1637	乍父癸甗	乍父癸寶尊甗[am]
1638	奘__夫乍且丁甗	Ln夫乍且丁[奘]
1639	強白乍井姬甗	強白乍井姬用甗
1640	__仲季父方甗	Jt中季父乍旅甗
1641	比甗	从(比)乍寶獻(甗)其萬年用
1642	尹白乍且辛甗	尹白乍且辛寶尊彝
1643	亞醜諸女甗	[亞醜]者母乍大子尊彝
1644	大史友乍召公甗	大史友乍召公寶尊彝
1645	孚公𤞷甗	孚公𤞷乍旅甗永寶用
1646	乍寶甗	□□□乍寶甗
1647	井乍寶甗	犀乍旅甗子孫孫永寶用、豐井
1648	奠白筍父甗	奠公筍父乍寶獻(甗)永寶用
1649	冊𠂤乃子乍父辛甗	乃子乍父辛寶尊彝[冊𠂤]
1650	縈子旅乍且乙甗	縈子旅乍且乙寶彝子孫永寶
1651	仲伐父甗	中伐父乍姬尚母旅獻(甗)其永用
1652	弔碩父旅甗	弔碩父乍旅獻(甗)
1653	榖父甗	榖乍父寶甗
1654	子邦父旅甗	子邦父乍旅甗
1655	奠氏白高父旅甗	奠氏白□父乍旅獻(甗)
1656	尌仲甗	尌中乍獻(甗)
1657	圉甗	用乍寶尊彝
1658	奠大師小子甗	奠大師小子侯父乍寶獻(甗)
1659	白鮮旅甗	白鮮乍旅獻(甗)
1660	曾子仲謌旅甗	自乍旅甗
1661	乍冊般甗	王賞乍冊般貝
1661	乍冊般甗	用乍父己尊[來冊]
1663	鼄五世孫矩甗	鼄(緟)五世孫矩乍其寶甗
1664	邕子良人歙甗	邕子良人羼其吉金自乍飤獻(甗)
1665	王孫壽飤甗	自乍飤甗
1666	遹乍旅甗	用乍旅甗
1667	陳公子弔遼父甗	敶公子子弔(叔)原父乍旅獻(甗)
1668	中甗	用乍父乙寶彝
1828	乍彝毁	乍彝
1858	乍父乙毁	乍父乙
1903	白乍彝毁一	白乍彝
1904	白乍彝毁二	白乍彝
1905	白乍彝毁三	白乍彝
1906	乍寶彝毁一	乍寶彝
1907	乍寶彝毁二	乍寶彝
1908	乍寶彝毁五	乍寶彝
1909	乍寶彝毁三	乍寶彝
1910	乍寶彝毁四	乍寶彝

1911	乍䣄彝𣪕一	乍尊彝
1912	乍䣄彝𣪕二	乍尊彝
1913	乍䣄彝𣪕三	乍尊彝
1914	乍旅彝𣪕一	乍旅彝
1915	乍旅彝𣪕二	乍旅彝
1916	乍從彝𣪕一	乍從彝
1917	乍從彝𣪕二	乍從彝
1926	乍己姜𣪕	乍己姜
1927	弜乍旅𣪕	[弜]乍旅
1928	白乍彝𣪕一	白乍彝
1929	白乍彝𣪕二	白乍彝
1930	白乍彝方座𣪕三	白乍彝
1931	乍寶彝𣪕一	乍寶彝
1932	乍寶彝𣪕二	乍寶彝
1933	乍寶彝𣪕三	乍寶彝
1934	乍寶彝𣪕四	乍寶彝
1935	乍寶彝𣪕	乍寶彝
1936	乍寶𣪕一	乍寶𣪕
1937	乍寶𣪕二	乍寶𣪕
1938	乍寶𣪕三	乍寶𣪕
1939	乍寶𣪕四	乍寶𣪕
1940	乍寶𣪕五	乍寶𣪕
1941	乍寶𣪕六	乍寶𣪕
1942	乍寶𣪕七	乍寶𣪕
1943	乍旅𣪕一	乍旅𣪕
1944	乍旅𣪕二	乍旅𣪕
1945	乍旅𣪕一	乍旅𣪕
1946	乍旅𣪕二	乍旅𣪕
1968	𢀛乍𠤳𣪕	[戈]𢀛乍𠤳
1969	乍尊彝𣪕	乍尊彝
1992	□乍父乙𣪕	□乍父乙
1995	乍父乙𡖊𣪕	乍父乙[𡖊]
1999	䍙乍父丁𣪕	[䍙]乍父丁
2005	耒乍父己𣪕	[耒]乍父己
2006	賁乍父辛𣪕	[賁]乍父辛
2010	乍父癸𡖊𣪕	乍父癸[𡖊]
2013	㗊乍寶彝𣪕	[㗊]乍寶彝
2014	乍狽寶彝𣪕	乍狽寶彝
2015	戈𢀛乍匕𣪕一	[戈]𢀛乍𠤳
2016	戈𢀛乍𠤳𣪕二	[戈]𢀛乍𠤳
2017	乍母尊彝𣪕	乍母尊彝
2018	用乍寶彝𣪕	用乍寶彝
2019	白乍寶彝𣪕一	白乍寶彝
2020	白乍寶彝𣪕二	白乍寶彝
2021	匀乍寶彝𣪕一	匀乍寶彝
2022	弔乍寶彝𣪕	弔乍寶彝
2023	沓乍旅彝𣪕	沓乍旅彝
2024	宵乍旅彝𣪕	宵乍旅彝(器、蓋)
2025	邵乍寶彝𣪕	邵乍寶彝
2026	白乍旅彝𣪕一	白乍旅彝

乍

2027	白乍旅彝毀二	白乍旅彝
2028	白乍旅彝毀三	白乍旅彝
2029	光乍從彝毀	[光]乍從彝
2030	豐乍從彝毀	豐乍從彝
2031	弔乍妬障毀	弔乍姒(始)尊
2032	梻仲乍旅毀	梻中乍旅
2033	尹乍寶障毀	尹乍寶尊
2034	白乍寶毀一	白乍寶毀
2035	白乍寶毀二	白乍寶毀
2036	白乍寶毀三	白乍寶毀
2037	白乍寶毀四	白乍寶毀
2038	白乍寶毀五	白乍寶毀
2039	白乍旅毀一	白乍旅毀
2040	白乍旅毀二	白乍旅毀
2041	騽乍從毀一	乍從毀[騽]
2042	騽乍從毀二	乍從毀[騽]
2043	乍寶障彝毀	乍寶尊彝
2044	乍寶障彝毀二	乍寶尊彝
2045	乍寶障彝毀三	乍寶尊彝
2046	乍寶障彝毀四	乍寶尊彝
2047	作寶障彝毀五	乍寶尊彝
2048	乍寶障彝毀六	乍寶尊彝
2049	旂乍寶毀	旅乍寶毀
2050	舟乍寶毀	舟乍寶毀
2052	霝乍寶毀	霝乍寶毀
2053	舍乍寶毀	舍乍寶毀
2054	奪乍寶毀	奪乍寶毀
2055	戠乍寶毀一	戠乍寶毀
2056	戠乍寶毀二	戠乍寶毀
2059	閼乍旅毀	閼乍旅毀
2060	白姬乍__毀	白姬乍cx
2061	女每乍毀	女每乍毀
2062	乍旅毀	乍旅毀尊
2063	乍旅毀	乍旅毀[聿]
2064	仲乍寶毀	中乍寶毀
2065	白乍寶彝毀	白乍寶彝
2066	戈乍旅彝毀一	[戈]乍旅彝
2067	戈乍旅彝毀二	[戈]乍旅彝
2068	中乍旅毀	仲乍旅毀
2069	考母乍医聅毀	考母乍医聅
2071	呂姜乍毀	呂姜乍毀
2072	乍寶障彝毀一	乍寶尊彝
2073	乍寶障彝毀二	乍寶尊彝
2074	乍寶障毀	乍寶尊毀
2075	作寶用毀	乍寶用毀
2079	殷乍寶彝毀	殷乍寶彝
2084	乍父乙毀	乍父乙毀[弭]
2086	__乍父丁毀	乍父丁[co]
2087	魚乍父庚毀	[魚]乍父庚彝
2089	白魚乍寶彝毀	白魚乍寶彝

2090	団乍父辛設	団乍父辛彝
2091	縌乍父癸設	[縌]乍父癸彝
2092	弔呂乍寶設	弔呂乍寶設
2093	弔乍寶障彝設一	弔乍寶尊彝
2094	弔乍寶障彝設二	弔乍寶尊彝
2095	王乍母癸障設	王乍母癸尊
2096	王乍又嚣彝設	王乍父嚣彝
2097	雁公乍旅彝設一	雁公乍旅彝
2098	雁公乍旅彝設二	雁公乍旅彝
2099	牖白乍寶彝設	牖白乍寶彝
2100	事父乍障彝設	吏父乍尊彝
2101	坤父乍車設	坤父乍車登
2102	嫠聯乍寶彝設	嫠聯乍寶彝
2103	繭禾乍寶彝設	繭禾乍寶彝
2104	闌乍寶障彝設	闌乍寶尊彝
2105	__乍寶障彝設	nd乍寶尊彝
2106	从乍寶障彝設	从乍寶尊彝
2107	戈凡乍旅彝設	凡乍旅彝[戈ab]
2108	__乍寶彝設	q8乍寶尊彝
2109	戣妄乍尊彝設	[戣]妄乍尊彝
2110	乍姬寶障彝設	乍姬寶尊彝
2111	農乍寶障彝設	農乍寶尊彝[皇]
2112	乍任氏从設一	乍任氏从設
2113	乍任氏从設二	乍任氏从設
2114	昃乍白旅彝	昃乍白旅
2117	弔龜乍父丙設一	[弔龜]乍父丙
2118	弔龜乍父丙設二	[弔龜]乍父丙
2119	白劉乍旅設	白劉乍旅設
2120	白到乍孰設	白到乍孰設
2121	弔敃乍乍寶設	弔敃乍寶設
2122	季楚乍寶設	季楚乍寶設
2123	朕乍寶設	朕乍寶設[尗]
2124	季㚸乍旅設	季㚸乍旅設
2125	縈白乍旅設	縈白乍旅設
2126	諆父乍寶設	諆父乍寶設
2127	__乍寶設	md郘乍寶設
2128	文乍寶障彝設	文乍寶尊彝
2129	果乍放旅設	果乍放旅設
2130	姜婦乍障彝設	姜婦乍尊彝
2131	乍尊車寶彝設	乍尊車寶彝
2132	白乍寶尊設	白乍寶尊設
2133	御乍寶障彝設	御乍寶尊彝
2134	白乍寶障彝設一	白乍寶尊彝
2135	白乍寶障彝設二	白乍寶尊彝
2136	白乍寶障彝設三	白乍寶尊彝
2137	事父乍障彝設	吏父乍尊彝
2139	孔白乍旅設	孔白乍旅設
2140	朳乍尊彝𢽎設	朳乍尊彝[𢽎]
2141	大万乍母彝設	大帀乍母彝
2142	白或乍旅設	白或乍旅設

乍

乍

2143	□白乍寶設	□白乍寶設
2144	乍冢㝬彝設	乍冢㝬彝設
2145	皿犀設	皿犀乍尊彝
2146	新__乍餗設	新te乍餗設
2147	亞員吴乍父乙設	亞員吴乍父乙
2152	戠乍且戊寶設一	乍且戊寶設[戠]
2153	戠乍且戊寶設二	乍且戊寶設[戠]
2155	衍__乍父乙彝設	衍__乍父乙彝
2157	子乍父乙寶設	[子]乍父乙寶彝
2158	歺乍父乙寶設一	乍父乙寶設[歺]
2159	歺乍父乙寶設二	乍父乙寶設[歺]
2161	乍父丁寶旅設	乍父丁寶旅彝
2162	畓乍父丁旅設	畓乍父丁旅彝
2163	壽乍父戊設	壽乍父戊尊彝
2165	乍父戊旅設	乍父戊旅彝[中]
2166	__乍父己設	[ef]乍父己尊彝
2167	殹乍母庚旅設	殹乍父庚旅彝
2168	宰乍父辛設	宰乍父辛寶彝
2169	執乍父辛設	執乍父辛尊彝
2170	玔乍父辛設	玔乍父辛隫彝
2171	____乍父辛設	nh□乍父辛彝
2172	女母乍婦己設	女母乍婦己彝
2173	敟乍父癸設	[敟]乍父癸尊彝
2174	白魚乍寶隣設	白魚乍寶尊彝
2175	白矩乍寶隣設	白矩乍寶尊彝
2176	白__父乍쀎設	白L4父乍쀎彝
2177	白艋乍寶設	白艋乍寶尊彝
2178	白丙乍寶設	白咼乍寶尊彝
2179	仲□父乍寶設	中□父乍寶設
2181	季保乍寶隣設	季犀乍寶尊彝
2182	齟娶設	齟娶乍寶尊彝
2183	贏季乍寶設	贏季乍寶尊彝
2184	霸姞乍寶設	霸姞乍寶尊彝
2185	安父乍寶設	安父乍寶尊彝
2186	師高乍寶設	師高乍寶尊設
2187	蠡姒乍寶設	蠡始(姒)乍寶尊彝
2188	鄧公設	豨(鄧)公牧乍餗設
2189	燓向乍㝬隣設一	向乍㝬尊彝[燓]
2190	燓向乍㝬隣設二	向乍㝬尊彝[燓]
2191	段金歸乍旅設一	段金歸乍旅設
2192	段金歸乍旅設二	段金歸乍旅設
2193	賒白乍寶設	賒白乍寶尊彝
2194	亞乍父乙寶設	乍父乙寶設[亞]
2195	白魚乍寶設一	白魚乍寶尊彝
2196	白魚乍寶設二	白魚乍寶尊彝
2197	白魚乍寶設三	白魚乍寶尊彝
2198	白魚乍寶設四	白魚乍寶尊彝
2199	白矩乍寶設一	白矩乍寶尊彝
2200	白矩乍寶設二	白矩乍寶尊彝
2201	白要府乍寶設	白要府乍寶設

2202	白乍寶用隮彝毁一	白乍寶用尊毁
2203	白乍寶用隮彝毁二	白乍寶用尊毁
2204	仲自父乍旅毁	中自父乍旅毁
2205	仲隻父乍寶毁	中隻父乍寶毁
2206	弔狀乍寶隮毁一	弔狀乍寶尊毁
2207	弔虢乍寶隮毁二	弔虢乍寶尊毁
2208	莽侯乍彝寶毁	芇侯乍登寶毁
2209	朩白乍姬寶毁	朩白乍姬寶毁
2210	屐乍蘯白寶毁	屐乍蘯白寶毁
2211	城虢仲乍旅毁	城虢中乍旅毁
2212	滎子旅乍寶毁	滎子旅乍寶毁
2213	姜林母乍靈毁	姜林母乍靈毁
2214	師_其乍寶毁	師C4其乍寶毁
2215	竊盂邑乍飤毁	竊盂邑乍飤毁
2216	姞口父乍寶毁	姞𨟻父乍寶毁
2217	戚姬乍寶隮毁	戚姬乍寶尊毁
2218	密乍父辛寶毁	密乍父辛寶彝
2219	弔叚父毁	弔叚父乍叀毁
2220	卜孟乍寶毁	卜孟乍寶尊彝
2221	田農乍寶毁	田農乍寶尊彝
2222	季姒乍用毁	季始（姒）乍用毁[田]
2223	衛始毁一	衛始乍饎qo毁
2224	衛始毁二	衛始乍饎qo毁
2225	長甶乍寶毁一	長甶乍寶尊毁
2226	長甶乍寶毁二	長甶乍寶尊毁
2228	鼉弔乍寶毁	鼉弔乍寶尊彝
2229	_乍乙毁	_攷乍乙尊彝
2230	王乍姜氏隮毁	王乍姜氏尊毁
2231	白乍南宮毁	白乍南宮口毁
2232	虘毁	虘乍父辛尊彝
2233	樝仲乍寶毁	樝中乍寶尊彝
2234	白乍乙公隮毁	白乍乙公尊毁
2235	陵白乍寶毁	陵白乍寶尊彝
2236	㚸白乍寶毁	㚸白乍寶尊彝
2237	利毁	利乍寶尊𪔂彝
2238	魚家毁	魚家乍丁父庚彝
2239	倗缶乍且癸毁	倗缶乍且癸尊彝
2240	用毁	用乍父乙尊彝
2241	天禾乍父乙毁	天禾乍父乙尊彝
2242	宰豕乍父丁𩛥毁	宰豕乍父丁𩛥彝
2243	_休乍父丁寶毁	休乍父丁寶毁[cq]
2244	_乍父戊寶毁	sw乍父戊寶尊彝
2245	廣乍父己毁	廣乍父己寶尊[旅]
2246	山邲乍父乙毁	山邲乍父乙尊彝
2247	叀乍父戊寶旅毁	叀乍父戊寶旅彝
2248	延乍筡廿寶毁	延乍筡廿寶尊彝
2249	_乍皇考寶毁	_乍皇考寶尊彝
2250	八五一／堇白乍旅毁	堇白乍旅尊彝[八五一]
2251	比乍白婦_毁	比乍白婦tf尊彝
2252	伊生乍公女毁	伊生乍公女尊彝

乍

2254	叔猎白鼎乍寶設	叔猎白鼎乍寶設
2255	舟尗乍父乙設	乍父乙寶彝[舟尗]
2256	弔乍父丁設	弔乍父丁寶尊彝
2257	哦乍父辛設	哦乍父辛寶尊彝
2260	杯鞫乍父□設	杯鞫乍父□寶彝
2261	義白乍宄婦陸姞設	義白乍宄婦陸姞
2262	𤰔乍寶設	𤰔乍寶設用日盲
2263	寧薹乍甲始設	寧薹乍甲始尊設
2264	婦仲乍乙白設	婦中乍乙白寶設
2265	腧乍寶設	腧乍寶尊彝用餗
2266	自乍隈仲寶設	自乍隈中寶尊彝
2269	仲義昌乍食𣪘	中義昌自乍食𣪘
2270	坃乍父戊寶設	坃乍父戊寶尊彝
2271	陸婦乍高姑設	陸婦乍高姑尊彝
2272	㚔乍且丁寶設	㚔乍且丁寶彝彝
2273	衛乍父庚設	衛乍父庚寶尊彝
2274	𩵦白乍自為鼎設	𩵦白乍自為貞設
2275	𩵦白乍旅用鼎設一	𩵦白乍旅用鼎設
2276	𩵦白乍旅用鼎設二	𩵦白乍旅用鼎設
2277	弔單設	弔單乍義公尊彝
2278	冊亞品冊乍父戊設	乍父戊彝[亞品冊]
2279	牧共乍父丁食設	牧共乍父丁to食設
2280	亞高亢乍父癸設	亞高亢乍父癸尊彝
2282	史某𧢲乍且辛設	史某㹤(兄)乍且辛寶彝
2283	㚤□乍癸設	㚤□乍且癸寶尊彝
2284	___乍父丁寶設一	co乍父丁寶尊彝
2285	___乍父丁寶設二	co乍父丁寶尊彝
2286	___乍父丁寶設三	co乍父丁寶尊彝
2287	堇臨乍父乙設	堇臨乍父乙寶尊彝
2288	圖田乍父己設	田乍父己寶尊彝[品]
2289	弜_乍父癸宗設	q2乍父癸宗尊彝[弜]
2290	_黃乍父癸設	[dw]黃乍父癸寶尊彝戈
2291	㚤向乍父癸寶設	向乍父癸寶尊彝[㚤]
2292	集僣乍父癸設一	集僣乍父癸寶尊彝
2293	集僣乍父癸設二	集僣乍父癸寶尊彝
2294	倗万乍義妣設	倗万乍義妣寶尊彝
2295	𢦏者乍宮白設	𢦏者乍宮白寶尊彝
2296	子令乍父癸寶設	子令乍父癸寶尊彝
2298	戈厚乍兄日辛設	[戈]厚乍兄日辛寶彝
2299	白乍𠂤讙子設	白乍𠂤讙子寶尊彝
2300	史述乍父乙設	史述乍父乙寶設𠬝
2301	□乍父癸寶設	□乍父癸寶尊彝[旅]
2302	䵼季奞父設	䵼(咢)季奞父乍寶尊彝
2304	𣄰嗣土□設	𣄰嗣土□乍寶尊設
2305	弔䵼父乍鴆姬旅設一	弔䵼(咢)父乍鴆姬旅設
2306	弔䵼父乍鴆姬旅設二	弔䵼(咢)父乍鴆姬旅設
2307	睘設	睘乍寶設其永寶用
2308	子邟乍父己設	子邟乍父己寶尊彝
2309	_乍𠂤母設	_乍𠂤母寶尊設
2310	旅乍寶設	旅乍寶設其萬年用

2311	白桒父毁	白桒父乍母嬟寶毁
2311.	__父毁	um父乍寶尊彝、父壬
2312	剨圅乍且癸毁	剨圅乍且戊寶尊彝𢦏(戰)
2313	辯辨乍父己毁一	辨乍文父己寶尊彝[辯]
2314	辯辨乍父己毁二	辨乍文父己寶尊彝[辯]
2315	辯辨乍父己毁三	辨乍文父己寶尊彝[辯]
2317	趞子冉乍父庚毁	趞子冉乍父庚寶尊彝
2318	珊幽冀乍父癸毁	珊幽冀乍父癸寶尊彝
2319	嗣土嗣乍夅考毁	嗣土嗣乍夅丂(考)寶尊彝
2320	戕乍尊毁一	戕乍尊毁其壽考寶用
2321	戕乍尊毁二	戕乍尊毁其壽考寶用
2322	庚姬乍鬻女毁	庚姬乍鬻母寶尊彝[焚]
2323	彔乍文考乙公毁	彔乍文考乙公寶尊毁
2324	孟肅父毁	孟肅父乍寶毁其永用
2325	同自乍旅毁	同自乍旅毁其萬年用
2326	師寏父乍弔姞毁	師寏父乍弔姞寶尊毁
2327	弔寚乍日壬毁	弔寚乍日壬寶尊彝[舟]
2328	師寏父乍季姞毁	師寏父乍季姞寶尊毁
2329	内公毁	内公乍鑄從用毁永寶
2330	史趞毁	史趞乍寶毁其萬年用
2331	栨冊__乍丁癸毁	vovp乍丁癸尊彝[栨冊]
2332	白__乍媿氏旅毁	白pl乍媿氏旅用追考(孝)
2333	妹弔昏毁	義弔聞(昏)肇乍彝用鄉賓
2335	告田乍且乙𧰼侯弔尊毁	乍且乙𧰼侯弔尊彝[告田]
2336	冊戈䍜鄧乍父辛毁	[戈䍜冊]鄧乍父辛尊彝
2337	㔾乍寶毁	㔾乍寶毁用鄉王逆造事
2338	乍寶毁	乍寶毁其子孫萬年永寶
2339	臤烏乍且癸毁	㚤易鳥玉、用乍且癸彝[臤]
2340	弔𩁹父毁	弔𩁹父乍尊毁、其萬年用
2341	仲乍寶毁	中乍寶尊彝其萬年永用
2342	弔宲乍寶毁	弔宲乍寶毁其萬年永寶
2343	啇乍寶毁	啇乍寶毁其萬年孫子寶
2344	季毁乍旅毁	季毁乍旅毁隹子孫乍寶
2345	穌公乍王妃羞毁	穌公乍王改羞(羞)盂毁永寶用
2346	__乍餗毁	用乍餗毁
2347	㚔䢅頁駒乍父乙毁	䢅頁駒用乍父乙尊彝[㚔]
2348	仲爯毁	中爯乍又寶彝用鄉王逆造
2349	翼乍夅且毁	翼乍夅且寶尊彝[晉亞]
2350	梼乍父甲毁	梼乍父甲寶毁萬年孫子寶
2351	仲自父乍好旅毁一	中自父乍好旅毁其用萬年
2352	仲自父乍好旅毁二	中自父乍好旅毁其用萬年
2353	保侃母毁	保侃母易貝于南宮乍寶毁
2354	仲网父毁一	中网父乍毁其萬年永寶用
2355	仲网父毁二	中网父乍毁
2356	仲网父毁三	中网父乍毁其萬年永寶用
2357	𢊁冊𢍰𡠧𤔲毁	𢍰𡠧𤔲用乍匋辛𣪘毁[𢊁冊]
2359	欿乍夅毁	欿乍夅毁兩
2360	白乍寶毁	白乍寶毁
2361	乍寶尊毁	乍寶尊毁
2363	保攸母旅毁	用乍旅彝

乍

2364	㣿𣪕	用乍寶尊彝
2365	中白𣪕	中白乍亲姬䜌彝
2366	白者父𣪕	白者父乍寶𣪕
2367	散白乍夨姬𣪕一	散白乍夨姬寶𣪕
2368	散白乍夨姬𣪕二	散白乍夨姬寶𣪕
2369	散白乍夨姬𣪕三	散白乍夨姬寶𣪕
2370	散白乍夨姬𣪕四	散白乍夨姬寶𣪕
2371	散白乍夨姬𣪕五	散白乍夨姬寶𣪕
2372	夆乍豐𣪘𣪕	夆乍豐𣪘寶𣪕
2373	始休𣪕	用乍𨛭寶彝
2374	白庶父𣪕	白庶父乍旅𣪕
2375	旂𣪕	旂乍寶𣪕
2376	□□𣪕	□□乍寶𣪕
2377	晉人吏寓乍寶𣪕	晉人吏寓乍寶𣪕
2378	辰乍𨪓𣪕	辰乍𨪓𣪕
2379	中友父𣪕一	中友父乍寶𣪕
2380	中友父𣪕二	中友父乍寶𣪕
2381	友父𣪕一	友父乍寶𣪕
2382	友父𣪕二	友父乍寶𣪕
2383	侯氏𣪕	侯氏乍孟姬尊𣪕
2384	鄧公𣪕一	𢍉(鄧)公乍雁嫚𣪘朕𣪕
2385	鄧公𣪕二	𢍉(鄧)公乍雁嫚𣪘朕𣪕
2386	白_乍白幽𣪕二	白Lb乍幽白寶𣪕
2387	白_乍白幽𣪕一	白Lb乍白幽寶𣪕
2388	大保乍父丁𣪕	用乍父丁尊彝
2389	𢽽琶妊乍寶𣪕	𢽽琶妊乍寶𣪕
2390	吹乍寶𣪕二	吹乍寶𣪕
2391	冠乍寶𣪕一	冠乍寶𣪕
2392	_白𣪕	隹九月初吉叡龍白自乍其寶𣪕
2393	白喬父𩚅𣪕	白喬父乍𩚅𣪕
2394	己侯乍姜縈𣪕一	己侯乍姜縈𣪕
2395	丂保子達𣪕	保子達乍寶𣪕
2396	仲競𣪕	中競乍寶𣪕
2397	_乍父辛𣪕	G3乍父辛皇母匕乙寶尊彝
2398	𢐗弔山父𣪕一	𢐗弔山父乍疊姬尊𣪕
2399	𢐗弔山父𣪕二	𢐗弔山父乍疊姬尊𣪕
2400	𢐗弔山父𣪕三	𢐗弔山父乍疊姬尊𣪕
2401	敶侯乍王媯朕𣪕	敶(陳)侯乍王媯媵𣪕
2402	敔𣪕	敔乍寶𣪕
2403	遷白還𣪕	s4白睘乍寶尊彝
2404	效父𣪕一	用乍氒寶尊彝[五八六]
2405	效父𣪕二	用乍氒寶尊彝[五八六]
2406	五八六效父𣪕三	用乍氒寶尊彝[五八六]
2407	白閈乍尊𣪕一	白閈(闢)乍尊𣪕
2408	白閈乍尊𣪕二	白閈(闢)乍尊𣪕
2409	𡚬父丁𣪕	𡚬用乍父丁尊彝
2410	遣小子𩁹𣪕	遣小子𩁹㠯其友乍𩁹男王姬𩰫彝
2411	史𡨦𣪕	史𡨦乍寶𣪕
2412	賸虎乍氒皇考𣪕一	賸(賸)虎敢肈乍氒皇考公命中寶尊彝
2413	賸虎乍氒皇考𣪕二	賸(賸賸)虎敢肈乍氒皇考公命中寶尊彝

2414	塍虎乍厥皇考毁三	塍(賸)虎敢肇乍厥皇考公命中寶尊彝
2415	降人𩰫寶毁	降人𩰫乍寶毁
2416	降人𩰫寶毁	降人𩰫乍寶毁
2417	齊嫚姬寶毁	齊嫚姬乍寶毁
2418	乎乍姞氏毁	乎乍姞氏寶毁
2419	白喜父乍洹餗毁一	白喜父乍洹餗毁
242.0	雁侯毁	雁侯乍姬原母尊彝
2420	白喜父乍洹餗毁二	白喜父乍洹餗毁
2420.	改敀毁一	乍改敀寶毁
2420.	改敀毁二	乍改敀寶毁
2421	舟宍㠯乍父乙毁	用乍父乙寶尊彝[舟宍]
2422	舟洹秦乍且乙毁	洹秦乍且乙寶毁
2423	㔷__戣毁	㔷ws戣乍𩰫毁
2424	白莽寶毁	白莽乍寶毁
2425	兮仲寶毁一	兮中乍寶毁
2426	兮仲寶毁二	兮中乍寶毁
2427	兮仲寶毁三	兮中乍寶毁
2428	兮仲寶毁四	兮中乍寶毁
2429	兮仲寶毁五	兮中乍寶毁
2430	倗白__尊毁	倗白__自乍尊毁
2431	__弔侯父乍尊毁一	弔侯父乍尊毁
2432	__弔侯父乍尊毁二	弔侯父乍尊毁
2433	害弔乍尊毁一	害弔乍尊毁
2434	害弔乍尊毁二	害弔乍尊毁
2435	散車父毁一	散車父乍𨻰姞𩞁(餗)毁
2436	散車父毁二	散車父乍𨻰姞餗毁
2437	散車父毁三	散車父乍𨻰姞餗毁
2438	散車父毁四	散車父乍𨻰姞餗毁
2438.	散車父毁五	散車父乍𨻰姞餗毁
2438.	柭車父乍𨻰姞餗毁	散車父乍𨻰姞餗毁
2438.	柭車父乍𨻰姞餗毁二	散車父乍𨻰姞餗毁
2439	寺季故公毁一	寺季故公乍寶毁
2440	寺季故公毁二	寺季故公乍寶毁
2441	姞衍毁	姞衍乍寶毁
2442	𢦏虢遣生旅毁	𢦏(城)虢遣生乍旅毁
2443	孟弜父毁一	孟弜父乍寶毁
2444	孟弜父毁二	孟弜父乍寶毁
2445	孟弜父毁三	孟弜父乍寶毁
2446	亞古乍父己毁	用乍父己尊彝[亞古]
2447	白汈父乍嬶姞毁一	白汈父乍嬶姞尊毁
2448	白汈父乍嬶姞毁二	白汈父乍嬶姞尊毁
2449	白汈父乍嬶姞毁三	白汈父乍嬶姞尊毁
2450	禾乍皇母孟姬毁	禾肇乍皇母懿恭孟姬餗彝
2451	過白毁	用乍宗室寶尊彝
2453	亞𢧵乍且丁毁	章用乍且丁彝
2454	亢僕乍父己毁	亢僕乍父己尊毁
2455	彔乍文考乙公毁	彔乍厥文考乙公寶尊毁
2456	㚸白迹毁一	㚸(始)白迹乍寶毁
2457	㚸白迹毁二	㚸白迹乍寶毁
2458	孟奠父毁一	孟奠父乍尊毁

乍

乍

2459	孟奠父段二	孟奠父乍尊段
2460	孟奠父段三	孟奠父乍尊段
2461	白家父乍孟姜段	白家父乍{ 公孟 }姜媵段
2462	弔向父乍婞妃段一	弔向父乍母辛姒(始)尊段
2463	弔向父乍婞妃段二	弔向父乍母辛姒(始)尊段
2464	弔向父乍婞妃段三	弔向父乍母辛姒(始)尊段
2465	弔向父乍婞妃段四	弔向父乍母辛姒(始)尊段
2466	弔向父乍婞妃段五	弔向父乍母辛姒(始)尊段
2467	妣__母乍南旁段	妣sG母乍南旁寶段
2468	齊癸姜尊段	齊巫姜乍尊段
2469	姦乍王母媿氏餗段一	姦乍王母媿氏餗段
2470	姦乍王母媿氏餗段二	姦乍王母媿氏餗段
2471	姦乍王母媿氏餗段三	姦乍王母媿氏餗段
2472	姦乍王母媿氏餗段四	姦乍王母媿氏餗段
2473	__乍皇母尊段一	je乍皇母尊段
2474	__乍皇母尊段二	je乍皇母尊段
2475	衛始段	衛姒(始)乍寶尊段
2476	堇段	堇乍父寶尊段
2477	堇父丁段	堇乍父丁寶尊段
2478	白賓父段(器)一	白賓父乍寶段
2479	白賓父段二	白賓父乍寶段
2480	是要段	隹十月是要乍文考寶段
2481	是要段	隹十月是要乍文考寶段
2482	陳侯乍嘉姬段	陳侯乍嘉姬寶段
2484	伯絅父段	白絅父乍周姜尊段
2484.	夨王段	夨王乍奠姜尊段
2485	陵仲孝段	陵中孝乍父日乙尊段
2487	白簛乍文考幽仲段	白簛(祈)父乍文考幽中尊段
2488	杞白每亡段一	杞白每亡乍鼄婞(曹)寶段
2489	杞白每亡段二	杞白每亡乍鼄婞(曹)寶段
2490	杞白每亡段三	杞白每亡乍鼄婞(曹)寶段
2491	杞白每亡段四	杞白每亡乍鼄婞(曹)寶段
2492	杞白每亡段五	杞白每亡乍鼄婞(曹)寶段
2493	鄦其肇乍段一	鄦其肇乍段
2494	鄦其肇乍段二	鄦其肇乍段
2495	季__父徹段	季oG父徹乍寶段
2496	廣乍弔彭父段	廣乍弔彭父寶段
2497	䣄侯乍王姑段一	䣄侯乍王姑媵段
2498	䣄侯乍王姑段二	䣄侯乍王姑媵段
2499	䣄侯乍王姑段三	䣄侯乍王姑媵段
2500	䣄侯乍王姑段四	䣄侯乍王姑媵段
2501	旋嫼乍尊段一	旋嫼乍尊段
2502	旋嫼乍尊段二	旋嫼乍尊段
2503	旋嫼乍尊段三	旋嫼乍尊段
2504	旋媵段	觴rj乍旋嫼媵段
2505	白疑父乍嫙段	白疑父乍嫙寶段
2506	奠牧馬受段一	奠牧馬受乍寶段
2507	尊牧馬受段二	奠牧馬受乍寶段
2508	攸段	攸用乍父戊寶尊彝
2508	攸段	啟乍綦

2509	旅仲設	旅中乍pv寶設
2510	臣卿乍父乙設	用乍父乙寶彝
2511	夨王設	夨王乍奠姜尊設
2512	乙自乍畝簋	十月丁亥、乙自乍飤簋
2513	再乍季日乙妻設一	用乍季日乙妻
2514	再乍季日乙妻設二	用乍季日乙妻
2515	小子野乍父丁設	用乍父丁尊設[㸚]
2516	鄧公諫設	鄧公午□自乍諫設
2517	是□乍乙公設	是驚乍朕文考乙公尊設
2518	白田父設	白田父乍井ri寶設
2519	周𩵦生媵設	周𩵦生乍楷娟媿媵設
2520	大自事良父設	大自吏良父乍寶設
2522	孟弼父設	孟弼父乍幻白姬媵設八
2523	孟弼父設	孟弼父乍幻白姬媵設八
2524	仲幾文設	用𠭰賓、乍丁寶設
2525	寓敄設	用乍且癸寶尊
2526	弔衛設	用乍寶尊彝
2527	束仲賚父設	束中賚父乍𩰫設
2528	魯白大父乍媵設	魯白大父乍季姬rk媵設
2529	豐井弔乍白姬設	豐井弔乍白姬尊設
2529.	__生設	uw生乍寶尊設、uw生其壽考萬年子孫永寶用
2530	㴬姬乍父辛設	㴬姬乍父辛尊設
2530	㴬姬乍父辛設	用乍乃後御
2531	魯白大父乍孟□姜設	魯白大父乍孟姬姜媵設
2532	魯白大父乍仲姬俞設	魯白大父乍中姬俞媵設
2533	己侯貉子設	己侯貉子分己姜寶、乍設
2534	魯大宰遼父設一	魯大宰原父乍季姬牙媵設
2534.	魯大宰遼父設二	魯大宰原父乍季姬牙媵設
2542	辰才寅□□設	□□自乍寶設
2543	𢦏敄設	用乍父戊寶尊彝[吳]
2544	亞𦣞乍父乙設	用乍父乙彝
2545	季𩁹乍井弔設	季𩁹肇乍𠭰文考井弔寶尊彝
2546	聖設	用乍大子丁[𩰫]
2547	格白乍晉姬設	格白乍晉姬寶設
2548	仲惠父諫設一	隹王正月 中吏父乍諫設
2549	仲惠父諫設二	隹王正月中吏父乍諫設
2550	兌乍弔氏設	兌乍朕皇考弔𠭰尊設
2551	弔角父乍宕公設一	弔角父乍朕皇孝宄公尊設
2552	弔角父乍宕公設二	弔角父乍朕皇考宄公尊設
2553	虢季氏子組設一	虢季氏子組乍設
2554	虢季氏子組設二	虢季氏子組乍設
2555	虢季氏子組設三	虢季氏子組乍設
2556	復公子白舍設一	臤新乍我姑彝(鄧)孟媿媵設
2557	復公子白舍設二	臤新乍我姑彝(鄧)孟媿媵設
2558	復公子白舍設三	臤新乍我姑彝(鄧)孟媿媵設
2559	白中父設	用乍𠭰寶尊設
2560	吳彭父設一	吳彭父乍皇且考庚孟尊設
2561	吳彭父設二	吳彭父乍皇且考庚孟尊設
2562	吳彭父設三	吳彭父乍皇且考庚孟尊設
2563	德克乍文且考設	德克乍朕文且考尊設

乍

2564	𦉢且日庚乃孫設一	且日庚乃孫乍寶設
2565	且日庚乃孫設二	且日庚乃孫乍寶設
2566	寧設一	寧𢉅諆乍乙考尊設
2567	寧設二	寧𢉅諆乍乙考尊設
2567.	戊寅設	用乍父丁寶尊彝
2568	__玨乍父辛設	用乍父辛尊彝[__]
2569	鼎卓林父設	卓林父乍寶設
2570	棠設	用乍寶尊彝
2571	穌公子癸父甲設	穌公子癸父甲乍尊設
2571.	穌公子癸父甲設二	穌公子癸父甲乍尊設
2572	毛白嘂父設	毛白嘂父乍中姚寶設
2573	汱白寺設	汱白寺自乍寶設
2576	白俍□寶設	白俍自乍____寶設
2577	害客設	害客乍朕文考日辛寶尊設
2578	兮吉父乍仲姜設	兮吉父乍中姜寶尊設
2579	白喜乍文考剌公設	白喜父乍朕文考剌公尊設
2580	刕乍北子設	刕乍北子柞設
2581	曹伯狄設	曹白狄乍夙㚸公尊設
2582	内弔__設	内弔__父乍寶設
2583	鄁公設	用乍寶設
2584	邾正衛設	用乍父戊寶尊彝
2585	禽設	禽用乍寶彝
2588	毛关設	毛畀(关?)乍寶設
2589	孫弔多父乍孟姜設一	孫弔多父乍孟姜尊設
2590	孫弔多父乍孟姜設二	孫弔多父乍孟姜尊設
2591	孫弔多父乍孟姜設三	孫弔多父乍孟姜尊設
2592	鄧公設	不故屯夫人始乍鄧公
2593	弔䣄父乍旅設一	弔䣄父乍𪇓姬旅設
2594	弔䣄父乍旅設二	弔䣄父乍𪇓姬旅設
2594.	弔䣄父乍旅設三	弔䣄父乍𪇓姬旅設
2595	奠虢仲設一	奠虢中乍寶設
2596	奠虢仲設二	奠虢中乍寶設
2597	奠虢仲設三	奠虢中乍寶設
2598	燮乍宮仲念器	用乍宮中念器
2599	宰亩設	用乍寶𩰫
2600	白𢈪父設	白𢈪父乍朕皇考𢈪白吳姬尊設
2601	向𣪕乍旅設一	向𣪕乍旅設
2602	向𣪕乍旅設二	向𣪕乍旅設
2603	白吉父設	白吉父乍毅尊設
2604	黃君設	黃君乍季𣎆vz賸設
2605	郙__設	郙i7乍寶設
2605	郙__設	(蓋)郙i7乍寶設
2606	昜__乍父丁設一	對㝬休、用乍父丁尊彝
2607	昜__乍父丁設二	用乍父丁尊彝
2608	官差父設	官差父乍義友寶設
2609	筥小子設一	徒用乍㝬文考尊設
2610	筥小子設二	徒用乍㝬文考尊設
2611	間渣嗣土吳設	渣司土吳眔啚乍㝬考尊彝[間]
2612	不壽設	對揚王休、用乍寶
2613	白椃乍宂寶設	白椃乍㝬宂室寶設

2621	雁侯𣪘	雁侯乍生杙姜尊𣪘
2622	琱伐父𣪘一	琱伐父乍交尊𣪘
2623	琱伐父𣪘二	琱伐父乍交尊𣪘
2623.	琱伐父𣪘	琱伐父乍交尊𣪘
2623.	琱伐父𣪘	琱伐父乍交尊𣪘
2624	琱伐父𣪘三	琱伐父乍交尊𣪘
2625	曾白文𣪘	唯曾白文自乍寶𣪘
2626	奢乍父乙𣪘	用乍父乙寶彝
2627	伊𣪘	用乍父丁尊彝
2628	畢鮮𣪘	畢鮮乍皇且益公尊𣪘
2629	牧師父𣪘一	乍𡚬姚寶𣪘
2630	牧師父𣪘二	乍𡚬姚寶𣪘
2631	牧師父𣪘三	乍𡚬姚寶𣪘
2632	陳逆𣪘	乍為皇且大宗𣪘
2633	相侯𣪘	告于文考、 用乍尊𣪘
2633.	食生走馬谷𣪘	唯食生走馬谷自乍吉金用尊𣪘
2634	㝬叔𣪘	㝬弔㝬姬乍白媿賸𣪘
2635	𦣻𣪘一	用乍寶彝
2636	𦣻𣪘二	用乍寶彝
2637	𦣻𣪘三	用乍寶彝
2638	𦣻𣪘四	用乍寶彝
2639	𨑌𣪘	𨑌乍朕文考胤白尊𣪘
2640	弔皮父𣪘	弔皮父乍朕文考弗公
2641	伯𣓀虘𣪘一	伯𣓀虘肇乍皇考剌公尊𣪘
2642	伯𣓀虘𣪘二	伯𣓀虘肇乍皇考剌公尊𣪘
2643	史族𣪘	吏族乍寶𣪘
2643	史族𣪘	吏族乍寶𣪘
2644	命𣪘	用乍寶彝
2644.	伯𣓀虘𣪘	白𣓀虘肇乍皇考剌公尊𣪘
2646	仲辛父𣪘	中辛父乍朕皇且日丁
2647	魯士商𠭯𣪘	魯士商𠭯肇乍朕皇考弔𠭯父尊𣪘
2648	仲𠭯父𣪘一	中𠭯父乍朕皇考遟白
2649	仲𠭯父𣪘二	中𠭯父乍朕皇考遟白
2650	仲𠭯父𣪘三	中𠭯父乍朕皇考遟白
2651	內白多父𣪘	內白多父乍寶𣪘
2652	__𣪘	p6乍文且考尊寶𣪘
2653.	弔__孫父𣪘	弔__孫父乍孟姜尊𣪘
2654	獎乍文父丁𣪘	□□用乍文父丁尊彝
2655	小臣靜𣪘	用乍父丁寶尊彝
2656	師害𣪘一	師害乍文考尊𣪘
2657	師害𣪘二	師害乍文考尊𣪘
2658.	大𣪘	用乍朕皇考剌𣪘
2659	郾侯庫𣪘	乍焦金壴
2660	彔乍辛公𣪘	用乍文且辛公寶䵼𣪘
2661	競𣪘一	用乍父乙寶尊彝𣪘
2662	競𣪘二	用乍父乙寶尊彝𣪘
2662.	㝨𣪘一	㝨用乍朕文考日己寶𣪘
2662.	㝨𣪘二	㝨用乍朕文考日己寶𣪘
2663	㝨𣪘一	用乍朕文考日己寶𣪘
2664	㝨𣪘二	用乍朕文考日己寶𣪘

乍

2665	__弔毀	用乍寶毀
2666	鑄弔皮父毀	乍鑄弔皮父尊毀
2667	尌仲毀	尌中乍朕皇考趣中𩰫彝尊毀
2668	散季毀	栜季肇乍朕王母弔姜寶毀
2669	__妊小毀	用乍妊小寶毀
2670	榺侯毀	榺侯乍姜氏寶𩰫彝
2670	榺侯毀	方吏姜氏、乍寶毀
2670	榺侯毀	用乍文母榺妊寶毀
2671	利毀	用乍旃公寶尊彝
2672	伯芀父毀	辰乍餗毀
2672	伯芀父毀	用乍妊小寶毀
2673	□弔買毀	ky弔買自乍尊毀
2674	弔杙毀	弔杙乍寶尊毀
2676	旅肄乍父乙毀	用乍父乙寶彝
2678	函皇父毀一	函皇父乍琱娟
2679	函皇父毀二	函皇父乍琱娟
2680	函皇父毀三	函皇父乍琱娟
2680.	函皇父殷四	函皇父乍琱娟
2681	鄦侯毀	媢乍皇妣qJ君中改祭器八毀
2682	陳侯午毀	陳侯午台群者侯□鑄乍皇妣□大妃祭器
2683	白家父毀	自乍寶毀
2684	__竈乎毀	竈乎乍寶毀
2685	仲枏父毀一	師湯父有嗣中枏父乍寶毀
2686	仲枏父毀二	師湯父有嗣中枏父乍寶毀
2687	敔毀	用乍文考父丙𩰫彝
2688	大毀	用乍朕皇考大中尊毀
2689	白康毀一	白康乍寶毀
2690	白康毀二	白康乍寶毀
2690.	相侯毀	用乍尊毀
2691	善夫梁其毀一	善夫汈其乍朕皇考惠中
2692	善找梁其毀二	善夫汈其乍朕皇考惠中
2693	黽毀	用乍辛公毀
2694	豦乍且考毀	用乍且考寶尊彝
2695	𩰫兒毀	𩰫兒乍朕文且乙公
2696	孟毀一	用室丝彝乍
2697	孟毀二	用室丝彝乍
2698	陳貯毀	乍丝寶毀
2699	公臣毀一	用乍尊毀
2700	公臣毀二	用乍尊毀
2701	公臣毀三	用乍尊毀
2702	公臣毀四	用乍尊毀
2703	免乍旅毀	令免乍嗣(辭司)土
2703	免乍旅毀	用乍旅𩰫彝
2704	穆公毀	用乍寶皇毀
2705	君夫毀	用乍文父丁𩰫彝
2706	鄀公敄人毀	上鄀公敄人乍尊毀
2707	小臣守毀一	用乍鑄引中寶毀
2708	小臣守毀二	用乍鑄引中寶毀
2709	小臣守毀三	用乍鑄引中寶毀
2710	肄自乍寶器一	用自乍寶器

2711	肄自乍寶器二	用自乍寶器
2711.	乍冊般毁	成王商乍冊＿貝十朋
2711.	乍冊般毁	用乍父丁寶尊彝
2712	虢姜毁	虢姜乍寶尊毁
2713	瘨毁一	乍且考毁
2714	瘨毁二	乍且考毁
2715	瘨毁三	乍且考毁
2716	瘨毁四	乍且考毁
2717	瘨毁五	乍且考毁
2718	瘨毁六	乍且考毁
2719	瘨毁七	乍且考毁
2720	瘨毁八	乍且考毁
2721	萬毁	用乍尊毁季姜
2722	窒弔乍豐姞旅毁	窒弔乍豐姞憝旅毁
2723	沓毁	用乍季文考尊毁
2724	章白馭毁	用乍朕文考寶尊毁
2725	師毛父毁	用乍寶毁
2725.	楚星毁	楚星父乍匋中姞寶毁
2726	曶毁	乍嗣土
2726	曶毁	用乍寶毁
2727	蔡姞乍尹弔毁	蔡姞乍皇兄尹弔尊鬻彝
2728	恆毁一	用乍文考公弔寶毁
2729	恆毁二	用乍文考公弔寶毁
2730	獻毁	乍朕文考光父乙
2731	小臣宅毁	用乍乙公尊彝
2732	曾仲大父蛕蚑毁	用自乍寶毁
2733	何毁	用乍寶毁
2734	遹毁	用乍文考父乙尊彝
2735	屓敄毁	用乍寶毁
2736	師遽毁	用乍文考旄弔尊毁
2737	段毁	敢對揚王休、用乍毁
2738	衛毁	用乍朕文且考寶尊毁
2739	無㠱毁一	無㠱用乍朕皇且釐季尊毁
2740	無㠱毁二	無㠱用乍朕皇且釐季尊毁
2741	無㠱毁三	無㠱用乍朕皇且釐季尊毁
2742	無㠱毁四	無㠱用乍朕皇且釐季尊毁
2742.	無㠱毁五	無㠱用乍朕皇且釐季尊毁
2742.	無㠱毁五	無㠱用乍朕皇且釐季尊毁
2743	虢毁	用乍寶毁
2744	五年師旋毁一	用乍寶毁
2745	五年師旋毁二	用乍寶毁
2746	追毁一	用乍朕皇且考尊毁
2747	追毁二	用乍朕皇且考尊毁
2748	追毁三	用乍朕皇且考尊毁
2749	追毁四	用乍朕皇且考尊毁
2750	追毁五	用乍朕皇且考尊毁
2751	追毁六	用乍朕皇且考尊毁
2752	史頌毁一	用乍鬻彝
2753	史頌毁二	用乍鬻彝
2754	史頌毁三	用乍鬻彝

乍

乍

2755	史頌𣪘四	用乍𩰫彝
2756	史頌𣪘五	用乍𩰫彝
2757	史頌𣪘六	用乍𩰫彝
2758	史頌𣪘七	用乍𩰫彝
2759	史頌𣪘八	用乍𩰫彝
2759	史頌𣪘九	用乍𩰫彝
2760	小臣謎𣪘一	用乍寶尊彝
2761	小臣謎𣪘二	用乍寶尊彝
2762	免𣪘	王受乍冊尹者（書）
2762	免𣪘	用乍尊𣪘
2763	弔向父禹𣪘	乍朕皇且幽大弔尊𣪘
2764	𤆍𣪘	乍周公彝
2765	敔𣪘	用乍寶𣪘
2766	三兒𣪘	其□又之□□𨟻孚吉金用乍□寶𣪘
2767	虘𣪘一	用乍寶𣪘
2768	楚𣪘	用乍尊𣪘
2769	師𤔲𣪘	弭白用乍尊𣪘
2770	𢦚𣪘	王曰：𢦚、令女乍𤔲土
2770	𢦚𣪘	用乍朕文考寶𣪘
2771	弭弔師求𣪘一	用乍朕文且寶𣪘
2772	弭弔師求𣪘二	用乍朕文且寶𣪘
2773	即𣪘	用乍朕文考幽弔寶𣪘
2774	臣諫𣪘	令𦘒服乍朕皇文考寶尊
2774.	南宮弔𣪘	用乍尊彝
2775	裘衛𣪘	用乍朕文且考寶𣪘
2775.	害𣪘一	命用乍文考寶𣪘
2775.	害𣪘二	命用乍文考寶𣪘
2776	走𣪘	王乎乍冊尹冊令□
2776	走𣪘	用自乍寶尊𣪘
2777	天亡𣪘	不顯王乍省
2777	天亡𣪘	不𢑚王乍庚
2783	趞𣪘	命女乍𤸰自家𤔲馬
2783	趞𣪘	用乍季姜尊彝
2784	申𣪘	用乍朕皇考孝孟尊𣪘
2785	王臣𣪘	用乍朕文考易中尊𣪘
2787	望𣪘	用乍朕皇且白廿tx父寶𣪘
2787	望𣪘	用乍朕皇且白甲父寶𣪘
2788	靜𣪘	用乍文母外姞尊𣪘
2789	同𣪘一	用乍朕文丂叀中尊寶𣪘
2790	同𣪘二	用乍朕文丂叀中尊寶𣪘
2791	豆閉𣪘	用乍朕文考釐弔寶𣪘
2791.	史密𣪘	用乍朕文考乙白尊𣪘
2792	師俞𣪘	王乎乍冊內史冊令師俞
2792	師俞𣪘	用乍寶𣪘
2793	元年師旋𣪘一	王乎乍冊尹冊命師旋曰
2793	元年師旋𣪘一	用乍朕文且益中尊𣪘
2794	元年師旋𣪘二	王乎乍冊尹冊命師旋曰
2794	元年師旋𣪘二	用乍朕文且益中尊𣪘
2795	元年師旋𣪘三	王乎乍冊尹冊命師旋曰
2795	元年師旋𣪘三	用乍朕文且益中尊𣪘

2796	諫段	用乍朕文考叀公尊段
2796	諫段	用乍朕文考叀公尊段
2797	輔師嫠段	王乎乍冊尹冊令嫠曰
2797	輔師嫠段	用乍寶段
2798	師擯段一	用乍朕文考外季尊段
2799	師擯段二	用乍朕文考外季尊段
2800	伊段	伊用乍朕不顯文且皇考徲弔寶鬻彝
2802	六年召白虎段	用乍朕剌且召公嘗段
2803	師酉段一	用乍朕文考乙白究姬尊段
2804	師酉段二	用乍朕文考乙白究姬尊段
2804	師酉段二	用乍朕考乙白究姬尊段
2805	師酉段三	用乍朕文考乙白究姬尊段
2806	師酉段四	用乍朕文考乙白究姬尊段
2806.	師酉段五	用乍朕文考乙白究姬尊段
2807	𨛭段一	王曰：𨛭、昔先王既命女乍邑
2807	𨛭段一	𨛭用乍朕皇考龏白尊段
2808	𨛭段二	王曰：𨛭、昔先王既命女乍邑
2808	𨛭段二	𨛭用乍朕皇考龏白尊段
2809	𨛭段三	王曰：𨛭、昔先王既命女乍邑
2809	𨛭段三	𨛭用乍朕皇考龏白尊段
2810	揚段一	王若曰：揚、乍司工
2810	揚段一	余用乍朕剌考㝬白寶段
2811	揚段二	王若曰：揚、乍司工
2811	揚段二	余用乍朕剌考㝬白寶段
2812	大段一	用乍朕皇考剌白尊段
2813	大段二	用乍朕皇考剌白尊段
2814	鳥冊夨令段一	乍冊夨令尊俎于王姜
2814	鳥冊夨令段一	用乍丁公寶段
2814.	夨令段二	乍冊夨令尊俎于王姜
2814.	夨令段二	用乍丁公寶段
2815	師毀段	用乍朕文考乙中鬻段
2816	彔白㦰段	用乍朕皇考釐王寶尊段
2817	師額段	才先王既令女乍嗣土
2817	師額段	用乍朕文考尹白尊段
2818	此段一	用乍朕皇考癸公尊段
2819	此段二	用乍朕皇考癸公尊段
2820	此段三	用乍朕皇考癸公尊段
2821	此段四	用乍朕皇考癸公尊段
2822	此段五	用乍朕皇考癸公尊段
2823	此段六	用乍朕皇考癸公尊段
2824	此段七	用乍朕皇考癸公尊段
2825	此段八	用乍朕皇考癸公尊段
2826	師㝨段一	余用乍朕後男巤尊段
2826	師㝨段一	余用乍朕後男巤尊段
2827	師㝨段二	余用乍朕後男巤尊段
2828	宜侯夨段	乍虞公父丁尊彝
2829	師虎段	用乍朕剌考日庚尊段
2830	三年師兌段	用乍朕皇考釐公鬻段
2831	元年師兌段一	用乍皇且城公鬻段
2832	元年師兌段二	用乍皇且城公鬻段

乍

2833	秦公毁	乍彘宗彝
2834	㝬毁	㝬乍𨜒彝寶毁
2834	㝬毁	畯才立、乍疐才下
2835	訇毁	用乍文且乙白同姬尊毁
2836	䎽毁	用乍文母日庚寶尊毁
2837	敔毁一	用乍尊毁
2838	師𣪘毁一	用乍朕皇考輔白尊毁
2838	師𣪘毁一	用乍朕皇考輔白尊毁
2839	師𣪘毁二	用乍朕皇考輔白尊毁
2839	師𣪘毁二	用乍朕皇考輔白尊毁
2840	番生毁	用乍毁、永寶
2841	𦉢白毁	用乍朕皇考武𦉢幾王尊毁
2842	卯毁	易于乍一田
2842	卯毁	用乍寶尊毁
2843	沈子它毁	朕吾考令乃鴅沈子乍緐于周公宗
2843	沈子它毁	休沈子肇𢾊tc賈嗇乍絲毁
2844	頌毁一	用乍朕皇考龏弔
2845	頌毁二	用乍朕皇考龏弔
2845	頌毁二	用乍朕皇考龏弔
2846	頌毁三	用乍朕皇考龏弔
2847	頌毁四	用乍朕皇考龏弔
2848	頌毁五	用乍朕皇考龏弔
2849	頌毁六	用乍朕皇考龏弔
2850	頌毁七	用乍朕皇考龏弔
2851	頌毁八	用乍朕皇考龏弔
2852	不𡢁毁一	用乍朕皇且公白孟姬尊毁
2853.	__弔毁	用乍且考寶尊彝
2853.	尹毁	口口乍父口尊彝
2854	䕒毁	昔先王既令女乍宰、𤔲王家
2854	䕒毁	用乍寶尊毁
2855	班毁一	甹王立、乍四方亟
2855	班毁一	隹乍卲考爽益曰大政
2855.	班毁二	乍四方亟
2855.	班毁二	隹乍卲考爽益曰大政
2856	師訇毁	乍𠬝口口用夾召𠬝辟
2856	師訇毁	用乍朕剌且乙白咸益姬寶毁
2856	師訇毁	乍州宮寶
2857	牧毁	牧、昔先王既令女乍𤔲土
2857	牧毁	不用先王乍井
2857	牧毁	王曰：牧、女母敢弗帥用先王乍明井
2857	牧毁	用乍朕皇文考益白尊殷
2862	𠝷白鋁	𠝷白乍孟姬鋁
2863	史頌匿	史頌乍匿永寶
2868	射南匿二	射南自乍其匿
2869	射南匿一	射南自乍其匿
2871	仲其父乍旅匳一	中其父乍旅匳
2872	仲其父乍旅匳二	中其父乍旅匳
2873	曾侯乙匿	曾侯乙乍寺甬冬
2874	虢弔匿一	虢弔乍弔殷穀尊匿
2874.	虢弔匿二	虢弔乍弔殷穀尊匿

2875	衛子弔旡父旅匠	衛子弔旡父乍旅匠
2877	函交仲旅匠	函交中乍旅匠、寶用
2878	西替鈷	西替乍其妹靳尊鈷(匠)
2879	大嗣馬飤匠	大嗣(司)馬孝述自乍飤匠
2887	虢弔旅匠一	虢弔乍旅匠
2888	虢弔旅匠二	虢弔乍旅匠
2889	魯士孯父飤匠一	魯士孯父乍飤匠、永寶用
2890	魯士孯父飤匠三	魯士孯父乍飤匠、永寶用
2891	魯士孯父飤匠四	魯士孯父乍飤匠、永寶用
2892	魯士孯父飤匠二	魯士孯父乍飤匠、永寶用
2895	曾子屡行器二	曾子屡自乍行器
2896	曾子屡行器三	曾子屡自乍行器
2898	白旅魚父旅匠	白旅魚父乍旅匠
2899	尹氏弔緐旅匡	吳王御士尹氏弔緐乍旅匡
2900	史皇簠	史皇乍旅匠
2901	白□父匡	白□父乍寶匠
2902	白矩食匠	白矩自乍食匠
2903	算匠	算自乍匠
2904	善夫吉父旅匠	善夫吉父乍旅匠
2905	吉__匿	吉id乍寶匿
2906	白蔫父匠	白蔫父乍□匠
2907	王子申匠	王子申乍嘉嬭
2908	楚王酓肯匠一	楚王酓肯(朏)乍鑄金匠
2909	楚王酓肯匠二	楚王酓肯(朏)乍鑄金匠
2910	楚王酓肯匠三	楚王酓肯(朏)乍鑄金匠
2916	竅始旅匠	竅始(始)乍旅匡
2917	胄乍餗匠	胄自乍餗匠
2918	內大子白匠	內(芮)大子自乍匠
2919	鑄弔乍嬴氏匠	鑄弔乍嬴氏寶匠
2920	辥子仲安旅匠	薛子中安乍旅匠
2920.	白多父匠	白多父乍成姬多母霝孚器
2921	__弔乍吳姬匠	qi弔乍吳姬尊鎰(匡)
2922	魯白俞父匠一	魯白俞父乍姬仁匠
2923	魯白俞父匠二	魯白俞父乍姬仁匠
2924	魯白俞父匠三	魯白俞父乍姬仁匠
2925	交君子__匠一	交君子qf肇乍寶匠
2926	交君子__匠二	交君子qf肇乍寶匠
2927	商丘弔旅匠一	商丘弔乍其旅匠
2928	商丘弔旅匠一二	商丘弔乍其旅匠
2929	師麻孝弔旅匠(匡)	師麻s9弔乍旅匡
2930	尹氏賈良旅匠(匡)	尹氏賈良乍旅匡
2931	鑄子弔黑臣匠一	鑄子弔黑臣肇乍寶匠
2932	鑄子弔黑臣匠二	鑄子弔黑臣肇乍寶匠
2933	鑄子弔黑臣匠三	鑄子弔黑臣肇乍寶匠
2935	鬘侯乍弔姬寺男賸匠	鬘侯乍弔姬寺男賸匠
2936	走馬辥仲赤匠	走馬薛中赤自乍其匠
2937	仲義昱乍縣妃鼒一	中義昱乍縣妃鼒
2938	仲義昱乍縣妃鼒二	中義昱乍縣妃鼒
2939	季良父乍宗娟賸匠一	季良父乍宗娟賸匠
2940	季良父乍宗娟賸匠二	季良父乍宗娟賸匠

乍

2941	季良父乍宗媍媵匿三	季良父乍宗媍媵匿
2945	□仲虎匿	用自乍寶匿
2947	季宮父乍媵匿	季宮父乍中姊媘姬媵（ 佚 ）匿
2948	番君召餴匿一	番君召乍餴匿
2949	番君召餴匿二	番君召乍餴匿
2950	番君召餴匿三	番君召乍餴匿
2951	番君召餴匿四	番君召乍餴匿
2952	番君召餴匿五	番君召乍餴匿
2953	白其父麐旅祜	唯白其父麐乍遊祜
2954	史免旅匿	史免乍旅匿
2955	齊陳__匿一	乍皇考獻弔餴逸永保用匿
2956	齊陳曼匿二	乍皇考獻弔餴般永保用匿
2957	子季匿	自乍飤匿
2958	陳公子匿	陳公子中慶自乍匡匿
2959	鑄公乍朕匿一	鑄公乍孟妊東母朕匿
2960	鑄公乍朕匿二	鑄公乍孟妊東母朕匿
2961	陳侯乍媵匿一	陳侯乍王中嬀𡟰媵匿
2962	陳侯乍媵匿二	陳侯乍王中嬀𡟰媵匿
2963	陳侯匿	陳侯乍王中嬀𡟰媵匿
2964	曾□□餴匿	曾□□□睪其吉金自乍餴匿
2964.	弔邦父匿	弔邦父乍因（ 匿 ）
2965	曾侯乍弔姬賸器鬻彝	弔姬霝乍黃邦
2965	曾侯乍弔姬賸器鬻彝	曾侯乍弔姬邛嬭媵器鬻彝
2966	䗊公諴旅匿	䗊（ 鄀 ）公諴（ 諴 ）乍旅匿
2967	陳侯乍孟姜朕匿	陳侯乍孟姜𡟰匿
2968	奠白大嗣工召弔山父旅匿一	奠白大嗣工召弔山父乍旅匿
2969	奠白大嗣工召弔山父旅匿二	奠白大嗣工召弔山父乍旅匿
2970	考弔䏌父尊匿一	考弔䛁父自乍尊匿
2971	考弔䏌父尊匿二	考弔䛁父自乍尊匿
2972	弔家父乍仲姬匿	弔家父乍中姬匡
2976	盄公匿	自乍飤匿
2977	□孫弔左餴匿	自乍餴匿
2978	樂子敬豧飤匿	自乍飤匿
2979	弔朕自乍薦匿	自乍薦匿
2979.	弔朕自乍薦匿二	自乍薦匿
2982	長子□臣乍媵匿	乍其子孟之母賸（ 媵 ）匿
2982	長子□臣乍媵匿	乍其子孟之母賸（ 媵 ）匿
2983	弭仲寶匿	弭中乍寶匿
2984	伯公父盬	白大師小子白公父乍盬
2984	伯公父盬	白大師小子白公父乍盬
2985	陳逆匿一	台（ 以 ）乍氒元配季姜之祥器
2985	陳逆匿一	乍求永命
2985.	陳逆匿二	台（ 以 ）乍氒元配季姜之祥器
2985.	陳逆匿二	乍求永命
2985.	陳逆匿三	台（ 以 ）乍氒元配季姜之祥器
2985.	陳逆匿三	乍求永命
2985.	陳逆匿四	台（ 以 ）乍氒元配季姜之祥器
2985.	陳逆匿四	乍求永命
2985.	陳逆匿五	台（ 以 ）乍氒元配季姜之祥器
2985.	陳逆匿五	乍求永命

2985.	陳逆匿六	台（以）乍氒元配季姜之祥器
2985.	陳逆匿六	乍求永命
2985.	陳逆匿七	台（以）乍氒元配季姜之祥器
2985.	陳逆匿七	乍求永命
2985.	陳逆匿八	台（以）乍氒元配季姜之祥器
2985.	陳逆匿八	乍求永命
2985.	陳逆匿九	台（以）乍氒元配季姜之祥器
2985.	陳逆匿九	乍求永命
2985.	陳逆匿十	台（以）乍氒元配季姜之祥器
2985.	陳逆匿十	乍求永命
2986	曾白霥旅匿一	余用自乍旅匿
2987	曾白霥旅匿二	余用自乍旅匿
2988	攸鬲旅鑐	攸鬲乍旅盨（鑐）
2989	白筍父旅盨	白筍父乍旅盨
2990	登白盨	登白乍re濞用
2991	弔倉父寶盨	弔倉父乍寶盨
2991.	弔倉父寶盨二	弔倉父乍寶盨
2992	白夸父盨	白夸父乍寶盨
2993	中白乍嫡姬旅盨一	中白乍嫡姬旅盨用
2994	中白乍嫡姬旅盨二	中白乍嫡姬旅盨用
2995	条盨一	条乍鑄盨餇
2996	条盨二	条乍鑄盨餇
2997	条盨三	条乍鑄盨餇
2998	条盨四	条乍鑄盨餇
2999	史霉旅盨一	史霉乍旅盨（櫝）
3000	史霉旅盨二	史霉乍旅盨
3001	白鮮旅毁（盨）一	白鮮乍旅毁
3002	白鮮旅毁（盨）二	白鮮乍旅毁
3003	白鮮旅毁（盨）三	白鮮乍旅毁
3004	白鮮旅毁（盨）	白鮮乍旅毁
3005	弔諆父旅盨毁一	弔諆父乍旅盨（鑐）毁
3005.	弔諆父旅盨毁二	弔諆父乍旅盨毁
3006	白多父旅盨一	白多父乍旅盨（須）
3007	白多父旅盨二	白多父乍旅盨（須）
3008	白多父旅盨三	白多父乍旅盨（須）
3009	白多父旅盨四	白多父乍旅盨（須）
3011	弔姞旅鑐	弔姞乍旅盨（鑐）
3012	仲義父旅盨一	中義父乍旅盨
3013	仲義父旅盨二	中義父乍旅盨
3014	弭弔旅盨	弭弔乍旅盨（鑐）
3015	仲彤盨一	中彡（彤）乍旅盨
3016	仲彤盨二	中彡（彤）乍旅盨
3017	白大師旅盨一	白大師乍旅盨
3018	白大師旅盨（器）二	白大師乍旅盨
3019	弔賓父盨	弔賓父乍寶盨
3020	剖弔旅盨	剖弔乍旅盨（須）
3021	乍遣盨	乍遣盨用追考
3022	白車父旅盨（器）一	白車父乍旅盨
3023	白車父旅盨（器）二	白車父乍旅盨
3025	白公父旅盨（蓋）	白公父乍旅盨

乍

3029	周貉旅盨	周雒乍旅須
3030	奠義白旅盨（器）	奠義白乍旅盨（彭）
3031	奠義羌父旅盨一	奠義羌父乍旅盨
3032	奠義羌父旅盨二	奠義羌父乍旅盨
3033	易弔旅盨	易弔乍旅須
3035	魯嗣徒旅毁（盨）	魯嗣徒白吳敄肇乍旅毁
3036	奠井弔康旅盨	奠井弔康乍旅盨（槓）
3036.	奠井弔康旅盨二	奠井弔康乍旅盨
3037	華季嗌乍寶毁（盨）	華季嗌乍寶毁
3038	鬲弔興父旅盨	鬲弔興父乍旅盨（須）
3039	白多父盨	白多父乍成姬多母霝㲃器
3040	白庶父盨毁（蓋）	白庶父乍盨毁
3041	諫季獻旅須	諫季獻乍旅盨（須）
3042	項燹旅盨	項𩵦（燹）乍旅盨
3043	遣弔吉父旅須一	遣弔吉父乍虢王姞旅盨（須）
3044	遣弔吉父旅須二	遣弔吉父乍虢王姞旅盨（須）
3045	遣弔吉父旅須三	遣弔吉父乍虢王姞旅盨（須）
3046	筍白大父寶盨	筍白大父乍𡉇䛐妊鑄匋（寶）盨
3047	㪤乍乙公旅盨（蓋）	㪤乍朕文考乙公旅盨
3048	鑄子弔黑臣盨	鑄子弔黑臣肇乍寶盨
3049	單子白旅盨	單子白乍弔姜旅盨
3050	㚖弔乍旅盨	㚖弔乍中姬旅盨
3051	兮白吉父旅盨（蓋）	兮白吉父乍旅尊盨
3052	走亞虢孟延盨一	走亞虢孟延乍盨
3053	走亞虢孟延盨二	走亞虢孟延乍盨
3054	滕侯穌乍旅毁	滕侯穌乍㲃文考滕中旅毁
3055	虢仲旅盨	才成周乍旅盨
3056	師趛乍㮚姬旅盨	師趛乍虒㮚旅盨
3056	師趛乍㮚姬旅盨	師趛乍㮚姬旅盨
3057	仲𠂤父鎵（盨）	中𠂤父乍季恭□寶尊盨
3058	曼龏父盨一	曼龏父乍寶盨用亯孝宗室
3059	曼龏父盨三	曼龏父乍寶盨
3060	曼龏父盨二	曼龏父乍寶盨
3061	弭弔旅盨	弭弔乍弔班旅盨
3062	乘父毁（盨）	乘父士杉其肇乍其皇考白明父寶毁
3063	犀乍姜浘盨	犀乍姜浘盨
3063	犀乍姜浘盨	犀乍姜浘盨
3064	曩白子宊父征盨一	曩白子宊父乍其征盨
3065	曩白子宊父征盨二	曩白子宊父乍其征盨
3066	曩白子宊父征盨三	曩白子宊父乍其征盨
3067	曩白子宊父征盨四	曩白子宊父乍其征盨
3068	白寬父盨一	白寬父乍寶盨
3069	白寬父盨二	白寬父乍寶盨
3070	杜白盨一	杜白乍寶盨
3071	杜白盨二	杜白乍寶盨
3072	杜白盨三	杜白乍寶盨
3073	杜白盨四	杜白乍寶盨
3074	杜白盨五	杜白乍寶盨
3075	白汈其旅盨一	白汈其乍旅盨
3076	白汈其旅盨二	白汈其乍旅盨

3077	弔尃父乍奠季盨一	弔尃父乍奠季寶鐘六、金尊盨四、鼎十
3078	弔尃父乍奠季盨二	弔尃父乍奠季寶鐘六、金尊盨四、鼎十
3079	弔尃父乍奠季盨三	弔尃父乍奠季寶鐘六、金尊盨四、鼎十
3080	弔尃父乍奠季盨四	弔尃父乍奠季寶鐘六、金尊盨四、鼎十
3081	翏生旅盨一	乍旅盨
3082	翏生旅盨二	乍旅盨
3082	翏生旅盨二	乍旅盨
3083	瘋毁（ 盨 ）一	用乍文考寶毁
3084	瘋毁（ 盨 ）二	用乍文考寶毁
3085	駒父旅盨（ 蓋 ）	四月、還至于蔡、乍旅盨
3086	善夫克旅盨	用乍旅盨
3087	鬲从盨	鬲比乍朕皇且丁公、 文考惠公盨
3088	師克旅盨一（ 蓋 ）	千害王身、乍爪牙。 王曰
3088	師克旅盨一（ 蓋 ）	用乍旅盨
3089	師克旅盨二	千害王身、乍爪牙。 王曰
3089	師克旅盨二	用乍旅盨
3090	㝨盨（ 器 ）	廼乍余一人叚
3090	㝨盨（ 器 ）	用乍寶盨
3092	齊侯乍飤𦎫一	齊侯乍飤𦎫
3093	齊侯乍飤𦎫二	齊侯乍飤𦎫
3095	拍乍祀彝（ 蓋 ）	拍乍朕配平姬𩫖宮祀彝
3096	齊侯乍孟姜善𦎫	齊侯乍朕寡薦孟膳𦎫
3097	陳侯午錞錞一	乍皇妣孝大妃祭器sk鐘台登台嘗
3098	陳侯午錞錞二	乍皇妣孝大妃祭器sk鐘台登台嘗
3099	十年陳侯午𦎫（ 器 ）	用乍平壽造器𦎫台登台嘗
3100	陳侯因資錞	用乍孝武趄公祭器錞
3109	周生豆一	周生乍尊豆用亯于宗室
3110	周生豆二	周生乍尊豆用亯于宗室
3110.	元祀豆	____元祀乍豆
3110.	弔賓父豆?	弔賓父乍寶盨
3110.	孟__旁豆	孟uG旁乍父旅克豆
3111	大師虘豆	大師虘乍䒫尊豆
3114	鮇貉甫	鮇貉乍小用
3115	曾仲斿父甫	曾中斿父自乍寶簠
3115.	曾仲斿父甫二	曾中斿父自乍寶甫（ 莆 ）
3116	劉公鋪	劉公乍杜嬬尊簠永寶用
3117	微伯瘋箭	敚白瘋乍簠
3118	魯大嗣徒厚氏元善匿一	魯大嗣徒厚氏元乍善簠
3119	魯大嗣徒厚氏元善匿二	魯大嗣徒厚氏元乍善簠
3120	魯大嗣徒厚氏元善匿三	魯大嗣徒厚氏元乍善簠
3122	__君之孫盧(者旨留盤)	羼其吉金自乍盧盤
3125	敚白瘋匕二	敚白瘋乍匕
3126	敚白瘋匕一	敚白瘋乍匕
3127	仲枏父匕	中枏父乍匕永寶用
3644	乍寶爵	乍寶
3646	乍隮爵一	乍尊
3647	乍彝爵	乍彝
3686	白乍爵	公乍
3788	乍父乙爵	乍父乙
3789	乍父乙爵	乍父乙

	3921	戯乍父癸爵	戯乍父癸
	3931	乍父辛爵	乍父辛
	3977.	乍父丙爵	乍父丙
乍	3989	禁乍車爵	[禁]乍車
	3990	右乍彝爵	右乍彝
	3991	乍乙公爵	乍乙公
	3995	__乍彝爵	[__]乍彝
	4017	仲乍公爵	中乍公
	4023	則爵	[則]乍寶
	4037	盂爵	盂乍旅
	4044.	則乍寶爵	[則]乍寶
	4063	__乍父乙爵	m3乍父乙
	4068	僂乍父乙爵	僂乍父乙
	4070	卿乍父乙爵	卿乍父乙
	4071	馬乍父乙爵	馬乍父乙
	4072	乍父乙彝爵	乍父乙彝
	4073	__乍父乙爵	__乍父乙
	4082	加乍父戊爵一	加乍父戊
	4083	加乍父戊爵二	加乍父戊
	4087	卌李乍父辛爵	[卌李]乍父辛
	4096	白乍父癸爵	白乍父癸
	4105	走馬乍彝爵	走馬乍彝
	4107	戈叕乍彝爵	[戈]叕乍彝
	4108	丮申乍寶爵	埶申乍寶
	4111	過白乍彝爵	過白乍彝
	4120	舌乍妣丁爵一	[舌]乍妣丁
	4121	舌乍妣丁爵二	[舌]乍妣丁
	4121.	舌乍婦丁爵	[舌]乍婦丁
	4126	瘨乍父丁爵一	瘨乍父丁
	4127	瘨乍父丁爵二	瘨乍父丁
	4128	盧爵	盧乍父辛
	4128.	登爵	登乍尊彝
	4129	目乍且乙彝爵	目乍且乙彝
	4137	臣乍父乙寶爵一	臣乍父乙寶
	4138	臣乍父乙寶爵二	臣乍父乙寶
	4141	戠乍父丁寶爵	戠乍父丁寶
	4142	父戊舟乍彝爵一	父戊舟乍尊
	4143	父戊舟乍彝爵二	父戊舟乍尊
	4144	癸旻乍考戊爵	癸旻乍考戊
	4145	□父乍父辛爵	□父乍父辛
	4148	__乍父癸爵	[ff]乍父癸
	4151	虘爵	戯乍父癸鉦
	4153	聞乍寶障彝爵	聞(虘?)乍寶尊彝
	4154	白誯乍寶彝爵	白誯乍寶彝
	4155	白限乍寶彝爵	白限父乍寶彝
	4156	剛乍寶障彝爵	剛乍寶尊彝
	4159	__父乍寶彝爵	vn父乍寶彝
	4160	□公乍籏彝爵	□公乍旅彝
	4161	__隻乍籏彝爵	__隻乍旅彝
	4162	車乍父寶彝爵	車乍父寶彝

4163	立乍寶隮彝爵	立乍寶尊彝
4164	史𦉢乍寶彝爵	史𦉢(曶)乍寶彝
4167	_乍且乙爵	_乍且乙寶彝
4168	囗乍且乙爵	囗乍且乙寶彝
4168.	師遽爵	師遽乍且乙[舟]
4169	乍甫丁爵	乍甫丁寶尊彝
4170	_乍且丁爵	wk乍且丁寶彝
4171	對乍且辛旅彝爵	對乍且辛旅彝
4172	殹中乍且辛爵	殹中乍且辛彝
4173	獸乍父戊爵	獸乍父戊寶彝
4174	獸乍父戊爵二	獸乍父戊寶彝
4175	能乍父庚爵	能乍父庚尊彝
4175.	冊䀠冊乍父辛爵	乍父辛[冊䀠]
4178	_豐乍父辛爵一	豐乍父辛寶[冊䀠]
4179	豐乍父辛爵二	豐乍父辛寶[冊䀠]
4180	豐乍父辛爵三	豐乍父辛寶[冊䀠]
4181	_乍且己爵	fm乍且己尊寶彝
4182	父乙庚辰為爵	庚辰象乍彝、父乙
4186	攸乍上父爵	攸乍上父寶尊彝
4187	效爵	效乍且戊寶尊彝
4188	又乍氒父爵	又乍氒父寶尊彝
4189	瘨乍父丁爵	瘨乍父丁乍尊彝
4190	牆乍父乙爵一	牆乍父乙寶尊彝
4191	牆乍父乙爵二	牆乍父乙寶尊彝
4191.	父丁爵	乍父丁寶尊彝[天ab]
4192	美乍氒且可公爵一	美乍氒且可公尊彝
4193	美乍氒且可公爵二	美乍氒且可公尊彝
4194	冊𧗟/乍父丁爵	乍父丁尊彝[冊𧗟(衛)]
4195	𢍏乍父辛爵	𢍏大乍父辛寶尊彝
4197.	相爵	相乍父丁彝
4198	朢乍父甲爵	公易朢貝、用乍父甲寶彝
4199	𩰫乍白父辛爵	𩰫乍召白父辛寶尊彝
4200	呂仲僕乍毓子爵	呂中僕乍毓子寶尊彝或
4201	盟舟惠爵	盟舟輪_乍氒且乙寶宗彝
4202	魯侯爵	魯侯乍L6𢍰u9
4202.	___爵	用乍尊彝
4203	御正良爵	用乍父辛尊彝[_]
4204	盂爵	用乍父寶尊彝
4236	王乍母癸角	王乍母癸尊
4237	史逹角	史逹乍寶尊彝
4238	索諆爵(角)	索(索)諆乍有羔日辛𩰬彝
4239	天黿𡉚乍父癸角	用乍父癸尊彝[天黽]
4240	亞未乍父辛角	用乍父辛彝[亞吴]
4241	箙亞_乍父癸角	用乍父癸彝[蟬]
4242	𢉉冊宰梳乍父丁角	用乍父丁尊彝
4324.	乍父辛斝	乍父辛
4329	荷戈形父癸斝	何乍父癸
4330	光乍從彝斝	[光]乍從彝
4331.	乍伯弔乙斝	乍白弔乙
4333	毋乍父戊斝	毋乍父戊

乍

4333.	登乍尊彝斝	登(鄧)乍尊彝
4334	冓斝	冓乍寶尊彝
4335	林闢乍父丁斝	[林]闢乍父丁
4336	宁狽乍父丁斝	[宁狽]乍父丁彝
4337	般乍兄癸斝	[般]乍兄癸尊彝
4338	般兄癸乍斝	[般]兄癸乍尊彝
4339	乍婦姑黽斝	乍婦姑黽尊彝
4340	亞吴𠦪乍母癸斝	亞吴𠦪乍母癸
4340.	虎白斝	犬白乍父寶尊彝
4340.	_斝	_乍康公寶尊彝
4341	冊𠦪折乍父乙斝	折乍父乙寶尊彝[冊𠦪]
4342	䖒婦闢斝	婦闢乍文姑日癸尊彝[䖒]
4343	亞吴小臣邑斝	用乍母癸尊彝
4344	嘉仲父斝	自乍寶尊彝
4390	亞夫乍從彝盉	亞夫、乍從彝
4391	員乍盉	員乍盉
4392	白彭乍盉	白彭乍
4394	㸚乍彝盉	[㸚]乍彝
4396	舟乍宗彝盉	[舟]乍宗彝
4399	此乍寶彝盉	此乍寶彝
4400	戈㽙乍𡩜盉	[戈㽙]乍𡩜
4401	中乍從彝盉一	中乍從彝
4402	中乍從彝盉二	中乍從彝
4406.	芇侯盉	芇侯乍寶盉
4407	滎子乍父戊盉一	滎子乍父戊
4408	滎子乍父戊盉二	滎子乍父戊
4409	䖒乍公_艾盉	乍公uc艾(鎣)[䖒]
4410	𤔲父盉	𤔲父乍寶彝
4411	白定盉	白定乍寶彝
4412	白春盉	白春乍寶盉
4413	吳盉	吳乍寶盉[亞俞]
4414	卿乍父乙盉	卿乍父乙尊彝
4415	戈_乍父丁盉	[戈]pc乍父丁彝
4416	戉中乍父丁盉	中乍彝父丁[戉]
4416	戉中乍父丁盉	中乍父丁彝
4417	𢐗王盉	𢐗(燅)王乍姬rf盉
4418	白矩盉	白矩乍寶尊彝
4419	仲自父乍旅盉	中自父乍旅盉
4420	白_自乍用盉	白ny自乍用盉
4421	徙遽_乍父己盉	徙遽op乍父己
4422	亞𢀛乍仲子辛盉	[亞𢀛]乍中子辛彝
4423	陵白盉	陵白乍寶尊彝
4423.	陵白鎣	陵白乍寶尊彝
4424	白𤔲乍旅盉	白𤔲乍母rd旅盉
4425	季𪓐盂德盉	季𪓐盂德乍寶盉
4426	𠂤父盉	𠂤父乍丝母寶盉
4427	校冊沬乍父乙盉一	沬乍父乙尊彝[校冊]
4428	校冊沬乍父乙盉二	沬乍父乙尊彝[校冊]
4429	𠀠吴乍𡩜考盉	[𠀠]吴乍𡩜考寶尊彝
4430	白百父乍孟姬朕鎣	白百父乍孟姬朕鎣

4431	史孔盉	史孔乍和（盉）
4432	白富乍召白父辛盉	白富乍召白父辛寶尊彝
4432.	鬲盉	用乍王尹__盉
4433	甲盉	甲乍寶尊彝
4434	師子旅盉	師子下湛乍旅盉
4435	__君盉	pi君婦媿霝乍旅□
4435.	靈終盉	乍遣盉
4436	堯盉	堯敢乍姜盉
4437	王乍豐妊盉	王乍豐妊單寶般盉
4438	亞㠱侯㠱盉	乍父乙寶尊彝
4439	白衛父盉	白衛父乍嬴鬻彝
4440	白章父盉	白章父乍寶盉
4441	卅五年__盉	吏乍盉盤
4442	季良父盉	季良父乍kh姒（始）寶盉
4443	王仲皇父盉	王中皇父乍ou娟般盉
4444.	卅五年盉	吏（使）乍盉般
4445	長陵盉	銅要銅錄乍㼚緒父盉樂__一升
4446	麥盉	侯易麥金、乍盉
4447	臣辰冊冊光乍冊父癸盉	用乍父癸寶尊彝
4448	長由盉	用肇乍尊彝
4449	裘衛盉	衛用乍朕文考惠孟寶般
4539	乍旅尊	乍ud
4541	乍旅尊	乍旅
4562	乍且庚尊一	乍且庚
4563	乍且庚尊二	乍且庚
4600	乍父己尊	乍父己
4621	明尊	[明]乍旅
4622	員乍旅尊	[員]乍旅
4623	天乍从尊	[天]乍从
4624	乍旅彝尊	乍旅彝
4625	從乍彝尊	從乍彝
4626	乍寶彝尊一	乍寶彝
4627	乍寶彝尊二	乍寶彝
4628	乍寶彝尊三	乍寶彝
4629	乍寶彝尊四	乍寶彝
4630	乍寶彝尊五	乍寶彝
4639	饕餮鳥紋尊	乍寶彝
4651	乍父乙子尊	乍父乙[光]
4652	乍父乙旅尊	乍父乙旅
4664	㸚乍父辛尊	[㸚]乍父辛
4672	辛乍寶彝尊	辛乍寶彝
4673	其乍旅彝尊	其乍旅彝
4675	寧乍旅彝尊	寧乍旅彝
4676	__乍旅彝尊	nm乍旅彝
4677	𢦏乍旅彝尊	𢦏乍旅彝
4678	白乍旅彝尊一	白乍旅彝
4679	白乍旅彝尊二	白乍旅彝
4680	白乍寶彝尊	白乍寶彝
4682	乍寶尊彝尊一	乍寶尊彝
4683	乍寶尊彝尊二	乍寶尊彝

4684	乍寶尊彝尊三	乍寶尊彝
4685	乍寶尊彝尊四	乍寶尊彝
4686	乍寶尊彝尊六	乍寶尊彝
4687	乍寶尊彝尊七	乍寶尊彝
4688	乍寶尊彝尊八	乍寶尊彝
4689	戈乍旅彝尊一	戈乍旅彝
4690	戈乍旅彝尊二	戈乍旅彝
4691	子乍弄鳥鳥形尊	子乍弄鳥
4694	㲋古乍旅方尊	㲋古乍旅
4696	天黽乍從彝尊	[天黽]乍從彝
4699	乍且丁尊	乍且丁尊彝
4700	競乍父乙旅尊	競乍父乙旅
4701	魚乍父庚尊	魚乍父庚彝
4702	宋乍父辛尊	宋乍父辛旅
4703	永乍旅父丁尊	永乍旅父丁
4705	乍父辛尊	乍父辛寶尊
4708	夨王尊	夨王乍寶彝
4709	乍龍母彝各尊	乍龍母彝[𠙵]
4710	乍彭史從尊	乍彭史从尊
4711	登乍從尊	登乍從彝[華]
4712	大史尊	大史乍尊彝
4713	矩尊一	矩乍寶尊彝
4714	矩尊二	矩乍寶尊彝
4715	事白尊	吏白乍旅彝
4716	＿尊一	h7乍寶尊彝
4717	＿尊二	h7乍寶尊彝
4718	戈□乍父丙尊	戈乍父丙彝
4719	盩赤尊	盩赤乍寶彝
4720	見尊	見乍寶尊彝
4721	吏乍小旅彝尊	吏乍小旅彝
4723	㚇䵼乍尊彝尊	䵼乍尊彝[㚇]
4724	舀尊	舀乍寶尊彝
4725	乍父乙尊	乍父乙寶彝
4726	商乍父丁吾尊	商乍父丁吾尊
4727	乍且乙尊	乍且乙寶尊彝
4728	㽙乍父丁旅尊	㽙乍父丁旅彝
4729	乍父丁尊	乍父丁寶彝[㒸]
4730	乍父丁尊	乍父丁寶彝尊
4731	乍父戊尊	乍父戊寶尊彝
4732	乍父辛尊	＿乍父辛寶尊彝
4733	乍父己尊	乍父己寶彝[c8]
4735	＿乍父辛尊	＿乍父辛尊彝
4736	朕乍父癸尊	朕乍父癸尊彝
4737	□乍父辛尊	□乍父辛寶尊彝
4738	觪白尊	觪白乍寶尊彝
4739	白矩尊一	白矩乍寶尊彝
4740	白矩尊二	白矩乍寶尊彝
4741	白矩尊三	白矩乍寶尊彝
4742	白貉尊	白貉乍寶尊彝
4743	戒弔尊	戒弔乍寶尊彝

4744	白旛尊一	白旛乍寶尊彝
4745	白旛尊二	白旛乍寶尊彝
4746	白旛尊三	白旛乍寶尊彝
4747	竊季尊	竊季乍寶尊彝
4748	邢季㚸旅尊	邢季㚸乍旅彝
4749	員父尊	員父乍寶尊彝
4750	雁公旅尊	雁公乍旅彝
4751	雁公尊	雁公乍寶尊彝
4752	段金歸旅尊	段金歸乍旅彝
4753	傳匋乍從宗彝尊	傳匋乍從宗彝
4754	魯侯乍姜鴞形尊	魯侯乍姜喜彝
4755	榮子尊	榮子乍寶尊彝
4756	仲徽尊	中徽乍寶尊
4757	陵乍父乙旅尊	陵乍父乙旅彝
4758	㵒白尊	㵒白乍寶彝尊
4759	陵白尊	陵白乍寶尊彝
4760	亞耳乍且丁尊	亞耳乍且丁尊彝
4761	乍且己尊	乍且己寶尊彝[舟]
4762	竟乍且癸尊	竟乍且癸寶尊彝
4763	辟東乍父乙尊	辟東乍父乙尊彝
4764	__白乍父乙尊	qc白乍父乙寶尊
4765	對乍父乙尊	對乍父乙[亞夫]寶尊彝
4766	乍父丁尊	乍父丁[㪤]寶尊彝
4767	乍父丁尊	乍父丁寶尊彝[㪤]
4768	戈車乍父己尊	戈車乍父丁寶尊彝
4769	逆乍父丁尊	逆乍父丁寶尊彝
4770	□子乍父丁尊	□子乍父丁尊彝
4771	乍父丁尊	乍父丁寶尊彝[aw]
4772	虢秕乍乍父丁尊	[虢]秕乍父丁尊彝
4773	魚乍父己尊	魚乍父乙寶尊彝
4774	鼬乍文父日丁尊	鼬乍文父日丁[虢]
4775	史見尊	史見乍父甲尊彝
4776	此尊	此乍父辛寶尊彝
4777	徽乍父辛尊	徽乍父辛寶尊彝
4778	賁乍父辛尊	賁乍父辛寶尊彝
4779	詠乍夙尊彝日戊尊	詠乍J4尊彝、日戊
4780	北白滅尊一	北白滅乍寶尊彝
4781	北白滅尊二	北白滅乍寶尊彝
4782	北白滅尊三	北白滅乍寶尊彝
4785	卿乍㔨考尊	卿乍㔨考寶尊彝
4786	亞㠱__乍母癸尊	亞㠱矦㣇乍母癸
4787	烏矢乍辛尊	烏矢乍父辛寶彝
4788	亞醜酉乍父乙尊	[亞醜]酉乍父乙尊彝
4791	屯乍兄辛尊	屯乍兄辛寶尊彝[㪤]
4792	史伏乍父乙旅尊	史伏乍父乙寶旅彝
4793	佳乍父己尊	佳乍父己寶彝[戚箙]
4794	魌乍且乙尊	魌乍且乙寶彝[子廡]
4795	齓乍父戊尊	齓乍父戊寶尊彝[㕯]
4796	獸乍父庚尊	獸乍父庚寶尊彝[弓]
4797	□□乍父庚尊	□□乍父庚寶尊彝

乍

乍

4798	𠭯子乍父辛尊	𠭯子乍父辛寶尊彝
4799	＿乍父癸尊	貍乍父癸寶尊彝[單]
4800	宿父乍父癸尊	宿父乍父癸寶尊彝
4801	單異乍父癸尊	單異乍父癸寶尊彝
4802	＿尊	＿乍父乙寶尊彝[豸]
4803	虢弔尊	虢弔乍弔殷穀尊朕
4804	衛乍季衛父尊	衛乍季衛父寶尊彝
4805	□乍𠭯皇考尊	＿乍𠭯皇考寶尊彝
4807	王子啟疆尊	王子啟疆自乍酉彝
4808	亞㠱吳褻乍母辛尊	[亞㠱吳]褻乍母辛寶彝
4810	子㚤乍母辛尊	子㚤乍母辛尊彝[㚸]
4811	盩嗣土幽乍且辛旅尊	盩司土幽乍且辛旅彝
4812	冊𥜽乍父乙尊	冊𥜽乍父乙寶尊彝[㚸]
4813	周＿旁乍父丁尊	[周uG]旁乍父丁宗寶彝
4814	偖乍父癸尊	偖乍父癸寶尊彝用旅
4815	白乁辪乍日癸尊	[白乁]辪乍日癸公寶尊彝
4816	亞＿傳乍父戊尊	傳乍父戊寶尊彝[亞jc]
4817	曶尊	曶乍文考日庚寶尊器
4818	季𥁕尊	季𥁕乍寶尊彝用𣏟＿
4819	述乍兄日乙尊	述乍兄日乙寶尊彝[邘]
4820	＿何乍兄日壬尊	qn乍兄日壬寶尊彝[dk]
4821	蔡侯𩵦乍大孟姬尊	蔡侯𩵦乍大孟姬媵尊
4822	㕘尊	㕘乍□考宗彝其永寶
4822.	㣈㑃尊	㣈㑃乍父辛彝尊[亞㫃]
4822.	＿尊	q6乍宗尊𠭯孫子永寶
4823	懷季遽父尊	懷季遽父乍豐姬寶尊彝
4825	㚔者君乍父乙尊	㚔者君乍父乙寶尊彝[cu]
4826	呂仲僕尊	呂仲僕乍毓子寶尊彝[或]
4827	兀乍高㫚日乙＿尊	兀乍高㫚日乙＿尊[臣辰豸冊]
4828	＿㚔乍父丁尊一	王占攸田𢦚乍父丁尊[qw]
4829	＿㚔乍父丁尊二	王占攸田𢦚乍父丁尊[qw]
4829	＿㚔乍父丁尊二	王占攸田𢦚乍父丁尊[qw]
4830	犀肇其乍父己尊	犀肇乍父己寶尊彝[箕＿]
4831	𠈇乍𠭯考尊	𠈇乍𠭯考寶尊彝用萬年吏
4832	田澬白遣尊一	[田]澬白遣乍𠭯彝考寶旅尊
4833	田澬白遣尊二	[田]澬白遣乍𠭯彝考寶旅尊
4834	白乍𠭯文考尊	白乍𠭯文考尊彝其子孫永寶
4835	鄦仲尊	鄦中＿乍𠭯文考寶尊彝、日辛
4836	＿䍜乍父乙尊	䍜䍜吏□用乍父乙旅尊彝[冊ap]
4837	鬲乍父甲尊	鬲易貝于王、用乍父甲寶尊彝
4838	執乍父□尊	易聿𠃚用乍父□尊彝
4839	史喪尊	事喪乍丁公寶彝
4840	弔䖒方尊	弔䖒易貝于王始用乍寶尊彝
4841	守宮乍父辛雞形尊	乍父辛尊
4842	啟乍文父辛尊	用乍文父辛尊彝[㚸]
4843	舟員父壬尊	員乍父壬寶尊彝
4845	服方尊	乍文考日辛寶尊彝
4846	䍙尊	用乍宗彝
4847	小子夫尊	用乍父己尊彝[𢦚]
4848	舟㞢𢦚乍父乙尊	用乍父乙寶尊彝[舟㞢]

4849	鄀啟方尊	鄀（鄀）啟乍父庚尊彝
4850	犅劫尊	用乍□□且缶尊彝
4851	黃尊	黃肇乍文考宋白旅尊彝
4852	□□乍其為氒考尊	□□乍其為氒考宗彝
4853	復尊	用乍父乙寶尊彝［ 㠱 ］
4854	__車斝乍公日辛尊	用乍公日辛寶彝［ st ］
4855	弔夾父乍蘿白尊	弔夾父乍文考蘿白尊彝
4856	季受尊	用乍考__父尊彝
4857	乍文考日己尊	乍文考日己寶尊宗彝
4858	㽙毌尊	自乍寶彝
4859	戉箙啟尊	乍且丁旅寶彝
4860	魯侯尊	用乍旅彝
4861	㪤士卿尊	用乍父戊尊彝
4862	㠱能匋尊	能匋用乍文父日乙寶尊彝［ 㠱 ］
4863	㚔乍父乙尊	用乍父乙寶尊彝
4864	乍冊睘尊	公易乍冊睘鬯、貝
4864	乍冊睘尊	用乍父乙寶尊彝
4865	氒方尊	乍氒穆文且考寶尊彝
4867	睘睘尊	才序、君令余乍冊睘安尸（夷）白
4867	睘睘尊	用乍朕文考日癸旅寶［ 睘 ］
4868	趞乍姞尊	用乍姞寶彝
4869	次尊	用乍寶彝
4870	㠱商尊	用乍文辟日丁寶尊彝［ 㠱 ］
4871	删𠦪豐尊	用乍父辛寶尊彝
4872	古白尊	古白曰p7邨乍尊彝
4873	臣辰冊㞢冊乍父癸尊	用乍父寶尊彝
4874	萬諆尊	萬諆乍茲鑄
4874	萬諆尊	用乍念于多友
4875	𣂷折尊	令乍冊𣂷（折）兄望土于樝侯
4875	𣂷折尊	用乍父乙尊
4876	保尊	用乍文父癸宗寶尊彝
4877	小子生尊	用乍𣪘寶尊彝
4878	召尊	用乍團宮旅彝
4879	彔𢦚尊	用乍文考乙公寶尊彝
4880	免尊	乍嗣工
4880	免尊	用乍尊彝
4881	䍙方尊	易休乍□
4881	䍙方尊	用乍辛公寶尊彝
4882	匡乍文考日丁尊	乍象qf
4882	匡乍文考日丁尊	用乍文考日丁寶彝
4883	耳尊	肇乍京公寶尊彝
4884	䍃尊	用乍父乙寶尊彝
4885	效尊	效對公休、用乍寶尊彝
4886	趩尊	趩蔑曆、用乍寶尊彝
4887	蔡侯𦣻尊	用詐（乍）大孟姬賸彝__
4888	盠駒尊一	余用乍朕文考大中寶尊彝
4890	盠方尊	用乍朕文祖益公寶尊彝
4891	何尊	用乍叀公寶尊彝
4892	麥尊	乍冊麥易金于辟侯
4892	麥尊	麥揚、用乍寶尊彝

乍

4893	矢令尊	乍冊令、敢揚明公尹氒宦
4893	矢令尊	用乍父丁寶尊彝、敢追明公賞于父丁[鳥冊]
4913	__乍父丁觥	h7乍父丁寶彝
4914	賁引觥	[賁引]乍尊彝
4916	乍母戊觥(蓋)	乍母戊寶尊彝
4917	旃觥	乍父乙寶尊彝[旃]
4918	卒猷乍父辛觥	[猷]乍父辛寶尊彝[卒]
4921	子蛭乍父乙觥	乍文父乙彝
4922	亞它癿觥	[亞它]癿乍鑿逆王望器[冊]
4923	守宮乍父辛觥	守宮乍父辛尊彝其永寶
4924	燚婦闢乍文姑日癸觥	[燚]婦闢乍文姑日癸尊彝
4925	臤仲子引觥	中子賢引乍文父丁尊彝[鑊]
4926	吳枤馭觥(蓋)	用乍父戊寶尊彝
4927	乍文考日己觥	乍文考日己寶尊宗彝
4928	折觥	令乍冊斦(折)兄望土于桯侯
4928	折觥	用乍父乙尊
4956	白豐乍旅方彝一	白豐乍旅彝
4957	白豐乍旅方彝二	白豐乍旅彝
4960	仲追父乍宗彝	中追父乍宗彝
4961	榮子方彝	榮子乍寶尊彝
4965	卒猷乍父辛方彝一	卒猷乍父辛寶尊彝
4966	卒猷乍父辛方彝二(器)	卒猷乍父辛寶尊彝
4967	弔飽方彝	用乍寶尊彝
4968	鹄方彝一	鹄啟乍父庚尊彝
4969	鹄方彝二	鹄啟乍父庚尊彝
4970	乍冊宅方彝	[亞冀宦箙箙鐵]乍冊宅乍彝
4971	__乍父癸方彝(蓋)	用乍父癸寶彝
4972	過从父彝	過从父乍__白尊彝
4973	乍文考日工夫方彝	乍文考日己寶尊宗彝
4974	__方彝	用乍高文考父癸寶尊彝
4975	麥方彝	用乍尊彝
4976	折方彝	令乍冊斦(折)兄望土于桯侯
4976	折方彝	用乍父乙尊
4977	師遽方彝	用乍文且它公寶尊彝
4978	吳方彝	宰朏右乍冊吳入門
4978	吳方彝	用乍青尹寶尊彝
4979	盠方彝一	用乍朕文祖益公寶尊彝
4980	盠方彝二	用乍朕文祖益公寶尊彝
4981	鳥冊令方彝	乍冊令、敢揚明公尹氒宦
4981	鳥冊令方彝	用乍父丁寶尊彝
5186	__乍彝卣(器蓋各三字)	[aL]乍彝[aL]乍彝
5190	乍寶彝卣一	乍寶彝
5191	乍寶彝卣二	乍寶彝
5192	乍宗彝卣	乍宗彝
5193	乍旅彝卣一	乍旅彝
5194	乍旅彝卣二	乍旅彝
5195	乍車彝卣	乍旅彝
5196	乍旅彝卣	乍旅彝
5197	乍從彝卣	乍從彝
5198	酉乍旅卣	酉乍旅

5200	從乍彝卣	從乍彝
5202	員乍夾卣	員乍夾
5212	公乍彝卣	公乍彝
5214	公卣	公乍彝
5237	遣乍父丁卣	[遣]乍父丁
5248	白壴父乍卣	白壴父乍
5249	弔乍寶彝卣	弔乍寶彝
5250	闌乍尊彝卣	闌乍尊彝
5251	乍戲尊彝卣	乍戲尊彝
5252	戈叕卣	戈叕乍卒
5253	弔乍旅卣	弔乍旅彝
5254	__口從彝卣	[eq]乍從彝
5255	䝞卣一	䝞乍旅彝
5256	䝞卣二	䝞乍車彝
5257	乍車寶彝卣一	乍車寶彝
5258	乍車寶彝卣二	乍車寶彝
5259	戈乍旅彝卣	[戈]乍旅彝
5260	舟乍旅彝卣	乍旅彝[舟]
5261	乍從彝卣	乍從彝
5262	戈乍從卣	[戈]乍從彝
5263	乍寶尊彝卣一	乍寶尊彝
5264	乍寶尊彝卣二	乍寶尊彝
5265	乍寶尊彝卣三	乍寶尊彝
5266	乍寶尊彝卣四	乍寶尊彝
5267	乍寶尊彝卣五	乍寶尊彝
5268	乍寶尊彝卣六	乍寶尊彝
5269	乍寶尊彝卣七	乍寶尊彝
5270	乍寶尊彝卣八	乍寶尊彝
5271	乍寶尊彝卣九	乍寶尊彝
5272	乍寶尊彝卣十	乍寶尊彝
5273	乍寶尊彝卣十一	乍寶尊彝
5274	乍寶尊彝卣十二	乍寶尊彝
5275	乍寶尊彝卣十三	乍寶尊彝
5276	王乍娘弄卣	王乍q9弄
5279	乍父癸孓卣	乍父癸[孓]
5283	騕乍旅彝卣	騕乍旅彝
5285	乍宗寶彝卣	乍宗寶彝
5286	白乍尊彝卣	白乍尊彝
5287	白乍尊彝卣	白乍尊彝
5288	登乍尊彝卣	登乍尊彝
5292	獎乍父乙卣	[獎]乍父乙彝
5293	競乍父乙旅卣	競乍父乙旅
5294	关乍父己彝卣	乍父己彝[关]
5296	鳥乍旅父丁卣(蓋)	[鳥]乍旅父丁
5300	守宮乍父辛卣	守宮乍父辛
5301	仲卣(蓋)	中乍寶尊彝
5305	__乍寶尊彝卣	h7乍寶尊彝
5306	頡卣	頡乍寶尊彝
5307	葦卣	[葦]乍寶尊彝
5308	虞奴乍從彝卣	[虞]奴乍從彝

乍

5309	豐乍從寶彝卣	豐乍從寶彝
5310	皇_乍尊彝卣 (蓋)	[皇r8]乍尊彝
5311	弔乍寶尊彝卣	弔乍寶尊彝
5312	師隻卣(蓋)	師隻乍尊彝
5313	小子乍母己卣一	小子乍母己
5314	小子乍母己卣二	小子乍母己
5315	智卣(蓋)	智乍寶尊彝
5316	強季卣	強季乍寶旅彝
5317	大舟乍父乙卣	[大舟]乍父乙彝
5321	𡦂乍父乙卣	乍父乙寶彝[𡦂]
5322	誂乍父戊旅卣	[誂]乍父戊旅彝
5323	考乍父辛卣	考乍父辛尊彝
5324	賒白卣	賒白乍寶尊彝
5325	_乍父辛卣	_乍父辛彝
5326	乍父癸卣	乍父癸尊彝[集]
5327	壴乍父丁卣	壴乍父辛寶彝
5328	仲憿卣	仲憿乍寶彝
5329	汪白卣	汪白乍寶旅彝
5330	綸白卣	綸白乍寶尊彝
5331	白魚卣	白魚乍寶尊彝
5332	竟卣	[竟]乍𡠀寶尊彝
5333	白矩卣一(蓋)	白矩乍寶尊彝
5334	白矩卣二	白矩乍寶尊彝
5335	白矩卣三	白矩乍寶尊彝
5336	白矩卣四	白矩乍寶尊彝
5337	白貉卣	白貉乍寶尊彝
5338	仲黴卣	中黴乍寶尊彝
5339	弔𢽿卣	弔𢽿乍寶尊彝
5340	井季㲋旅卣	井季㲋乍旅彝
5341	𩕢季卣	𩕢季乍寶尊彝
5342	衛父卣	衛父乍寶尊彝
5343	_魃父乍旅卣	魃父乍旅彝[eb]
5344	卿乍𡠀考卣一	卿乍𡠀考尊彝
5345	卿乍𡠀考卣二	卿乍𡠀考尊彝
5346	𡚒向卣	向𡠀乍尊彝[𡚒]
5347	䵷卣	䵷乍寶尊彝[网]
5348	𪓐嗌卣	𪓐嗌乍寶尊彝
5349	戰乍從彝卣	[戰(戎)]乍從彝
5351	嫠憖卣	憖乍□寶尊彝[𡚒]
5352	榮子旅卣	榮子旅乍旅彝
5353	乍公尊彝卣	乍公尊彝[彊]
5354	仲自父乍旅彝卣	中自父乍旅彝
5356	乍父庚卣	乍父庚尊彝[cf]
5357	乍父丁寶旅彝卣	乍父丁寶旅彝
5359	夆莫父卣	夆莫父乍寶彝
5360	亞古乍父己卣	[亞古]乍父己彝
5361	陵白卣一	陵白乍寶尊彝
5362	漯白卣一	漯白乍寶尊彝
5363	漯白卣二	漯白乍寶尊彝
5364	亞吳𨛜乍車彝卣	𨛜乍車彝[亞吳]

5366	齊乍父乙尊彝卣	齊乍父乙尊彝
5370	遣乍且乙卣	遣乍且乙寶尊彝
5371	__乍且丁卣	h5乍且丁寶尊彝
5373	史見乍父甲卣	史見乍父甲尊彝
5374	羊乍父乙卣	羊乍父乙寶尊彝
5375	天乍父乙卣	乍父乙寶尊彝[天]
5376	亞束無憂乍父丁卣	[亞束]無憂乍父丁彝
5377	車乍父丁卣	車乍父丁寶尊彝
5378	叀乍父戊旅卣二	叀乍父戊寶尊彝
5379	叀乍父戊旅卣一	叀乍父戊寶旅彝
5380	狽人乍父戊卣	[狽]兀乍父戊尊彝
5380	狽人乍父戊卣	[狽]兀乍父戊尊彝
5381	叀人乍父己卣	[叀]人乍父己尊彝
5381	叀人乍父己卣	[叀]人乍父己尊
5382	__乍父己卣	[dm]乍寶父彝己
5383	㷭父己卣	[㷭]父己乍寶尊彝
5384	賁乍父辛卣	賁乍父辛寶尊彝
5385	㬎乍父辛卣	㬎乍父辛寶尊彝
5386	____乍父辛卣	[uutt]乍父辛尊彝
5387	亞__夾乍父辛卣	夾乍父辛尊彝[亞b3]
5388	亞俞窑乍父辛卣	窑乍父辛尊彝[亞俞]
5389	矢白隻乍父癸卣	矢白隻乍父癸彝
5390	北白殁卣	北白殁乍寶尊彝
5391	闕乍宄白卣	闕乍宄白寶尊彝
5392	散白乍__父卣一	散白乍ot父尊彝
5392	散白乍__父卣一	散白乍ot父尊彝
5393	散白乍__父卣二	散白乍ot父尊彝
5394	史戍乍父壬卣	史戍乍父壬尊彝
5395	戣弔卣	戣弔乍季寶尊彝
5396	季卣	季乍父辛寶尊彝
5397	弔夫冊卣	弔夫父冊乍寶彝
5398	亞㠱吴夆乍母癸卣	[亞㠱吴夆]乍母癸
5399	子__乍父丁卣	子__用乍父丁彝
5400	__葦乍匕癸卣	葦乍父癸尊彝[fn]
5401	__乍父丁卣	[ep]乍父丁寶尊彝
5402	犀乍且乙卣	犀乍且乙寶尊彝
5403	__解乍父乙卣	解乍父乙尊彝[__]
5404	小臣乍父乙卣	小臣乍父乙寶彝
5405	__矢乍父辛卣	__矢乍父辛寶彝
5406	衛卣	衛乍季衛父寶尊彝
5407	單䀇乍父甲卣	䀇乍父甲寶尊彝[單]
5408	亘丞乍文父丁卣	亘丞乍文父丁尊彝[[illegible]]
5409	畾__乍且癸卣	__乍且癸寶尊彝[畾]
5410	枚家乍父戊卣	枚家乍父戊寶尊彝
5411	戠䚕乍父戊卣	䚕乍父戊寶尊彝[戠]
5412	𨽍屯乍兄辛卣	屯乍兄辛寶尊彝[𨽍]
5413	魚狽白罰卣	狽白罰乍尊彝[魚]
5414	䭓乍父戊卣	䭓乍父戊尊彝[戈]
5415	白乍文公旅卣	白乍文公寶尊旅彝
5415	白乍文公旅卣	白乍文公寶尊旅彝

乍

5416	𨳩卣	𨳩乍皇陽日辛尊彝
5417	白睘卣一	白睘乍氒室寶尊彝
5418	白睘卣二	白睘乍氒室寶尊彝
5418	白睘卣二	白睘乍室尊寶彝［ 网 ］
5419	__高卣	王易__高〓、用乍彝
5420	䣄侯弟𠪚季旅卣	䣄侯弟𠪚季乍旅彝
5421	亞__對乍父乙卣	對乍父乙寶尊彝［ 亞b2 ］
5422	嫠𤔲土幽旅卣	嫠司土幽乍且辛旅彝
5423	亞__中__乍父丁卣	va乍父丁尊彝［ 亞bt中 ］
5424	束乍父辛卣	公賞束、用乍父辛于彝
5425	何乍兄日壬卣	qn乍兄日壬寶尊彝［ dk ］
5426	亞𠤱剌乍兄日辛卣	剌乍兄日辛尊彝［ 亞𠤱 ］
5427	𠈇乍父癸卣	𠈇乍父癸寶尊彝、用旅
5428	____乍父考癸卣	uv乍文考癸寶尊彝［ ev ］
5429	仲乍好旅卣一	中乍好旅彝
5430	仲乍好旅卣二	中乍好旅彝
5431	白__乍西宮白卣	白rz乍西宮白寶尊彝
5432	参乍甲考宗彝卣	参乍甲考宗彝其永寶
5433	䢅亞束竄𡨦乍父癸卣	［ 亞束 ］竄𡨦乍父癸寶尊彝［ 䢅 ］
5434	亞集𢍰乍文考父丁卣	亞集乍文老父丁寶尊彝
5435	婦𨶹㸚乍文姑日癸卣一	婦𨶹乍文姑日癸尊彝［ 䢅 ］
5436	婦𨶹㸚乍文姑日癸卣二	婦𨶹乍文姑日癸尊彝［ 䢅 ］
5437	䢅女子小臣兒乍己卣	女子｛ 小臣 ｝兒乍己尊彝［ 䢅 ］
5438	𢼸乍旅彝卣	𢼸乍旅彝
5439	小臣豐乍父乙卣	用乍父乙彝
5440	__白日__乍父丙卣	ha白日m4乍父丙寶尊彝
5441	㥨季遽父卣一	㥨季遽父乍豐姬寶尊彝
5442	㥨季遽父卣二	㥨季遽父乍豐姬寶尊彝
5443	亞㠱侯矣𡚬卣	𡚬易孝用乍且丁彝［ 亞㠱侯矣 ］
5444	守宮卣	守宮乍父辛尊彝
5445	𢊁寓卣	用乍凡彝［ 𢊁 ］
5446	𤰔潘白逘旅卣一	［ 𤰔 ］潘白逘乍氒考寶旅尊
5447	王𠙵卣	乍父丁尊［ qw ］
5448	天黽𩞁乍父癸卣	子易𩞁用乍父癸尊彝［ 天黽 ］
5449	倗乍氒考卣	倗乍氒考寶尊彝
5450	天黽𥁕乍父辛卣	用乍父辛尊彝［ 天黽 ］
5451	鄦仲奔乍文考日辛卣	鄦中奔乍氒文考寶尊彝、日辛
5452	豚乍父庚卣	豚乍父庚宗彝
5453	__卣	用乍母乙彝
5454	孶卣	孶乍寶尊彝
5455	𪓐乍丁師卣	𪓐䔞用乍丁師彝
5456	㠱子乍婦𡛜卣	子乍婦𡛜彝
5457	小臣系乍且乙卣一	用乍且乙尊
5453	小臣系乍且乙卣二	用乍且乙尊
5459	𤇾𢆶卣	𤇾𢆶乍其為氒考宗彝
5460	䣄御乍父己卣	用乍父己尊彝
5460	䣄御乍父己卣	用乍父己尊彝
5461	寓乍幽尹卣	用乍幽尹寶尊彝
5462	㝉白乍父乙卣一	用乍父乙寶尊彝
5463	㝉白乍父乙卣二	用乍父乙寶尊彝

5464	刀耳乍父乙卣	用乍父乙寶尊彝[刀]
5465	員卣	員孚金、用乍旅彝
5466	顯乍母辛卣一	顯乍母辛尊彝
5467	顯乍母辛卣二	顯乍母辛尊彝
5468	子寡子卣	烏虖、誅帝家以寡子乍永寶
5469	白ns卣	用乍寶尊彝
5470	__盂乍父丁卣	用乍父丁寶尊彝[fk]
5471	獎小子省乍父己卣	用乍父己寶彝[獎]
5471	獎小子省乍父己卣	用乍父己寶彝[獎]
5472	乍毓且丁卣	用乍毓且丁尊[卬]
5472	乍毓且丁卣	用乍毓且丁尊[卬]
5473	同乍父戊卣	用乍父戊寶尊彝
5474	𨞷卣	公易乍冊𨞷鬯、貝
5474	𨞷卣	用乍父乙寶尊彝
5474	𨞷卣	公易乍冊𨞷鬯、貝
5474	𨞷卣	用乍父乙寶尊彝
5475	六祀切其卣	乙亥、切其易乍冊擊C0珏
5475	六祀切其卣	用乍且癸尊彝
5476	趞乍姑寶卣	用乍姑寶彝
5477	單光壴乍父癸簋卣	文考日癸乃__子壴乍父癸旅宗尊彝
5478	次卣	用乍寶彝
5479	獎商乍文辟日丁卣	商用乍文辟日丁寶尊彝[獎]
5480	冊㚔冊豐卣	用乍父辛寶尊彝[冊㚔]
5480	冊㚔冊豐卣	用乍父辛寶尊彝[冊㚔]
5481	叔卣一	用乍寶尊彝
5482	叔卣二	用乍寶尊彝
5484	乍冊睘卣	王姜令乍冊睘安尸白
5484	乍冊睘卣	用乍文考癸寶尊器
5484	乍冊睘卣	王姜令乍冊睘安尸白
5484	乍冊睘卣	用乍文考癸寶尊器
5485	貉子卣一	用乍寶尊彝
5486	貉子卣二	用乍寶尊彝
5487	靜卣	用乍宗彝
5488	靜卣二	用乍宗彝
5489	戉箙啟卣	乍且丁寶旅尊彝
5490	戉穃卣	用乍文考日乙寶尊彝
5490	戉穃卣	用乍文考日乙寶尊彝
5493	召乍__宮旅卣	用乍杦宮旅彝
5494	獎寡乍母辛卣	寡用乍母辛彝
5495	保卣	用乍文父癸宗寶尊彝
5495	保卣	用乍文父癸宗寶尊彝
5496	召卣	用乍團宮旅彝
5497	農卣	敢對揚王休、從乍寶彝
5498	彔㦰卣	用乍文考乙公寶尊彝
5499	彔㦰卣二	用乍文考乙公寶尊彝
5500	免卣	乍司工
5500	免卣	用乍尊彝
5501	臣辰冊冊𠂤卣一	用乍父癸寶尊彝[臣辰冊𠂤]
5502	臣辰冊冊𠂤卣二	用乍父癸寶尊彝[臣辰冊𠂤]
5503	競卣	用乍父乙寶尊彝

5504	庚嬴卣一	用乍氒文姑寶尊彝
5505	庚嬴卣二	用乍氒文姑寶尊彝
5506	小臣傳卣	用乍朕考日甲寶
5507	乍冊虢卣	賚乍冊虢馬
5507	乍冊虢卣	用乍日己旅尊彝
5509	棶卣	高對乍父丙寶尊彝
5510	乍冊嗌卣	乍冊嗌乍父辛尊
5510	乍冊嗌卣	用乍大禦于氒且考父母多申
5511	效卣一	用乍寶尊彝
5550	__田罍	[__田]乍彝
5555	竟乍氒彝罍	[竟]乍氒彝
5560	舟乍父丁方罍	[舟]乍父丁妻盟
5561	白罍	白乍氒寶尊彝
5562	皿父己罍	[皿]乍父己尊彝
5563	爯乍日父丁罍	[爯]乍日父丁尊彝
5564	單陵乍父日乙方罍	陵乍父日乙寶靁(罍)[dz]
5565	乍父乙罍	乍父乙寶中尊靁(罍)[ba]
5574	女姬罍	女姬乍氒姑夕母(姼?)寶尊彝
5577	__焱乍父丁罍	王占攸田叕乍父丁尊[qw]
5578	戈蘇乍且乙罍	蘇乍且己尊彝
5579	乃孫乍且甲罍	乃孫__乍且甲罍
5579	乃孫乍且甲罍	其lw______其乍nc
5580	洺____罍	洺td__乍尊靁(罍)
5581	岀田罍	自乍寶靁(罍)
5582	對罍	對乍文考日癸寶尊靁(罍)
5583	不白夏子罍一	不白夏子自乍尊靁(罍)
5584	不白夏子罍二	不白夏子自乍尊靁(罍)
5597	次瓿	用乍寶彝
5637	乍從彝壺	乍從彝
5638	才乍壺	堯乍壺
5639	乍旅彝壺	乍旅彝
5640	乍旅壺一	乍旅壺
5641	員乍旅壺	員乍旅壺
5643	辰乍父己壺	辰乍父己
5644	友乍尊壺	友乍尊壺
5645	夾乍彝壺	夾乍彝、旨
5646	弊乍寶壺	弊乍寶壺
5648	梁乍寶彝壺	梁乍寶彝
5649	亞乍旅彝壺	亞__乍旅彝
5652	__乍寶彝壺	G9乍寶彝
5654	事从乍壺	事从乍壺
5657	白乍寶壺一	白乍寶壺
5658	白乍寶壺二	白乍寶壺
5659	考母壺	考母乍聯医
5659	考母壺	考母乍聯医
5663	儠媯乍寶壺	儠(嬶)媯乍寶壺
5664	__乍尊彝壺	[dj]乍尊彝
5666	白乍姬	白乍姬歙壺
5667	嬶妊乍安壺	嬶妊乍安壺
5668	天姬自乍壺	夨姬自乍壺

5671	榪侯旅壺	榪侯乍旅彝
5672	白㦰壺	白㦰乍歆壺
5673	白㦰乍旅彝壺	白㦰乍旅彝
5675	雁公壺	雁公乍寶尊彝
5676	伯矩壺一	白矩乍寶尊彝
5677	伯矩壺二	白矩乍寶尊彝
5678	觴仲多醴壺	觴中多乍醴壺
5679	白灘父旅壺	白灘父乍旅壺
5680	恆乍且辛壺	恆乍且辛壺[戉]
5683	孟截父鬱壺	孟截父乍鬱壺
5685	㝬匕乍父己壺	[㝬]匕乍父己尊彝
5690	白到方壺	白到乍寶尊彝
5691	甚父乍父壬壺	甚父乍父壬寶壺
5694	魯侯乍尹弔姬壺	魯侯乍尹弔姬壺
5695	内白攸乍蘿公壺	内白攸乍蘿公尊彝
5696	膚冊冊𠭯乍父辛壺	𠭯乍父辛彝[膚冊]
5697	右走馬嘉行壺	右走馬嘉自乍行壺
5698	鬼乍父丙壺	鬼乍父丙寶壺[ei]
5699	𦖞奪乍父丁壺	奪乍父丁寶尊彝[𦖞]
5702	__侯壺	__侯乍旅壺永寶用
5703	内公鑄從壺一	内公乍鑄從壺永寶用
5704	内公鑄從壺二	内公乍鑄從壺永寶用
5705	内公鑄從壺三	内公乍鑄從壺永寶用
5706	子弔乍弔姜壺一	子弔乍弔姜尊壺永用
5707	子弔乍弔姜壺二	子弔乍弔姜尊壺永用
5708	__何乍兄日壬壺	qn乍兄日壬寶尊彝[dk]
5709	白魚父旅壺	白魚父乍旅壺永寶用
5710	䆁車父壺一	䆁車父乍寶壺永用享(器蓋)
5711	䆁車父壺二	䆁車父乍寶壺永用享(器蓋)
5712	白山父方壺	白山父乍尊壺
5713	孟上父尊壺	孟上父乍尊壺
5714	同白邦父壺	同白邦父乍弔姜萬人壺
5716	安白異生旅壺	安白異生乍旅壺
5718	曾仲斿父壺	自乍寶尊壺(蓋左行)
5718	曾仲斿父壺	自乍寶尊壺(器右行)
5722	白庶父醴壺	白庶父乍尊壺
5723	王白姜壺一	王白姜乍尊壺
5724	王白姜壺二	王白姜乍尊壺
5725	呂王__乍内姬壺	呂王np乍内姬尊壺
5726	華母薦壺	華母自乍薦壺
5728	樊夫人壺	自乍行壺
5729	陳侯乍媯穌朕壺	陳侯乍媯穌(蘇)賸壺
5730	保𦂧母壺	揚始休、用乍寶壺
5731	邛君婦龢𣝁	邛君婦龢乍其壺
5732	鄧孟乍監曼壺	鄧孟乍監曼尊壺
5733	異中乍倗生歆壺	異中乍倗生歆壺
5734	尚乍旅壺	尚(尚)自乍旅壺
5735	内大子白壺	内大子白乍鑄寶壺
5735	内大子白壺	内大子白乍鑄寶壺、永享
5736	□自父壺	□自父乍□壺

乍

乍

5738	___壺	o9o1乍寶壺
5739	鄭楙弔賓父醴壺	鄭楙弔賓父乍醴壺
5740	嗣寇良父壺	嗣寇良父乍為衛姬壺
5743	齊良壺	齊良乍壺盂
5744	仲南父壺一	中南父乍尊壺
5745	仲南父壺二	中南父乍尊壺
5746	史僕壺一	史僕乍尊壺
5747	史僕壺二	史僕乍尊壺
5748	虢季子組壺	虢季子組乍寶壺
5749	矩弔乍仲姜壺一	矩弔乍中姜寶尊壺
5750	矩弔乍仲姜壺二	矩弔乍中姜寶尊壺
5751	白公父乍弔姬醴壺	白公父乍弔姬醴壺
5752	陳侯壺	陳侯乍壺
5753	大師小子師聖壺	大師{ 小子 }師望乍寶壺
5755	散氏車父壺一	氏車父乍ro姜□尊壺
5756	中白乍朕壺一	中白乍亲姬繺人媵壺
5757	中白乍朕壺二	中白乍亲姬繺人媵壺
5761	兮熬壺	兮熬乍尊壺
5762	呂行壺	用乍寶尊彝
5763	殷句壺	殷句乍其寶壺
5764	杞白每亡壺一	杞白母亡乍鼄婞(曹)寶壺
5765	杞白每亡壺二	杞白每亡乍鼄婞(曹)寶壺
5766	周㚇壺一	周㚇乍公日己尊壺
5767	周㚇壺二	周㚇乍公日己尊壺
5768	虞嗣寇白吹壺一	虞嗣寇白吹乍寶壺
5769	虞嗣寇白吹壺二	虞嗣寇白吹乍寶壺
5774	椒車父壺	椒車父乍皇母ro姜寶壺
5775	蔡公子壺	蔡公子□□乍尊壺
5776	曩公壺	曩公乍為子弔姜盥壺
5777	孫弔師父行具	邛立宰孫弔師父乍行具
5780	公孫窹壺	公子土斧乍子中姜Lw之盤壺
5781	曾姬無卹壺一	甬(用)乍宗彝尊壺
5782	曾姬無卹壺二	甬(用)乍宗彝尊壺
5783	曾白陭壺	用自乍醴壺
5785	史懋壺	用乍父丁寶壺
5786	昊季良父壺	昊季良父乍kh姒(始)尊壺
5787	汈其壺一	汈其乍尊壺
5788	汈其壺二	汈其乍尊壺
5789	命瓜君厚子壺一	命瓜君厚子乍鑄尊壺
5790	命瓜君厚子壺二	命瓜君厚子乍尊壺
5791	十三年瘐壺一	王乎乍冊尹冊易瘐畫斱
5792	十三年瘐壺一	王乎乍冊尹冊易瘐畫斱
5793	幾父壺一	用乍朕刺考尊壺
5794	幾父壺二	用乍朕刺考尊壺
5795	白克壺	用乍朕穆考後中尊壺
5796	三年瘐壺一	用乍皇且文考尊壺
5797	三年瘐壺二	用乍皇且文考尊壺
5798	曶壺	更乃且考乍冢嗣土于成周八自
5798	曶壺	用乍朕文考釐公尊壺
5799	頌壺一	用乍朕皇考龏弔

5800	頌壺二	用乍朕皇考龏弔
5805	中山王嚳方壺	乍斂中則庶民附（附）
5808	孟城行鉼	若公孟城乍為行鉼（鉼）
5809	弘乍旅鉼	樂大嗣徒子禁之子引乍旅鉼 乍
5810	喪鉼	䨻史賓自乍鉼
5811	曾白文𨱥	唯曾白父自乍氒pe𨱥
5812	仲義父𨱥一	中義父乍旅𨱥
5813	仲義父𨱥二	中義父乍旅𨱥
5814	白夏父𨱥一	白夏父乍畢姬尊𩰫
5815	白夏父𨱥二	白夏父乍畢姬尊𩰫
5816	奠義白𨱥	奠義白乍武□𨱥
5816.	伯亞臣𨱥	黃孫馬pr子白亞臣自乍𨱥
5823	蔡侯𤔲乍大孟姬盥缶	蔡侯𤔲乍大孟姬賸盥缶
5825	䜌書缶	以乍鑄缶
6189	弔乍彝觚	弔乍彝
6190	夭乍彝觚一	[夭]乍彝
6191	夭乍彝觚二	[夭]乍彝
6192	乍從彝觚一	乍從彝
6193	乍從彝觚二	乍從彝
6210	乍父乙觚	乍父乙
6225	省乍父丁觚	[省]乍父丁
6226	𦥑乍父丁觚	[𦥑]乍父丁
6242	戈㲋乍氒觚一	[戈]㲋乍氒
6243	戈㲋乍氒觚二	[戈]㲋乍氒
6244	辛乍從彝觚	辛乍從彝
6249	登觚	登乍尊彝
6255	大且乙觚	大且乙乍彝
6258	𦘔引乍尊彝觚	𦘔引乍尊彝
6259	亞夫乍寶從彝觚一	[亞夫]乍寶從彝
6260	亞夫乍寶從彝觚一	[亞夫]乍寶從彝
6261	亞䚄婦＿觚	婦＿乍彝[亞䚄]
6263	亞＿皿觚	[亞寬犬]皿白乍尊彝
6264	卿乍父乙觚	[鄉]乍父乙寶尊彝
6265	亞㠯乍父辛尊觚	乍父辛尊[亞㠯]
6266	史見乍父甲觚	史見乍父甲彝
6267	王子耶乍父丁觚	王子耶乍父丁彝
6268	亞乍父乙觚一	亞乍父乙尊寶彝
6269	亞乍父乙觚二	亞乍父乙寶尊彝
6270	餢𠪚乍父戊觚一	[餢]𠪚乍父戊尊彝
6271	餢𠪚乍父戊觚二	[餢]𠪚乍父戊尊彝
6272	䍴妏乍乙公觚	妏乍乙公寶彝[䍴]
6273	＿乍且己觚	[夙]乍且己尊彝[ar]
6274	𡨦亥召乍父辛觚	𡨦亥召乍父辛彝
6275	𢒼戍𢒼乍且癸旬觚	[𢒼戍𢒼]乍且癸[旬]寶彝
6276	𠦪趞乍日癸觚	趞乍日癸寶尊彝[𠦪]
6277	貝隹乍父乙觚	貝鳥易用乍父乙尊彝[天黽]
6278	㪉𠬪用＿日義觚	用乍pd日乙尊彝[㪉]
6281	天□逐攸宁觚	天□逐攸宁用乍父辛寶尊彝
6282	召乍父戊觚	召乍氒文考父戊寶尊彝
6389	㸚乍觶	㸚乍

	6392	乍旅觶	乍旅
	6393	乍侯觶	乍侯
	6395	乍＿觶	乍＿
乍	6396	乍尊觶	乍
	6398	作仲觶	乍中
	6453	乍父丙觶	乍父丙
	6479	乍父庚觶	乍父庚
	6528	乍姞彝觶	乍姞彝
	6529	＿乍彝觶一	[rv]乍彝
	6530	＿乍彝觶二	[rv]乍彝
	6531	白乍彝觶	白乍彝
	6540	白乍彝觶	白乍彝
	6551	冂＿乍父乙觶	[冂ll]乍父乙
	6572	舟乍父己觶	[舟]乍父己
	6576	六乍父辛觶	[六]乍父辛
	6578	＿乍父癸觶	[fz]乍父癸
	6579	光乍母辛觶	[岃]乍母辛
	6581	逹乍寶彝觶	逹乍寶彝
	6582	戈ㄨ乍㝬觶	[戈ㄨ]乍㝬
	6583	員乍旅彝觶一	[員]乍旅彝
	6584	員乍旅彝觶二	[員]乍旅彝
	6585	刅乍旅彝觶	[刅]乍旅彝
	6586	耒乍寶彝觶	[耒]乍寶彝
	6589	膚冊父乙觶	膚乍父乙[冊]
	6594	高乍父乙觶	高乍父乙彝
	6596	聮子乍父丁觶	[聮子]乍父丁
	6597	虘父丁乍丙觶	虘父丁乍丙
	6598	姞亘母觶	姞亘母乍寶
	6599	亘觶	亘＿戠乍彝
	6600	邑觶	邑乍寶尊彝
	6603	叜白觶	叜白乍寶彝
	6604	尚乍父乙觶	尚乍父乙彝[鳥]
	6606	＿＿乍禦父辛觶	[usut]乍禦父辛
	6607	丰乍父乙觶	tJ乍父乙尊彝
	6608	舟敄乍父癸觶	敄乍父癸彝[舟]
	6609	㽙疑＿觶	疑乍寶尊彝[㽙]
	6610	乍父丙觶	乍父丙尊彝
	6614	句乍父丁觶	[句]乍父丁尊彝
	6615	父己庚禾觶	克乍庚禾父己
	6616	者兒觶	者兒乍寶尊彝
	6617	中亞址乍匕己觶	乍匕己彝[中亞址]
	6618	㚤𩁹＿乍且辛觶	[㚤𩁹vr]乍且辛彝
	6619	子徒乍兄日辛觶	子徒乍兄日辛彝
	6620	亞示乍父己觶	[亞示]乍父己尊彝
	6621	冊木工乍母甲觶	[冊杠]乍母甲尊彝
	6622	吉徣乍㝬觶	吉徣乍㝬寶尊彝
	6623	白乍㝬且觶	白乍㝬且寶尊彝
	6624	亞＿遽仲乍父丁觶	遽中乍父丁寶[亞bv]
	6625	弔＿乍㯱公觶	弔om乍㯱公寶彝
	6626	犬山刀子乍父戊觶	子乍父戊[犬山刀]

6627	鼓搴乍父辛觶	[鼓搴]乍父辛寶尊彝
6628	鳥冊何般貝宁父乙觶	[何般貝宁]用乍父乙寶尊彝[鳥]
6629	齊史疑乍且辛觶	齊史疑乍且辛寶彝
6631	小臣單觶一	用乍寶尊彝
6632	白乍蔡姬觶	白乍蔡姬宗彝
6633	蔪乍文考觶	用乍文考尊彝、永寶
6634	郐王義楚祭耑	自酢(乍)祭耑
6635	中觶	用乍父乙寶尊彝
6663	白公父金勺一	白公父乍金爵
6687	乍從彝盤	乍從彝
6689	季乍寶盤	季乍寶
6691	乍姒從彝盤	乍姒从彝
6692	□乍從彝盤	□乍從彝
6693	鼨乍父戊盤	[鼨]乍父戊
6695	轉乍寶盤	轉乍寶盤
6696	曆盤	曆乍寶尊彝
6698	亞艅吳盤	吳乍寶盤[亞俞]
6699	鄧父盤	鄧父乍寶尊彝
6701	宗仲乍尹姞盤	宗中乍尹姞般(盤)
6702	㑁白盤一	㑁白自乍盤縈
6703	㑁白盤二	㑁白乍用__
6704	縈子盤	縈子乍寶尊彝
6705	征乍周公盤	征乍周公尊彝
6706	侖父乍丝女盤	侖父乍丝女(母)匋(寶)盤
6708	白鼬父乍用器盤	白鼬父自乍用器
6709	癸白矩盤	癸白矩乍寶尊彝
6710	白百父乍孟姬盤	白百父乍孟姬朕盤
6711	眀遣乍氒考盤	[眀]遣乍氒考寶尊彝
6713	亞㠱侯乍父丁盤	乍父丁寶旅彝[亞㠱侯]
6714	穌甫人槃	穌甫人乍嫚改襄賸般(盤)
6716	京隣仲__盤	[京]隣中wb乍父辛寶尊彝
6717	魯白厚父乍仲姬俞盤一	魯白厚父乍孟姬俞賸盤
6718	魯白厚父乍仲姬俞盤二	魯白厚父乍中姬俞賸盤
6719	京弔盤	京弔乍孟贏盤
6720	來__乍__盤	來p9乍sr盤
6721	曾中盤	曾中自乍旅盤
6722	彭生盤	彭生乍氒文考辛寶尊彝[冊光自尹]
6723	楚王酓肯盤	楚王酓肯乍為鑄盤
6725	郐王義楚盤	徐王義楚羼其吉金自乍朕盤
6726	笱侯乍弔姬盤	笱侯乍弔姬賸盤
6727	貞盤	貞乍寶盤
6728	虢嬶□盤	虢嬶□乍寶盤
6729	奠登弔旅盤	奠登弔乍旅盨
6730	仲丮盤	用乍中寶器
6731	奠白盤	奠白乍盤也(匜)
6732	陶子盤	用乍寶尊彝
6733	史頌盤	史頌乍般(盤)
6734	才盤	堯敢乍姜盤
6735	虢金氒孫盤	虢金氏孫乍寶盤
6736	魯白愈父盤一	魯白俞(愈)父乍鼀姬仁朕顧般

6737	魯白愈父盤二	魯白俞(愈)父乍鼄姬仁朕𩏁般
6738	魯白愈父盤三	魯白俞(愈)父乍鼄姬仁朕𩏁般
6739	中友父盤	中友父乍般(盤)
6740	白駟父盤	白駟父乍姬淪朕盤
6741	衵盤	□衵□□乍寶盤
6742	弔五父盤	弔五父乍寶盤
6743	𢑷盤	𢑷乍王母媿氏𩏁盤
6744	鮇吿妊盤	鮇吿妊乍𩏁𢼸魚母般(盤)
6745	白考父盤	白考父乍寶盤
6746	齊侯乍孟姬盤	齊侯乍皇氏孟姬寶般(盤)
6746.	郛季宿車盤	郛季宿車自乍行盤子子孫孫永寶用之
6747	師寏父盤	師寏父乍季姬般(盤)
6748	德盤	德其肇乍盤
6749	弔高父盤	弔高父乍中𡛥般
6751	衵白章盤	衵白章自乍寶監
6753	仲𣪕父盤	中𣪕父乍rC姬尊般(盤)
6754	楚季苟盤	楚季苟乍媦尊賸盥般
6754.	徐令尹者旨𦰡爐盤	自乍盧盤
6757	干氏弔子盤	干氏弔子乍中姬客母賸般
6758	殷穀盤一	𠘑孫殷穀乍𩏁盤
6759	殷穀盤二	𠘑孫殷穀乍𩏁
6760	中子化盤	自乍朕盤
6761	白者君盤	隹番hJ白者君自乍寶盤
6762	薛侯盤	薛侯乍弔妊襄朕盤
6763	句它盤	隹句它弔乍寶般
6764	般仲__盤	隹般中__乍其盤
6765	齊弔姬盤	齊弔姬乍孟庚寶般
6766	黃韋𩠐父盤	黃韋俞父自乍飤器
6767	齊縈姬之嫚盤	齊縈姬之嫚(姪)乍寶般
6772	魯少司寇封孫宅盤	魯少𤔲寇封孫宅乍其子孟姬嬰朕般也(匜)
6774	__右盤	唯qe右自乍用其吉金寶盤
6775	__仲乍父丁盤	用乍父丁寶尊彝
6777	邛仲之孫白𦬃盤	邛中之孫白𦬃自乍𩏁盤
6778	免盤	令乍冊內史易免鹵百s1
6778	免盤	用乍般盉
6779	齊侯盤	齊侯乍賸寡v1孟姜盥般
6780	黃大子白克盤	黃大子白□乍中i9□賸盤
6781	夆弔盤	夆弔乍季𢼸盥般(盤)
6782	者尚余卑盤	自乍鑄其般
6783	函皇父盤	函皇父乍琱娟般盉、尊器
6784	三十四祀盤(𧙃盤)	對王休、用乍子孫其永寶
6785	守宮盤	用乍且乙尊
6786	__弔多父盤	pL弔多父乍朕皇考季氏寶般
6786	__弔多父盤	乍丝寶般
6787	走馬休盤	王乎乍冊尹冊易休玄衣黹屯
6787	走馬休盤	用乍朕文考日丁尊般
6789	寰盤	用乍朕皇考奠白奠姬寶盤
6790	虢季子白盤	虢季子白乍寶盤
6791	兮甲盤	兮白吏父乍般
6792	史墻盤	用乍寶尊彝

6803	自乍吳姬賸匜	自乍吳姬賸它(匜)
6804	乍中姬匜	□□乍中姬□它
6805	鼄弔乍旅匜	鼄弔乍旅它
6807	乍子□匜	乍子□□匜永寶用
6809	姞母匜	姞刺母乍匜
6810	宗仲乍尹姞匜	宗中乍尹姞匜
6811	乍父乙匜	乍父乙寶尊彝[ ]
6812	蔡侯乍姬單匜	蔡侯乍姬單賸匜
6813	蔡子□自乍會匜	蔡子□自乍會尊匜
6816	白庶父乍房匜	白庶父乍房永寶用
6817	匽白聖匜	匽白聖乍正它、永用
6818	弔侯父匜	弔侯父乍姜□寶它
6819	__匜	__乍寶匜、用子孫喜
6820	冊𢦏匜	𢦏乍父乙寶尊彝[冊㚤]
6821	樊夫人匜	樊夫人龏嬴自乍行它(匜)
6822	奠義白乍季姜匜	奠義白乍季姜寶它(匜)用
6823	長湯匜	長湯白18乍它、永用之
6824	曾子白匜	隹曾子白及父自乍尊匜
6825	穌甫人匜	穌甫人乍嫚改襄賸匜
6827	甫人父乍旅匜一	甫人父乍旅匜、萬人(年)用
6828	甫人父乍旅匜二	甫人父乍旅匜、萬人(年)用
6829	黃仲匜	黃中自乍賸它
6830	召樂父匜	召樂父乍娟改寶它、永寶用
6832	保弔黑臣匜	保弔黑姬乍寶它
6833	□弔穀匜	□子弔穀自乍賸匜
6834	__周匜	[__]周窀乍救姜寶它
6835	匽公匜	匽公乍嬀姜乘般匜
6836	史頌匜	史頌乍匜
6837	虢金氐孫匜	虢金氏孫乍寶匜
6838	荀侯匜	筍侯乍寶匜
6839	函皇父乍周娟匜	函皇父乍周妘它
6840	__子匜	k8子乍行彝
6841	魯白愈父匜	魯白愉父乍鼄(邾)姬仁朕顧它
6842	王婦員孟姜旅匜	王婦員孟姜乍旅它
6843	白吉父乍京姬匜	白吉父乍京姬它
6844	中友父匜	中友父乍匜
6845	弔__父乍師姬匜	弔__父乍𩇯自姬寶它
6846	白正父旅它	白正父乍旅它
6847	蝕__匜	隹蝕ei__其乍 鼎其匜
6848	𤔲乍王母媿氏匜	𤔲乍王母媿氏顧盉
6849	昶白匜	昶白vh乍寶匜
6849.	郛季宿車匜	郛季宿車自乍行匜子子孫孫永寶用之
6849.	郛季宿車匜	郛季宿車自乍行匜子子孫孫永寶用之
6849.	郛季宿車匜	郛季宿車自乍行匜子子孫孫永寶用之
6850	弔高父匜一	弔高父乍中妣它
6851	弔高父匜二	弔高父乍中妣它
6852	__邑戈白匜	隹__邑戈白自乍寶匜
6854	辭馬南弔匜	辭馬南弔乍𨚕姬賸它
6855	貯子匜	賈子己父乍寶匜
6856	番仲榮匜	唯番中up自乍寶它

乍

6857	蔡白滸匜	隹白滸乍寶匜
6858	樊君首匜	樊君C5用吉自乍匜
6859	白者君匜一	隹番hJ白者尹自乍寶它
6860	陳白元匜	陳白vm之子白元乍西孟媯婤母塍匜
6861	眞甫人匜	眞甫人余余王__叡孫絲乍寶匜
6862	薛侯乍弔妊朕匜	薛侯乍弔妊襄朕匜
6863	白君黃生匜	唯有白君董生自乍它
6864	番__匜	唯番hhvi用士(吉)金乍自寶匜
6866	齊侯乍虢孟姬匜	齊侯乍虢孟姬良女寶它
6867	弔男父乍為霍姬匜	弔男父乍為霍姬賸旅它
6868	大師子大孟姜匜	大師子大孟姜乍般匜
6871	陳子匜	陳子子乍庠孟媯穀母塍匜
6873	齊侯乍孟姜盥匜	齊侯乍賸寬vl孟姜盥埶
6874	鄭大內史弔上匜	奠大內史弔上乍弔媥賸匜
6876	夆弔乍季妃盥盤(匜)	夆弔乍季改盥般
6877	𠈪乍旅盉	𠈪用乍旅盉
6885	吳王夫差御鑑一	自乍御監
6886	吳王夫差御鑑二	自乍御監
6888	吳王光鑑一	台乍弔姬寺吁宗__薦鑑
6889	吳王光鑑二	台乍弔姬寺吁宗__薦鑑
6892	虢弔乍旅盂一	虢弔乍旅盂
6893	虢叔乍旅盂二	虢弔乍旅盂
6894	匽侯饎盂	匽侯乍饎盂
6895	匽侯旅盂一	匽侯乍旅盂
6896	匽侯旅盂二	匽侯乍旅盂
6897	永盂	永乍寶尊彝[oc]
6899	__乍康公盂	__乍康公寶尊彝
6900	乍父丁盂	__乍父丁__盂
6901	白盂	白乍寶尊盂
6902	白公父旅盂	白公父乍旅盂
6903	魯大嗣徒元歔盂	魯大嗣徒元乍歔盂
6904	善夫吉父盂	善夫吉父乍盂
6905	要君饎盂	要君白居自乍饎盂
6906	王子申盞盂	王子申乍嘉嬭盞盂
6907	齊侯乍朕子仲姜盂	齊侯乍朕子中姜寶盂
6908	郐宜同歔盂	郐王季糧之孫宜桐乍鑄歔盂
6909	遡盂	用乍文且己公尊盂
6910	師永盂	永用乍朕文考乙白尊盂
6912	微瘐盆一	散瘐乍寶
6913	微瘐盆二	散瘐乍寶
6916	樊君夔盆	樊君C5用其吉金自乍寶盆
6917	郥子行飤盆	郥子行自乍飤盆
6918	曾孟嬭諫盆	曾孟嬭諫乍鄦盆
6919	子弔嬴內君寶器	子弔嬴內君乍寶器
6919.	郛季宿車盆	郛季宿車自乍行盆子子孫孫永寶用之
6920	曾大保旅盆	自乍旅盆
6921	鄧子仲盆	自乍饋盆
6923	庚午𥂴	□□子季□□□自乍鑄__
6924	江仲之孫白戔饎𥂴	邛中之孫白戔自乍饎𥂴
6924	江仲之孫白戔饎𥂴	邛中之孫白戔自乍饎𥂴

6925	晉邦盨	乍馮左右
6925	晉邦盨	否乍元女
6926	杞白每亡盆	杞白每亡乍鼄㜲（曹）寶盆
6968	自乍其走鐘	自乍其走鐘
6969	天尹乍元弄鐘	天尹乍元弄
6970	紀侯鐘	己侯虓乍寶鐘
6974	㝬侯鐘	㝬侯自乍龢鐘用
6975	魯遼鐘	魯遼乍龢鐘用亯考
6978	鄭井弔鐘	鄭井弔乍霝龢鐘用妥賓
6979	鄭井弔鐘二	鄭井弔乍霝龢鐘用妥賓
6980	內公鐘	內公乍從鐘
6981	中義鐘一	中義乍龢鐘
6982	中義鐘二	中義乍龢鐘
6983	中義鐘三	中義乍龢鐘
6984	中義鐘四	中義乍龢鐘
6985	中義鐘五	中義乍龢鐘
6986	中義鐘六	中義乍龢鐘
6987	中義鐘七	中義乍龢鐘
6988	中義鐘八	中義乍龢鐘
6995	楚公豙鐘二	楚公豙自乍寶大醬鐘
6996	楚公豙鐘三	楚公豙自乍寶大醬鐘
6997	楚公豙鐘四	楚公自乍寶大醬鐘
6999	昆疕王鐘	昆疕王用貝乍龢鐘
7000	邾君鐘	用自乍其龢鐘鈴
7002	鑄侯求鐘	鑄侯求乍季姜朕鐘
7004	楚王頷鐘	楚王頷自乍鈴鐘
7009	兮仲鐘一	兮中乍大醬鐘
7010	兮仲鐘二	兮中乍大醬鐘
7011	兮仲鐘三	兮中乍大醬鐘
7012	兮仲鐘四	兮中乍大醬鐘
7013	兮仲鐘五	兮中乍大醬鐘
7014	兮仲鐘六	兮中乍大醬鐘
7015	兮仲鐘七	兮中乍大醬鐘
7017	楚王酓章鐘一	楚王酓章乍曾侯乙宗彝
7018	楚王酓章鐘二	乍曾侯宗彝
7019	邾太宰鐘	鼄大宰欉子懿自乍其御鐘
7021	虘鐘一	虘乍寶鐘
7022	虘鐘二	虘乍寶鐘
7023	虘鐘三	虘乍寶鐘
7026	邾弔鐘	邾叔止白□羼孚吉金用乍其龢鐘
7026	邾弔鐘	以乍其乍其皇且皇考
7027	邾公釛鐘	陸𩛥之孫邾公釛乍孚禾鐘
7028	臧孫鐘	自乍龢鐘
7029	臧孫鐘二	自乍龢鐘
7030	臧孫鐘三	自乍龢鐘
7031	臧孫鐘四	自乍龢鐘
7032	臧孫鐘五	自乍龢鐘
7033	臧孫鐘六	自乍龢鐘
7034	臧孫鐘七	自乍龢鐘
7035	臧孫鐘八	自乍龢鐘

乍

7036	臧孫鐘九	自乍龢鐘
7037	遲父鐘	遲父乍姬齊姜龢䵼鐘
7039	應侯見工鐘二	用乍朕皇且雁侯大䵼鐘
7043	克鐘四	用乍朕皇且考白寶䵼鐘
7044	克鐘五	用乍朕皇且考白寶䵼鐘
7045	□□自乍鐘一	□□自乍永命
7049	井人鐘三	宗室、肄妄乍龢父大䵼鐘
7050	井人鐘四	肄妄乍龢父大䵼鐘
7051	子璋鐘一	自乍龢鐘
7052	子璋鐘二	自乍龢鐘
7053	子璋鐘三	自乍龢鐘
7054	子璋鐘四	自乍龢鐘
7055	子璋鐘五	自乍龢鐘
7056	子璋鐘六	自乍龢鐘
7057	子璋鐘八	自乍龢鐘
7059	師臾鐘	師臾肁乍朕剌且虢季宄公幽弔
7060	旲生鐘一	斁生用乍__公大䵼鐘
7061	能原鐘	小者乍(作)心□
7061	能原鐘	□□乍(作)尸(夷)□
7062	柞鐘	用乍大䵼鐘
7063	柞鐘二	用乍大䵼鐘
7064	柞鐘三	用乍大䵼鐘
7065	柞鐘四	用乍大䵼鐘
7082	齊鞄氏鐘	自乍龢鐘
7083	鮮鐘	用乍朕皇考䵼鐘
7084	邾公牼鐘一	自乍龢鐘
7085	邾公牼鐘二	自乍龢鐘
7086	邾公牼鐘三	自乍龢鐘
7087	邾公牼鐘四	自乍龢鐘
7088	士父鐘一	□□□□□乍朕皇考弔氏寶䵼鐘
7089	士父鐘二	□□□□□乍朕皇考弔氏寶䵼鐘
7090	士父鐘三	□□□□□乍朕皇考弔氏寶䵼鐘
7091	士父鐘四	□□□□□乍朕皇考弔氏寶䵼鐘
7092	𠫑羌鐘一	𠫑羌乍rq氒辟韓(韓)宗徹
7093	𠫑羌鐘二	𠫑羌乍rq氒辟韓(韓)宗徹
7094	𠫑羌鐘三	𠫑羌乍rq氒辟韓(韓)宗徹
7095	𠫑羌鐘四	𠫑羌乍rq氏辟韓(韓)宗徹
7096	𠫑羌鐘五	𠫑羌乍rq氒辟韓(韓)宗徹
7107	曾侯乙甬鐘	曾侯乙乍時
7108	䈞弔之仲子平編鐘一	筥弔之中子平自乍鑄游鐘
7109	䈞弔之仲子平編鐘二	筥弔之中子平自乍鑄游鐘
7110	䈞弔之仲子平編鐘三	筥弔之中子平自乍鑄游鐘
7111	䈞弔之仲子平編鐘四	筥弔之中子平自乍鑄游鐘
7112	者減鐘一	自乍__鐘
7113	者減鐘二	自乍__鐘
7114	者減鐘三	工𢎾王皮然之子者減自乍__鐘
7115	者減鐘四	工𢎾王皮然之子者減自乍__鐘
7116	南宮乎鐘	嗣土南宮乎乍大䵼㸚鐘
7116	南宮乎鐘	用乍朕皇且南公
7121	郐王子旃鐘	自乍龢鐘

7122	梁其鐘一	用乍朕皇且考龢鐘
7123	梁其鐘二	用乍朕皇
7124	沇兒鐘	自乍龢鐘
7125	蔡侯[illegible]紐鐘一	自乍訶鐘
7126	蔡侯[illegible]紐鐘二	自乍訶鐘
7131	蔡侯[illegible]紐鐘七	自乍訶鐘
7132	蔡侯[illegible]紐鐘八	自乍訶鐘
7133	蔡侯[illegible]紐鐘九	自乍訶鐘
7134	蔡侯[illegible]誦鐘	自乍訶鐘
7136	郘鐘一	乍為余鐘
7137	郘鐘二	乍為余鐘
7138	郘鐘三	乍為余鐘
7139	郘鐘四	乍為余鐘
7140	郘鐘五	乍為余鐘
7141	郘鐘六	乍為余鐘
7142	郘鐘七	乍為余鐘
7143	郘鐘八	乍為余鐘
7144	郘鐘九	乍為余鐘
7145	郘鐘十	乍為余鐘
7146	郘鐘十一	乍為余鐘
7147	郘鐘十二	乍為余鐘
7148	郘鐘十三	乍為余鐘
7149	郘鐘十四	乍為余鐘
7150	虢叔旅鐘一	用乍朕皇考叀弔大薔龢鐘
7151	虢叔旅鐘二	用乍朕皇考叀弔大薔龢鐘
7152	虢叔旅鐘三	用乍朕皇考叀弔大薔龢鐘
7153	虢叔旅鐘四	用乍朕皇考叀弔大薔龢鐘
7155	虢叔旅鐘六	用乍朕
7157	邾公華鐘一	台乍其皇且考
7158	𤼈鐘一	敢乍文人大寶協龢鐘
7160	𤼈鐘三	敢乍文人大寶協龢鐘
7161	𤼈鐘四	敢乍文人大寶協龢鐘
7162	𤼈鐘五	敢乍文人大寶協龢鐘
7164	𤼈鐘七	肇乍龢林鐘用
7169	𤼈鐘十二	𤼈乍協鐘
7170	𤼈鐘十三	𤼈乍協鐘
7171	𤼈鐘十四	𤼈乍協鐘
7174	秦公鐘	乍氒龢鐘
7175	王孫遺者鐘	自乍龢鐘
7176	猒鐘	王對乍宗周寶鐘
7178	秦公及王姬編鐘二	乍氒龢鐘
7181	秦公及王姬編鐘六	乍氒龢鐘
7187	叔夷編鐘六	其乍福元孫
7201	楚王酓章乍曾侯乙鎛	楚王酓章乍曾侯乙宗彝
7202	楚公逆鎛	楚公逆自乍夜雨靁（雷）鎛
7203	能原鎛	小者乍（作）心□
7203	能原鎛	□□乍（作）尸（夷）□
7204	克鎛	用乍朕皇且考白寶薔鐘
7205	蔡侯[illegible]編鎛一	自乍訶鐘
7206	蔡侯[illegible]編鎛二	自乍訶鐘

乍

7207	蔡侯𨰻鎛三	自乍訶鐘
7208	蔡侯𨰻鎛四	自乍訶鐘
7209	秦公及王姬鎛	乍𠳬龢鐘
7210	秦公及王姬鎛二	乍𠳬龢鐘
7211	秦公及王姬鎛三	乍𠳬龢鐘
7212	秦公鎛	乍盄龢
7213	𪒠鎛	𪗋中之子𪒠乍子中姜寶鎛
7214	叔夷鎛	其乍福元孫
7217	姑馮勾鑃	自乍商句鑃
7218	郐𩛥尹征城	郐𩛥尹者故__自乍征城
7220	喬君鉦	乍無者俞寶sq__
7223	遱𣄃鐸	遱𣄃乍寶鐸
7227	內公鐘一	內公乍鑄從鐘之句
7228	內公鐘二	內公乍鑄從鐘之句
7388	乍御司馬戈	乍御司馬
7395	自乍用戈	自乍用戈
7406	弔侯乍戈	弔侯乍戈
7436	𢿨作戈	𢿨乍mv王戈
7440	郾王職乍王萃戈一	郾王職乍王萃
7441	郾王職乍王萃戈二	郾王職乍王萃
7442	郾王職乍王萃戈三	郾王職乍王萃
7444	攻敔王光戈二	攻自乍
7466	郾侯脮殘戈	□侯脮乍萃鍨鉘
7471	鳥篆戈	__乍昔__𠂤__從
7473	__戈	__侃乍__戈三百
7478	郾王職乍御司馬	郾王職乍御司馬
7479	郾王職乍__萃鋸一	郾王職乍__萃鋸
7480	郾王職乍__萃鋸二	郾王職乍__御萃鋸
7482	郾王職乍巨__鋸	郾王職乍巨𢦏鋸
7483	王職乍萃鋸	王職乍□萃鋸
7484	郾侯職乍巾萃句	郾侯職乍巾萃鋸
7485	郾王詈乍巨__鋸一	郾王詈乍巨𢦏鋸
7486	郾王詈乍五__鋸二	郾王職乍巨𢦏鋸
7488	郾王詈乍五__鋸四	郾王職乍巨𢦏鋸
7489	郾王喜乍五__鋸一	郾王喜乍巨𢦏鋸
7490	郾王喜乍五__鋸二	郾王喜乍巨𢦏鋸
7492	滕司徒戈	滕司徒乍□用
7494	方寅戈一	方寅用鍛金乍吉用
7495	方寅戈二	方寅用鍛金乍吉用
7497	郾侯脮乍師巾萃鍨鉘	郾侯脮乍師巾萃鍨鉘
7498	郾王詈戈	郾王詈乍行議鍨
7500	邗王是埜戈	邗王是野乍為元用
7516	攻敔王夫差戈	攻敔王夫差自乍其用戈
7537	汈白戈	梁白乍宮行元用
7545	秦子戈	秦子乍造公族元用左右市御用逸宜_
7552	__生戈	郾侯庫乍戎__蚳生不祗□無□□□自洹來
7554	楚王酓璋戈	楚王酓璋嚴龔寅乍su戈
7633	郾侯庫乍軍矛	郾侯庫乍左軍
7636	郾王戎人矛一	郾王戎人乍百巨率矛
7637	郾王戎人矛二	郾王戎人乍巨𢦏矛

7640	郾王職矛三	郾王職乍钕矛
7641	郾王職矛四	郾王職乍□矛
7642	郾王詈矛一	郾王詈乍巨钕矛
7644	郾王喜矛	郾王喜乍□□□□
7646	郾王職矛二	郾王職乍钕矛
7650	越王州勾矛	越王州句自乍用矛
7651	黍子矛	黍子乍□公族元用
7678	亯于公劍	亯于公乍
7687	蔡侯產劍一	蔡侯產乍t5t6
7688	蔡侯產劍二	蔡侯產乍t5t6
7690.	郙王__劍	郙王__自钕(乍)鋰
7692	郾王喜劍一	郾王喜乍畢旅鈦
7693	郾王喜劍二	郾王喜乍畢旅鈦
7694	郾王喜劍三	郾王喜乍畢旅鈦
7695	郾王喜劍四	郾王喜乍畢旅鈦
7696	__劍	__自乍保弘吉之
7697	越王勾踐劍	越王句(殹)踐(淺)自乍用劍
7702	越王州勾劍一	越王州句自乍用鐱
7703	越王州勾劍二	越王州句自乍用鐱
7704	越王州勾劍三	越王州句自乍用鐱
7705	越王州勾劍四	越王州句自乍用鐱
7706	越王州勾劍五	越王州句自乍用鐱
7707	越王州勾劍六	越王州句自乍用鐱
7709	攻敔王光劍	攻敔王光自乍用鐱
7710	郾王職劍	郾王職乍武畢旅劍
7713	郾王職劍	郾王職乍武畢so劍、右攻
7714	攻敔王劍	攻敔王光自乍用劍
7715	攻敔王夫差劍一	攻敔王夫差自乍其元用
7716	攻敔王夫差劍二	攻敔王夫差自乍其元用
7718	脽公劍	脽公圃自乍元鐱
7722	吳王光劍	攻敔王光自乍用劍
7735	少虡劍一	乍為元用
7736	少虡劍二	乍為元用玄鏐鈇呂
7743	越王𠫑北古劍	唯越王丌北自乍元之用之劍
7743	越王𠫑北古劍	自乍用之自
7743	越王𠫑北古劍	自乍用之自
7744	工𧀍太子劍	自乍元用
7822	距末	用乍距__
7873	哀成弔鉚	哀成弔乍鉚
7874	蔡太史鉚	蔡大史秦乍其鉚
7905	孂妊車軎	孂妊乍安車
7914	矢車鑾	口乍矢寶
7928	仲乍旅鑵	中乍旅鑵
7929	敚瘨鍑	敚瘨乍寶
7930	䣄用乍寶缶一	鄭帚大䣄用乍寶缶
7931	䣄□乍寶缶二	大䣄用乍寶缶
7974	王乍姬弄器蓋	王乍姬弄
7976	之利殘片	□__卲乍成旨
7988	盤乍寶器	盤乍寶器
7990	季老□	季老或乍文考大白□□

乍

7996	陶範二	央乍父乙寶尊彝
M030	剛劫卣	用乍□萧□且缶尊彝
M098	令盤	令乍父丁[𪓰]
M121	鬲鼎	用乍父□□□[𡆥]
.M126	圀卣	用乍寶尊彝
M143	顒壺	顒乍母辛尊彝
M148	夨王壺	夨王乍寶彝
M151	北子宋盤	北子宋乍文父乙寶尊彝
M158	曆季尊	噩侯弟曆季乍寶彝
M171	小臣靜卣	用乍父□寶尊彝
M177.	𢦏殷	𢦏乍且庚尊殷
M191	緐卣	用乍文考辛公寶尊彝
M236	單昊生豆	單昊生乍羞豆、用亯
M252	免簠	令免乍司土
M252	免簠	用乍旅𩰫彝
M282	師艅尊	用乍𡨦文考寶彝
M299	白大師釐盨	白大師釐乍旅盨
M339	魯侯盉蓋	魯侯乍姜亯彝
M340	魯伯悆盨	肈乍其皇孝皇母旅盨殷
M341	魯中齊鼎	魯中齊肈乍皇考𩰫鼎
M342	魯中齊甗	魯中齊乍旅甗
M343	魯司徒中齊盨	魯司徒中齊肈乍皇考白走公𩰫盨殷
M344	魯司徒中齊盤	魯司徒中齊肈乍般
M345	魯司徒中齊匜	魯司徒中齊肈乍皇考白走父寶匜
M349	己侯壺	己侯乍鑄壺
M360	𩵦伯鎣	𩵦白自乍般鎣
M361	井伯南殷	井南白乍𨛭季姚好尊殷
M379	夆伯鬲	夆白乍𨚕孟姬尊鬲
M423.	趞鼎	用乍朕皇考𪅴白、奠姬寶鼎
M457	鄭虢仲悆鼎	鄭虢中悆肈用乍皇且文考寶鼎
M466	鄦男鼎	鄦男乍成姜䞣母賸尊鼎
M487	魯司徒伯吳殷	魯司徒白吳敢肈乍旅殷
M508	虞侯政壺	虞侯政乍寶壺
M541	大王光戈	大王光逗自乍用戈
M545	配兒勾鑃	自乍勹鑃
M561	越王大子□矛	乍元用矛
M581	陳公子中慶簠蓋	陳公子中慶自乍匡匠
M582	陳公孫𢗾父𤭯	陳公孫𢗾父乍旅𤭯
M612	鄦子鐘	自乍鈴鐘
M616	番休伯者君盤	自乍旅盤
M617	番白享匜	隹番白畗自乍匜
M622	番仲戈	番中乍之造戈、白皇
M695	曾伯宮父鬲	自乍寶尊鬲
M792	宋公縊簠	乍其妹句敔(敔)夫人季子賸匿
M816	魯大左司徒元鼎	魯大左司徒元乍善鼎
M873	郾侯載戟	右軍戟、郾侯𨊾(載)乍
M875	郾王職戟一	郾王詈乍御萃鋸
M876	郾王職戟二	郾王詈乍釱鋸
M877	郾王戎人戟	郾王戎人乍釱鋸
M883	中山侯鉞	中山侯乍茲軍釚

M705	曾侯乙編鐘下一・一	曾侯乙乍時，宮、徵曾，
M706	曾侯乙編鐘下一・二	曾侯乙乍時，商、羽曾，
M707	曾侯乙編鐘下一・三	曾侯乙乍時，徵頔、徵曾，
M708	曾侯乙編鐘下二・一	曾侯乙乍時，鄙鏄、徵角，
M709	曾侯乙編鐘下二・二	曾侯乙乍時，商角、商曾，
M710	曾侯乙編鐘下二・三	曾侯乙乍時，中鏄、宮曾，
M711	曾侯乙編鐘下二・四	曾侯乙乍時，商、羽曾，
M712	曾侯乙編鐘下二・五	曾侯乙乍時，宮、徵曾，
M713	曾侯乙編鐘下二・七	曾侯乙乍時，羽、羽角，
M714	曾侯乙編鐘下二・八	曾侯乙乍時，徵、徵角，
M715	曾侯乙編鐘下二・九	曾侯乙乍時，鑑、宮曾，
M716	曾侯乙編鐘下二・十	曾侯乙乍時，商、羽曾，
M717	曾侯乙編鐘中一・一	曾侯乙乍寺（時），羽反，宮反，羽反，宮反，
M718	曾侯乙編鐘中一・二	曾侯乙乍寺（時），角反，徵反，角反，徵反，
M719	曾侯乙編鐘中一・三	曾侯乙乍寺（時），少商，羽曾，
M720	曾侯乙編鐘中一・四	曾侯乙乍時（時），少羽，宮反，
M721	曾侯乙編鐘中一・五	曾侯乙乍寺（時），下角，徵反，
M722	曾侯乙編鐘中一・六	曾侯乙乍寺（時），商、羽曾，
M723	曾侯乙編鐘中一・七	曾侯乙乍寺（時），宮、徵曾，
M724	曾侯乙編鐘中一・八	曾侯乙乍時，羽、羽角，
M725	曾侯乙編鐘中一・九	曾侯乙乍時，徵、徵角，
M726	曾侯乙編鐘中一・十	曾侯乙乍時，宮角、宮曾，
M727	曾侯乙編鐘中一・十一	曾侯乙乍時，商、羽曾，
M728	曾侯乙編鐘中二・一	曾侯乙乍寺（時），羽、宮反，
M729	曾侯乙編鐘中二・二	曾侯乙乍時，角反，徵反，割肄之馱，
M730	曾侯乙編鐘中二・三	曾侯乙乍時，少商，羽曾，坪皇之巽反，
M731	曾侯乙編鐘中二・四	曾侯乙乍時，少羽，宮反，
M732	曾侯乙編鐘中二・五	曾侯乙乍時，下角，徵反，
M733	曾侯乙編鐘中二・六	曾侯乙乍時，商、羽曾，
M734	曾侯乙編鐘中二・七	曾侯乙乍寺（時），宮、徵曾，
M735	曾侯乙編鐘中二・八	曾侯乙乍時，羽、羽角，
M736	曾侯乙編鐘中二・九	曾侯乙乍時，徵、徵角，
M737	曾侯乙編鐘中二・十	曾侯乙乍時，宮角、徵，
M738	曾侯乙編鐘中二・十一	曾侯乙乍寺（時），商角、商，
M739	曾侯乙編鐘中二・十二	曾侯乙乍寺（時），商、羽曾，
M740	曾侯乙編鐘中三・一	曾侯乙乍時，羽、宮，
M741	曾侯乙編鐘中三・二	曾侯乙乍時，商角、商曾，
M742	曾侯乙編鐘中三・三	曾侯乙乍時，宮角、徵，
M743	曾侯乙編鐘中三・四	曾侯乙乍時，商、羽徵，
M744	曾侯乙編鐘中三・五	曾侯乙乍時，羽、宮，
M745	曾侯乙編鐘中三・六	曾侯乙乍時，商角、徵，
M746	曾侯乙編鐘中三・七	曾侯乙乍時，商、羽徵，
M747	曾侯乙編鐘中三・八	曾侯乙乍時，宮、徵曾，
M748	曾侯乙編鐘中三・九	曾侯乙乍寺（時），羽、羽角，
M749	曾侯乙編鐘中三・十	曾侯乙乍時，徵、徵角，

小計:共 3544 筆

攸 2058

1130	虢文公子攸鼎一	虢文公子攸乍弔改鼎
1131	虢文公子攸鼎二	虢文公子攸乍弔改鼎
1501	虢季氏子攸鬲	虢季氏子攸乍寶鬲

	1509	虢文公子钕乍弔妃鬲	虢文公子钕乍弔改鬲鼎
	2521	姞氏自钕毁	姞氏自钕（作）為寶尊毁
	7185	叔夷編鐘四	女台戒戎钕
	7187	叔夷編鐘六	尸用钕鑄其寶鐘
	7214	叔夷鎛	女台戒戎钕
	7214	叔夷鎛	用钕鑄其寶鎛
	7690.	郙王＿劍	郙王＿自钕（乍）鋥
	M160	口貯毁	隹巢來钕王令東宮追目六自之年
			小計：共 11 筆
望	2059	參考朢字	
	1306	無叀鼎	隹九月既望甲戌
	2841	茾白毁	弗望小＿邦
	6787	走馬休盤	隹廿年正月既望甲戌
			小計：共 3 筆
朢	2060	無字重見	
匄	2061		
	0860	＿鼎	ne乍尊彝、用匄永福
	1138	白陶乍父考宮弔鼎	用匄永福
	1155	戟者乍旅鼎	用匄偁魯福
	1198	姬鬻彝鼎	用匄釁壽無 彊
	1227	衛鼎	用桒壽、匄永福
	1291	善夫克鼎一	用匄康龢屯右
	1292	善夫克鼎二	用匄康龢屯右
	1293	善夫克鼎三	用匄康龢屯右
	1294	善夫克鼎四	用匄康龢屯右
	1295	善夫克鼎五	用匄康龢屯右
	1296	善夫克鼎六	用匄康龢屯右
	1297	善夫克鼎七	用匄康龢屯右
	1305	師奎父鼎	用匄釁壽黃耇吉康
	1312	此鼎一	匄釁壽
	1313	此鼎二	用匄釁壽
	1314	此鼎三	用享孝于文申（神）、用匄釁壽
	1315	善鼎	余用匄純魯雩萬年
	1317	善夫山鼎	用旂匄釁壽綽綰
	1319	頌鼎一	旂匄康𪾔屯右、通彔永令
	1320	頌鼎二	旂匄康𪾔屯右、通彔永令
	1321	頌鼎三	旂匄康𪾔屯右、通彔永令
	2533	己侯貉子毁	己姜石用𩰫用匄萬年
	2632	陳逆毁	以＿（匄）羕（永）令釁壽
	2658	白㦰毁	隹匄萬年
	2667	尌仲毁	用亯用孝、旛匄釁壽
	2683	白家父毁	用易害（匄）釁壽黃耇
	2684	＿竈乎毁	用匄釁壽永令
	2691	善夫梁其毁一	用匄釁壽
	2692	善找梁其毁二	用匄釁壽
	2712	虢姜毁	旛匄康𪾔屯右
	2725.	㮚星毁	用旛康匄屯右通彔魯令
	2727	㮚姞乍尹弔毁	用旛匄釁壽
	2746	追毁一	用旛匄釁壽永令
	2747	追毁二	用旛匄釁壽永令

2748	追段三	用旛匄釁壽永令
2749	追段四	用旛匄釁壽永令
2750	追段五	用旛匄釁壽永令
2751	追段六	用旛匄釁壽永令
2766	三兒段	余□□□豕□□亡一人匄三邑□□□璺□□皇
2774	臣諫段	匄□□
2818	此段一	用匄釁壽
2819	此段二	用匄釁壽
2820	此段三	用匄釁壽
2821	此段四	用匄釁壽
2822	此段五	用匄釁壽
2823	此段六	用匄釁壽
2824	此段七	用匄釁壽
2825	此段八	用匄釁壽
2834	𢦏段	用桼壽、匄永令
2844	頌段一	用追孝旛匄康𪓊屯右
2845	頌段二	用追孝旛匄康𪓊屯右
2845	頌段二	用追孝旛匄康𪓊屯右
2846	頌段三	用追孝旛匄康𪓊屯右
2847	頌段四	用追孝旛匄康𪓊屯右
2848	頌段五	用追孝旛匄康𪓊屯右
2849	頌段六	用追孝旛匄康𪓊屯右
2850	頌段七	用追孝旛匄康𪓊屯右
2851	頌段八	用追孝旛匄康𪓊屯右
2852	不嬰段一	用匄多福
2853	不嬰段二	用匄多福
2968	奠白大嗣工召弔山父旅匿一	用匄釁壽
2969	奠白大嗣工召弔山父旅匿二	用匄釁壽
3021	乍遣盨	匄萬年壽𣪘冬
3059	曼龏父盨三	用亯孝宗室、用匄釁壽
3060	曼龏父盨二	用亯孝宗室、用匄釁壽
3070	杜白盨一	用桼壽、匄永令
3071	杜白盨二	用桼壽、匄永令
3072	杜白盨三	用桼壽、匄永令
3073	杜白盨四	用桼壽、匄永令
3074	杜白盨五	用桼壽、匄永令
3075	白汈其旅盨一	用亯用孝、用匄釁壽多福
3076	白汈其旅盨二	用亯用孝、用匄釁壽多福
3111	大師虘豆	用匄永令
4435	𩁹終盉	匄萬年
4809	強白匄井姬羊形尊	強白匄井姬用孟𩰫
4852	□□乍其為氒考尊	用匄壽萬年永寶
4865	氒方尊	其用匄永福萬年子孫
4977	師遽方彝	用匄萬年無疆
5459	㷔弔卣	用匄壽、萬年永寶
5483	周乎卣	用匄永福
5483	周乎卣	用匄永福
5489	戉箙啟卣	用匄魯福
5582	對罍	用匄釁壽敬冬[㕣]

匄

匄丏區匽匽

5733 曩中乍倗生歙壺 匄三壽懿德萬年
5786 㠯季良父壺 用旂匄眉壽
5795 白克壺 克用匄眉壽無彊
5798 曶壺 曶用匄萬年眉壽
5799 頌壺一 旂匄康𩓵屯右
5800 頌壺二 旂匄康𩓵屯右
6792 史墻盤 天子眉無匄
7037 遟父鐘 乃用旂匄多福
7043 克鐘四 用匄屯叚永令
7044 克鐘五 用匄屯叚永令
7059 師臾鐘 用匄眉壽無彊
7159 瘐鐘二 用桒壽、匄永令
7204 克鎛 用匄屯叚永令

小計：共 96 筆

區 2062

1329 小字盂鼎 王乎□□□盂目區入
1329 小字盂鼎 凡區□品
7871 子禾子釜一 于其事區夫

小計：共 3 筆

匽 2063

1328 盂鼎 闢氒匽
3334 匽爵 [匽]
4256 匽斝 [匽]
4491 匽尊 [匽]

小計：共 4 筆

匽 2064

0844 匽侯旨乍父辛鼎 匽侯旨乍父辛尊
1046 圉方鼎 休朕公君匽侯易圉貝
1092 小臣建鼎 召公建匽
1137 匽侯旨鼎一 匽侯旨初見事于宗周
1191 堇乍大子癸鼎 匽侯令堇飴大保于宗周
1249 寓鼎 隹九月既生霸辛酉、才匽
1327 克鼎 易女于田于匽
1485 白矩鬲 匽侯易白矩貝
3093. 台(以)喜敦 台(以)喜匽
4438 亞曩侯吴盉 匽侯亞貝
4445 長陵盉 匽鑄_
4853 復尊 匽侯賞復冂衣、臣妾、貝
5772 陳璋方壺 大壯孔陳璋內伐匽亳邦之隻
5784 𣏟氏壺 虘以匽歙
6817 匽白聖匜 匽白聖乍正它、永用
6835 匽公匜 匽公乍媯姜乘般匜

6894	匽侯餗盂	匽侯乍餗盂
6895	匽侯旅盂一	匽侯乍旅盂
6896	匽侯旅盂二	匽侯乍旅盂
7051	子璋鐘一	用匽以喜
7052	子璋鐘二	用匽以喜
7053	子璋鐘三	用匽以喜
7054	子璋鐘四	用匽以喜
7055	子璋鐘五	用匽以喜
7056	子璋鐘六	用匽以喜
7057	子璋鐘八	用匽以喜
7082	齊鮑氏鐘	用匽用喜
7124	沇兒鐘	虞以匽以喜
7174	秦公鐘	以匽皇公
7175	王孫遺者鐘	用匽台喜
7178	秦公及王姬編鐘二	以匽皇公
7209	秦公及王姬鎛	以匽皇公
7210	秦公及王姬鎛二	以匽皇公
7211	秦公及王姬鎛三	以匽皇公
M612	鄦子鐘	用匽旨喜

小計：共 35 筆

匹 2065

1228	𠭯𧆞方鼎	馬匹
1281	史頌鼎一	穌賓章、馬四匹、吉金
1282	史頌鼎二	穌賓章、馬四匹、吉金
1284	尹姞鼎	易玉五、馬四匹
1299	噩侯鼎一	王親易馭____五瑴、馬四匹、矢五__
1301	大鼎一	王召走馬雁令取k3𩡧卅二匹易大
1302	大鼎二	王召走馬雁令取k3𩡧卅二匹易大
1303	大鼎三	王召走馬雁令取k3𩡧卅二匹易大
1318	晉姜鼎	用召匹辝辟
1329	小字盂鼎	孚馬□□匹
1329	小字盂鼎	孚馬百四匹
1330	曶鼎	用匹馬束絲限誓曰
1332	毛公鼎	馬四匹、攸勒、金嚨、金雁（ 膺 ）、朱旂二鈴
1533	尹姞賓鬲一	易玉五品、馬四匹
1534	尹姞賓鬲二	易玉五品、馬四匹
2584	卸正衛毀	懋父賞卸（ 御 ）正衛馬匹自王
2653	𪓐𡚸毀	易𪓐𢏚矢束、馬匹、貝五朋
2739	無𠭰毀一	王易無𠭰馬四匹
2740	無𠭰毀二	王易無𠭰馬四匹
2741	無𠭰毀三	王易無𠭰馬四匹
2742	無𠭰毀四	王易無𠭰馬四匹
2742.	無𠭰毀五	王易無𠭰馬四匹
2742.	無𠭰毀五	王易無𠭰馬四匹
2752	史頌毀一	穌賓章、馬四匹、吉金
2753	史頌毀二	穌賓章、馬四匹、吉金

匹 匚 匿

2754	史頌毁三	穌賓章、馬四匹、吉金
2755	史頌毁四	穌賓章、馬四匹、吉金
2756	史頌毁五	穌賓章、馬四匹、吉金
2757	史頌毁六	穌賓章、馬四匹、吉金
2758	史頌毁七	穌賓章、馬四匹、吉金
2759	史頌毁八	穌賓章、馬四匹、吉金
2759	史頌毁九	穌賓章、馬四匹、吉金
2816	彔白㦰毁	金厄畫轉、馬四匹、鋚勒
2830	三年師兌毁	馬四匹
2842	卯毁	易女馬十匹、牛十
2857	牧毁	旂、余馬四匹
3088	師克旅盨一（蓋）	馬四匹、攸勒、素戉
3089	師克旅盨二	馬四匹、攸勒、素戉
3090	㝨盨（器）	馬四匹
4978	吳方彝	馬四匹、攸勒
6785	守宮盤	馬匹、毳布三、專＿三、鋈朋
6791	兮甲盤	王易兮甲馬四匹、駒車
6792	史墻盤	逑匹氒辟
7020	單伯鐘	來匹先王
7039	應侯見工鐘二	四匹

小計：共 45 筆

匚 2066

0966	匚宁乃孫乍且己鼎	乃孫乍且己宗寶䵼鬻［匚宁］
5574	女姬罍	啟兄午匚帚

小計：共 2 筆

匿匳 2067

1330	曶鼎	昔饉歲匿眔氒臣廿夫
1330	曶鼎	以匿季告東宮
1330	曶鼎	女匿罰大
1330	曶鼎	匿迺諸首于㫚（曶）
1330	曶鼎	㫚（曶）或目匿季告東宮
1330	曶鼎	㫚（曶）覓匿卅秭
2899	尹氏弔緐旅匿	吳王御士尹氏弔緐乍旅匿
2916	㝬㚸旅匿	㝬㚸（始）乍旅匿
2921	＿弔乍吳姬匿	qi弔乍吳姬尊匳（匿）
2929	師麻孝弔旅匿（匿）	師麻s9弔乍旅匿
2930	尹氏賈良旅匿（匿）	尹氏賈良乍旅匿
2958	陳公子匿	陳公子中慶自乍匿匿
2972	弔家父乍仲姬匿	弔家父乍中姬匿
4882	匿乍文考日丁尊	匿甫象＿二
4882	匿乍文考日丁尊	匿拜手稽首
7669	四年□雍令矛	四年□雝命韓匿司寇□宅

M581	陳公子中慶簠蓋	陳公子中慶自乍匡匿
		小計：共 17 筆

匜 2068

1003	楚王酓肯鉈鼎	楚王酓肯（ 朏 ）鑄鉈（ 匜 ）鼎
4331	__斝	__亞丁匜
6731	奠白盤	奠白乍盤也（ 匜 ）
6772	魯少司寇封孫宅盤	魯少嗣寇封孫宅乍其子孟姬嬰朕般也（ 匜 ）
6803	自乍吳姬賸匜	自乍吳姬賸它（ 匜 ）
6807	乍子□匜	乍子□□匜永寶用
6808	蔡侯𤔲盥匜	蔡侯𤔲之盥匜
6809	姞母匜	姞刺母乍匜
6810	宗仲乍尹姞匜	宗中乍尹姞匜
6812	蔡侯乍姬單匜	蔡侯乍姬單賸匜
6813	蔡子□自乍會匜	蔡子□自乍會尊匜
6815	亞醜者姛匜	［ 亞醜 ］者姤吕大子尊匜
6819	__匜	__乍寶匜、用子孫亯
6821	樊夫人匜	樊夫人龏贏自乍行它（ 匜 ）
6822	奠義白乍季姜匜	奠義白乍季姜寶它（ 匜 ）用
6824	曾子白匜	隹曾子白及父自乍尊匜
6825	穌甫人匜	穌甫人乍嫚改襄賸匜
6827	甫人父乍旅匜一	甫人父乍旅匜、萬人（ 年 ）用
6828	甫人父乍旅匜二	甫人父乍旅匜、萬人（ 年 ）用
6833	□弔𣪕匜	□子弔𣪕自乍賸匜
6835	匽公匜	匽公乍嬀姜乘般匜
6836	史頌匜	史頌乍匜
6837	虢金氒孫匜	虢金氏孫乍寶匜
6838	荀侯匜	筍侯乍寶匜
6844	中友父匜	中友父乍匜
6847	蚀__匜	隹蚀si__其乍__鼎其匜
6849	昶白匜	昶白vh乍寶匜
6849.	郛季宿車匜	郛季宿車自乍行匜子子孫孫永寶用之
6849.	郛季宿車匜	郛季宿車自乍行匜子子孫孫永寶用之
6849.	郛季宿車匜	郛季宿車自乍行匜子子孫孫永寶用之
6852	__邑戕白匜	隹__邑戕白自乍寶匜
6855	貯子匜	貯子己父乍寶匜
6857	蔡白𤔲匜	隹白𤔲乍寶匜
6858	樊君首匜	樊君C5用吉自乍匜
6860	敶白元匜	陳白vm之子白元乍西孟嬀婤母賸匜
6861	曩甫人匜	曩甫人余余王__皻孫兹乍寶匜
6862	薛侯乍弔妊朕匜	薛侯乍弔妊襄朕匜
6864	番__匜	唯番hhvi用士（ 吉 ）金乍自寶匜
6865	楚贏匜	楚贏鑄其匜
6868	大師子大孟姜匜	大師子大孟姜乍般匜
6870	寬公孫𢉩父匜	寬公孫詁父自作盥匜
6871	敶子匜	陳子子乍庳孟嬀𣪕母賸匜
6874	鄭大內史弔上匜	奠大內史弔上乍弔媜賸匜

匜
匟
医
匽
匠

6875	慶弔匜	慶弔作朕子孟姜盥匜
6883	蔡侯尊鉈（方鑑）	蔡侯𨛭之匜
M345	魯司徒中齊匜	魯司徒中齊肇乍皇考白走父寶匜
M596	蔡侯匜	蔡侯𨛭之尊匜
M602	蔡眘匜	子子孫孫永寶用之、匜
M617	番白享匜	隹番白𦎫自乍匜

小計：共　49 筆

匟　2069

5758	匟君壺	匟君𢆶旅者其成公鑄子孟𡢁賸盥壺

小計：共　1 筆

医　2070

1347	乍医聯鬲	乍医聯
2069	考母乍医聯毀	考母乍医聯
5659	考母壺	考母乍聯医
5659	考母壺	考母乍聯医
6251	医王眔尊彝觚一	医王眔尊彝
6252	医王眔尊彝觚二	医王眔尊彝
M561	越王大子□𩰫矛	於戉□王弋医之大子□𩰫

小計：共　7 筆

匽　2071

1331	中山王嚳鼎	氏（是）以寡人匽（委）賃（任）之邦

小計：共　1 筆

匠　2072　或作𨫓

1975	倗毀	倗? 之匠
2859	倗之匠	倗之匠
2860	大府匠	大府之匠
2861	__之行匠	__之行匠
2863	史頌匠	史頌乍匠永寶
2864	曾子遇行匠	曾子遇之行匠
2865	曾匠二	曾子遇之行匠
2866	樊君飛飤匠	樊君飛之飤匠
2867	蔡侯𨛭飤匠	蔡侯𨛭之飤匠
2867.	蔡侯𨛭飤匠二	蔡侯𨛭之飤匠

2867.	蔡侯𨷦𥂚臥匿三	蔡𨷦之臥匿
2868	射南匿二	射南自乍其匿
2869	射南匿一	射南自乍其匿
2870	㣇_匿	㣇mc鑄其寶匿
2874	虢弔匿一	虢弔乍弔殷穀尊匿
2874.	虢弔匿二	虢弔乍弔殷穀尊匿
2875	衛子弔旡父旅匿	衛子弔旡父乍旅匿
2876	慶孫之子蛛𩛥匿	慶孫之子蛛之𩛥匿
2877	函交仲旅匿	函交中乍旅匿、寶用
2878	西替𨥛	西替乍其妹鄿尊𨥛(匿)
2878.	蔡公子義工臥匿	蔡公子義工之臥匿
2879	大𤔲馬臥匿	大𤔲(司)馬孝述自乍臥匿
2887	虢弔旅匿一	虢弔乍旅匿
2888	虢弔旅匿二	虢弔乍旅匿
2889	魯士㝉父臥匿一	魯士㝉父乍臥匿、永寶用
2890	魯士㝉父臥匿三	魯士㝉父乍臥匿、永寶用
2891	魯士㝉父臥匿四	魯士㝉父乍臥匿、永寶用
2892	魯士㝉父臥匿二	魯士㝉父乍臥匿、永寶用
2893	隓侯㣇逆匿	隓侯㣇逆之匿、永壽用之
2898	白旅魚父旅匿	白旅魚父乍旅匿
2900	史𡘇𥃝	史𡘇乍旅匿
2901	白□父匡	白□父乍寶匿
2902	白矩食匿	白矩自乍食匿
2903	䆐匿	䆐自乍匿
2904	善夫吉父旅匿	善夫吉父乍旅匿
2906	白𦳊父匿	白𦳊父乍□匿
2908	楚王酓肯匿一	楚王酓肯(朏)乍鑄金匿
2909	楚王酓肯匿二	楚王酓肯(朏)乍鑄金匿
2910	楚王酓肯匿三	楚王酓肯(朏)乍鑄金匿
2911	奢虎匿一	𩰫山奢虎鑄其寶匿
2912	奢虎匿二	𩰫山奢虎鑄其寶匿
2913	旅虎匿一	𩰫_旅虎鑄其寶匿
2914	旅虎匿二	𩰫_旅虎鑄其寶匿
2915	旅虎匿三	𩰫_旅虎鑄其寶匿
2917	胄乍𩛥匿	胄自乍𩛥匿
2018	內大子白匿	內(芮)大子自乍匿
2919	鑄弔乍㬪氏匿	鑄弔乍㬪氏寶匿
2920	辪子仲安旅匿	薛子中安乍旅匿
2922	魯白俞父匿一	魯白俞父乍姬仁匿
2923	魯白俞父匿二	魯白俞父乍姬仁匿
2924	魯白俞父匿三	魯白俞父乍姬仁匿
2925	交君子_匿一	交君子qf肈乍寶匿
2926	交君子_匿二	交君子qf肈乍寶匿
2927	商丘弔旅匿一	商丘弔乍其旅匿
2928	商丘弔旅匿一二	商丘弔乍其旅匿
2931	鑄子弔黑臣匿一	鑄子弔黑臣肈乍寶匿
2932	鑄子弔黑臣匿二	鑄子弔黑臣肈乍寶匿
2933	鑄子弔黑臣匿三	鑄子弔黑臣肈乍寶匿
2934	曾子遽彝匿	曾子遽魯為孟姬鄐鑄賸匿
2935	𡨦侯乍弔姬寺男媵匿	𡨦侯乍弔姬寺男媵匿

匜

2936	走馬辥仲赤匜	走馬辥中赤自乍其匜
2939	季良父乍宗娟媵匜一	季良父乍宗娟媵匜
2940	季良父乍宗娟媵匜二	季良父乍宗娟媵匜
2941	季良父乍宗娟媵匜三	季良父乍宗娟媵匜
2942	楚子＿飤匜一	楚子o4鑄其飤匜
2943	楚子＿飤匜二	楚子o4鑄其飤匜
2944	楚子＿飤匜三	楚子o4鑄其飤匜
2945	□仲虎匜	用自乍寶匜
2946	曾子□匜	曾子□自作飤匜
2947	季宮父乍媵匜	季宮父乍中姊婮姬媵（ 仸 ）匜
2948	番君召餗匜一	番君召乍餗匜
2949	番君召餗匜二	番君召乍餗匜
2950	番君召餗匜三	番君召乍餗匜
2951	番君召餗匜四	番君召乍餗匜
2952	番君召餗匜五	番君召乍餗匜
2954	史免旅匜	史免乍旅匜
2955	齊陳＿匜一	乍皇考獻弔餗逸永保用匜
2956	齊陳曼匜二	乍皇考獻弔餗般永保用匜
2957	子季匜	自乍飤匜
2958	陳公子匜	陳公子中慶自乍匡匜
2959	鑄公乍朕匜一	鑄公乍孟妊東母朕匜
2960	鑄公乍朕匜二	鑄公乍孟妊東母朕匜
2961	敶侯乍媵匜一	陳侯乍王中嬀𡢁媵匜
2962	敶侯乍媵匜二	陳侯乍王中嬀𡢁媵匜
2963	陳侯匜	陳侯乍王中嬀𡢁媵匜
2964	曾□□餗匜	曾□□□羼其吉金自乍餗匜
2964.	弔邦父匜	弔邦父乍因（ 匜 ）
2966	蛒公諴旅匜	蛒（ 鄀 ）公諴（ 諴 ）乍旅匜
2967	敶侯乍孟姜朕匜	陳侯乍孟姜𡢁匜
2968	奠白大嗣工召弔山父旅匜一	奠白大嗣工召弔山父乍旅匜
2969	奠白大嗣工召弔山父旅匜二	奠白大嗣工召弔山父乍旅匜
2970	考弔𢓊父尊匜一	考弔訊父自乍尊匜
2971	考弔𢓊父尊匜二	考弔訊父自乍尊匜
2973	楚屈子匜	楚屈子赤角賸中𡢁飤匜
2974	上鄀府匜	鑄其𩰫匜
2975	鄦子妝匜	用鑄其匜
2976	盤公匜	自乍飤匜
2977	□孫弔左餗匜	自乍餗匜
2978	樂子敬𤠔飤匜	自乍飤匜
2979	弔朕自乍薦匜	自乍薦匜
2979.	弔朕自乍薦匜二	自乍薦匜
2980	鼄大宰餗匜一	鼄大宰欉子𦉢鑄其餗匜
2981	鼄大宰餗匜二	鼄大宰欉子𦉢鑄其餗匜
2982	長子□臣乍媵匜	乍其子孟之母賸（ 媵 ）匜
2982	長子□臣乍媵匜	乍其子孟之母賸（ 媵 ）匜
2982.	甲午匜	臣京考帝顯令誌于匜
2983	弭仲寶匜	弭中乍寶匜
2986	曾白桼旅匜一	余用自乍旅匜
2987	曾白桼旅匜二	余用自乍旅匜
M581	陳公子中慶簠蓋	陳公子中慶自乍匡匜

	M599	蔡公子義工簠	蔡公子義工之飤匿
	M792	宋公繺簠	乍其妹句敔(敔)夫人季子賸匿
			小計：共 112 筆
医	2072	同匿字	
	2871	仲其父乍旅医一	中其父乍旅医
	2872	仲其父乍旅医二	中其父乍旅医
			小計：共 2 筆
匱	2073		
	2005	吉__匱	吉id乍寶匱
			小計：共 1 筆
匵	2073+		
	7107	曾侯乙甬鐘	其反為匵鐘
	M744	曾侯乙編鐘中三・五	其反為匵鐘
	M747	曾侯乙編鐘中三・八	其反為匵鐘
	M747	曾侯乙編鐘中三・八	匵鐘之才晉為六墉
			小計：共 4 筆
曲	2074		
	1250	曾子斿鼎	惠于剌曲、tys8
	3656	__曲爵	[__曲]
	3828	曲父丁爵	[曲]父丁
			小計：共 3 筆
甾	2075		
	2835	訇毁	師笭側新□華尸、甾rx尸
	3524	己甾爵	己甾
	0875	子陵□之孫鼎	□□□□行甾子陭□□之孫□
			小計：共 3 筆
㽕	2076		
	1332	毛公鼎	唯天㽕(將)集氒命

1332	毛公鼎	邦畐(將)害吉
6790	虢季子白盤	畐武于戎工
		小計：共　3 筆

虘　2077

6752	取膚子商盤	取虘s6商鑄般
6853	取膚＿商它	取虘s6商鑄它
		小計：共　2 筆

甗　2078

1555	寶甗	寶甗
1582	見乍甗	見乍甗
1595	始奴寶甗	始奴寶甗
1605	白乍旅甗	白乍旅甗
1606	中乍旅甗	中乍旅甗
1606.	＿乍旅甗	h7乍旅甗
1610	井白甗	井白乍甗
1614	白真乍籗甗	白真乍旅獻(甗)
1615	解子乍籗甗	解子乍旅獻(甗)
1620	虢白甗	虢白乍婦獻(甗)用
1625	白□籗甗	白＿乍寶旅獻(甗)
1627	強伯甗	強白自為用甗
1631	師＿方甗	師h2乍旅甗尊
1632	亞旛乍父□甗	[亞旛]乍父乙彝甗
1637	乍父癸甗	乍父癸寶尊甗[am]
1639	強白乍井姬甗	強白乍井姬用甗
1640	＿仲雩父方甗	Jt中雩父乍旅甗
1641	比甗	从(比)乍寶獻(甗)其萬年用
1645	孚公㺸甗	孚公㺸乍旅甗永寶用
1646	乍寶甗	□□□乍寶甗
1647	井乍寶甗	奰乍旅甗子孫孫永寶用、豐井
1648	奠白筍父甗	奠公筍父乍寶獻(甗)永寶用
1651	仲伐父甗	中伐父乍姬尚母旅獻(甗)其永用
1652	弔碩父旅甗	弔碩父乍旅獻(甗)
1653	敎父甗	敎乍父寶甗
1654	子邦父旅甗	子邦父乍旅甗
1655	奠氏白高父旅甗	奠氏白□父乍旅獻(甗)
1656	尌仲甗	尌中乍獻(甗)
1658	奠大師小子甗	奠大師小子侯父乍寶獻(甗)
1659	白鮮旅甗	白鮮乍旅獻(甗)
1660	曾子仲訨旅甗	自乍旅甗
1663	鼄五世孫矩甗	鼄(緟)五世孫矩乍其寶甗
1664	邕子良人歈甗	邕子良人羼其吉金自乍飤獻(甗)

1665	王孫壽飤甗	自乍飤甗
1666	遇乍旅甗	用乍旅甗
1667	陳公子弔遷父甗	敶公子子弔(叔)原父乍旅獻(甗)
M342	魯中齊甗	魯中齊乍旅甗
		小計：共 37 筆

弓 2079

0441	弓父癸鼎	[弓]父癸
0756	疋弓鈫乍父丙鼎	[疋弓]鈫乍父丙
1273	師湯父鼎	王呼宰雁易□弓
1278	十五年趞曹鼎	史趞曹易弓矢、虎盧、□冑、毌、殳
1308	白晨鼎	{彤弓}、{彤矢}、旅弓、旅矢
1329	小字盂鼎	祉王令賞盂□□□□□□弓一、矢百、畫絨一、
2653	𣪕毀	易𣪕弓矢束、馬匹、貝五朋
2791	豆閉毀	司馬弓矢
2828	宜侯夨毀	彤弓一、彤矢百、旅弓十、旅矢千
2836	𢦏毀	孚戎兵盾、矛、戈、弓、備、矢、裨、冑
2852	不𡢁毀一	易女弓一、矢束
2853	不𡢁毀二	易女弓一、矢束
4062	弓衛且己爵	[弓衛]且一己
4086	弓衛父庚爵	父庚[弓衛]
4668	弓夲父癸尊	[弓夲]父癸
4796	獸乍父庚尊	獸乍父庚寶尊彝[弓]
5155	弓父庚卣	[弓]父庚
5473	同乍父戊卣	夨王易同金車弓矢
5487	靜卣	王易靜弓
5488	靜卣二	王易靜弓
5647	毌子弓箙壺	[毌子弓箙]
5984.	及弓觚	[及弓]
6380	子弓觶	[子弓]
6506	弓父癸觶	[弓]父癸
6790	虢季子白盤	賜用弓、彤矢其央
		小計：共 25 筆

弭 2080

1273	師湯父鼎	象弭、矢臺、彤欮
1417	弭弔乍犀妊齊鬲一	弭弔乍犀妊齍
1418	弭弔乍犀妊齊鬲二	弭弔乍犀妊齍
1419	弭弔乍犀妊齊鬲三	弭弔乍犀妊齍
2769	師𤔲毀	弭白用乍尊毀
2771	弭弔師求毀一	用楚弭白
2771	弭弔師求毀一	弭弔其萬年子子孫孫永寶用
2772	弭弔師求毀二	用楚弭白
2772	弭弔師求毀二	弭弔其萬年子子孫孫永寶用
2983	弭仲寶匿	弭中乍寶匿
2983	弭仲寶匿	弭中受無彊福

弭 召 張 彊

	2983	弭仲寶匿	弭中㫺壽
	3014	弭弔旅盨	弭弔乍旅盨(鎪)
	3061	弭弔旅盨	弭弔乍弔班旅盨
			小計：共　14 筆
弨	2081		
	7463	新弨戈	新弨自命弗戟
			小計：共　1 筆
張	2082		
	5805	中山王譽方壺	隹宜可長(張)
	7569	五年鄭令戈	五年鄭命韓_司寇張朱
	7720	越劍	張永□□郘□□弘吉之□舌
			小計：共　3 筆
彊	2083		
	1106	曾孫無期乍飤鼎	釁壽無彊
	1122	䢅白乍石鯱	其萬年無彊
	1130	虢文公子㚤鼎一	其萬年無彊
	1131	虢文公子㚤鼎二	其萬年無彊
	1132	郙白祀乍䵼鼎	其萬年釁壽無彊
	1148	鼄姜白鼎一	其萬年釁壽無彊
	1149	鼄姜白鼎二	其萬年釁壽無彊
	1154	黃孫子蜾君弔單鼎	其萬年無彊
	1159	辛鼎一	其亡彊𠭯家䧹德𡖊
	1160	辛鼎二	其亡彊𠭯家䧹德𡖊
	1188	旅弔樊乍昜姚鼎	其萬年無彊
	1195	戈弔朕鼎一	其萬年無彊
	1196	戈弔朕鼎二	其萬年無彊
	1197	戈弔朕鼎三	其萬年無彊
	1198	姬𩰫彝鼎	用匄釁壽無　彊
	1211	庚兒鼎一	釁壽無彊
	1212	庚兒鼎二	釁壽無彊
	1220	鄁公鼎	其萬年無彊
	1238	曾子仲宣鼎	其萬年無彊
	1241	蔡大師䑕鼎	用旂釁壽萬年無彊
	1259	郘公䵼鼎	用气(乞)釁壽萬年無彊
	1266	郘公平侯鼎一	萬年無彊
	1267	郘公平侯鼎二	萬年無彊
	1268	梁其鼎一	釁壽無彊
	1268	梁其鼎一	其萬年無彊
	1269	梁其鼎二	釁壽無彊
	1269	梁其鼎二	其萬年無彊
	1281	史頌鼎一	頌其萬年無彊
	1282	史頌鼎二	頌其萬年無彊

1291	善夫克鼎一	萬年無彊
1292	善夫克鼎二	萬年無彊
1293	善夫克鼎三	萬年無彊
1294	善夫克鼎四	萬年無彊
1295	善夫克鼎五	萬年無彊
1296	善夫克鼎六	萬年無彊
1297	善夫克鼎七	萬年無彊
1312	此鼎一	此其萬年無彊
1313	此鼎二	此其萬年無彊
1314	此鼎三	此其萬年無彊
1318	晉姜鼎	萬年無彊
1325	五祀衛鼎	氒逆彊眔厲田
1325	五祀衛鼎	氒東彊眔散田
1325	五祀衛鼎	氒南彊眔散田
1325	五祀衛鼎	氒西彊眔厲田
1327	克鼎	易釐無彊
1327	克鼎	天子其萬年無彊
1327	克鼎	克其萬年無彊
1328	盂鼎	雩我其遹省先王受民受彊土
1331	中山王嚳鼎	闢啟封彊
1461	鼄來隹鼎	萬壽釁其年無彊用
1505	番君酉伯鼎	萬年無彊子孫永寶
1525	隱子奠白尊鬲	其釁壽萬年無彊
1663	鼄五世孫矩甗	其釁壽無彊
1664	邕子良人歙甗	其萬年無彊、其子子孫永寶用
1667	陳公子弔邍父甗	用旟釁壽、萬年無彊
2553	虢季氏子組毀一	其萬年無彊
2554	虢季氏子組毀二	其萬年無彊
2555	虢季氏子組毀三	其萬年無彊
2571	穌公子癸父甲毀	其萬年無彊
2571.	穌公子癸父甲毀二	其萬年無彊
2572	毛白嚨父毀	其萬年無彊
2578	兮吉父乍仲姜毀	其萬年無彊
2583	鄀公毀	萬年無彊
2646	仲辛父毀	辛父其萬年無彊
2653.	弔_孫父毀	彌生萬年無彊
2667	討仲毀	其萬年無彊
2689	白康毀一	無彊屯右
2690	白康毀二	無彊屯右
2691	善夫梁其毀一	釁壽無彊
2692	善夫梁其毀二	釁壽無彊
2695	嚻兌毀	用祈釁壽萬年無彊多寶
2706	鄀公敄人毀	萬年無彊
2712	虢姜毀	受福無彊
2725.	綮星毀	其萬年無彊
2727	綮姞乍尹弔毀	其萬年無彊
2752	史頌毀一	頌其萬年無彊
2753	史頌毀二	頌其萬年無彊
2754	史頌毀三	頌其萬年無彊
2755	史頌毀四	頌其萬年無彊

彊

2756	史頌設五	頌其萬年無彊
2757	史頌設六	頌其萬年無彊
2758	史頌設七	頌其萬年無彊
2759	史頌設八	頌其萬年無彊
2759	史頌設九	頌其萬年無彊
2800	伊設	伊其萬年無彊
2807	鄒設一	鄒其釁壽萬年無彊
2808	鄒設二	鄒其釁壽萬年無彊
2809	鄒設三	鄒其釁壽萬年無彊
2809	鄒設三	年無彊
2818	此設一	此其萬年無彊
2819	此設二	此其萬年無彊
2820	此設三	此其萬年無彊
2821	此設四	此其萬年無彊
2822	此設五	此其萬年無彊
2823	此設六	此其萬年無彊
2824	此設七	此其萬年無彊
2825	此設八	此其萬年無彊
2833	秦公設	釁壽無彊
2844	頌設一	頌其萬年釁壽無彊
2845	頌設二	頌其萬年釁壽無彊
2845	頌設二	頌其萬年釁壽無彊
2846	頌設三	頌其萬年釁壽無彊
2847	頌設四	頌其萬年釁壽無彊
2848	頌設五	頌其萬年釁壽無彊
2849	頌設六	頌其萬年釁壽無彊
2850	頌設七	頌其萬年釁壽無彊
2851	頌設八	頌其萬年釁壽無彊
2852	不嬰設一	釁壽無彊
2853	不嬰設二	釁壽無彊
2897	白彊行器	白彊為皇氏白行器
2958	陳公子匠	萬年無彊
2961	敶侯乍媵匠一	用旛釁壽無彊
2962	敶侯乍媵匠二	用旛釁壽無彊
2963	陳侯匠	用旛釁壽無彊
2964	曾□□錬匠	其釁壽無彊
2964.	弔邦父匠	其萬年釁壽無彊
2967	敶侯乍孟姜朕匠	萬年無彊
2970	考弔脂父尊匠一	其釁壽萬年無彊
2971	考弔脂父尊匠二	其釁壽萬年無彊
2972	弔家父乍仲姬匠	用旛釁考無彊
2973	楚屈子匠	其釁壽無彊
2976	盤公匠	永命無彊
2977	□孫弔左錬匠	其萬年釁壽無彊
2979	弔朕自乍薦匠	萬年無彊
2979.	弔朕自乍薦匠二	萬年無彊
2983	弭仲寶匠	弭中受無彊福
2984	伯公父盤	多福無彊
2984	伯公父盤	多福無彊
2986	曾白桼旅匠一	釁壽無彊

2987	曾白𣥊旅匿二	𩞁壽無彊
3051	兮白吉父旅盨（蓋）	其萬年無彊子子孫孫永寶用
3057	仲自父𩛥（盨）	用□𩞁壽無彊
3086	善夫克旅盨	克其日易休無彊
3096	齊侯乍孟姜善𩏂	用𣄨𩞁壽、萬年無彊
3112	𨜫陵君王子申豆一	官攸無彊
3113	𨜫陵君王子申豆二	官攸無彊
3118	魯大嗣徒厚氏元善匲一	其𩞁壽萬年無彊
3119	魯大嗣徒厚氏元善匲二	其𩞁壽萬年無彊
3120	魯大嗣徒厚氏元善匲三	其𩞁壽萬年無彊
4344	嘉仲父斝	其𩞁壽萬年無彊
4887	蔡侯𤔲尊	冬歲無彊
4977	師遽方彝	用匄萬年無彊
5580	㳙___罍	其萬年無彊
5583	不白夏子罍一	用𣄨𩞁壽無彊
5584	不白夏子罍二	用𣄨𩞁壽無彊
5752	陳侯壺	用𣄨𩞁壽無彊
5775	蔡公子壺	其𩞁壽無彊
5777	孫弔師父行具	𩞁壽萬年無彊
5783	曾白陭壺	子子孫孫用受大福無彊
5787	沕其壺一	永令無彊
5788	沕其壺二	永令無彊
5789	命瓜君厚子壺一	旂無彊
5790	命瓜君厚子壺二	旂無彊
5795	白克壺	克用匄𩞁壽無彊
5801	洹子孟姜壺一	萬年無彊
5802	洹子孟姜壺二	萬年無彊
5805	中山王𠑇方壺	以請（靖）郾彊
5805	中山王𠑇方壺	㣈闢封彊
5805	中山王𠑇方壺	其永保用亡彊
5808	孟城行鈃	其𩞁壽無彊
5810	喪鈃	萬年無彊
5816.	伯亞臣𦉜	用祈𩞁壽萬年無彊
6763	句它盤	其萬年無彊
6764	般仲__盤	其萬年𩞁壽無彊
6765	齊弔姬盤	其萬年無彊
6767	齊縈姬之嬭盤	其𩞁壽萬年無彊
6773	__湯弔盤	其萬年無用之彊
6777	邛仲之孫白戔盤	用𣄨𩞁壽萬年無彊
6779	齊侯盤	用祈𩞁壽萬年無彊
6780	黃大子白克盤	用𣄨𩞁壽萬年無彊
6788	蔡侯𤔲盤	冬歲無彊
6790	虢季子白盤	子子孫孫萬年無彊
6791	兮甲盤	其𩞁壽萬年無彊
6792	史墙盤	豕尹啚彊
6793	矢人盤	以東封于mk東彊右
6840	__子匜	其萬年無彊
6847	蚰__匜	萬年無彊孫亯
6857	蔡白𥡉匜	其萬年無彊
6866	齊侯乍虢孟姬匜	其萬年無彊

彊
引

6870	箕公孫䛗父匜	其釁壽無彊
6871	隞子匜	用旟釁壽萬年無彊
6872	魯大𤔲徒子仲白匜	其釁壽萬年無彊
6873	齊侯乍孟姜盥匜	用祈釁壽萬年無彊
6874	鄭大內史弔上匜	其萬年無彊
6887	𨚕陵君王子申鐳	攸無彊（盤外）
6888	吳王光鑑一	釁壽無彊
6889	吳王光鑑二	釁壽無彊
6905	要君餗盂	用祈釁壽無彊
6910	師永盂	陰昜洛彊
6910	師永盂	氒逵vx氒彊宋句
6921	鄧子仲盆	其釁壽無彊
6923	庚午盤	萬年無彊
6924	江仲之孫白戔餗盤	其釁壽萬年無彊
6925	晉邦盤	我刺考□□□□□□□□彊武
6989	_鐘	福無彊猷
7005	邵公鐘	釁壽萬年無彊
7019	邾太宰鐘	萬年無彊
7026	邾弔鐘	□用旂釁壽無彊
7037	遲父鐘	子子孫孫亡彊寶
7045	□□自乍鐘一	其釁□無彊
7049	井人鐘三	降余厚多福無彊
7050	井人鐘四	降余後多福無彊
7059	師臾鐘	用匄釁壽無彊
7088	士父鐘一	降余魯多福亡彊
7089	士父鐘二	降余魯多福亡彊
7090	士父鐘三	降余魯多福亡彊
7091	士父鐘四	降余魯多福亡彊
7159	𤼈鐘二	義文神無彊䰠福
7167	𤼈鐘十	義天神無彊䰠福
7174	秦公鐘	釁壽無彊
7178	秦公及王姬編鐘二	釁壽無彊
7209	秦公及王姬鎛	釁壽無彊
7210	秦公及王姬鎛二	釁壽無彊
7211	秦公及王姬鎛三	釁壽無彊
M553	越王者旨於賜鐘	萬枼亡彊
M581	陳公子中慶簠蓋	用祈頵壽萬年無彊子子孫孫永壽用之
M582	陳公孫䛗父𦉜	用祈釁壽萬年無彊
M602	蔡看匜	邁（萬）年無彊
M617	番白享匜	其萬年無彊

小計：共　219 筆

引　2084

1217	毛公䢅方鼎	亦引唯考
1298	師旂鼎	雷事氒友引以告于白懋父
1298	師旂鼎	引以告中史書
1318	晉姜鼎	卑貫通引征緐湯𪉹

1319	頌鼎一	宰引右頌入門、立中廷
1320	頌鼎二	宰引右頌入門、立中廷
1321	頌鼎三	宰引右頌入門、立中廷
1323	師訊鼎	乃用心引正乃辟安德
1332	毛公鼎	皇天引厭氒德
1332	毛公鼎	引唯乃智余非
1332	毛公鼎	引其唯王智
2640	弔皮父𣪘	其萬年子子孫永寶用[引]
2707	小臣守𣪘一	用乍鑄引中寶𣪘
2708	小臣守𣪘二	用乍鑄引中寶𣪘
2709	小臣守𣪘三	用乍鑄引中寶𣪘
2774	臣諫𣪘	母弟引𦤎又長子□
2833	秦公𣪘	高引又慶
2844	頌𣪘一	宰引右頌入門立中廷
2845	頌𣪘二	宰引右頌入門立中廷
2845	頌𣪘二	宰引右頌入門立中廷
2846	頌𣪘三	宰引右頌入門立中廷
2847	頌𣪘四	宰引右頌入門立中廷
2848	頌𣪘五	宰引右頌入門立中廷
2849	頌𣪘六	宰引右頌入門立中廷
2850	頌𣪘七	宰引右頌入門立中廷
2851	頌𣪘八	宰引右頌入門立中廷
4824	引為𩲃㢋尊	引為𩲃㢋寶尊彝用永孝
4914	𧶠引觥	[𧶠引]乍尊彝
5510	乍冊嗌卣	子子引有孫
5799	頌壺一	宰引右頌入門立中廷
5800	頌壺二	宰引右頌入門立中廷
5809	弘乍旅鈃	樂大𤔲徒子𦃄之子引乍旅鈃
6258	𧶠引乍尊彝觚	𧶠引乍尊彝
7182	叔夷編鐘一	余引厭乃心
7191	叔夷編鐘十	余引厭乃心
7212	秦公鎛	畯疐才立高引又慶
7214	叔夷鎛	余引厭乃心
		小計：共　37 筆

彊 2085	經典作彌	
1324	禹鼎	肆自師彌怵匌匡
2653.	弔＿孫父𣪘	彌生萬年無疆
2727	𦃄姞乍尹弔𣪘	彌(彌)氒生霝冬
4448	長由盉	井白氏彌不姦
6792	史墻盤	髮彔、黃耇彌生
7213	𬳨鎛	用求丂命彌(彌)生
7213	𬳨鎛	余彌(彌)心畏認
		小計：共　7 筆

發	2086		
	7744	工𠭯太子劍	王𠭯大子姑發__反
			小計：共 1 筆
弘弝	2087	从弓从口，當即弘字	
	0910	亞宅乍父乙方鼎	[亞弘]宅乍父乙尊彝
	1357	弘乍彝鬲	[弘]乍彝
	7696	__劍	__自乍保弘吉之
	7720	越劍	張永□□卲□□弘吉之□吉
	7976	之利殘片	之利寺王之奴旨____弘____萬
			小計：共 5 筆
𢐗	2087+	當即部字	
	4849	部啟方尊	𢐗(部)啟乍父庚尊彝
	4968	𢐗方彝一	𢐗啟乍父庚尊彝
	4969	𢐗方彝二	𢐗啟乍父庚尊彝
			小計：共 3 筆
弜	2088		
	0271	亞弜鼎一	[亞弜]
	0272	亞弜鼎二	[亞弜]
	0273	亞弜鼎三	[亞弜]
	0274	亞弜鼎四	[亞弜]
	0275	亞弜鼎五	[亞弜]
	0276	亞弜鼎六	[亞弜]
	0277	亞弜鼎七	[亞弜]
	1818	亞弜段	[亞弜]
	1986	亞弜父癸段	[亞弜]父癸
	2676	旅肆乍父乙段	戊辰、弜師易肆𩁹、q1卣貝
	3330	弜爵	[弜]
	3587	亞弜爵一	[亞弜]
	3588	亞弜爵二	[亞弜]
	3589.	亞弜爵三	[亞弜]
	3781	弜父乙爵	[弜]父乙
	4223	亞弜父丁角一	[亞弜]父丁
	4224	亞弜父丁角二	[亞弜]父丁
	4327	亞弜父丁斝	[亞弜]父丁
	4533	亞弜尊	[亞弜]
	5126	弜父乙卣	[弜]父乙
	5610	亞弜壺一	[亞弜]

5993	亞弜瓠	[亞弜]
6543	帚亞弜觶	[亞帚弜]
6567	典弜父丁觶	[典弜]父丁
6948	亞弜編鐃一	[亞弜]
6949	亞弜編鐃二	[亞弜]
		小計：共 26 筆

彌 2089

1284	尹姞鼎	彌ve先王
2840	番生毁	金簟彌、魚葡
4891	何尊	克逨(彌)玟王
7069	者沏鐘一	戠彌王__
7071	者沏鐘三	戠彌
7074	者沏鐘六	戠彌王__宝__庶__
7077	者沏鐘九	戠彌王__宝__庶__
		小計：共 7 筆

盭 2090

1234	旅鼎	公才盭自
2752	史頌毁一	帥堣盭于成周
2753	史頌毁二	帥堣盭于成周
2754	史頌毁三	帥堣盭于成周
2755	史頌毁四	帥堣盭于成周
2756	史頌毁五	帥堣盭于成周
2757	史頌毁六	帥堣盭于成周
2758	史頌毁七	帥堣盭于成周
2759	史頌毁八	帥堣盭于成周
2759	史頌毁九	帥堣盭于成周
2834	㝬毁	再盭先王宗室
2856	師訇毁	盭龢雩政
4811	盭嗣土幽乍且辛旅尊	盭司土幽乍且辛旅彝
5422	盭嗣土幽旅卣	盭司土幽乍且辛旅彝
		小計：共 14 筆

糸 2091

1364	匕糸父丁鬲	[匕糸]父丁
3555	糸去爵	糸去(子)
3556	子糸爵	子[糸]
3717.	__糸爵	[□糸]
3934	糸父壬爵	[糸]父壬
5457	小臣糸乍且乙卣一	王易{ 小臣 }糸
5458	小臣糸乍且乙卣二	王易{ 小臣 }糸
7236	糸戈	[糸]

7521	廿二年臨汾守戈	廿二年臨汾守曋庫系工歓造
		小計：共　9 筆

孫　2092

0864	鈇侯之孫陳鼒	鈇侯之孫陳之𩰬(鼒)
0875	子陝□之孫鼎	□□□□行□子陭□□之孫□
0916	__鼎	rs乍寶鼎、子孫永用
0920	倗鼎	楚弔之孫倗之飤鼒
0940	乍寶鼎	乍寶鼎子子孫永寶用
0947	䍃兹乍旅鼎	䍃兹乍旅鼎孫子永寶
0962	亙乍寶鼎	亙乍寶鼎子子孫永寶用
0964	萬仲鼎	子孫永寶用
0966	匚宎乃孫乍且己鼎	乃孫乍且己宗寶𡨥𩰫[匚宎]
0971	內大子鼎一	子孫永用享
0972	內大子鼎二	子孫永用享
0980	__君鼎	pi君婦媿霝乍旅__其子孫用
0982	己華父鼎	子子孫永用
0989	仲宧父鼎	子子孫永寶用
0992	𪓕討鼎	子子孫孫永寶用
0993	𨻰生雀鼎	孫子其永寶用
0995	內公飤鼎	子孫永寶用享
0996	子適鼎	子子孫孫永寶用
1000	郣造鼎	子子孫孫用享
1001	鄭子石鼎	子孫永寶用
1006	鎬鼎	𩟄壽□□□孫用之
1014	乍寶鼎	其子子孫孫萬年永寶
1016	廟孱鼎	其子子孫孫永寶用
1020	鄭𨻰睢原父鼎	其萬年子孫永用
1023	從乍寶鼎	其萬年子孫孫永寶用
1024	大師人__乎鼎	其子孫孫用
1025	奠姜白寶鼎	子子孫孫其永寶用
1027	番君召鼎	子孫永□
1033	㷶子旅乍父戊鼎	其孫子永寶
1034	仲殷父鼎一	其萬年子子孫寶用
1035	仲殷父鼎二	其萬年子子孫寶用
1036	史宜父鼎	其萬年子子孫永寶用
1038	白𩫖父鼎	其子子孫孫永用[井]
1039	兼咯父旅鼎	子子孫孫其永寶用
1040	弔荼父鼎	子孫孫其萬年永寶用
1042	白庙父鼎	其萬年孫子永寶用
1044	寶__生乍成媿鼎	其子孫永寶用
1045	専車季鼎	其子孫永寶用
1048	𧷤乍母乙鼎	其萬年子孫孫永寶用
1050	白筍父鼎一	其萬年子孫永寶用
1051	白筍父鼎二	其萬年子子孫孫永寶用
1053	白考父鼎	其萬年子子孫永寶用
1054	杞白每亡鼎一	子子孫永寶用

1055	杞白每亡鼎二	子子孫永寶用
1057	會娟鼎	其萬年子子孫永寶用享
1060	輔白雁父鼎	子子孫永寶用
1062	衵鼎	其萬年子孫永寶用享
1064	武生__弔羞鼎一	子子孫孫永寶用之
1065	武生__弔羞鼎二	子子孫孫寶用之
1066	穌吉妊鼎	子子孫孫永寶用
1071	嚞白御戎鼎	子子孫孫永寶用
1072	瘵乍其鬻鼎	子孫永寶用之
1074	奠戒句父鼐	其子孫孫永寶用
1075	黃季乍季嬴鼎	其萬年子孫永寶用享
1077	曾仲子__鼎	子孫永用亯
1078	屖白魚父旅鼎一	其萬年子子孫孫永寶用
1079	屖白魚父旅鼎二	其萬年子子孫孫永寶用
1080	華仲義父鼎一	其子子孫永寶用[華]
1081	華仲義父鼎二	其子子孫孫永寶用[華]
1082	華仲義父鼎三	其子子孫孫永寶用[華]
1083	華仲義父鼎四	其子子孫孫永寶用[華]
1084	華仲義父鼎五	其子子孫孫永寶用[華]
1085	曾者子乍鬻鼎	用享于且、子子孫永壽
1086	內子仲□鼎	子子孫孫永寶用
1088	師麻斿弔旅鼎	其萬年子子孫孫永寶用
1093	奠登白鼎	其子子孫孫永寶用之
1095	函皇父鼎	子子孫孫其永寶用
1097	白庸父乍羊鼎	其子子孫孫萬年永寶用享
1098	善夫白辛父鼎	其萬年子子孫永寶用
1099	仲旳父鼎	其萬年子子孫孫永寶用享
1100	白尚鼎	尚其萬年子子孫孫永寶
1104	辛中姬皇母鼎	其子子孫孫用享孝于宗老
1105	鍼季乍嬴氏行鼎	子子孫其釁壽萬年永用享
1106	曾孫無期乍飤鼎	曾孫無箕自乍飤鐈
1106	曾孫無期乍飤鼎	子孫永寶用之
1107	番仲吳生鼎	子子孫孫永寶用
1108	師賸父鼎	其萬年子子孫孫永寶用
1109	師眚乍齋鼎	其萬年子子孫孫永寶用[cx]
1110	雝白原鼎	子子孫孫其萬年永用亯
1111	□魯宰鼎	其子子孫孫永寶用之
1118	宋莊公之孫趄亥鼎	宋莊公之孫趄亥自乍會鼎
1118	宋莊公之孫趄亥鼎	子子孫孫永壽用之
1120	湶白鼎	子孫永寶用之
1122	衵白乍石鼎	子子孫孫永寶用
1123	伯夏父鼎	其萬年子子孫孫
1123.	番□伯者鼎	其萬年子孫永寶用□
1125.	郛季宿車鼎	郛季宿車自乍行鼎子子孫孫永寶萬年無疆用
1129	寒姒好鼎	其萬年子子孫孫永寶用
1130	虢文公子ㄆ鼎一	子孫永寶用亯
1131	虢文公子ㄆ鼎二	子子孫孫永寶用亯
1132	郣白祀乍善鼎	子子孫永寶用亯
1133	郣白乍孟妊善鼎	子子孫孫永寶用
1138	白陶乍父考宮弔鼎	子子孫孫其永寶

孫

孫

1140	衛鼎	衛其萬年子子孫孫永寶用
1141	善夫旅白鼎	其萬年子子孫孫永寶用亯
1142	杞白每亡鼎	子子孫孫永寶用亯
1143	曾子仲誨鼎	子子孫孫其永用之
1145	舍父鼎	子子孫孫其永寶
1146	□者生鼎一	其萬年子子孫孫永寶用亯
1147	□者生鼎二	其萬年子子孫孫永寶用亯
1148	鼄姜白鼎一	子子孫孫永寶用
1149	鼄姜白鼎二	子子孫孫永寶用
1151	異侯鼎	其萬年子子孫孫永寶用
1153	白頵父鼎	其萬年子子孫孫永寶用
1154	黃孫子蜾君弔單鼎	唯黃孫子蜾君弔單自乍鼎
1154	黃孫子蜾君弔單鼎	子子孫孫永寶用亯
1161	白吉父鼎	其萬年子子孫孫永寶用
1165	大師鐘白乍石鼑	其子子孫永寶用之
1166	茲太子鼎	子子孫永寶用之
1171	魯白車鼎	子子孫孫永寶用亯
1175	白鮮乍旅鼎一	子子孫孫永寶用
1176	白鮮乍旅鼎二	子子孫孫永寶用
1177	白鮮乍旅鼎三	子子孫孫永寶用
1188	旂弔樊乍易姚鼎	子子孫永寶用
1189	諆鼎	子孫孫永寶用亯
1194	郳王鼎	子子孫孫
1195	戈弔朕鼎一	子子孫孫永寶用之
1196	戈弔朕鼎二	子子孫孫永寶用之
1197	戈弔朕鼎三	子子孫孫永寶用之
1198	姬鼎	其萬年子子孫孫永寶用
1199	虢宣公子白鼎	子子孫孫永用□寶
1200	散白車父鼎一	其萬年子子孫永寶
1201	椒白車父鼎二	其萬年子子孫永寶
1202	椒白車父鼎三	其萬年子子孫永寶
1203	椒白車父鼎四	其萬年子子孫永寶
1204	淮白鼎	__其及氒妻子孫于之__餇朕肉
1205.	迦鼎	迦其萬年子子孫孫永寶用
1206	旟鼎	子子孫其永寶
1213	師趛鼎一	__其萬年子孫永寶用
1214	師趛鼎二	__其萬年子孫永寶用
1218	寬兒鼎	蘇公之孫寬兒擇其吉金
1220	鄁公鼎	子子孫孫永寶用亯
1224	王子吳鼎	子子孫孫永保用之
1225	觱大史申鼎	鄙安（申）之孫觱（筥）大吏申
1225	觱大史申鼎	子孫是若
1226	師餘鼎	孫子子寶用
1227	衛鼎	子孫永寶
1229	厚趠方鼎	其子子孫永寶［戣］
1230	師器父鼎	子子孫孫永寶用
1233	__鼎	子子孫孫其永寶
1238	曾子仲宣鼎	子子孫孫永寶用
1241	蔡大師鼎	子子孫孫永寶用之
1243	仲__父鼎	其萬年子子孫孫永寶用

孫

1245	仲師父鼎一	其子子孫萬年永寶用亯
1246	仲師父鼎二	其子子孫萬年永寶用亯
1247	函皇父鼎	琱娟其萬年子子孫孫永寶用
1249	𡨦鼎	𡨦萬年子子孫孫寶
1259	鄀公讎鼎	子子孫孫永寶用
1262	穵鼎	其孫孫子子其永寶
1263	呂方鼎	其子子孫孫永用
1265	訞弔鼎	子子孫永寶
1266	鄀公平侯鼑一	子子孫孫永寶用亯
1267	鄀公平侯鼑二	子子孫孫永寶用亯
1268	梁其鼎一	其百子千孫
1268	梁其鼎一	其子子孫孫永寶用
1269	梁其鼎二	其百子千孫
1269	梁其鼎二	其子子孫孫永寶用
1272	刺鼎	其孫孫子子永寶用
1273	師湯父鼎	其萬年孫孫子子永寶用
1275	師同鼎	子子孫孫其永寶用
1276	__季鼎	其萬年子子孫孫永用
1280	康鼎	子子孫孫其萬 年永寶用
1281	史頌鼎一	子子孫孫永寶用
1282	史頌鼎二	子子孫孫永寶用
1283	微䜌鼎	䜌子子孫永寶用享
1285	㦵方鼎一	其子子孫孫永寶
1286	大夫始鼎	孫孫子子永寶用
1290	利鼎	利其萬年子孫永寶用
1291	善夫克鼎一	克其子子孫孫永寶用
1292	善夫克鼎二	克其子子孫孫永寶用
1293	善夫克鼎三	克其子子孫孫永寶用
1294	善夫克鼎四	克其子子孫孫永寶用
1295	善夫克鼎五	克其子子孫孫永寶用
1296	善夫克鼎六	克其子子孫孫永寶用
1297	善夫克鼎七	克其子子孫孫永寶用
1299	鼂侯鼎一	其萬年子孫永寶用
1300	南宮柳鼎	其萬年子子孫孫永寶用
1301	大鼎一	大其子子孫孫萬年永寶用
1302	大鼎二	大其子子孫孫萬年永寶用
1303	大鼎三	大其子子孫孫萬年永寶用
1304	王子午鼎	子孫是利
1305	師奎父鼎	師奎父其萬年子子孫孫永寶用
1306	無叀鼎	子孫永寶用
1307	師望鼎	師望其萬年子子孫孫永寶用
1308	白晨鼎	子子孫孫其萬年永寶用
1309	寰鼎	寰其萬年子子孫孫永寶用
1310	鬲攸從鼎	鬲攸从其萬年子子孫孫永寶用
1311	師晨鼎	子子孫孫其永寶用
1312	此鼎一	子子孫孫永寶用
1313	此鼎二	子子孫孫永寶用
1314	此鼎三	子子孫孫永寶用
1316	㦵方鼎	其子子孫孫永寶茲刺
1317	善夫山鼎	子子孫孫永寶用

孫

1318	晉姜鼎	畯(允)保其孫子
1319	頌鼎一	子子孫孫寶用
1320	頌鼎二	子子孫孫寶用
1321	頌鼎三	子子孫孫寶用
1323	師訊鼎	白亦克𤔲古先且𡉚孫子一䜌皇辟懿德
1324	禹鼎	其萬年子子孫孫寶用
1326	多友鼎	其子子孫孫永寶用
1327	克鼎	永念于厥孫辟天子
1327	克鼎	子子孫孫永寶用
1330	曶鼎	子子孫孫其永寶
1331	中山王𰯼鼎	子子孫孫永定保之
1332	毛公鼎	子子孫孫永寶用
1454	𦣞肇家鬲	其永子孫寶
1458	庶鬲	其萬年子孫永寶用
1463	呂王尊鬲	子子孫孫永寶用亯
1464	王乍姬□母女尊鬲	子子孫孫永寶用
1467	呂䣄姬乍鬲	其子子孫孫寶用
1468	白家父乍孟姜鬲	其子孫永寶用
1469	戲白𩛥齋一	其萬年子子孫永寶用
1470	戲白𩛥齋二	其萬年子子孫永寶用
1476	鼄白乍朕鬲	其萬年子子孫孫永寶用
1477	右戲仲夏父豐鬲	子子孫孫永寶用
1478	齊不𧻚鬲	子子孫孫永寶用
1479	召仲乍生妣奠鬲一	其子子孫孫永寶用
1480	召仲乍生妣奠鬲二	其子子孫孫永寶用
1481	昧仲無龍寶鼎一	其子子孫永寶用亯
1482	昧仲無龍寶鼎二	其萬年子子孫永寶用亯
1483	虢季氏子組鬲	子子孫永寶用亯
1484	江𨸏叔鬲	子子孫孫永寶用之
1487	白先父鬲一	其子子孫孫永寶用
1488	白先父鬲二	其子子孫孫永寶用
1489	白先父鬲三	其子子孫孫永寶用
1490	白先父鬲四	其子子孫孫永寶用
1491	白先父鬲五	其子子孫孫永寶用
1492	白先父鬲六	其子子孫孫永寶用
1493	白先父鬲七	其子子孫孫永寶用
1494	白先父鬲八	其子子孫孫永寶用
1495	白先父鬲九	其子子孫孫永寶用
1496	白先父鬲十	其子子孫孫永寶用
1497	虢仲乍虢妃鬲	其萬年子子孫孫永寶用
1499	□季鬲	其萬年子子孫用
1500	__白鬲	其萬年子子孫孫永寶用
1501	虢季氏子𢼄鬲	子子孫孫永寶用享
1502	成白孫父鬲	成白孫父乍浠嬴尊鬲
1502	成白孫父鬲	子子孫孫永寶用
1505	番君酌白鼎	萬年無彊子孫永寶
1506	杜白乍弔嫞鬲	其萬年子子孫孫永寶用
1507	善夫吉父乍京姬鬲一	其子子孫孫永寶用
1508	善夫吉父乍京姬鬲二	其子子孫孫永寶用
1509	虢文公子𢼄乍弔妃鬲	其萬年子孫永寶用亯

1510	内公鑄弔姬鬲一	子子孫孫永寶用享
1511	内公鑄弔姬鬲二	子子孫孫永寶用亯
1512	虢白乍姬夨母鬲	其萬年子子孫孫永寶用
1513	暌土父乍蓼妃鬲	其萬年子子孫孫永寶用
1514	白夏父乍畢姬鬲一	其萬年子子孫孫永寶用亯
1515	白夏父乍畢姬鬲二	其萬年子子孫孫永寶用亯
1516	白夏父乍畢姬鬲三	其萬年子子孫孫永寶用亯
1517	白夏父乍畢姬鬲四	其萬年子子孫孫永寶用亯
1518	白夏父乍畢姬鬲六	其萬年子子孫孫永寶用亯
1519	白夏父乍畢姬鬲五	其萬年子子孫孫永寶用亯
1520	奠白荀父鬲	其萬年子子孫孫永寶用
1521	單白遼父鬲	子子孫孫其萬年永寶用享
1522	孟辛父乍孟姞鬲一	其萬年子子孫孫永寶用
1523	孟辛父乍孟姞鬲二	其萬年子子孫孫永寶用
1524	□大嗣攻鬲	子子孫孫永保用之
1525	隮子奠白尊鬲	子子孫孫永寶用
1526	琱生乍完仲尊鬲	琱生其萬年子子孫孫用寶用享
1527	釐先父鬲	其萬年子孫永寶
1529	仲枏父鬲一	子孫其永寶用
1530	仲枏父鬲二	子孫其永寶用
1531	仲枏父鬲三	子孫其永寶用
1532	仲枏父鬲四	子孫其永寶用
1647	井乍寶甗	豐乍旅甗子孫孫永寶用、豐井
1650	滎子旅乍且乙甗	滎子旅乍且乙寶彝子孫永寶
1652	弔碩父旅甗	子子孫孫永寶用
1653	嗀父甗	其萬年子子孫永寶用
1654	子邦父旅甗	其子子孫孫永寶用
1655	奠氏白高父旅甗	其萬年子子孫孫永寶用
1656	尌仲甗	子子孫孫永寶用
1658	奠大師小子甗	子子孫孫永寶用
1660	曾子仲謱旅甗	子子孫孫其永用之
1662	寶甗	其萬年子子孫孫永寶用貞
1663	齸五世孫矩甗	齸（ 緟 ）五世孫矩乍其寶甗
1663	齸五世孫矩甗	子子孫孫永寶用之
1664	邕子良人歙甗	其萬年無彊、其子子孫永寶用
1665	王孫壽䬪甗	王孫壽羼其吉金
1665	王孫壽䬪甗	子子孫孫永保用之
1667	陳公子弔遼父甗	子子孫孫是尚
2338	乍寶毁	乍寶毁其子孫萬年永寶
2343	啻乍寶毁	啻乍寶毁其萬年孫子寶
2344	季假乍旅毁	季假乍旅毁隹子孫乍寶
2350	稃乍父甲毁	稃乍父甲寶毁萬年孫子寶
2360	白乍寶毁	子子孫孫永寶用
2361	乍寶尊毁	孫孫子子其萬年用
2362	_毁	_子子孫其萬年用享
2372	夆乍豐觥毁	子子孫孫永用
2375	旂毁	其子子孫孫永寶用
2376	□□毁	其萬年子子孫孫寶用
2377	晉人吏寓乍寶毁	其孫子永寶
2378	辰乍餗毁	其子子孫孫永寶用

孫

2379	中友父𣪘一	子子孫永寶用
2380	中友父𣪘二	子子孫永寶用
2381	友父𣪘一	子子孫孫永寶用
2382	友父𣪘二	子子孫孫永寶用
2386	白__乍白幽𣪘二	子子孫孫永用亯
2387	白__乍白幽𣪘一	世子孫孫寶用
2389	叡珏妊乍寶𣪘	子孫孫永寶用亯
2390	吹乍寶𣪘二	其萬年子子孫孫永用
2391	尅乍寶𣪘一	其萬年子子孫孫永用
2393	白喬父飤𣪘	子子孫孫永寶用
2394	己侯乍姜縈𣪘一	子子孫其永寶用
2395	丂保子達𣪘	其子子孫永用[丂]
2396	仲競𣪘	其萬年子子孫永用
2402	敔𣪘	用饎孚孫子
2407	白閈乍尊𣪘一	其子子孫孫萬年寶用
2408	白閈乍尊𣪘二	其子子孫孫萬年寶用
2411	史寏𣪘	其萬年子子孫孫永寶
2415	降人𢑴寶𣪘	其子子孫孫萬年用
2416	降人𢑴寶𣪘	其子子孫孫萬年用
2417	齊嬦姬寶𣪘	其萬年子子孫孫永用
2418	乎乍姞氏𣪘	子子孫孫其永寶用
2420.	改𣪘一	子子孫孫其永寶用
2420.	改𣪘二	子子孫孫其永寶用
2422	舟洹秦乍且乙𣪘	其萬年子孫寶用[舟]
2424	白茡寶𣪘	其萬年子子孫孫永寶用
2425	兮仲寶𣪘一	其萬年子子孫孫永寶用
2426	兮仲寶𣪘二	其萬年子子孫孫永寶用
2427	兮仲寶𣪘三	其萬年子子孫孫永寶用
2428	兮仲寶𣪘四	其萬年子子孫孫永寶用
2429	兮仲寶𣪘五	其萬年子子孫孫永寶用
2430	倗白__尊𣪘	其子子孫孫永寶用亯
2431	__弔侯父乍尊𣪘一	其子子孫孫永寶用
2432	__弔侯父乍尊𣪘二	其子子孫孫永寶用
2433	害弔乍尊𣪘一	其萬年子子孫孫永寶用
2434	害弔乍尊𣪘二	其萬年子子孫孫永寶用
2435	散車父𣪘一	其萬年子子孫孫永寶
2436	散車父𣪘二	其萬年孫子子永寶
2437	散車父𣪘三	其萬年孫子子永寶
2438	散車父𣪘四	其萬年孫子子永寶
2438.	散車父𣪘五	其萬年孫子子永寶
2438.	椒車父乍𡰥陔姞𣪘	其萬年孫子子永寶
2438.	椒車父乍𡰥陔姞𣪘二	其萬年孫子子永寶
2439	寺季故公𣪘一	子子孫孫永寶用亯
2440	寺季故公𣪘二	子子孫孫永寶用亯
2441	姞衍𣪘	其萬年子子孫孫永寶用
2442	虢號遣生旅𣪘	其萬年子孫永寶用
2443	孟𢸉父𣪘一	其萬年子子孫永寶用
2444	孟𢸉父𣪘二	其萬年子子孫孫永寶用
2445	孟𢸉父𣪘三	其萬年子子孫孫永寶用
2447	白汈父乍𡡞姞𣪘一	子子孫孫永寶用

2448	白汈父乍㜸姞𣪘二	子子孫孫永寶用
2449	白汈父乍㜸姞𣪘三	子子孫孫永寶用
2454	亢僕乍父己𣪘	子子孫其萬年永寶用
2455	彔乍文考乙公𣪘	子子孫其永寶
2456	的白迹𣪘一	期(箕其)萬年孫孫子子其永用
2457	的白迹𣪘二	其萬年孫子其永用
2458	孟奠父𣪘一	其萬年子子孫孫永寶用
2459	孟奠父𣪘二	其萬年子子孫孫永寶用
2460	孟奠父𣪘三	其萬年子子孫孫永寶用
2461	白家父乍孟姜𣪘	其子子孫孫永寶用
2462	弔向父乍婞姛𣪘一	其子子孫孫永寶用
2463	弔向父乍婞姛𣪘二	其子子孫孫永寶用
2464	弔向父乍婞姛𣪘三	其子子孫孫永寶用
2465	弔向父乍婞姛𣪘四	其子子孫孫永寶用
2466	弔向父乍婞姛𣪘五	其子子孫孫永寶用
2467	姺＿母乍南旁𣪘	子子孫孫其永寶用
2468	齊癸姜尊𣪘	其萬年子子孫永寶用
2473	＿乍皇母尊𣪘一	其子子孫孫萬年永寶用
2474	＿乍皇母尊𣪘二	其子子孫孫萬年永寶用
2475	衛始𣪘	子子孫孫其萬年永寶用
2476	革𣪘	其子子孫孫萬年永用[eL]
2477	革父丁𣪘	其子子孫孫萬年永用[eL]
2478	白賓父𣪘(器)一	其萬年子子孫孫永寶用
2479	白賓父𣪘二	其萬年子子孫孫永寶用
2480	是要𣪘	其子孫永寶用
2481	是要𣪘	其子孫永寶用
2482	陳侯乍嘉姬𣪘	其萬年子子孫孫永寶用
2483	量侯𣪘	子子孫萬年永寶𣪘勿喪
2484	伯緟父𣪘	子子孫萬年其永寶用
2484.	夨王𣪘	子子孫孫其萬年永寶用
2485	陵仲孝𣪘	子子孫其永寶用[主]
2486	□□且辛𣪘	其萬年孫孫子子永寶用[賁]
2488	杞白每亡𣪘一	子子孫孫永寶用亯
2489	杞白每亡𣪘二	子子孫孫永寶用亯
2490	杞白每亡𣪘三	子子孫孫永寶用亯
2491	杞白每亡𣪘四	子子孫孫永寶用亯
2492	杞白每亡𣪘五	子子孫孫永寶用亯
2493	鄦其肇乍𣪘一	子子孫孫永寶用
2494	鄦其肇乍𣪘二	子子孫孫永寶用
2495	季＿父徹𣪘	其萬年子子孫孫永寶用
2496	廣乍弔彭父𣪘	其萬年子子孫孫永寶用
2497	𨟭侯乍王姞𣪘一	王姞其萬年子子孫孫永寶
2498	𨟭侯乍王姞𣪘二	王姞其萬年子子孫孫永寶
2499	𨟭侯乍王姞𣪘三	王姞其萬年子子孫孫永寶
2500	𨟭侯乍王姞𣪘四	王姞其萬年子子孫孫永寶
2501	旛嫼乍尊𣪘一	旛嫼其萬年子子孫孫永寶用
2502	旛嫼乍尊𣪘二	旛嫼其萬年子子孫孫永寶用
2503	旛嫼乍尊𣪘三	旛嫼其萬年子子孫孫永寶用
2504	旛䞶𣪘	子子孫孫永寶用
2505	白疑父乍嫙𣪘	其萬年子子孫孫永寶用

孫

2505.	井姜大宰毀	子子孫孫永寶用亯
2506	奠牧馬受毀一	其子子孫孫萬年永寶用
2507	尊牧馬受毀二	其子子孫孫萬年永寶用
2509	旅仲毀	其萬年子子孫孫永用亯孝
2511	夨王毀	子子孫孫其年永寶用
2513	爯乍季日乙叓毀一	子子孫孫永寶用
2514	爯乍季日乙叓毀二	子子孫孫永寶用
2516	鄧公餗毀	其萬年子子孫孫永壽用之
2517	是□乍乙公毀	子子孫孫永寶用[鼎]
2518	白田父毀	其萬年子子孫孫永寶用
2519	周𩰫生媵毀	其孫孫子子永寶用[eL]
2520	大自事良父毀	其萬年子子孫孫永寶用
2521	姞氏自作媿毀	其邁(萬)年子子孫孫永寶用
2522	孟弜父毀	其萬年子子孫孫永寶用
2523	孟弜父毀	其萬年子子孫孫永寶用
2527	朿仲𡩜父毀	其萬年子子孫永寶用亯
2529	豐井弔乍白姬毀	其萬年子子孫孫永寶用
2529.	__生毀	uw生乍寶尊毀、uw生其壽考萬年子孫永寶用
2530	𣶃姬乍父辛毀	孫子其萬年永寶
2535	仲殷父毀一	其子子孫孫永用
2536	仲殷父毀二	其子子孫孫永用
2537	仲殷父毀三	其子子孫孫永用
2537	仲殷父毀四	其子子孫孫永寶用
2538	仲殷父毀五	其子子孫孫永用
2539	仲殷父毀六	其子子孫孫永寶用
2540	仲殷父毀六	其子子孫孫永寶用
2541	仲殷父毀七	其子子孫孫永寶用
2541.	仲毀父毀七	其子子孫孫永寶用
2541.	仲毀父毀八	其子子孫孫永寶用
2542	辰才寅□□毀	其子孫其永寶
2545	季𩰫乍井弔毀	子子孫孫其永寶用
2547	格白乍晉姬毀	子子孫孫其永寶用
2548	仲叀父餗毀一	其萬年子子孫孫永寶用
2549	仲叀父餗毀二	其萬年子子孫孫永寶用
2550	兌乍弔氏毀	兌其萬年子子孫孫永寶用
2551	弔角父乍宕公毀一	其子子孫孫永寶用[cx]
2552	弔角父乍宕公毀二	其子子孫孫永寶用[cx]
2553	虢季氏子組毀一	子子孫孫永寶用亯
2554	虢季氏子組毀二	子子孫孫永寶用亯
2555	虢季氏子組毀三	子子孫孫永寶用亯
2560	吳彭父毀一	其萬年子子孫孫永寶用
2561	吳彭父毀二	其萬年子子孫孫永寶用
2562	吳彭父毀三	其萬年子子孫孫永寶用
2563	德克乍文且考毀	克其萬年子子孫孫永寶用亯
2564	𩫏且日庚乃孫毀一	且日庚乃孫乍寶毀
2564	𩫏且日庚乃孫毀一	其子子孫孫永寶用[𩫏]
2565	且日庚乃孫毀二	且日庚乃孫乍寶毀
2565	且日庚乃孫毀二	其子子孫孫永寶用[𩫏]
2566	寧毀一	世孫子寶
2567	寧毀二	世孫子寶

2569	鼎卓林父𣪕	其子子孫孫永寶用[鼎]
2571	穌公子癸父甲𣪕	子子孫孫永寶用亯
2571.	穌公子癸父甲𣪕二	子子孫孫永寶用亯
2572	毛白𡀚父𣪕	子子孫孫永寶用亯
2573	泆白寺𣪕	其萬年子子孫孫永寶用亯
2574	豐兮𣪕一	夷其萬年子孫永寶、用亯考
2575	豐兮𣪕二	夷其萬年子子孫永寶、用亯考
2576	白偍□寶𣪕	子子孫孫永寶用
2577	害客𣪕	客其萬年子子孫孫永寶用
2578	兮吉父乍仲姜𣪕	子子孫孫永寶用亯
2579	白喜乍文考剌公𣪕	喜其萬年子子孫孫其永寶用
2580	羿乍北子𣪕	其萬年子子孫孫永寶
2581	曹伯狄𣪕	子子孫孫永寶用亯
2582	内弔__𣪕	子子孫孫永寶用
2583	鄁公𣪕	子子孫孫永用亯
2588	毛关𣪕	其子子孫孫萬年永寶用
2589	孫弔多父乍孟姜𣪕一	師趩父孫
2589	孫弔多父乍孟姜𣪕一	孫弔多父乍孟姜尊𣪕
2589	孫弔多父乍孟姜𣪕一	其萬年子子孫孫永寶用
2590	孫弔多父乍孟姜𣪕二	師趩父孫
2590	孫弔多父乍孟姜𣪕二	孫弔多父乍孟姜尊𣪕
2590	孫弔多父乍孟姜𣪕二	其萬年子子孫孫永寶用
2591	孫弔多父乍孟姜𣪕三	師趩父孫
2591	孫弔多父乍孟姜𣪕三	孫弔多父乍孟姜尊𣪕
2591	孫弔多父乍孟姜𣪕三	其萬年子子孫孫永寶用
2595	奠虢仲𣪕一	子子孫孫彶永用
2596	奠虢仲𣪕二	子子孫孫彶永用
2597	奠虢仲𣪕三	子子孫孫彶永用
2600	白䍙父𣪕	其萬年子子孫孫永寶用
2601	向䀈乍旅𣪕一	孫子子永寶用
2602	向䀈乍旅𣪕二	孫子永寶用
2603	白吉父𣪕	其萬年子孫孫永寶用
2604	黃君𣪕	子子孫孫永寶用亯
2605	邿__𣪕	子子孫孫永寶用亯
2605	邿__𣪕	子子孫孫永寶用亯
2608	官差父𣪕	孫孫子子永寶用
2609	筥小子𣪕一	其萬年子子孫孫永寶用
2610	筥小子𣪕二	其萬年子子孫孫永寶用
2613	白椃乍宄寶𣪕	孫孫子子永寶
2621	雁侯𣪕	其萬年子子孫孫永寶用
2622	琱伐父𣪕一	子子孫孫永寶用
2623	琱伐父𣪕二	子子孫孫永寶用
2623.	琱伐父𣪕	子子孫孫永寶用
2623.	琱伐父𣪕	子子孫孫永寶用
2624	琱伐父𣪕三	子子孫孫永寶用
2625	曾白文𣪕	其萬年子子孫孫永寶用亯
2626	䜌乍父乙𣪕	其子孫永寶
2628	畢鮮𣪕	鮮其萬年子子孫孫永寶用
2629	牧師父𣪕一	其萬年子子孫孫永寶用亯
2630	牧師父𣪕二	其萬年子子孫孫永寶用亯

孫

2631	牧師父毁三	其萬年子子孫孫永寶用亯
2632	陳逆毁	陳氏裔孫逆
2632	陳逆毁	子孫是保
2633	相侯毁	其萬年子子孫孫□□侯
2633.	食生走馬谷毁	子孫永寶用亯
2634	𢦚叔毁	子子孫孫其萬年永寶用
2639	䢅毁	䢅其萬年子子孫孫永寶用
2640	弔皮父毁	其萬年子子孫永寶用[引]
2641	伯椃虘毁一	子子孫孫永寶
2642	伯椃虘毁二	子子孫孫永寶
2643	史族毁	其子子孫孫永寶用
2643	史族毁	其子子孫孫永寶用
2644.	伯椃虘毁	子子孫孫永寶
2646	仲辛父毁	子孫孫永寶用亯
2647	魯士商戱毁	子子孫孫永寶用亯
2648	仲戱父毁一	其萬年子子孫孫永寶用亯于宗室
2649	仲戱父毁二	其萬年子子孫孫永寶用亯于宗室
2650	仲戱父毁三	其萬年子子孫孫永寶用亯于宗室
2651	內白多父毁	其萬年子子孫孫永寶用亯
2652	__毁	p6其萬年孫孫子子永寶
2653.	弔__孫父毁	弔__孫父乍孟姜尊毁
2653.	弔__孫父毁	子子孫永寶用亯
2656	師害毁一	子子孫孫永寶用
2657	師害毁二	子子孫孫永寶用
2658	白或毁	子子孫孫永寶
2658.	大毁	其子子孫永寶用
2660	彔乍辛公毁	其子子孫孫永寶
2662.	宴毁一	子子孫孫永寶用
2662.	宴毁二	子子孫孫永寶用
2663	宴毁一	子子孫孫永寶用
2664	宴毁二	子子孫孫永寶用
2665	__弔毁	子子孫孫其萬年永寶用
2666	鑄弔皮父毁	子子孫孫寶皇
2667	尌仲毁	子子孫孫永寶用
2668	散季毁	子子孫孫永寶
2669	__妊小毁	其子子孫孫永寶用[cx]
2672	伯芀父毁	其子子孫孫永寶用
2672	伯芀父毁	其子子孫孫永寶用[cx]
2673	□弔買毁	買其子子孫孫永寶用亯
2674	弔䢵毁	用侃喜百生倗友眔子婦{ 子孫 }永寶用
2678	函皇父毁一	琱娟其萬年子子孫孫永寶用
2679	函皇父毁二	琱娟其萬年子子孫孫永寶用
2680	函皇父毁三	琱娟其萬年子子孫孫永寶用
2680.	函皇父毁四	琱娟其萬年子子孫孫永寶用
2681	鄺侯毁	鄺(筥)侯少子析乙孝孫不巨
2683	白家父毁	子孫永寶用亯
2685	仲枏父毁一	其萬年子孫孫其永寶用
2686	仲枏父毁二	其萬年子子孫孫
2690.	相侯毁	其萬年子孫孫用亯侯
2691	善夫梁其毁一	百字千孫

2691	善夫梁其𣪕一	孫子子孫孫永寶用亯
2692	善找梁其𣪕二	百字千孫
2692	善找梁其𣪕二	孫子子孫孫永寶用亯
2693	鼉𣪕	其萬年孫子寶
2695	𤔲兒𣪕	子子孫孫永寶用亯
2696	孟𣪕一	𠂤子子孫孫其永寶
2697	孟𣪕二	𠂤子子孫孫其永寶
2698	陳肪𣪕	肪曰：余陳中𢉏孫
2705	君夫𣪕	子子孫孫其永用止
2706	郜公敄人𣪕	子子孫孫永寶用亯
2707	小臣守𣪕一	子子孫孫永寶用
2708	小臣守𣪕二	子子孫孫永寶用
2709	小臣守𣪕三	子子孫孫永寶用
2710	𦗊自乍寶器一	萬年以𠂤孫子寶用
2711	𦗊自乍寶器二	萬年以𠂤孫子寶用
2711.	乍冊般𣪕	子子孫孫萬年福
2712	虢姜𣪕	子子孫孫永寶用
2722	𨥫弔乍豐姞旅𣪕	子孫其永寶用
2723	沓𣪕	友眔𠂤子孫永寶
2724	章白㪤𣪕	其萬年子子孫孫其永寶用
2725	師毛父𣪕	其萬年子子孫其永寶用
2725.	𦾔星𣪕	子子孫孫永寶用亯
2726	䀠𣪕	子子孫孫其永寶
2727	蔡姞乍尹弔𣪕	子子孫孫永寶用亯
2728	恆𣪕一	其萬年世子子孫虞寶用
2729	恆𣪕二	其萬年世子子孫虞寶用
2731	小臣宅𣪕	子子孫永寶
2732	曾仲大父蛕𧉘𣪕	其萬年子子孫孫永寶用亯
2733	何𣪕	子子孫孫其永寶用
2734	遹𣪕	其孫孫子子永寶
2735	㕣敖𣪕	㕣敖其子子孫永寶
2736	師遽𣪕	世孫子永寶
2737	段𣪕	念畢中孫子
2737	段𣪕	孫孫子子萬年用亯祀
2737	段𣪕	孫子tp□
2738	衛𣪕	衛其萬年子子孫孫永寶用
2739	無曩𣪕一	無曩其萬年子孫永寶用
2740	無曩𣪕二	無曩其萬年子孫永寶用
2741	無曩𣪕三	無曩其萬年子孫永寶用
2742	無曩𣪕四	無曩其萬年子孫永寶用
2742.	無曩𣪕五	無曩其萬年子孫永寶用
2742.	無曩𣪕五	無曩其萬年子孫永寶用
2743	䚏𣪕	其子子孫孫寶用
2744	五年師旋𣪕一	子子孫孫永寶用
2745	五年師旋𣪕二	子子孫孫永寶用
2746	追𣪕一	追其萬年子子孫孫永寶用
2747	追𣪕二	追其萬年子子孫孫永寶用
2748	追𣪕三	追其萬年子子孫孫永寶用
2749	追𣪕四	追其萬年子子孫孫永寶用
2750	追𣪕五	追其萬年子子孫孫永寶用

孫

2751	追𣪘六	追其萬年子子孫孫永寶用
2752	史頌𣪘一	子子孫孫永寶用
2753	史頌𣪘二	子子孫孫永寶用
2754	史頌𣪘三	子子孫孫永寶用
2755	史頌𣪘四	子子孫孫永寶用
2756	史頌𣪘五	子子孫孫永寶用
2757	史頌𣪘六	子子孫孫永寶用
2758	史頌𣪘七	子子孫孫永寶用
2759	史頌𣪘八	子子孫孫永寶用
2759	史頌𣪘九	子子孫孫永寶用
2765	𣪕𣪘	其萬年子子孫孫永寶用
2766	三兒𣪘	晉孫气兒曰
2766	三兒𣪘	余邑呂□□之孫
2766	三兒𣪘	子子孫永保用喜
2768	楚𣪘	其子子孫孫萬年永寶用
2769	師𣐈𣪘	其萬年子孫永寶用
2770	𢦏𣪘	其子子孫孫永用
2771	弭弔師求𣪘一	弭弔其萬年子子孫孫永寶用
2772	弭弔師求𣪘二	弭弔其萬年子子孫孫永寶用
2773	即𣪘	即其萬年子子孫孫永寶用
2775	裘衛𣪘	衛其子子孫孫永寶用
2775.	害𣪘一	其子子孫孫永寶用
2775.	害𣪘二	其子子孫孫永寶用
2776	走𣪘	徒其眔𠂤子子孫孫萬年永寶用
2778	格白𣪘一	其萬年子子孫孫永保用[eL]
2778	格白𣪘一	其萬年子子孫孫永保用[eL]
2779	格白𣪘二	其萬年子子孫孫永保用[eL]
2780	格白𣪘三	其萬年子子孫孫永保用[eL]周
2781	格白𣪘四	其萬年子子孫孫永保用[eL]周
2782	格白𣪘五	其萬年子子孫孫永保用[eL]周
2782.	格白𣪘六	其萬年子子孫孫永保用[eL]周
2783	趞𣪘	其子子孫孫萬年寶用
2784	𤰈𣪘	子子孫孫其永寶
2786	縣妃𣪘	其自今日孫孫子子母敢望白休
2787	望𣪘	其萬年子子孫孫永寶用（蓋）
2787	望𣪘	朢萬年子子孫孫永寶用（器）
2788	静𣪘	子子孫孫其萬年用
2789	同𣪘一	世孫孫子子左右吳大父
2789	同𣪘一	其萬年子子孫孫永寶用
2790	同𣪘二	世孫孫子子左右吳大父
2790	同𣪘二	其萬年子子孫孫永寶用
2791.	史密𣪘	子子孫孫其永寶用
2793	元年師旋𣪘一	其萬年子子孫孫永寶用
2794	元年師旋𣪘二	其萬年子子孫孫永寶用
2795	元年師旋𣪘三	其萬年子子孫孫永寶用
2796	諫𣪘	諫其萬年子子孫孫永寶用（蓋）
2796	諫𣪘	諫其萬年子子孫孫永寶用（器）
2797	輔師𠭰𣪘	𠭰其萬年子子孫孫永寶用吏
2798	師𡧊𣪘一	其萬年孫孫子子其永寶
2799	師𡧊𣪘二	其萬年孫孫子子其永寶

2800	伊𣪘	子子孫孫永寶用享
2802	六年召白虎𣪘	其萬年子子孫孫寶用享于宗
2803	師酉𣪘一	酉其萬年子子孫孫永寶用
2804	師酉𣪘二	酉其萬年子子孫孫永寶用（蓋）
2804	師酉𣪘二	酉其萬年子子孫孫永寶用（器）
2805	師酉𣪘三	酉其萬年子子孫孫永寶用
2806	師酉𣪘四	酉其萬年子子孫孫永寶用
2806.	師酉𣪘五	酉其萬年子子孫孫永寶用
2807	𨛫𣪘一	子子孫孫永寶用享
2808	𨛫𣪘二	子子孫孫永寶用享
2809	𨛫𣪘三	子子孫孫永寶用享
2809	𨛫𣪘三	子子孫孫永寶用享
2810	揚𣪘一	子子孫孫其萬年永寶用
2811	揚𣪘二	子子孫孫其萬年永寶用
2812	大𣪘一	其子子孫孫永寶用
2813	大𣪘二	其子子孫孫永寶用
2815	師𣪕𣪘	𢿊其萬年子子孫孫永寶用享
2816	彔白𢦏𣪘	子子孫孫其帥井受兹休
2817	師𩒨𣪘	師𩒨其萬年子子孫孫永寶用
2818	此𣪘一	子子孫孫永寶用
2819	此𣪘二	子子孫孫永寶用
2820	此𣪘三	子子孫孫永寶用
2821	此𣪘四	子子孫孫永寶用
2822	此𣪘五	子子孫孫永寶用
2823	此𣪘六	子子孫孫永寶用
2824	此𣪘七	子子孫孫永寶用
2825	此𣪘八	子子孫孫永寶用
2826	師𡩜𣪘一	其萬年子子孫孫永寶用享（蓋）
2826	師𡩜𣪘一	其萬年子子孫孫永寶用享（器）
2827	師𡩜𣪘二	其萬年子子孫孫永寶用享
2829	師虎𣪘	子子孫孫其永寶用
2830	三年師兌𣪘	師兌其萬年子子孫孫永寶用
2831	元年師兌𣪘一	師兌其萬年子子孫孫永寶用
2832	元年師兌𣪘二	師兌其萬年子子孫孫永寶用
2835	訇𣪘	訇萬年子子孫永寶用
2836	𢦏𣪘	其子子孫孫永寶
2837	敔𣪘一	敔其萬年子子孫永寶用
2838	師𤼈𣪘一	𤼈其萬年子子孫永寶用(蓋)
2838	師𤼈𣪘一	𤼈其萬年子子子孫孫永寶用(器)
2839	師𤼈𣪘二	𤼈其萬年子子孫永寶用(蓋)
2839	師𤼈𣪘二	𤼈其萬年子子子孫孫永寶用(器)
2840	番生𣪘	廣啟𠂤孫子于下
2841	𦬼白𣪘	用𢓊屯彔永命魯壽子孫
2842	卯𣪘	卯其萬年子子孫孫永寶用
2843	沈子它𣪘	它用褱𢦚我多弟子我孫
2844	頌𣪘一	子子孫孫永寶用（器蓋）
2845	頌𣪘二	子孫孫永寶用（蓋）
2845	頌𣪘二	子子孫孫永寶用（器）
2846	頌𣪘三	子子孫孫永寶用
2847	頌𣪘四	子孫永寶用

孫

2848	頌設五	子子孫孫永寶用(蓋)
2849	頌設六	子子孫孫永寶用
2850	頌設七	子子孫孫永寶用(蓋)
2851	頌設八	子子孫孫永寶用(蓋)
2852	不嬰設一	子子孫孫其永寶用亯
2853	不嬰設二	子子孫孫其永寶用亯
2854	蔡設	子孫永寶用
2855	班設一	毓文王、王姒(始)聖孫
2855	班設一	文王孫亡弗襄井
2855	班設一	子子孫多世其永寶
2855.	班設二	王姒(始)聖孫
2855.	班設二	文王孫亡弗襄井
2855.	班設二	子子孫多世其永寶
2856	師訇設	子子孫孫永寶用
2857	牧設	牧其萬年壽考子子孫孫永寶用
2876	慶孫之子蛛𣪘匿	慶孫之子蛛之𣪘匿
2903	算匿	其子子孫孫永寶用
2905	吉＿匿	子子孫孫永寶用
2911	翏虎匿一	子子孫孫永寶用
2912	翏虎匿二	子子孫孫永寶用
2913	旅虎匿一	子子孫孫永寶用
2914	旅虎匿二	子子孫孫永寶用
2915	旅虎匿三	子子孫孫永寶用
2916	䆗姒旅匿	其子子孫孫永寶用
2917	青乍𣪘匿	其子子孫孫永寶用亯
2918	內大子白匿	其萬年子子孫永用
2920	脖子仲安旅匿	其子子孫永寶用亯
2921	＿弔乍吳姬匿	其萬年子子孫孫永寶用
2927	商丘弔旅匿一	其萬年子子孫孫永寶用
2928	商丘弔旅匿一二	其萬年子子孫孫永寶用
2929	師麻孝弔旅匿(匡)	其萬年子子孫孫永寶用
2930	尹氏賈良旅匿(匡)	其萬年子子孫孫永寶用
2935	鬶侯乍弔姬寺男媵匿	子子孫孫永寶用亯
2936	走馬脖仲赤匿	子子孫孫永保用亯
2937	仲義昱乍緐妃䵼一	其萬年子子孫孫永寶用之
2938	仲義昱乍緐妃䵼二	其萬年子子孫孫永寶用之
2939	季良父乍宗娟媵匿一	其萬年子子孫孫永寶用
2940	季良父乍宗娟媵匿二	其萬年子子孫孫永寶用
2941	季良父乍宗娟媵匿三	其萬年子子孫孫永寶用
2942	楚子＿飤匿一	子孫永保之
2943	楚子＿飤匿二	子孫永保之
2944	楚子＿飤匿三	子孫永保之
2945	□仲虎匿	其子孫永寶用亯
2946	曾子□匿	子孫永保用之
2947	季宮父乍媵匿	其萬年子子孫孫永寶用
2948	番君召𣪘匿一	子子孫孫永寶用
2949	番君召𣪘匿二	子子孫孫永寶用
2950	番君召𣪘匿三	子子孫孫永寶用
2951	番君召𣪘匿四	子子孫孫永寶用
2952	番君召𣪘匿五	子子孫孫永寶用

2953	白其父麐旅祜	子子孫孫永寶用之
2954	史免旅匿	其子子孫孫永寶用亯
2957	子季匿	子子孫孫永保用之
2958	陳公子匿	子子孫孫永壽用之
2959	鑄公乍朕匿一	子子孫孫永寶用
2960	鑄公乍朕匿二	子子孫孫永寶用
2964	曾□□諫匿	子子孫孫孫永寶用之
2964.	弔邦父匿	子子孫孫永寶
2965	曾侯乍弔姬賸器龤彝	其子子孫孫其永用之
2966	蛣公諴旅匿	子子孫孫永寶用
2968	奠白大嗣工召弔山父旅匿一	子子孫孫用為永寶
2969	奠白大嗣工召弔山父旅匿二	子子孫孫為永寶
2970	考弔㝬父尊匿一	子子孫孫永寶用之
2971	考弔㝬父尊匿二	子子孫孫永寶用之
2972	弔家父乍仲姬匿	孫子之賹
2973	楚屈子匿	子子孫孫永保用之
2974	上鄀府匿	子子孫孫永寶用之
2975	鄦子妝匿	其子子孫孫羕(永)保用之
2976	盤公匿	子子孫孫永寶用
2977	□孫弔左諫匿	□孫弔左羿其吉金
2977	□孫弔左諫匿	子子孫孫永寶用之
2978	樂子敬豧臥匿	子子孫孫永保用之
2979	弔朕自乍薦匿	子子孫孫永寶用之
2979.	弔朕自乍薦匿二	子子孫孫永寶用之
2980	鼄大宰諫匿一	子子孫孫永寶用之
2981	鼄大宰諫匿二	子子孫孫永寶用之
2982	長子□臣乍賸匿	子子孫孫永保用之
2982	長子□臣乍賸匿	子子孫孫永保用之
2984	伯公父盬	其子子孫孫永寶用亯(蓋)
2984	伯公父盬	其子子孫孫永寶用亯(器)
2985	陳逆匿一	余陳趄走裔孫
2985	陳逆匿一	子子孫孫羕(永)保用
2985.	陳逆匿二	余陳趄走裔孫
2985.	陳逆匿二	子子孫孫羕(永)保用
2985.	陳逆匿三	余陳趄走裔孫
2985.	陳逆匿三	子子孫孫羕(永)保用
2985.	陳逆匿四	余陳趄走裔孫
2985.	陳逆匿四	子子孫孫羕(永)保用
2985.	陳逆匿五	余陳趄走裔孫
2985.	陳逆匿五	子子孫孫羕(永)保用
2985.	陳逆匿六	余陳趄走裔孫
2985.	陳逆匿六	子子孫孫羕(永)保用
2985.	陳逆匿七	余陳趄走裔孫
2985.	陳逆匿七	子子孫孫羕(永)保用
2985.	陳逆匿八	余陳趄走裔孫
2985.	陳逆匿八	子子孫孫羕(永)保用
2985.	陳逆匿九	余陳趄走裔孫
2985.	陳逆匿九	子子孫孫羕(永)保用
2985.	陳逆匿十	余陳趄走裔孫
2985.	陳逆匿十	子子孫孫羕(永)保用

孫

2986	曾白霖旅匿一	子子孫孫永寶用之享
2987	曾白霖旅匿二	子子孫孫永寶用之享
3010	立為旅須	子子孫孫永寶用
3015	仲彤盨一	子子孫孫永寶用
3016	仲彤盨二	子子孫孫永寶用
3019	弔賓父盨	子子孫孫永用
3020	𠛱弔旅盨	子子孫孫永寶用
3028	虢弔行盨	子子孫孫永寶用享
3029	周駱旅盨	子子孫孫永寶用
3030	奠義白旅盨(器)	子子孫孫其永寶用
3031	奠義羌父旅盨一	子子孫孫永寶用
3032	奠義羌父旅盨二	子子孫孫永寶用
3032.	奠登弔旅盨	奠登弔及子子孫孫永寶用
3033	昜弔旅盨	其子子孫孫永寶用享
3034	白孝__旅盨	永其萬年子子孫孫寶用白孝kd鑄旅盨(須)
3034	白孝__旅盨	其萬年子子孫孫永寶用
3036	奠井弔康旅盨	子子孫孫其永寶用
3036.	奠井弔康旅盨二	子子孫孫其永寶用
3037	華季嗌乍寶毀(盨)	其萬年子子孫永寶用
3038	鬲弔興父旅盨	其子子孫孫永寶用
3040	白庶父盨毀(蓋)	其萬年子子孫孫永寶用
3041	諆季獻旅須	其萬年子子孫永寶用
3042	頊燮旅盨	其萬年子子孫孫永寶用享
3043	遣弔吉父旅須一	子子孫孫永寶用
3044	遣弔吉父旅須二	子子孫孫永寶用
3045	遣弔吉父旅須三	子子孫孫永寶用
3046	筍白大父寶盨	其子子孫永寶用
3047	改乍乙公旅盨(蓋)	子子孫孫永寶用
3049	單子白旅盨	其子子孫孫萬年永寶用
3051	兮白吉父旅盨(蓋)	其萬年無疆子子孫孫永寶用
3052	走亞𧆞孟延盨一	延其萬年永寶子子孫孫用
3053	走亞𧆞孟延盨二	延其萬年永寶子子孫孫用
3054	滕侯穌乍旅毀	其子子孫萬年永寶用
3056	師趛乍槒姬旅盨	子孫其萬年永寶用
3056	師趛乍槒姬旅盨	子孫其萬年永寶用
3057	仲自父𩒨(盨)	其子孫萬年永寶用享
3058	曼龏父盨一	其萬年無疆子子孫孫永寶用
3059	曼龏父盨三	子子孫孫永寶用
3060	曼龏父盨二	子子孫孫永寶用
3061	弭弔旅盨	其子子孫孫永寶用
3063	𢓊乍姜淠盨	子子孫永寶用
3063	𢓊乍姜淠盨	子子孫永寶用
3068	白寬父盨一	子子孫孫永用
3069	白寬父盨二	子子孫孫永用
3075	白汈其旅盨一	子子孫孫永寶用
3076	白汈其旅盨二	子子孫孫永寶用
3077	弔專父乍奠季盨一	奠季其子子孫孫永寶用
3078	弔專父乍奠季盨二	奠季其子子孫孫永寶用
3079	弔專父乍奠季盨三	奠季其子子孫孫永寶用
3080	弔專父乍奠季盨四	奠季其子子孫孫永寶用

3081	翏生旅盨一	其百男百女千孫
3082	翏生旅盨二	其百男百女千孫
3082	翏生旅盨二	其百男百女千孫
3083	癲設(盨)一	癲其萬年子子孫孫其永寶[羍䜌]
3084	癲設(盨)二	癲其萬年子子孫孫其永寶[羍䜌]
3086	善夫克旅盨	子子孫孫永寶用
3087	鬲从盨	其子子孫孫永寶用[丫]
3088	師克旅盨一(蓋)	克其萬年子子孫孫永寶用
3089	師克旅盨二	克其萬年子子孫孫永寶用
3090	㝬盨(器)	弔邦父、弔姞萬年子子孫孫永寶用
3096	齊侯乍孟姜善𩫏	子子孫孫永保用之
3100	陳侯因脊錞	世萬子孫、永為典尚
3110.	元祀豆	子孫永
3110.	弔賓父豆?	子子孫孫永用
3118	魯大嗣徒厚氏元善匱一	子孫永寶用之
3119	魯大嗣徒厚氏元善匱二	子孫永寶用之
3120	魯大嗣徒厚氏元善匱三	子孫永寶用之
3122	_君之孫盧(者旨酱盤)	n8君之孫邻命尹者旨酱
4344	嘉仲父斝	子子孫孫永寶用
4431	史孔盉	子子孫孫永寶用
4435	_君盉	其□年孫用
4439	白衛父盉	孫孫子子邁(萬)年永寶
4440	白䇂父盉	其萬年子子孫孫永寶用
4442	季良父盉	其萬年子子孫孫永寶用
4443	王仲皇父盉	其萬年子子孫孫永寶用
4822.	_尊	q6乍宗尊氒孫子永寶
4834	白乍氒文考尊	白乍氒文考尊彝其子孫永寶
4839	史喪尊	孫子其永彝
4843	舟員父壬尊	子子孫孫其永寶[舟]
4844	□乍父癸尊	孫孫子子永用
4849	鄀啟方尊	子子孫孫其永寶
4851	黃尊	其{ 百世 }孫孫子子永寶
4855	弔爽父乍䪿白尊	子子孫孫其永寶
4857	乍文考日己尊	其子子孫孫萬年永寶用[天]
4858	㠭㽙尊	其萬年子孫永寶用喜
4865	氒方尊	其用匄永福萬年子孫
4881	矖方尊	子子孫孫其萬年永寶
4882	匽乍文考日丁尊	其子子孫孫永寶用
4883	耳尊	京公孫子寶
4884	敃尊	其子子孫孫永用
4885	效尊	亦其子子孫孫永寶
4886	趩尊	世孫子毋敢彖、永寶
4887	蔡侯𦅻尊	子孫蕃昌
4888	盠駒尊一	盠日、其萬年、世子孫永寶之
4892	麥尊	_孫孫子子
4927	乍文考日己觥	其子子孫孫萬年永寶用[天]
4968	𨟚方彝一	子子孫孫其永寶
4969	𨟚方彝二	子子孫孫其永寶
4972	過从父彝	子子孫孫其永寶
4973	乍文考日工夫方彝	其子子孫孫萬年永寶用[天]

孫

孫

4974	__方彝	孫子寶[㚔]
4975	麥方彝	用鬲(嗝)井侯出入遲令、孫孫子子其永寶
4977	師遽方彝	百世孫子永寶
4978	吳方彝	吳其世子孫永寶用
5438	敄乍旅彝卣	孫子用言出入
5452	豚乍父庚卣	其子子孫孫永寶
5454	芐卣	其萬年孫子子永寶
5483	周乎卣	孫孫子子其永寶用[eL]
5483	周乎卣	孫子子其永保用周[eL]
5487	靜卣	其子子孫孫永寶用
5488	靜卣二	其子子孫孫永寶用
5490	戉榪卣	其子子孫永福[戉]
5490	戉榪卣	其子子孫永福[戉]
5503	競卣	子子孫孫永寶
5504	庚贏卣一	其子子孫孫萬年永寶用
5505	庚贏卣二	其子子孫孫萬年永寶用
5509	楚卣	曩侯吳其子子孫孫寶用
5510	乍冊嗌卣	子子孫孫寶
5510	乍冊嗌卣	子子引有孫
5511	效卣一	亦其子子孫孫永寶
5567	楚高罍二	右孫尹
5578	戈蘇乍且乙罍	其子子孫永寶[戈]
5579	乃孫乍且甲罍	乃孫__乍且甲罍
5580	洀____罍	子子孫孫永寶用享
5581	甾晅罍	其萬年子孫永寶用享
5582	對罍	子子孫孫其萬年永寶
5583	不白夏子罍一	子子孫孫永寶用之
5584	不白夏子罍二	子子孫孫永寶用之
5715	白多父行壺	用子孫永
5721	禁侯壺	子子孫永保用享
5731	邛君婦龢壺	子子孫孫永匋(寶) 用之
5732	鄧孟乍監曼壺	子子孫孫永寶用
5734	咼乍旅壺	其萬年子子孫孫永用(器蓋)
5735	內大子白壺	萬子孫永用享(蓋)
5735	內大子白壺	子子孫用(器)
5738	____壺	其萬年孫孫子子永寶用
5739	鄭楙弔賓父醴壺	子子孫孫永寶用
5740	嗣寇良父壺	子子孫永保用
5743	齊良壺	子孫永寶用
5744	仲南父壺一	其萬年子子孫孫永寶用
5745	仲南父壺二	其萬年子子孫孫永寶用
5746	史僕壺一	其萬年子子孫孫永寶用享
5747	史僕壺二	其萬年子子孫孫永寶用享
5748	虢季子組壺	子孫孫永寶其用享
5749	矩弔乍仲姜壺一	其萬年子子孫孫永用
5750	矩弔乍仲姜壺二	其萬年子子孫孫永用
5751	白公父乍弔姬醴壺	萬年子子孫孫永寶用
5752	陳侯壺	子子孫孫永寶是尚
5753	大師小子師聖壺	其萬年子孫孫永寶用
5755	散氏車父壺一	其萬年子子孫孫永寶用

5756	中白乍朕壺一	其萬年子子孫孫永寶用
5757	中白乍朕壺二	其萬年子子孫孫永寶用
5760	蓮花壺蓋	子子孫孫其永用之
5761	兮熬壺	其萬年子子孫孫永用
5763	殷句壺	其萬年子子孫孫永寶用享
5764	杞白每亡壺一	子子孫永寶用享
5765	杞白每亡壺二	子子孫永寶用享
5766	周鑄壺一	其子子孫孫萬年永寶用[eL](器蓋)
5767	周鑄壺二	其子子孫孫萬年永寶用[eL](器蓋)
5768	虞嗣寇白吹壺一	子子孫孫永寶用之(器蓋)
5769	虞嗣寇白吹壺二	子子孫孫永寶用之(器蓋)
5774	楸車父壺	白車父其萬年子子孫孫永寶
5775	蔡公子壺	子子孫孫萬年永寶用享
5776	曩公壺	子孫永保用之
5777	孫弔師父行具	邛立宰孫弔師父乍行具
5777	孫弔師父行具	子子孫永寶用之
5778	番匊生鑄媵壺	子子孫孫永寶用
5780	公孫竈壺	公孫竈立事歲飯ho月
5780	公孫竈壺	子子孫孫羕保用之
5783	曾白陭壺	子子孫孫用受大福無疆
5786	旻季良父壺	子子孫孫是永寶
5787	汈其壺一	其百子千孫永寶用
5787	汈其壺一	其子子孫永寶用
5788	汈其壺二	其百子千孫永寶用
5788	汈其壺二	其子子孫永寶用
5789	命瓜君厚子壺一	孫之孫
5790	命瓜君厚子壺二	孫之孫
5793	幾父壺一	其萬年孫孫子子永寶用
5794	幾父壺二	其萬年孫孫子子永寶用
5795	白克壺	克克其子子孫孫永寶用享
5798	曶壺	子子孫孫其永寶
5799	頌壺一	子子孫孫寶用
5800	頌壺二	子子孫寶用
5803	胤嗣好蚉壺	子子孫孫
5803	胤嗣好蚉壺	嗇夫孫固
5804	齊侯壺	__王之孫右帀之子武弔曰庚罨其吉金
5805	中山王嚳方壺	以施及子孫
5805	中山王嚳方壺	孫之孫
5808	孟城行鈃	子子孫孫永寶用之
5809	弘乍旅鈃	其釁壽、子子孫孫永寶用
5810	喪鈃	子子孫孫
5812	仲義父𦉜一	其萬年子子孫孫永寶用
5813	仲義父𦉜二	其萬年子子孫孫永寶用
5814	白夏父𦉜一	其萬年子子孫孫永寶用
5815	白夏父𦉜二	其萬年子子孫孫永寶用
5816	奠義白𦉜	易釁壽、孫子__永寶
5816.	伯亞臣𦉜	黃孫馬pr子白亞臣自乍𦉜
5816.	伯亞臣𦉜	子孫永寶是尚
5825	䜌書缶	余畜孫書巳罨其吉金
5825	䜌書缶	䜌書之子孫

孫

5826	國差𦉜	子子孫孫永保用之
6282	召乍父戊觚	子子孫孫其永寶用
6632	白乍蔡姬解	其萬年、世孫子永寶
6634	郐王義楚祭耑	子孫寶
6663	白公父金勺一	子孫永寶用者
6719	京弔盤	子孫永寶用
6720	來__乍__盤	孫孫子子其寶用
6721	曾中盤	子孫永寶用之
6724	周棘生盤	孫子寶用
6727	貞盤	其萬年子子孫孫永寶用
6728	虢嫚□盤	子子孫孫永寶用
6729	奠登弔旅盤	及子子孫孫永寶用
6731	奠白盤	其子子孫孫永寶用
6733	史頌盤	其萬年子孫孫永寶用
6735	虢金氐孫盤	虢金氏孫乍寶盤
6735	虢金氐孫盤	子子孫孫永寶用
6739	中友父盤	其萬年子子孫孫永寶用
6740	白駟父盤	子子孫孫永寶用
6741	衵盤	其萬年子孫永寶用亯
6742	弔五父盤	其萬年子子孫孫永寶用
6744	穌吿妊盤	子子孫孫永寶用之
6745	白考父盤	其萬年子子孫孫永寶用
6746.	郳季宿車盤	郳季宿車自乍行盤子子孫孫永寶用之
6747	師寏父盤	其萬年子子孫孫永寶用
6748	德盤	子子孫孫永寶用
6749	弔高父盤	其萬年子子孫孫永寶用
6751	衵白章盤	子孫永寶用亯
6752	取膚子商盤	子子孫永寶用
6754	楚季茍盤	其子子孫孫永寶用亯
6754.	徐令尹者旨𦉜爐盤	n8君之孫郐令尹者旨𦉜羼其吉金
6755	毛叔盤	子子孫孫永保用
6756	番君白龏盤	萬年子孫永用之亯
6757	干氏弔子盤	子子孫孫永寶用之
6758	殷穀盤一	僃孫殷穀乍顋盤
6758	殷穀盤一	子子孫孫永壽之
6759	殷穀盤二	僃孫殷穀乍顋
6759	殷穀盤二	子子孫孫永壽用之
6761	白者君盤	其萬年子孫永寶用亯
6762	薛侯盤	子子孫孫永寶用
6763	句它盤	子子孫孫永寶用亯
6764	般仲__盤	子子孫孫永寶用之
6765	齊弔姬盤	子子孫孫永受大福用
6766	黃韋俞父盤	子子孫孫其永用之
6767	齊縈姬之嬇盤	子子孫孫永寶用亯
6770	𨛚白盤	其萬年子子孫孫永用之
6772	魯少司寇封孫宅盤	魯少嗣寇封孫宅乍其子孟姬嬰賸般也（匜）
6773	__湯弔盤	子子孫孫永寶
6774	__右盤	迺用萬年□孫永寶用亯□用之
6775	__仲乍父丁盤	孫子其永寶弔休
6777	邛仲之孫白戔盤	邛中之孫白戔自乍顋盤

6777	邛仲之孫白戔盤	子子孫孫永寶用之
6779	齊侯盤	子子孫孫永保用之
6780	黃大子白克盤	子子孫孫永寶用之
6782	者尚余卑盤	子子孫孫永寶用之
6783	函皇父盤	琱娟其萬年子子孫孫永寶用
6784	三十四祀盤（祼盤）	對王休、用乍子孫其永寶
6785	守宮盤	其百世子子孫孫永寶用奔走
6786	__弔多父盤	用及孝婦嬭氏百子千孫
6786	__弔多父盤	子子孫孫永寶用
6787	走馬休盤	休其萬年子子孫孫永寶
6788	蔡侯𤔲盤	子孫蕃昌
6789	寰盤	寰其萬年子子孫孫永寶用
6790	虢季子白盤	子子孫孫萬年無疆
6791	兮甲盤	子子孫孫永寶用
6792	史墻盤	𣪕毓子孫
6819	__匜	__乍寶匜、用子孫亯
6834	__周匜	｛子孫｝永寶用
6836	史頌匜	其萬年子子孫孫永寶用
6837	虢金氏孫匜	虢金氏孫乍寶匜
6837	虢金氏孫匜	子子孫孫永寶用
6838	筍侯匜	其萬壽、子孫永寶用
6839	函皇父乍周娟匜	其子子孫孫永寶用
6840	__子匜	子孫永保用
6843	白吉父乍京姬匜	其子子孫孫永寶用
6844	中友父匜	其萬年子子孫孫永寶用
6845	弔__父乍師姬匜	其萬年子子孫永寶用
6846	白正父旅它	其萬年子子孫孫永寶用
6847	蚰__匜	萬年無疆孫亯
6849	昶白匜	其萬年子子孫孫永寶用亯
6849.	郛季宿車匜	郛季宿車自乍行匜子子孫孫永寶用之
6849.	郛季宿車匜	郛季宿車自乍行匜子子孫孫永寶用之
6849.	郛季宿車匜	郛季宿車自乍行匜子子孫孫永寶用之
6850	弔高父匜一	其萬年子子孫孫永寶用
6851	弔高父匜二	其萬年子子孫孫永寶用
6852	__邑戈白匜	子子孫孫永寶用之
6853	取膚__商它	用賸之麗奴子孫永寶用
6854	辭馬南弔匜	子子孫孫永寶用亯
6855	貯子匜	其子子孫孫永用
6856	番仲榮匜	其萬年子子孫永寶用亯
6857	蔡白𢑟匜	子子孫永用之
6858	楚君首匜	子子孫孫其永寶用亯
6859	白者君匜一	其萬年子孫永寶用享tG
6861	㠱甫人匜	㠱甫人余余王__𢼸孫𢆶乍寶匜
6861	㠱甫人匜	子子孫孫永寶用
6862	薛侯乍弔妊朕匜	子子孫永寶用
6863	白君黃生匜	其萬年子子孫孫永寶用
6864	番__匜	其萬年子子孫永寶用亯
6865	楚𧀠匜	其萬年子孫永用亯
6866	齊侯乍虢孟姬匜	子子孫孫永寶用
6867	弔男父乍為霍姬匜	其子子孫孫其萬年永寶用［井］

孫

6868	大師子大孟姜匜	子子孫孫用為元寶
6869	浮公之孫公父宅匜	浮公之孫公父宅鑄其行它
6869	浮公之孫公父宅匜	其萬年子子孫永寶用之
6870	寘公孫指父匜	寘公孫訊父自作盥匜
6870	寘公孫指父匜	子子孫孫永寶用之
6872	魯大嗣徒子仲白匜	子子孫孫永保用之
6873	齊侯乍孟姜盥匜	子子孫孫永用之
6874	鄭大內史弔上匜	子子孫孫永寶用之
6875	慶弔匜	子子孫孫羕保用之
6888	吳王光鑑一	孫子勿忘
6889	吳王光鑑二	孫子勿忘
6901	白盂	其萬年孫孫子子永寶用亯
6902	白公父旅盂	其萬年子子孫孫永寶用
6904	善夫吉父盂	其萬年子子孫孫永寶用
6905	要君肄盂	子子孫孫寶是尚
6907	齊侯乍朕子仲姜盂	子子孫孫永保用之
6908	郐宜同飲盂	郐王季糧之孫宜桐乍鑄飲盂
6908	郐宜同飲盂	孫子永壽用之
6910	師永盂	孫孫子子永其率寶用
6919	子弔嬴內君寶器	子孫永用
6919.	郑季宿車盆	郑季宿車自乍行盆子子孫孫永寶用之
6920	曾大保旅盆	子子孫孫永用之
6921	邵子仲盆	子子孫孫永寶用之
6923	庚午盨	子子孫孫永寶用之
6924	江仲之孫白戔肄盨	邛中之孫白戔自乍肄盨
6924	江仲之孫白戔肄盨	邛中之孫白戔自乍肄盨
6924	江仲之孫白戔肄盨	子子孫孫永保用之(器)
6926	杞白每亡盨	其子子孫孫永寶用
6980	內公鐘	子孫永寶用
6989	＿鐘	其萬年子子孫孫永寶
6994	楚公冢鐘一	孫孫子子其永寶
6995	楚公冢鐘二	孫子其永寶
6996	楚公冢鐘三	孫孫子子其永寶
6997	楚公冢鐘四	孫孫子子其永寶
6998	楚公冢鐘五	孫孫子子其永寶
6999	昆疕王鐘	其萬年子孫永寶
7002	鑄侯求鐘	其子子孫孫永享用之
7005	郘公鐘	子孫永□□
7009	兮仲鐘一	子孫永寶用亯
7010	兮仲鐘二	子孫永寶用亯
7012	兮仲鐘四	子子孫孫永寶用亯
7013	兮仲鐘五	子子孫孫永寶用亯
7015	兮仲鐘七	子子孫孫永寶用亯
7016	楚王鐘	子孫永保用之
7019	邾太宰鐘	子孫孫永保用享
7026	邾弔鐘	子子孫孫永寶用亯
7027	邾公釛鐘	陸𨸏之孫邾公釛乍氒禾鐘
7028	臧孫鐘	攻敔中冬戚之外孫
7028	臧孫鐘	坪之子臧孫
7028	臧孫鐘	子子孫孫永保是從

7029	臧孫鐘二	攻敔中冬戚之外孫	
7029	臧孫鐘二	坪之子臧孫	孫
7029	臧孫鐘二	子孫孫永保是從	
7030	臧孫鐘三	攻敔中冬戚之外孫	
7030	臧孫鐘三	坪之子臧孫	
7030	臧孫鐘三	子孫孫永保是從	
7031	臧孫鐘四	攻敔中冬戚之外孫	
7031	臧孫鐘四	坪之子臧孫	
7031	臧孫鐘四	子孫孫永保是從	
7032	臧孫鐘五	攻敔中冬戚之外孫	
7032	臧孫鐘五	坪之子臧孫	
7032	臧孫鐘五	子孫孫永保是從	
7033	臧孫鐘六	攻敔中冬戚之外孫	
7033	臧孫鐘六	坪之子臧孫	
7033	臧孫鐘六	子孫孫永保是從	
7034	臧孫鐘七	攻敔中冬戚之外孫	
7034	臧孫鐘七	坪之子臧孫	
7034	臧孫鐘七	子孫孫永保是從	
7035	臧孫鐘八	攻敔中冬戚之外孫	
7035	臧孫鐘八	坪之子臧孫	
7035	臧孫鐘八	子孫孫永保是從	
7036	臧孫鐘九	攻敔中冬戚之外孫	
7036	臧孫鐘九	坪之子臧孫	
7036	臧孫鐘九	子子孫孫永保是從	
7037	遟父鐘	子子孫孫亡彊寶	
7039	應侯見工鐘二	子子孫孫永寶用	
7043	克鐘四	克其萬年子子孫孫永寶	
7044	克鐘五	克其萬年子子孫孫永寶	
7049	井人鐘三	妄其萬年子子孫孫永寶用享	
7050	井人鐘四	妄其萬年子子孫孫永寶用享	
7051	子璋鐘一	群孫斯子子璋	
7051	子璋鐘一	子子孫孫永保鼓之	
7052	子璋鐘二	群孫斯子子璋	
7052	子璋鐘二	子子孫孫永保鼓之	
7053	子璋鐘三	群孫斯子子璋	
7053	子璋鐘三	子子孫孫永保鼓之	
7054	子璋鐘四	群孫斯子子璋	
7054	子璋鐘四	子子孫孫永保鼓之	
7055	子璋鐘五	群孫斯子子璋	
7055	子璋鐘五	子子孫孫永保鼓之	
7056	子璋鐘六	群孫斯子子璋	
7056	子璋鐘六	子子孫孫永保鼓之	
7057	子璋鐘八	群孫斯子子璋	
7057	子璋鐘八	子子孫孫永保鼓之	
7058	郙公孫班鐘	郙公孫班鑄其吉金	
7058	郙公孫班鐘	子子孫孫永保用之	
7062	柞鐘	其子子孫孫永寶	
7063	柞鐘二	其子子孫孫永寶	
7064	柞鐘三	其子子孫孫永寶	
7065	柞鐘四	其子子孫孫永寶	

孫

7068	柞鐘七	其子子孫孫永寶
7076	者汈鐘八	子孫永保
7079	者汈鐘十一	子孫永保
7080	者汈鐘十二	子孫永保
7082	齊鞄氏鐘	齊鞄氏孫大睪其吉金
7082	齊鞄氏鐘	子子孫孫永保鼓之
7083	鮮鐘	孫子永寶
7088	士父鐘一	子子孫孫永寶
7089	士父鐘二	子子孫孫永寶
7090	士父鐘三	子子孫孫永寶
7091	士父鐘四	子子孫孫永寶
7108	薦弔之仲子平編鐘一	子子孫孫永保用之
7109	薦弔之仲子平編鐘二	子子孫孫永保用之
7110	薦弔之仲子平編鐘三	子子孫孫永保用之
7111	薦弔之仲子平編鐘四	子子孫孫永保用之
7112	者減鐘一	子子孫孫永保是尚
7113	者減鐘二	子子孫孫永保是尚
7114	者減鐘三	子子孫孫永保用之
7115	者減鐘四	子子孫孫永保用之
7117	𨚕儠兒鐘一	曾孫儠兒
7117	𨚕儠兒鐘一	余迖斯于之孫
7117	𨚕儠兒鐘一	孫子用之
7118	𨚕儔兒鐘二	曾孫儠兒
7118	𨚕儔兒鐘二	余迖斯于之孫
7119	𨚕儔兒鐘三	孫子用之
7120	𨚕儔兒鐘四	孫子用之
7121	𨚕王子旃鐘	子子孫孫
7124	沇兒鐘	子子孫孫永保鼓之
7125	蔡侯[illegible]紐鐘一	子孫鼓之
7126	蔡侯[illegible]紐鐘二	子孫鼓之
7131	蔡侯[illegible]紐鐘七	子孫鼓之
7132	蔡侯[illegible]紐鐘八	子孫鼓之
7133	蔡侯[illegible]紐鐘九	子孫鼓之
7134	蔡侯[illegible]甬鐘	子孫鼓之
7136	郘鐘一	畢公之孫
7136	郘鐘一	世世子孫
7137	郘鐘二	郘__曰：余畢公之孫
7137	郘鐘二	世世子孫
7138	郘鐘三	郘__曰：余畢公之孫
7138	郘鐘三	世世子孫
7139	郘鐘四	郘__曰：余畢公之孫
7139	郘鐘四	世世子孫
7140	郘鐘五	郘__曰：余畢公之孫
7140	郘鐘五	世世子孫
7141	郘鐘六	郘__曰：余畢公之孫
7141	郘鐘六	世世子孫
7142	郘鐘七	郘__曰：余畢公之孫
7142	郘鐘七	世世子孫
7143	郘鐘八	郘__曰：余畢公之孫
7143	郘鐘八	世世子孫

7144	郘鐘九	部__曰：余畢公之孫
7144	郘鐘九	世世子孫
7145	郘鐘十	部__曰：余畢公之孫
7145	郘鐘十	世世子孫
7146	郘鐘十一	部__曰：余畢公之孫
7146	郘鐘十一	世世子孫
7147	郘鐘十二	部__曰：余畢公之孫
7147	郘鐘十二	世世子孫
7148	郘鐘十三	部__曰：余畢公之孫
7148	郘鐘十三	世世子孫
7149	郘鐘十四	部__曰：余畢公之孫
7149	郘鐘十四	世世子孫
7150	虢叔旅鐘一	旅其萬年子子孫孫永寶用亯
7151	虢叔旅鐘二	旅其萬年子子孫孫永寶用亯
7152	虢叔旅鐘三	旅其萬年子子孫孫永寶用亯
7153	虢叔旅鐘四	旅其萬年子子孫孫永寶用亯
7156	虢叔旅鐘七	旅其萬年子子孫孫永寶用亯
7157	邾公華鐘一	子子孫孫永保用享
7175	王孫遺者鐘	王孫遺者擇其吉金
7175	王孫遺者鐘	枼萬孫子
7176	訧鐘	福余順孫
7186	叔夷編鐘五	不顯穆公之孫
7187	叔夷編鐘六	其乍福元孫
7188	叔夷編鐘七	子孫永保用亯
7189	叔夷編鐘八	母公之孫
7202	楚公逆鎛	孫子其永寶
7204	克鎛	克其萬年子孫永寶
7205	蔡侯𩐧編鎛一	子孫鼓之
7206	蔡侯𩐧編鎛二	子孫鼓之
7207	蔡侯𩐧編鎛三	子孫鼓之
7208	蔡侯𩐧編鎛四	子孫鼓之
7213	𦅫鎛	齊群鞄(鮑)弔之孫
7213	𦅫鎛	枼萬至於辝孫子
7213	𦅫鎛	子孫永保用享
7214	叔夷鎛	不顯穆公之孫
7214	叔夷鎛	其乍福元孫
7214	叔夷鎛	子孫永保用亯
7215	其次句鑃一	子子孫孫永保用之
7216	其次句鑃二	子子孫孫永保用之
7217	姑馮句鑃	子子孫孫永保用之
7218	斜諧尹征城	枼萬子孫
7219	冉鉦鋮（南疆征）	𡢁子孫余冉鑄此鉦□
7219	冉鉦鋮（南疆征）	萬枼之外子子孫孫□堋作台□□
7220	喬君鉦	子子孫孫永寶用之
7394	弔孫敉戈	弔孫敉戈
7425	事孫戈	事孫__丘戈
7462	楚王孫漁戈	楚王孫漁之用
7475	衛公孫呂戈	衛公孫呂之告戈
7499	邛季之孫戈	邛季之孫□方或之元
7557	楚屈弔沱戈	楚屈弔沱屈□之孫

孫 緣

7574	左軍戈	公孫_脽之□
7729	守相杜波劍	治巡執齊大攻尹公孫桴
7730	十五年守相杜波劍一	治巡執齊大攻尹公孫桴_
7930	衵用乍寶缶一	其萬年子子孫永寶用享
7931	衵□乍寶缶二	其萬年子子孫永寶用享
7975	中山王墓兆域圖	殃遊子孫
7990	季老□	子子孫孫其萬年永寶用
M177.	戜毀	子子孫孫其萬年永寶用[co]
M282	師觮尊	孫孫子子寶
M341	魯中齊鼎	子子孫孫永寶用亯
M342	魯中齊甗	子子孫孫永寶用
M343	魯司徒中齊盨	子子孫孫永寶用亯
M345	魯司徒中齊匜	子子孫孫永寶用亯
M361	井伯南毀	其萬年子子孫孫永寶
M379	夆伯鬲	其萬年子子孫孫永寶用□
M423.	趞鼎	子子孫孫永寶
M457	鄭虢仲悆鼎	子子孫孫永寶用
M466	鄦男鼎	子子孫孫永寶用
M478	大宰巳毀	子子孫孫永寶用亯
M508	虞侯政壺	其萬年子子孫孫永寶用
M545	配兒勾鑃	子孫用之
M548	吳王孫無壬鼎	吳王孫無壬之脰鼎
M553	越王者旨於賜鐘	□順余子孫
M581	陳公子中慶簠蓋	用祈釁壽萬年無彊子子孫孫永壽用之
M582	陳公孫指父瓶	陳公孫訊父乍旅瓶
M602	蔡簫匜	蔡弔季之孫簫賸孟臣有止媾盥盤
M602	蔡簫匜	子子孫孫永寶用之、匜
M612	鄦子鐘	子子孫孫永保鼓之
M617	番白享匜	子孫永寶用
M693	曾大工尹戈	西宮之孫
M697	曾朿戲戈	曾中之孫朿戲用戈
M792	宋公緣簠	有殷天乙唐孫宋公緣
		小計：共 1325 筆

緣 2093

1009	緣侯籰鼎	緣侯隻(獲)巢
1533	尹姞賓鬲一	穆公乍尹姞宗室于緣林
1533	尹姞賓鬲一	各于尹姞宗室緣林
1534	尹姞賓鬲二	穆公乍尹姞宗室于緣林
1534	尹姞賓鬲二	各于尹姞宗室緣林
2816	彔白戜毀	緣自乃且考
2826	師寰毀一	淮尸緣(舊)我貟晦臣
2826	師寰毀一	淮尸緣(舊)我貟晦臣
2827	師寰毀二	淮尸緣(舊)我貟晦臣
2828	宜侯夨毀	緣、侯于宜
3089	師克旅盨二	則緣隹乃先且考又Jr于周邦
3090	塱盨(器)	迺緣宕
6793`	夨人盤	小門人緣、原人虞艿、淮嗣工虎、孝龠
		小計：共 13 筆

第十二卷總計：共 10571 筆